La Révolution en questions

Du même auteur

Bayle polémiste
Robert Laffont, 1972

L'Amour en Occident à l'époque moderne
Albin Michel, 1976 ; rééd. Complexe, 1984

Les Mythes chrétiens
de la Renaissance aux Lumières
Albin Michel, 1979

Le Débat entre protestants et catholiques
français au temps de l'édit de Nantes
Amateurs de Livres, 1985

Jacques Solé

La Révolution en questions

Éditions du Seuil

En couverture : *La Fayette à la fête de la Fédération, 1790.*
(Musée Carnavalet, archives J.-L. Charmet.)

ISBN 2-02-009827-X.

A la mémoire d'André Latreille,
en reconnaissance pour son enseignement
et son amitié.

Celui qui sert la révolution laboure la mer.

Bolivar

Les révolutions sont la forme barbare du progrès.

Jaurès

Introduction

Pour les historiens, aujourd'hui, la Révolution française n'est plus tout à fait ce qu'elle était hier. Ils disposaient pourtant, depuis longtemps, d'une explication séduisante. Épisode majeur de l'ascension de la bourgeoisie en Occident, l'événement de 1789 provenait, en premier lieu, du lent affaiblissement de l'aristocratie féodale sous le poids du développement capitaliste. L'essor de la pensée des Lumières avait traduit, sur le plan des idées, ces transformations économiques et sociales, tandis que la crise de la monarchie française d'Ancien Régime était liée à son incapacité à s'y adapter.

La Révolution de 1789 avait ainsi correspondu, après une imprudente provocation aristocratique, au succès d'une bourgeoisie aidée par le peuple. L'ordre nouveau qui en résulta porta d'abord cette double trace. Il dut faire face, cependant, aux développements de l'esprit révolutionnaire comme aux conséquences de son affrontement avec l'Europe. Une seconde Révolution française commença donc, en 1792, et conduisit à la proclamation de la République, à la dictature du Comité de salut public et à la Terreur. La chute de Robespierre entraîna seulement l'incapacité de la bourgeoisie dirigeante à fonder un régime politique stable jusqu'au coup d'État de Bonaparte en 1799.

Mais celui-ci put bâtir des structures inédites sur les bases de l'œuvre révolutionnaire, destructrice de l'ancienne société corporative. Dans un monde partagé entre l'expansion de ses idées et celles de la réaction, la France de la liberté et de l'égalité proposait aux peuples l'image de leur avenir [1].

Ces vues, qui s'imposent toujours à la majorité du grand public, se rattachaient à l'ensemble d'une tradition favorable à la Révolution. Unis sur ce point, libéraux et socialistes l'ont constamment estimée à la fois nécessaire et bienfaisante. Ce fut l'opinion, dès les origines, de Barnave ou de Mme de Staël. Sous la Restauration, Mignet, Thiers et Guizot discernèrent, dans l'événement de 1789, l'acte fondateur de l'inévitable domination bourgeoise.

Les historiens romantiques, tel Michelet, joignirent seulement à ce jugement la mise en place des dimensions populaires et nationales de la Révolution. Cette transfiguration épique conduisit directement, lors de la fondation de la Troisième République, à la vision d'Aulard identifiant l'histoire de la Révolution française à celle de l'élaboration des idées démocratiques du XIXe siècle.

A côté de ce courant libéral, puis républicain, avait grandi celui du socialisme, plus admiratif des jacobins et plus compréhensif à l'égard des nécessités de la Terreur. Jaurès, autour de 1900, devait ajouter à l'aspect politique de ces analyses l'application à la Révolution des thèses de Marx relatives à l'importance des phénomènes économiques et sociaux.

Patronné par la Sorbonne et diffusé par les manuels scolaires, le récit à la fois ému et détaillé des événements révolutionnaires de 1789 à 1794 a vraiment dominé notre conscience historique pendant la première moitié du XXe siècle. Combien de lecteurs de Mathiez ne se sont-ils pas pris, alors, pour Saint-Just ou Robespierre ? Après 1917, ou encore plus au lendemain de la Seconde Guerre mondiale, combien n'ont-ils pas vu, dans la Révolution russe et son inéluctable triomphe universel, la réalisation tant attendue des promesses prophétiques de 1793 ?

C'est dire le déchirement apporté à ces habitudes mentales par la révision historiographique actuellement en cours.

On doit avant tout à des chercheurs anglo-saxons, depuis une vingtaine d'années, un renouvellement à peu près complet de nos perspectives sur les origines, le déroulement et les résultats de la Révolution. Le dynamisme des départements universitaires des États-Unis ou de Grande-Bretagne récolte ici des fruits analogues à ceux rencontrés dans d'autres disciplines. Il serait stupide de le regretter ou de s'en offusquer par suite d'un nationalisme étroit[2].

On a longtemps limité cet élargissement de la problématique à la thèse proposant de voir, dans la Révolution française, un simple épisode d'un vaste mouvement atlantique ébranlant, à la fin du XVIIIe siècle, l'ensemble des sociétés aristocratiques dans les pays de civilisation européenne. Plus fécond avait été l'assaut frontal dirigé par Alfred Cobban, à partir de 1955, contre l'interprétation classique de 1789. Cet historien anglais refusait d'appeler « bourgeoise » une Révolution qui n'avait jamais été dirigée par les représentants du capitalisme marchand ou industriel. Il devait prolonger cette critique en estimant que, pendant toute la Révolution, la contradiction majeure avait opposé non la bourgeoisie à la noblesse ou aux classes populaires, mais le monde des campagnes à celui des villes[3].

Le déferlement des enquêtes ou des hypothèses qui a suivi, outre-Manche et outre-Atlantique, depuis une vingtaine d'années, a contribué à renouveler de fond en comble notre compréhension des événements survenus en France entre 1787 et 1799. On ne croit plus guère, par exemple, à l'image d'une noblesse « féodale », décadente et passéiste, non plus qu'à la lutte menée contre elle, de longue date, par une bourgeoisie « éclairée ». On a appris à relier les soulèvements populaires, urbains et ruraux, de l'époque révolutionnaire à la longue et séculaire pratique, sous l'Ancien Régime, de la contestation et de la révolte. On a mis en doute la nature réformatrice de la monarchie française du XVIIIe siècle comme le caractère réactionnaire de l'aristocratie du temps[4].

On comprend mieux aujourd'hui l'aspect minoritaire des groupes qui furent responsables, à partir de 1789, des principaux épisodes révolutionnaires comme la profondeur des oppositions qu'ils rencontrèrent fréquemment dans les différentes régions du pays. En se radicalisant, la Révolution multiplia les mécontents ; elle finit par mobiliser les masses autant contre elle qu'en sa faveur et, dans cette perspective, la contre-révolution semble, en elle-même comme par les réactions qu'elle entraîna, constituer l'événement politique majeur de la période révolutionnaire.

Les dirigeants de celle-ci y apparaissent aux prises avec une crise généralisée, qu'ils avaient en grande partie provoquée et qu'ils ne purent qu'imparfaitement dominer au prix d'une violence souvent aveugle. Leur incapacité à donner à la Révolution un débouché constitutionnel légal naquit de cette situation et conduisit à l'établissement de la dictature de Napoléon, produit et héritier d'une phase de désintégration du pouvoir encore plus que des principes de 1789. Sa reconstruction autoritaire n'oublia jamais la lutte contre les ennemis de l'intérieur et de l'extérieur inaugurée au temps de la Terreur [5].

Ainsi étudiée sans préjugé national, la période révolutionnaire ressemble moins à l'instauration glorieuse d'un ordre nouveau qu'à la plus affreuse et confuse des guerres civiles. Ce constat scientifique avait déjà été établi, de façon polémique, par le courant historiographique hostile, depuis toujours, à la Révolution française. Il l'a constamment dénoncée, tour à tour, comme évitable et maléfique. D'où, sur le premier point, la thèse commode du complot, factieux ou maçonnique, présentée, dès les origines, par Rivarol ou Barruel. Cette hypothèse conspiratrice, conforme à une mythologie politique universellement répandue, devait être rénovée, au début de ce siècle, par Augustin Cochin attribuant à l'influence mécanique des sociétés de pensée l'ensemble des discours et des pratiques révolutionnaires qui dominèrent la France de 1788 à 1794 [6].

Le sommet de la dénonciation de la Révolution se rencontre, d'autre part, dans l'œuvre de Taine, parue entre 1876 et 1893, et où cet historien des *Origines de la France contemporaine* stigmatise à la fois l'anarchie populaire et la dictature jacobine ou napoléonienne. Il est vrai que ce pessimiste, encore plus biologiste que sociologue, estimait que les failles de l'Ancien Régime conduisaient nécessairement à sa chute et à la construction déplorable de l'État moderne [7]. Une partie de cette analyse ne sera pas reprise par des successeurs auxquels *l'Action française* avait appris à vénérer la monarchie. Gaxotte, parmi eux, opposa aux réussites de la royauté finissante le système stupidement « communiste » mis au point en 1793 [8].

L'écho de ces exagérations ne remplit pas aujourd'hui par hasard les colonnes des journaux ou les émissions de télévision. Momentanément victorieuse, en 1981, sur le plan politique, la gauche n'occupe plus, dans le monde intellectuel français, la position dominante qui y fut longtemps la sienne. Sa longue idolâtrie de la Révolution se retourne donc logiquement contre celle-ci. Et, à l'heure périlleuse du bicentenaire, beaucoup retrouvent contre l'œuvre déchristianisatrice et terroriste des années 1790 les accents d'un Joseph de Maistre dressé contre Satan.

Les désillusions nées du destin prosaïque ou horrifique des révolutions du XXe siècle facilitent encore cette tâche. On aurait pourtant tort d'utiliser sans critique, au service de pareille entreprise, les recherches récentes sur la Révolution de 1789. En égratignant l'icône, elles n'ont en effet que mieux fait ressortir sa grandeur et son importance, puisque, pour le meilleur et pour le pire, une bonne partie de nos divisions idéologiques et de nos aspirations politiques est née en cette étonnante décennie.

Sans s'attarder à de stériles affrontements, il peut donc être utile d'indiquer à quel point nos connaissances, à son propos, ont progressé en peu de temps. C'est l'heureuse loi de la recherche, et tous les historiens ont été solidaires dans ce travail. Le grand public les connaît surtout par leurs disputes plus ou moins retentissantes. Elles ont opposé en France, aux tenants de l'interprétation traditionnelle, diversement reliés au marxisme, François Furet et ses amis. L'auteur de *Penser la Révolution française* ne s'est pas contenté de diffuser les thèses de Cobban et de ses successeurs. Fort de sa connaissance de l'historiographie des XIXe et XXe siècles, il nous a demandé de cesser, à propos de 1789, de commémorer un patrimoine ou de prononcer un anathème [9].

Cet appel à privilégier, à la suite de Tocqueville[10], la difficile conceptualisation de la Révolution française, à la fois continuité et rupture, recoupe en fait la riche moisson d'interprétations nouvelles apportées par les historiens anglo-saxons des deux dernières décennies. Peu marqués par les traditions idéologiques de la lutte entre le communisme et ses adversaires, ils ont été plus sensibles que nous au poids des circonstances et à celui des variations régionales, à l'importance de la contre-révolution populaire comme au grand nombre des hommes et des groupes déçus par la Révolution.

Une pareille résurrection, à la fois plus concrète, plus individuelle et plus attachée aux multiples contradictions d'une société qui était loin de se ramener au grand théâtre parisien, paraît préférable à nos habituelles discussions relatives à la nature de classe de la Révolution ou à l'origine du « discours révolutionnaire ». De semblables recherches n'ont de même rien à voir avec les préoccupations actuelles de certains, pressés d'en finir avec la Révolution et de l'enterrer au plus vite. A jamais vivante, elle donne lieu, en effet, à des *débats scientifiques* qui témoignent plutôt de sa fécondité.

Ce sont eux que nous entendons résumer dans les pages qui suivent. Elles n'ont d'autre ambition que le souci pédagogique de vulgariser des connaissances, des acquis ou des hypothèses qui ne se rencontrent souvent que dans des travaux accessibles aux seuls spécialistes. L'information objective nous paraît plus importante, à l'heure de la célébration du bicentenaire, que la polémique stérile. La réflexion sur la Révolution ne gagne pas, d'autre part, à être noyée dans la prospective œcuménique ou l'affrontement idéologique. Notre modeste contribution à la diffusion des recherches récentes la concernant souhaiterait montrer leur convergence. Descendue de son piédestal mythique et rendue à ses réalités complexes, la Révolution française n'en est que plus intéressante pour tous ceux qui désirent mieux appréhender une des sources majeures de l'histoire contemporaine.

I

Des causes profondes ?

1

Un triomphe des Lumières ?

Bien commun, de Barruel à Mathiez en passant par Tocqueville, des historiens de la Révolution française, la thèse de ses origines intellectuelles a été soumise, depuis le livre pionnier de Daniel Mornet[1], à d'importantes révisions. Les spécialistes français de l'histoire socioculturelle y ont récemment ajouté. On peut se demander, avec eux, si la philosophie des Lumières, assimilée à un mode de pensée dominant au sein des élites, avait pénétré l'ensemble des mentalités nationales à la veille de 1789. On peut aussi s'interroger sur la nature révolutionnaire de cette pensée des Lumières. Fut-elle à la source de l'ébranlement psychologique qui caractérisa la fin de l'Ancien Régime et précipita sa chute ?

La pensée des Lumières imprégnait-elle les mentalités françaises à la veille de la Révolution ?

On peut en douter et estimer, avec Donald Sutherland[2], que son influencc sociale demeura, au XVIIIe siècle, très limitée. Même au sein de la minorité capable de s'y abreuver, les thèmes professionnels, religieux et historiques continuèrent à dominer les préoccupations culturelles. Les livres de dévotion avaient plus de débit, en province ou à Paris, que ceux des philosophes. Quant aux goûts intellectuels du peuple, ils restaient attachés au surnaturel, au merveilleux et au fantastique. La noblesse éclairée était le seul groupe de la population capable de comprendre et de patronner la philosophie des Lumières. Elle n'y manqua pas et ce fut à elle que les grands écrivains du XVIIIe siècle durent l'essentiel de leur succès. L'*Encyclopédie* fut, à l'origine, une opération aristocratique. Et les nobles parlementaires des provinces y encouragèrent, en premier lieu, les nouvelles curiosités de la raison.

Celles-ci demeurèrent étrangères, jusqu'à la veille de la Révolution, à la masse de la population, bourgeoise ou populaire. La plupart des thèmes de la philosophie des Lumières avaient peu de rapports avec ses problèmes concrets. Ces simples gens demeuraient, dans l'ensemble, plus sensibles à l'influence de la religion catholique. Il est seulement exact que les révolutionnaires de 1789, étroite minorité dirigeante, furent les héritiers, utilitaristes et désacralisateurs, de la philosophie du XVIIIe siècle. Celle-ci triompha donc bien, grâce à l'élite éclairée, au sein du nouvel ordre, fondant un régime libéral et représentatif. Mais cette volonté du pays légal ne correspondait guère aux soucis du pays réel.

Apparemment paradoxales, ces vues semblent confirmées par de nombreuses études récentes. Elles montrent le faible enracinement des Lumières, jusqu'au printemps 1789, dans une bourgeoisie profondément conservatrice [3]. Elles limitent leur influence sociale à la partie éclairée de la noblesse. Il est faux, à ce sujet, d'opposer leur contenu critique au maintien du principe de la domination de cette classe. A côté des salons, des académies et de l'ensemble de l'*establishment* intellectuel, gagnés aux nouveaux philosophes, la majorité de l'opinion leur restait étrangère, sinon opposée. Obsédés par la façade « parisienne » de la vie française, les historiens y ont trop longtemps ramené une culture nationale demeurée, en province, très traditionaliste [4].

Daniel Mornet l'avait senti en évoquant, en 1928 [5], cette résistance passéiste de nombreux milieux, aristocratiques, bourgeois ou populaires, au snobisme éclairé des mondains et des grands. Peu soucieux de la pensée des Lumières, ils lui préféraient le catéchisme. Peu curieux des nouveautés, ils répétaient et respectaient des habitudes familiales et patriarcales.

Combien faible apparaît, sur le plan social, par rapport à ce poids du passé, celui d'une philosophie du XVIIIe siècle dont l'influence se limitait à quelques milliers de lecteurs ! Cette élite minoritaire mena logiquement son combat intellectuel contre des superstitions populaires qu'elle méprisait sans les atteindre. Ce sont celles-ci qui, au sein du folklore rural par exemple, et à l'ombre consentante de la religion, constituaient toujours l'essentiel de la culture nationale. Le rationalisme des Lumières s'en prend d'abord, en somme, aux vues de la majorité des Français. Et il doit constater, comme dans l'*Encyclopédie,* son incapacité à les changer en profondeur. « Mobilisation vigilante » contre elles, le mouvement philosophique restait, à ce sujet, à la veille de la Révolution, une utopie antipopulaire dont l'« optimisme satisfait et triomphaliste » ne doit pas faire oublier l'étroitesse de ses bases sociales[6].

Les cahiers de 1789 refléteront cette hétérogénéité des espaces culturels et la place dérisoire qu'y occupe, en termes quantitatifs, la pensée des Lumières. L'immense majorité de la population française, au sein de ses paroisses, y demeurait étrangère. Plus que le nouveau rationalisme, c'est la tradition institutionnelle qui inspirait encore ses attitudes politiques. Loin de pousser à une reconstruction globale, elles l'amenaient simplement à demander le rétablissement de coutumes consacrées. Peu radical, très conservateur, tel apparaît le peuple de France au moment où ses dirigeants vont l'engager dans la plus grande de ses révolutions. Peu capable de l'avoir préparée ou prévue, il lui fut même, précisément à cause de cela, très difficile de l'accepter. Ses dirigeants, à partir de l'été 1789, furent constamment conscients de leur décalage avec une « majorité silencieuse » qui ne pouvait comprendre ou partager exactement ni leur programme ni leurs principes. Le déroulement ultérieur de la Révolution ne devait jamais parvenir à combler ce fossé mental entre le peuple français et ses prétendus représentants[7].

L'oubli de la très profonde religiosité du premier fut également à la source de ce divorce. Le royaume de Louis XVI laissait à une mince pellicule aristocratique et intellectuelle les prestiges et les facilités de l'incrédulité. Mais, dans les villes ou les campagnes, la foi bourgeoise et populaire restait intacte. Moins corrosive qu'on pouvait le craindre sous le règne précédent, l'influence des Lumières ne l'avait guère entamée. Elle a peu atteint, on le sait, des masses qui ont toujours besoin de croire et le manifestent par la régularité de leur dévotion. Cérémonies et processions sont toujours, pour elles, les premières des fêtes, qui unifient le corps social sous la houlette du clergé. La jeunesse comme le peuple s'y pressent au sein d'un catholicisme étonnamment vivant dans cette France chrétienne de la fin du XVIIIe siècle. On y respecte le culte, et les pieux fidèles n'y manquent pas. Voltaire y eut donc moins de succès qu'on ne le croit. Cette adhésion religieuse constitue, pour la majorité des Français, l'une des formes de son traditionalisme fondamental. Il ne faut pas exagérer, à cet égard, les succès de l'entreprise, parfois cléricale, dite de laïcisation. On ne comprend rien à la Révolution française si l'on oublie qu'elle va affecter une nation résolument étrangère aux perspectives de la déchristianisation contemporaine. L'abbé Grégoire, futur conventionnel et chef de l'Église constitutionnelle, n'était pas un ami des philosophes mais le disciple de saint Paul. Il avait géré, en Lorraine, l'une de ces paroisses auxquelles s'identifiait l'essentiel de la vie populaire. Rythmé par les sacrements, le conformisme des humbles trouvait un puissant écho dans celui de nombreux notables qui, devant la mort par exemple, et tout en abandonnant la « vieille sensibilité baroque », savaient encore rédiger de poignants testaments mystiques [8].

Michel Vovelle a décrit, pour certains milieux provençaux du siècle des Lumières, un processus de laïcisation des consciences qui s'affirme à partir de 1750. On aurait tort de le généraliser à l'ensemble de la France et de ses populations. Marseille n'explique pas Strasbourg, de même qu'une élite urbaine rend mal compte d'une masse d'abord rurale. Avant comme après 1789, et pour longtemps encore, la foi populaire pèse d'un poids décisif dans l'ensemble complexe des mentalités nationales[9].

Les historiens du catholicisme français au XVIIIe siècle y découvrent sans doute des contrastes mais point de crise fondamentale. Au-delà du tapage philosophique, ils y discernent une grande exigence et beaucoup de militantisme. Le combat des dévots contre les Lumières vaut moins, à ce sujet, que l'étonnant succès de l'offensive apostolique. Prédications des curés, action des religieuses et missions paroissiales participent à une christianisation en profondeur. Toujours pathétiques et spectaculaires, les dernières demeurent très appréciées des populations. Le temps fort du jubilé sera encore, en 1776, dans la France de Louis XVI, un triomphe de la piété. Conversion des incrédules et fortification de l'esprit religieux caractérisent donc *aussi* le temps des philosophes. La situation du marché du livre l'atteste, envahi qu'il est, à la veille de 1789, par une réédition dévote de plusieurs centaines de milliers d'exemplaires. Ces ouvrages pratiques alimentaient une piété simple et sans affectation, attentive aux devoirs d'état et nourrie de l'Écriture sainte, soucieuse de vie intérieure et séculière. Plus qu'une laïcisation de la foi, il s'est produit, au XVIIIe siècle, une laïcisation de la sainteté. « A l'ombre des églises neuves » fleurissent alors des chapelles. Toute une géographie et une sociologie du sacré marquent le royaume de leur empreinte fervente. Ce sont ces pieuses habitudes que bousculera une Révolution dont beaucoup de fidèles deviendront de farouches adversaires. Or ils étaient certainement majoritaires dans la plupart des campagnes et chez les femmes. A côté d'une masse conformiste, sans doute plus significative que les non-pratiquants et les catholiques « éclairés », le fer de lance de cette piété nationale était constitué par une dévotion inédite, surtout populaire, riche et diverse, mais conquérante et de plus en plus dynamique à mesure que l'on s'approche de 1789. Discrète et silencieuse, cette expansion insoupçonnée fera de la contre-révolution le plus important événement de la Révolution française[10].

Fort insignifiante, sur le plan numérique, apparaît, à ses côtés, l'empreinte de la pensée des Lumières [11]. D'autant plus que celle-ci manque en même temps, on le verra, d'unité, de véritable audace et d'audience authentique à la veille de 1789 où l'irrationalisme des occultistes impressionne plus les esprits que le rationalisme des philosophes. Celui-ci n'avait développé que les valeurs aristocratiques d'une culture opposée aux aspirations traditionalistes de l'immense majorité du peuple français fort étranger, par exemple, aux prestiges du libertinage [12]. Le recrutement, souvent très élitiste, des loges maçonniques confirme ce schisme, typique de notre histoire nationale, entre la société éclairée et la société tout court. Il n'a peut-être jamais été aussi fort qu'à la veille de la Révolution [13].

Toulouse n'était sans doute pas, alors, l'unique centre bigot à faire peur aux stratèges de la diffusion d'une littérature ordurière mais « éclairée », acharnée à détruire le respect de la monarchie et de la religion [14]. Et la corporation des historiens de métier, pour qui 1789 représentera la fin d'un monde, n'était probablement pas la seule, parmi les groupes intellectuels du temps, à se sentir profondément différente de « Lumières » superficielles, déclamatoires et sophistiques [15]. D'Alembert, qui fut en partie leur coryphée, avait eu raison d'approuver avec chagrin son bon ami Frédéric II, en 1776, lorsqu'il estimait que « la France, avec tous les philosophes dont elle se vante à tort ou à droit, est encore un des peuples les plus superstitieux et les moins avancés de l'Europe [16] ».

La pensée des Lumières avait-elle un contenu révolutionnaire ?

L'Ancien Régime possédait une idéologie traditionnelle, complexe et contradictoire. Elle considérait le royaume comme composé non de sujets individuels, mais de différents corps, ayant chacun des privilèges particuliers. La volonté royale, à la tête de l'État, constituait le seul élément d'unité en cet ensemble disparate. L'absolutisme de la monarchie découlait de cette situation et était sanctionné par sa nature religieuse et son caractère sacré.

Sa structure institutionnelle reposait sur une pyramide juridique assignant à chacun son rang et définissant ses prétentions au sein d'un système hiérarchisé. Le roi n'était absolu que dans la mesure où il avait reconnu d'innombrables privilèges. Son pouvoir demeurait à la merci de la résurrection de leurs revendications. Le développement récent de la centralisation administrative, s'il avait affirmé la force de la volonté royale, se trouvait souvent en contradiction avec les bases corporatives de la société sur laquelle reposait la monarchie.

Ce fut dans ce contexte que les Lumières s'introduisirent au sein de la constellation idéologique de l'élite française. Elles s'opposaient à la tradition monarchique sur un certain nombre de points essentiels : laïcisation et rationalisation de la vision du monde comme de l'ordre social ; mise en cause de tous les privilèges. Une pareille contradiction fut pourtant peu ressentie dans la mesure où la pensée des Lumières fut adoptée avec enthousiasme par toute une partie de l'élite d'Ancien Régime.

Ces éléments éclairés de la classe dirigeante, présents dans tous les secteurs dominants de l'État, l'étaient en particulier au sein de sa bureaucratie, assoiffée de raison et de droit naturel capables de justifier l'œuvre d'uniformisation et d'abolition des privilèges. Le succès momentané de Turgot, au début du règne de Louis XVI, symbolisa cette rencontre. Ses successeurs ne furent pas moins réformateurs que lui et ils ne pouvaient trouver de référence idéologique que dans la pensée des Lumières. Celle-ci siégeait déjà, bien avant l'explosion de 1789, au cœur de la royauté d'Ancien Régime. Elle n'avait pas moins d'écho chez les parlementaires qui défendaient leurs privilèges au nom d'un vocabulaire « philosophique » universellement répandu.

Le système politique français voyait donc coexister, à la veille de la Révolution, et sans contradiction apparente, deux idéologies opposées. Celle des Lumières y participait au même titre et sur le même plan que celle de la tradition monarchique. Ce contraste entre l'inconsistance idéologique et la stabilité étatique aurait pu durer longtemps, comme en Angleterre. La première ne représentait pas, à elle seule, un facteur d'ébranlement révolutionnaire [1].

Cette analyse de William Sewell Jr. paraît confirmée par le statut, également paradoxal, attribué par les meilleurs spécialistes à l'opinion française à la fin de l'Ancien Régime. Ils se refusent à faire de son adhésion progressive, au sein de l'élite, aux idées des Lumières, un élément décisif de la crise politique éclatant à partir de 1787. L'essor de la critique éclairée n'ébranla nullement, jusqu'au dernier moment, l'ordre monarchique traditionnel. Les groupes qui pouvaient y être sensibles, et qui étaient d'abord soucieux de l'intérêt public, se voyaient considérés avec faveur par l'administration dirigeante. Celle-ci ne pouvait en effet assimiler à un danger révolutionnaire une pensée éclairée sainement réformatrice [2].

Sur la question de la tolérance des protestants, par exemple, les parlements, dès 1770, étaient gagnés aux idées des philosophes. Celles-ci, sur ce point et sur d'autres, avaient conquis l'aristocratie privilégiée bien plus qu'elles n'exprimaient, contre elle, une hypothétique contestation bourgeoise [3]. On peut même estimer que devant le déclin prononcé des juristes français, au titre de théoriciens politiques, le XVIIIe siècle les avait peu à peu remplacés, dans les plus hautes sphères de l'État, par Montesquieu et ses disciples. Leur prestige, loin d'ébranler l'ordre traditionnel, entendait plutôt le renforcer [4].

Robert Darnton [5], dès 1971, estima dépassée la thèse classique assimilant la pensée des Lumières à une idéologie révolutionnaire. Il remarquait son élitisme, nullement favorable à la subversion sociale, mais porteur d'un programme de réformes libérales qui préserverait la hiérarchie au lieu de la détruire. D'Alembert admirait les claires distinctions de rang et admettait qu'il fallait respecter la supériorité conférée par la naissance. Voltaire, dans son *Dictionnaire philosophique,* rattachait les Lumières aux

« âmes privilégiées » et les opposait à la mentalité des « familles bourgeoises ». Pleinement aristocratique, comme l'a vu Denis Richet[6], le libéralisme du XVIIIe siècle ne se présentait pas comme un adversaire du régime seigneurial et monarchique.

Obsédée par les attaques dirigées contre la philosophie et ses représentants, toute une tradition historiographique les a ramenés à tort à une sorte de parti politique dressé contre la royauté « féodale ». Cet anachronisme, qui attribue à la Révolution française une origine intellectuelle, est né lui-même de l'événement de 1789 et de sa recherche de justifications théoriques plus ou moins mythiques. Il est difficile de distinguer, au sein d'une culture commune des Lumières, des idéologies diverses qui y opposeraient d'hypothétiques avocats d'une « bourgeoisie montante » aux défenseurs d'une « dominante nobiliaire »[7].

Le libéralisme du XVIIIe siècle était le bien commun de toute son élite. Elle ne pouvait imaginer, avant 1789, les conditions de son application en dehors de l'ordre traditionnel. Assigner à l'esprit philosophique une vocation révolutionnaire relève d'une routine désormais rejetée par la plupart des historiens des idées et de la société. Ils ont remarqué, depuis longtemps, que le meilleur moyen de ne pas comprendre les Lumières était de les étudier en fonction de la Révolution qui les a suivies. Étrangères aux préoccupations neuves de la seconde, et tout empreintes de conservatisme et de conformisme monarchiques, les premières n'ont pu la préparer[8].

Daniel Roche l'a montré à propos des académies de la France provinciale[9]. Il a décrit une élite intellectuelle locale pénétrée par les notions de service public, de participation civique et d'intégration sociale. La noblesse jouait son rôle au sein de ce concert urbain, à côté des clercs, des juristes ou des médecins et à l'exclusion des hommes d'affaires. La mentalité de ces sociétés n'était ni aristocratique ni bourgeoise, mais d'abord administrative et utilitariste, dans le cadre d'un ordre traditionnel qu'il s'agissait d'aménager rationnellement, comme s'y appliquait, d'ailleurs, la bureaucratie royale. Cette présentation n'a plus rien à voir avec l'ancienne vision conquérante, propre aux historiens des Lumières « bourgeoises ». Elle associe la pensée philosophique à un groupe exclusiviste, parfaitement intégré à la hiérarchie établie. Son idéologie était celle d'une modernisation et non d'une révolution. Ses vues politiques reflétaient les normes absolutistes au lieu de les contester. Il semble donc discutable de relier l'écroulement de la monarchie d'Ancien Régime à la diffusion du discours des Lumières. Il ne possédait rien, en lui-même, de redoutable pour l'ordre traditionnel. Et il faut chercher ailleurs les sources de la rupture révolutionnaire [10].

Comme Mounier, dès 1801, eut la sagesse de l'enseigner, ni les philosophes ni leurs lecteurs n'en ont été les responsables. Les avocats qui, dans tous les barreaux du royaume, jouèrent un rôle éminent lors de la crise prérévolutionnaire ressemblaient sans doute en majorité à ceux du Béarn, éclairés et réformateurs mais adeptes résolus du « libéralisme conservateur d'une société des élites ». Ils furent d'autant plus réticents, en général, devant la Révolution qu'ils avaient montré plus d'enthousiasme pour la diffusion des Lumières [11]. Panckoucke, libraire éclairé, grand responsable et profiteur de l'édition de l'*Encyclopédie,* verra d'abord dans l'ébranlement de 1789 « un effondrement des valeurs établies ». Le nouveau radicalisme idéologique et culturel déplaira souverainement à ce réformiste. Créateur, avec d'autres, du public des Lumières, il n'avait pas deviné les suites de la machine infernale qu'il avait contribué à mettre en place. Hume, d'ailleurs, estimait, avec Montesquieu ou Gibbon, que la monarchie française d'Ancien Régime constituait, pour les hommes de lettres, la société la plus favorable que l'histoire ait jamais vue apparaître [12].

La Révolution de 1789 provient plus, même sur le plan idéologique, de l'expérience politique acquise au cours des deux années précédentes que d'une littérature philosophique peu démocratique et très monarchique. Elle s'attachait à reconstruire l'esprit de l'homme et non l'État. Détaché de son contexte idéologique modéré, le vocabulaire des Lumières fut simplement utilisé par des révolutionnaires qui en métamorphosèrent le sens. Les conditions et le résultat de cette opération étaient impossibles à prédire au début des années 1780 et parfois même au printemps 1789[13].

Étranger aux fantasmes de l'utopie, l'esprit critique et rationaliste du XVIIIe siècle ne prédisposait guère à l'enthousiasme fanatique qui en marquera le terme. Il produira encore, à la fin du règne de Louis XV et sous celui de Louis XVI, avec Linguet, le partisan éclairé d'un État fort, ennemi d'une révolution destructrice. Ce philosophe non conformiste, qui mourut sur l'échafaud en 1794, partageait les vues générales de la pensée des Lumières, utilitariste, humanitaire et réformatrice. Elles coexistaient, chez lui, avec une conception très traditionaliste de l'ordre politique[14].

Les encyclopédistes, contrairement à l'avis de Burke, Taine ou Cochin, ne furent point les précurseurs du jacobinisme. Ceux qui survécurent à l'Ancien Régime se montrèrent en majorité, sous la Terreur, des modérés, fort hostiles à l'enthousiasme révolutionnaire. Beaucoup en souffrirent directement ou lui résistèrent avec courage. Naigeon, familier de Diderot pendant les vingt dernières années de sa vie, méprisa le Comité de salut public et estima Robespierre pire que Néron[15].

On a de même forgé à tort le mythe d'une coterie holbachique diffusant le radicalisme philosophique dans le Paris prérévolutionnaire. Le baron antichrétien aurait été, d'après Barruel, au centre d'une véritable conspiration politique en compagnie de ses amis éclairés. Cette invention contre-révolutionnaire, qui recoupait des imprécations de Rousseau, a été pieusement recueillie par les meilleurs historiens, de Tocqueville à Naville. De profonds athées auraient, d'après eux, préparé directement, par leur influence secrète, la chute de la monarchie. De bons spécialistes aujourd'hui ne reconnaissent guère, en ce mystérieux complot, le manque total de projet politique et social des intellectuels inoffensifs qui composaient la prétendue secte[16]. Ceux d'entre eux qui vécurent assez pour connaître la Révolution qu'on leur attribue reculèrent, pour la plupart, d'horreur devant ses suites. Les penseurs matérialistes du XVIIIe siècle étaient fort bien installés au sein de l'État traditionnel. Ils n'aimaient pas le « vulgaire » et ne comprenaient pas la violence. Robespierre, qui les détestait, eut raison d'estimer que la Révolution s'était faite sans eux et même malgré eux[17].

La franc-maçonnerie, à laquelle on attribue parfois l'honneur, depuis Barruel, d'avoir causé, sur le plan idéologique, l'explosion de 1789, en aurait bien été empêchée par son conformisme profond, dû à sa composition élitiste. La mythologie des sociétés secrètes, appuyée sur leur dénonciation tardive par les gouvernements à la fin de l'Ancien Régime, imagina de leur attribuer la rupture révolutionnaire intervenue en France et que l'on jugeait impossible d'expliquer autrement que par un incroyable complot. Phénomène fondamental de sociabilité, mais divisée et complexe, l'institution maçonnique ne pouvait guère jouer ce rôle politique. Gérard Gayot a montré la plupart de ses membres « interdits, sans voix ou hostiles » lors « de la formidable invasion de la démocratie en 1789 ». C'est que leur action et leurs discours avaient d'abord correspondu à la rage de s'associer, typique du XVIIIe siècle, au sein de l'élite. Ils ne voulurent jamais troubler ni l'État ni la religion. Ambigus devant les Lumières, souvent peu sensibles à l'idée d'égalité, les 50 000 Français entrés en loge sous Louis XVI n'ont nullement contribué à sa chute. Ils s'étaient organisés pour prospérer dans le cadre de la monarchie traditionnelle. La loge parisienne du Contrat social, en 1790, dénonça les futures luttes sociales. Dispersés par la Révolution, les frères en furent moins les auteurs que les victimes. Ils avaient rêvé de paix et d'harmonie, non de guerre civile. Ceux de Provence, par exemple, s'étaient simplement surimposés aux vieux réseaux des confréries de pénitents. Les formes de laïcisation et d'embourgeoisement de la France d'Ancien Régime n'eurent rien à voir avec son effondrement politique. Et l'idéologie maçonnique anticipa beaucoup moins nettement la future devise républicaine que Fénelon dans son *Télémaque*[18].

La pensée de Rousseau offre un ultime exemple du caractère ambigu et finalement inoffensif, sur le plan sociopolitique, de la philosophie des Lumières. L'influence de Jean-Jacques favorisa surtout, à partir des années 1760, la formation de la sensibilité préromantique, vertueuse, sans doute, mais d'abord irrationaliste et larmoyante. Loin de poser les problèmes de la Révolution, en ébranlant l'ordre existant, Rousseau, qui n'aimait ni la science ni la modernité, ne pouvait en proposer un nouveau. Les aristocrates s'emparèrent avec enthousiasme de ses idées pour lutter contre la Révolution au début des années 1790. C'est dire à quel point le rousseauisme était devenu, alors, un discours contradictoire et incohérent. Inévitablement présent dans la Révolution, Jean-Jacques ne l'a, et pour cause, ni voulue ni préparée. Son souvenir fut utilisé, tour à tour, par les différents partis et servit aussi bien les petits nobles de l'Assemblée constituante que les ennemis thermidoriens de l'anarchie. On retrouve, aujourd'hui, ces ambiguïtés dans les démonstrations relatives à un Rousseau déjà totalitaire ou, au contraire, farouche apôtre de la liberté. Elles ont en commun d'oublier ce que fut, en sa complexité et dans les limites de son expérience historique, le vrai Jean-Jacques, qui mourut, heureusement pour lui, avant de savoir ce que d'*autres* feraient de ses idées[19].

Existait-il une mentalité révolutionnaire à la veille de 1789 ?

Il semble difficile d'y ramener une opinion publique encore très peu politisée jusquc vers 1787 et beaucoup plus tournée vers d'autres sources de préoccupation. Son insatisfaction devant l'impuissance du gouvernement à modifier l'État en accord avec l'évolution sociale ne débouchait sur aucune revendication précise, en raison de profondes divisions. Le modèle anglais lui-même, longtemps si prestigieux, était loin de faire désormais l'unanimité, après le grave échec infligé aux institutions britanniques par la Révolution américaine[1].

Robert Darnton a cerné les milieux intellectuels qui furent seuls, alors, à nourrir une mentalité révolutionnaire. Il s'agit de ces « Rousseau des ruisseaux » qui avaient succédé, dans la France de Louis XVI, à titre de ferment, à des philosophes des Lumières parfaitement intégrés à l'ordre existant. Cette bohème littéraire produisait des pamphlets qui touchaient plus directement le public que les grands écrivains et ébranlaient davantage ses certitudes et ses habitudes.

A côté des pensionnés et des protégés, bénéficiaires, à différents titres, du patronage officiel et de ses aumônes, pullulaient, dans le Paris prérévolutionnaire, des gens de lettres étrangers au monde des courtisans. Ces « frondeurs littéraires » dénoncés par d'Alembert comme hostiles à l'*establishment,* ont été peints, par Mallet du Pan, comme prenant leur « facilité pour du talent » et mourant de faim ou réduits à la mendicité lorsqu'ils ne pouvaient fabriquer et écouler leurs brochures. Provinciaux avides inondant Paris, ces « pauvres barbouilleurs » avaient été placés, par Voltaire, à un niveau inférieur à celui des prostituées. On les retrouvera, sous la Convention nationale, souvent maîtres de ses délibérations et de ses actions les plus sanglantes.

Avant de connaître ces jours de gloire, ils avaient longtemps végété, bouillonnant de haine contre le despotisme des aristocrates qui dominaient la république des lettres. Marat, Brissot et Cara devinrent ainsi révolutionnaires et jacobins en vertu d'un ressentiment né dans « les profondeurs des bas-fonds intellectuels » où ils végétaient. Face à une organisation de la culture et une production du livre régentées par le privilège, ces individus flottants, faiseurs de libelles et de projets, partageaient l'existence difficile des marginaux et des déclassés, aux antipodes du cercle des beaux esprits qui monopolisaient les salons. Leur égalitarisme sera celui de ratés aigris dont l'agressivité voulut se venger du système qui les avait réduits à « la pauvreté et la dégradation ». Avant d'être détruit par la

Révolution, le « grand monde » fut miné par les pamphlets orduriers et les « calomnies fangeuses » produits par ce milieu dont l'influence sociopolitique était beaucoup plus dangereuse que celle des philosophes. Il parvint au pouvoir, grâce à 1789, dans le journalisme et dans l'État, et put y assouvir une partie de ses appétits[2].

Brissot, futur chef des « girondins », avait été employé, à titre d'espion, par la police de Louis XVI[3]. Le milieu clandestin des libellistes et des pamphlétaires avait, de même, toujours pourvu en ouvrages pornographiques un public avide de connaître les orgies supposées de Marie-Antoinette et des prélats. Ce fut au sein de cette littérature de la boue que se prépara une explosion révolutionnaire qui en retint la grossière propagande dirigée contre la monarchie et l'Église. Maîtres de la diffamation, ces auteurs d'une contre-culture appelaient, face à l'Ancien Régime, à une révolution culturelle, qui ne tarda pas à se produire[4]. Tout un réseau de diffuseurs, aussi marginal et mobile, avait contribué à répandre leur bombe intellectuelle à retardement. En ces livres, qui se distribuaient sous le manteau et dont le souvenir a aujourd'hui disparu, mais qui sapaient les réputations les plus sacrées, se lit d'abord, plus que dans les volumes de l'*Encyclopédie,* la crise mentale qui assaillit la royauté « absolue » lors des vingt dernières années de son existence[5].

Cette entreprise de destruction idéologique n'avait pas été menée par les coryphées des Lumières mais, en dessous d'eux, par le monde mêlé de la « bohème littéraire ». Il se retrouve, au cours des années 1770, chez ces journalistes « frondeurs » qui politisèrent et radicalisèrent la critique théâtrale. De Fréron à Grimm ou La Harpe, les intellectuels conservateurs et installés étaient horrifiés par le ton insolent, vulgaire et barbare de ces hommes sans culture groupés autour de Mercier. Celui-ci devait poursuivre, dans son *Tableau de Paris,* aux côtés de Linguet et d'autres, cette entreprise qui accablait la France officielle sous le poids de sa décadence. Ce souci de dévoiler les vices des grands demeura, à partir de 1789, le principe du journalisme révolutionnaire. Marat, longtemps médecin sans malades et écrivain sans succès, qui se jugeait supérieur à Newton ou Lavoisier, osa soutenir, à l'heure de ses triomphes, en janvier 1793, qu'il avait, avant la Révolution, « épuisé à peu près toutes les combinaisons de l'esprit humain sur la morale, la philosophie et la politique pour en recueillir les meilleurs résultats ». Le démagogue, en sa mégalomanie d'histrion, résumait bien l'immensité des ambitions et des aspirations de ses pareils[6].

Tocqueville, au début de ses fragments inachevés sur le déroulement de la Révolution, a parlé de l'« agitation violente et incertaine de l'esprit humain » qui en caractérisa les approches. Il a montré toute l'Europe éclairée saisie alors non point de l'illumination philosophique, mais de « mouvements irréguliers, incohérents et bizarres ». Il y voyait les « symptômes d'une maladie nouvelle et extraordinaire qui eût singulièrement effrayé les contemporains s'ils avaient pu les comprendre ». En ce mélange d'un optimisme idéal sur l'avenir de l'humanité et d'une dénonciation excessive des corruptions de la société contemporaine, d'un dégoût à l'égard du présent et d'une aspiration vague à un changement total, se lisait clairement en effet chez beaucoup d'intellectuels l'essence de la psychologie révolutionnaire. Présente dans la France de Louis XVI comme dans le reste de l'Occident, cette aspiration y explique le succès des sociétés secrètes et le goût du surnaturel beaucoup plus puissant, alors, que l'héritage des Lumières. Théosophes et illuminés satisfaisaient mieux qu'elles, à la veille de 1789, la demande épidémique d'une régénération absolue. Le rêve, la chimère, l'enthousiasme pour le merveilleux et l'inexplicable, le délire des imaginations mystiques expliquent plus la Révolution que le calcul raisonnable. Selon l'auteur de *l'Ancien Régime et la Révolution*, une perspective nettement apocalyptique (« la voix de Jean criant du fond du désert que de nouveaux temps étaient proches ») rend compte du malaise de tant d'esprits qui jugeaient, sans raison, « leur condition insupportable » et cherchaient, par un mouvement encore sans objet, à y échapper. « L'année 1787 » donna à cette passion « un but précis » et un motif d'action. A lire ce passage, la Révolution n'est pas née du mouvement objectif et séculaire des idées, mais de la politisation soudaine d'une immense inquiétude[7].

Les historiens sous-estiment trop souvent l'origine irrationnelle de 1789, pourtant démontrée depuis longtemps. Le triomphe accordé, dans le Paris des années 1780, aux séances de guérison par le « magnétisme animal », dû au médecin autrichien Mesmer, en est un signe. Ce charlatanisme lucratif deviendra un moyen de cristalliser et de populariser les aspirations à une rénovation sociale. Application d'une science à la mode au goût contemporain pour l'invisible et l'imaginaire, le mesmérisme prospéra grâce à une Société de l'harmonie universelle appuyée par l'avocat lyonnais Bergasse et le banquier strasbourgeois Kornmann. Il rejoignit les préoccupations politiques de la bohème littéraire en s'opposant aux professionnels privilégiés des académies, soutenus par le gouvernement. En ce nouveau combat, les écrivains radicaux, tels Brissot, Marat et Cara, développèrent une forme de critique de la société dominante. Elle s'appuyait non sur la nature ou la raison, mais sur leurs contraires et poussa beaucoup de futurs révolutionnaires à s'enthousiasmer pour Mesmer avant de songer à reconstruire leur pays dans une atmosphère à peine plus lucide. La chute de l'Ancien Régime fut préparée par des hommes qui vénéraient, avec Cagliostro ou Mesmer, les perspectives d'un paradis terrestre et non celles de Lumières en fin de course[8]. Saint-Martin, représentatif de tendances de l'occultisme prérévolutionnaire, demeura un admirateur convaincu de la divine cassure intervenue en 1789. Il discernait, dans cette manifestation d'énergie retrouvée, un signe annonciateur de la « réintégration » qu'il prônait[9].

Les événements révolutionnaires furent vus, par certains, comme une confirmation de leurs aspirations religieuses. Dans le Paris de 1780, l'avocat janséniste Lepaige enregistrait toujours avec soin les cérémonies de crucifiements de sa secte de convulsionnaires. Cette forme ancienne de prophétisme coexistait ainsi avec de nouvelles définitions, à peine plus sérieuses, du bonheur humain. Si la première, tout en sympathisant avec le mesmérisme, se contentait de cultiver, à la veille de 1789, la routine de l'annonce imminente d'immenses malheurs, elle donna naissance à Lyon, en 1792, à un groupe qui les identifia au déroulement de la Révolution [10]. Des prophétesses comme Suzette Labrousse ou Catherine Théot y virent, au contraire, la réalisation des promesses de régénération. Témoins, avec d'autres, de la persistance au XVIIIe siècle d'un millénarisme français, ces deux femmes avaient jusque-là attendu dans le calme l'inévitable événement. On sait qu'après lui Suzette partit à Rome pour l'expliquer au pape, tandis que Catherine appliquait les traditions de la piété populaire à la célébration du régime robespierriste [11].

L'élite avait certainement, pour s'enflammer, des perspectives moins confuses. On a, par exemple, attribué à la franc-maçonnerie prérévolutionnaire un système de valeurs déjà démocratique, attesté, notamment, par les noms des loges, où affleurent souvent les aspirations au patriotisme, à la liberté et à l'égalité. Les discours qu'on y tenait conféraient à la sociabilité de quelques-uns de ces frères une orientation clairement « progressiste ». Keith Baker a même vu, dans leur idéologie et leur structure, l'antécédent direct des clubs ou sociétés révolutionnaires [12].

La Révolution américaine apporta, à cette tendance, un puissant renfort. On a repéré l'étendue de son retentissement dans l'Europe intellectuelle du temps, et la France n'y fit pas exception. Elle accorda, en 1784, un triomphe aux *Lettres* de Crèvecœur, dédiées à La Fayette et peignant, dans le cultivateur américain, l'archétype de l'homme nouveau, délivré des chaînes du despotisme et de l'aristocratie. Cette idéologie naïvement subversive et vaguement teintée de rousseauisme s'introduisait dans un royaume qui avait contribué à la naissance de la nouvelle République. On y saluait, autour de Franklin, l'avènement d'un gouvernement enfin libre et vertueux. Cette vague de sympathie n'entraîna d'ailleurs aucune influence politique vraiment décisive. Mais elle poussa beaucoup à voir, dans les États-Unis, un laboratoire de régénération sociale au moment où cette perspective présentait encore tant de séduction. Le désir d'utopie cher à un Turgot ou un Condorcet pouvait ainsi s'abreuver à des sources éloignées mais récentes[13].

On peut seulement se demander si sa présence, au sein des Lumières, correspondait au rationalisme ou à son contraire. Elle s'accompagnait de la dénonciation désolée d'une épouvantable menace de mort pesant sur l'ensemble d'une société guettée par un inévitable déclin démographique. La Révolution fut en ce sens, de la part de certains de ses annonciateurs, une réaction irrationnelle à un péril imaginaire et d'autant plus redouté. Cette perspective dynamique anime les pages ajoutées, au cours des années 1770, par Diderot, à l'*Histoire* de Raynal et où est opposée au bonheur et à la vertu des sauvages, menacés par l'expansion européenne, l'ignominie des grands, des prêtres et des colonisateurs. Le vague de ces déclamations atteint son apogée dans un programme de réformes, adressé à Louis XVI et dénonçant, pêle-mêle, l'avidité des banqueroutiers et des courtisans. Ces discours frénétiques, prodromes d'une libération désirable, parlaient aux passions plus qu'à la raison. Prédication d'irrespect et d'hostilité envers la tyrannie, ils s'adressaient à l'enthousiasme et à l'énergie et n'entendaient pas briller par la mesure ou l'objectivité[14].

Diderot, plus que jamais destructeur et ennemi des idoles, mourut pleinement accordé à toute une partie de l'esprit des années 1780. Sa haine du despotisme et de l'aristocratie, particulièrement réservée à leurs formes françaises, témoignait de l'humiliation permanente de philosophes outragés au sein d'une société à laquelle ils reprochaient d'ignorer la légitimité du pouvoir des intellectuels. C'était le moment où, dans le domaine de l'art, l'héroïsme chanté par David faisait écho à cette revendication de dignité, déjà quasi républicaine. Les fruits de l'enseignement philosophique se rencontraient ici avec le ressentiment des gens de lettres et les aspirations de la nouvelle génération. Dans tous les domaines, de la science à l'esthétique en passant par la critique de l'actualité, une radicalisation et une politisation se préparaient au sein du « public cultivé ». Mais cette conversion à une religion de la vertu civique, où l'amour de la patrie le disputait à la haine des grands et de leurs vices, tenait moins au succès d'une propagande idéologique qu'à la métamorphose des passions intellectuelles[15].

En témoigne, par exemple, pour les futurs dirigeants de la Révolution, le cas d'un Brissot ou d'un Robespierre. Le premier avait expliqué, dès 1780, à un ami plus réaliste, son mépris absolu pour les institutions contemporaines. Il leur jugeait préférables les théories les plus monstrueuses, qui ne pourraient jamais être plus absurdes ou plus atroces. Quant à Robespierre, après avoir scruté son modeste destin d'avocat provincial, Robert Palmer a estimé qu'il avait déjà manifesté les caractéristiques de la psychologie révolutionnaire, à savoir la haine de classe, l'intolérance, la certitude d'avoir raison et l'habitude polémique de découvrir le jeu des grands principes dans des incidents sans importance. Les événements ultérieurs allaient donner à ces manies un champ d'application considérable[16].

2

Une défaite du despotisme ?

Les origines politiques de la Révolution française ont été longtemps sous-estimées au profit de ses causes intellectuelles ou économico-sociales. Cette tendance est, depuis peu, renversée, et les historiens placent de plus en plus, au premier rang des sources de l'ébranlement intervenu en 1789, la crise subie, au XVIIIe siècle, par la monarchie d'Ancien Régime. L'unanimité n'est cependant faite ni sur sa nature exacte ni sur le caractère fatal de son issue.

La monarchie pouvait-elle se réformer avant 1787 ?

Le gouvernement royal imposait à son chef, au pouvoir absolu, un fardeau redoutable que Louis XVI, manifestement, était incapable de soutenir. Son manque de confiance en lui le condamnait à ne tenter aucune initiative audacieuse. Isolé au sein du milieu mesquin de la cour, il en subit l'influence sans jamais songer à la supprimer. Dépendant, comme ses prédécesseurs, de la qualité de ses conseillers, il les choisit toujours dans le cadre d'un cercle fort étroit, à l'exception du banquier genevois Necker, qui fut bientôt renvoyé en raison de l'originalité de ses vues politiques. Cette toute-puissance de la tradition condamnait le système monarchique à ne reposer encore, en 1786, que sur des ministres au conservatisme le plus décidé. Par définition, les habitudes que leur avait imposées leur carrière les amenaient à repousser toute innovation importante par rapport à l'ordre établi.

Cette inertie du pouvoir en place était renforcée par les conditions de son fonctionnement, qui reposait entièrement sur la faveur royale. Des rivalités personnelles permanentes y tenaient lieu, jusqu'en plein Conseil, de responsabilité collective. Les ministres dépensaient la plus grande part de leur énergie à convaincre le roi ou la reine de leur supériorité sur leurs collègues. Si Maurepas, de 1774 à 1781, servit de guide à Louis XVI au milieu de ces manœuvres, l'esprit d'intrigue réapparut après lui, et l'échec de Calonne, par exemple, était attendu avec impatience, en 1786, par ses rivaux.

D'anciens ministres, disgraciés, constituaient également un parti tentant de mobiliser l'opinion contre leurs successeurs, comme le fit, après 1781, Necker contre Calonne. Cette exaspération des inimitiés, qui aggravait les difficultés, était elle-même accrue par les tensions entre les différents départements ministériels et le caractère relativement anarchique de leur représentation et de leur participation aux divers Conseils de gouvernement. La colonne vertébrale et le vivier de ce dernier étaient constitués par l'ambitieux groupe des jeunes maîtres des requêtes, au sein desquels se recrutaient les intendants qui dominaient les provinces.

Leur autorité avait souffert, depuis Louis XIV, des hésitations du sommet. Elle manquait, d'autre part, pour faire face au gonflement des affaires, d'une bureaucratie suffisante, ce qui les amenait à dépendre de plus en plus des pouvoirs locaux. Nobles gouverneurs, états provinciaux peu représentatifs, organisation municipale bigarrée et sans réelle liberté par rapport à l'État venaient compliquer la structure du gouvernement.

Celui de Louis XVI reposait avant tout, en dernier ressort, sur le consentement tacite de ses sujets. Car il disposait d'encore moins de policiers que de bureaucrates. Une maréchaussée de 4000 hommes lui suffisait à maintenir l'ordre dans tout le royaume et un guet de moins de 100 accomplissait cette besogne dans la ville de Lyon. Paris même n'offrait à son lieutenant de police qu'un effectif d'un peu plus de 3000 personnes.

Si l'armée renforçait ces moyens de discipline sociale, il fallait à l'évidence, de la part du pouvoir, fermeté et détermination pour les maintenir en cas de crise. Or ces deux qualités manquaient totalement au gouvernement de Louis XVI, héritier d'un système politique fondé sur l'hésitation permanente et l'inefficacité absolue. Ces tares d'un Ancien Régime à bout de souffle, « despotisme de la faiblesse » selon l'expression de François Bluche [1], s'observaient à tous les niveaux et ne dépendaient pas de la personnalité des dirigeants, prisonniers de la machine administrative qu'ils servaient. Lourdement et inutilement bureaucratique et routinière, elle était incapable de changer ou d'activer son allure. Ces faiblesses internes étaient d'autant plus graves qu'elle avait à affronter l'opposition d'institutions diminuées mais non éliminées par Louis XIV.

Ce tableau sévère, récemment dressé par William Doyle [2], paraît contredit par les succès importants remportés, contre cette opposition, par la monarchie au cours du XVIIIe siècle. Lorsque Louis XV, en 1771, chargea son chancelier Maupeou de mettre au pas les parlements et qu'une violente bataille idéologique s'engagea, à ce propos, dans le pays, ce fut la propagande monarchique, appuyée par Voltaire, qui la gagna, face aux vaines prétentions historiques des gens de robe. Leur cause semblait perdue, lorsque Louis XVI les remit en place à son avènement [3].

William Doyle a montré qu'après cet épisode les parlementaires ne redevinrent jamais, contrairement à une opinion générale, un danger pour le gouvernement. Durement frappés par les réformes de Maupeou, ils ne purent ni ne voulurent utiliser leur rappel pour miner à nouveau l'action du pouvoir. Le premier président d'Aligre se félicita auprès de Vergennes, en 1782, de cet accord parfait et inédit. L'année suivante, un magistrat provincial regrettait de voir les parlementaires parisiens, « énervés par les plaisirs d'une vie voluptueuse » et « guidés par l'ambition », souscrire « avec une déférence aveugle aux volontés du monarque ». Un fermier général nota justement que, de 1774 à la fin de 1786, « le parlement [. ..] avait [...] été le plus obséquieux possible à toutes les volontés » des « ministres ». Moins sensible en province, cette docilité n'en constitua pas moins un sérieux soutien pour le pouvoir pendant la plus grande partie du règne de Louis XVI. Ce dernier n'eut pas à craindre, jusqu'en 1787, une opposition parlementaire irrémédiablement affaiblie[4].

D'autres études ont confirmé la force du parti ministériel parmi les membres les plus âgés du parlement de Paris, comme le conservatisme de leur point de vue d'aristocrates, partisans du maintien du régime seigneurial. Traditionalistes plus que révolutionnaires, ces magistrats étaient d'abord au service de la préservation de l'ancien ordre politique et social. Ils ne constituaient en aucune façon un obstacle au gouvernement, et un certain nombre d'entre eux justifiaient l'absolutisme comme un moyen de contrebalancer l'autorité des privilégiés. Ils s'opposèrent à la généralisation des assemblées provinciales recommandée par Necker, où ils voyaient une faveur indue accordée aux gentilshommes des campagnes. Leur conception du secret de l'administration demeurait celle de Louis XIV, et les plus graves d'entre eux estimaient sans doute, comme celui qui le dit au jeune Pasquier à la fin de 1787, que « la première fois que la France verra des états généraux elle verra aussi une terrible révolution ». La majorité de la noblesse de robe y était certainement beaucoup plus hostile encore que celle d'épée ; elle ne condamnait pas toujours le despotisme[5].

Celui de la monarchie française avait tenté sous Turgot, entre 1774 et 1776, de se moderniser et de s'imprégner de l'esprit des Lumières. Rédigeant alors, à titre de projet « constitutionnel », pour rénover les vieilles structures de l'État et de la société, son fameux *Mémoire sur les municipalités*, ce ministre voyait au contraire dans les assemblées provinciales placées au sommet de son système un moyen de renforcer le gouvernement royal et non de l'affaiblir. Beaucoup moins favorable que ses amis physiocrates au principe même de l'absolutisme politique, Turgot n'en estimait pas moins, comme Voltaire, que le pouvoir traditionnel était seul capable de réformer la France. Cet homme d'administration n'imagina jamais le fonctionnement de son pays sans le monopole législatif du roi. Il ne comprenait ni n'approuvait les contrepoids utilisés par la Constitution anglaise et que devait reprendre la République américaine. Écrivain parfois utopiste, il envisageait d'abord les réalités politiques sous l'angle d'un exécutif tout-puissant et ainsi mieux armé contre les privilégiés. Turgot ne découvrait que dans ce recours le moyen d'éviter une révolution aux effets probablement pires que les abus qu'elle voudrait supprimer[6].

Le modèle absolutiste demeurait donc le principal horizon des réformateurs ou des conservateurs des années 1770. Ils en attendaient pareillement la solution de contradictions apparemment insurmontables. La carrière de Turgot s'inséra au sein de ce schéma traditionnel. Si ce fut une crise financière et de crédit qui finit par emporter la monarchie de Louis XVI, celui-ci ne faisait là qu'affronter le plus important des problèmes posés à ses prédécesseurs depuis des siècles[7].

L'ambassadeur d'Autriche à Paris avait seulement estimé, en 1783, que le roi ne pouvait que l'aggraver par sa crainte des « gens de génie », qui le poussait à employer, au ministère, les ineptes de préférence aux capables et à souffrir sa désunion permanente. Or, dans un pareil système, « les initiateurs de réformes ne pouvaient [...] être que les ministres éclairés et leurs collaborateurs tant qu'ils jouissaient du soutien » du souverain. Entourés, depuis le milieu du XVIIIe siècle, de l'hostilité puissante des intérêts particuliers, ils ne trouvèrent jamais auprès de Louis XVI, sensible à l'opposition des courtisans, l'appui indéfectible dont ils avaient besoin. La lutte politique française, à la fin de l'Ancien Régime, se réduisait à un conflit insoluble entre le privilège et l'arbitraire. Incapable de le surmonter, la royauté ne pouvait être ni pleinement despotique, ce qui était contraire à ses principes, ni vraiment constitutionnelle dans la mesure où l'opinion, impuissante et divisée à l'infini, ne lui offrait, pour résoudre la crise de façon pacifique, aucun secours réel[8].

Ce pessimisme relatif à la seule institution dont les Français, avant 1789, pouvaient attendre la lumière est confirmé par l'étude la plus récente de son moyen d'action dans les provinces. Contrairement aux vues de Tocqueville et à en juger au moins par le cas provençal, les intendants de Louis XV et de Louis XVI y furent moins les agents, réformateurs et éclairés, d'un gouvernement central pénétré de l'intérêt public, que les porte-parole d'une élite locale résolument conservatrice. L'innovation économico-sociale ne fut pas leur fait et leur action ne s'étendit guère au-delà du cercle étroit de la classe dirigeante. Reculant sans cesse devant elle, impuissants et impopulaires, ces héritiers de la bureaucratie louis-quatorzienne présidaient à une administration royale en voie de décomposition[9].

L'État qu'elle servait semblait désormais incapable de modeler la société sur un programme précis. Ses difficultés financières, qui entraîneront sa chute, témoignent de l'ampleur et de la profondeur de cette « crise organique », pour parler comme Gramsci. On sait que la gravité du déficit budgétaire fut révélée par Calonne à Louis XVI en août 1786. Le phénomène était normal sous l'Ancien Régime et ses sources sans mystère. Mais le gouvernement se trouvait brusquement à court d'expédients et proprement aux abois. Ni les économies, ni l'accroissement de la pression fiscale, ni la banqueroute, ni de nouveaux emprunts n'étaient possibles. Après avoir caché cette situation pendant trois ans, il fallait maintenant en délibérer. Calonne ne songea pas à changer l'organisation financière de la monarchie, qui dépendait étroitement de la collaboration des hommes d'affaires. Il proposait plutôt au roi une modification d'ensemble des institutions qui, en les unifiant et les rationalisant, apporterait enfin à l'État les moyens dont il avait besoin[10].

Ce nouvel appel à une réforme sociopolitique pour résoudre, cette fois, le déficit budgétaire a été salué, par de nombreux historiens, comme particulièrement lucide et courageux. John Bosher, dans une étude capitale des finances françaises entre 1770 et 1795, est revenu sur ce jugement en estimant que les problèmes de la fin de l'Ancien Régime, en ce domaine, étaient surtout d'ordre administratif, comme le montra, d'ailleurs, l'œuvre de la Révolution. Dans le système traditionnel, le roi était le client de ses officiers de finances, dont une grande partie des affaires ne concernaient pas l'État. Ils fournissaient, de plus, l'essentiel du crédit à court terme, nécessité par la multiplicité des caisses et la quantité d'argent caché. Le crédit du roi se ramenait donc à celui de ses propres officiers. La vraie crise financière de la monarchie, loin de se ramener à un problème d'équilibre budgétaire, provenait d'un type d'administration qui obligeait le souverain à s'appuyer sur des fortunes spéculatives, elles-mêmes minées, en 1787, par la crise économique.

Calonne, selon John Bosher, n'aurait jamais compris le caractère malsain de l'initiative privée au sein des finances publiques. Necker, au contraire, avait commencé une réforme de l'administration financière, qui était un premier pas vers sa rationalisation et sa nationalisation. Brienne devait, après Calonne, continuer ce travail qui visait au contrôle ministériel du budget et à l'ébauche de la mise sur pied d'une bureaucratie gouvernementale. La législation révolutionnaire, on le verra, constitua l'aboutissement logique de ce courant réformateur. Il avait déjà visé, avant 1789, à faire passer les finances françaises d'un système de rapports contractuels entre le pouvoir et des hommes d'affaires à celui d'une hiérarchie de salariés. C'était vouloir délivrer l'État de la domination des capitalistes. Les premiers commis des finances, administrateurs éclairés, avaient ainsi préparé, sous Louis XVI, le régime moderne, et trois sur quatre purent encore servir Napoléon[11].

Michel Bruguière vient de confirmer ce modernisme singulier du dernier règne de l'Ancien Régime en matière financière. Ses ministres s'y attachèrent à faire reculer les offices vénaux, à rationaliser le Trésor et à démanteler le rôle des cours souveraines. Ces réformes de structure créaient des progrès techniques capitaux ; en instituant de nouvelles procédures de décision, de contrôle et d'appel, elles renforçaient le pouvoir central au moment et dans le lieu même où il allait provisoirement s'effondrer. Gaudin et Mollien, ministres, sous Napoléon, des Finances et du Trésor, étaient déjà chargés, sous Louis XVI, des impôts directs et des rapports avec la Ferme générale. Leurs collaborateurs, salariés comme eux, partageaient leur « mépris du fonctionnaire pour l'argent des autres ». Leur technocratie survivra à la Révolution ; impuissante à moderniser la France avant 1789, elle demeurera nécessaire à l'État après cette date [12].

Dans le cadre de ces nouvelles perspectives, un personnage comme Necker prend un relief nouveau. Sa mauvaise réputation de fossoyeur de l'Ancien Régime a valu à ce banquier suisse beaucoup d'hostilité de la part des historiens. Il semble avéré qu'il fut un ministre progressiste, à l'opposé de son successeur Calonne, souvent étroitement réactionnaire. Ses idées politiques relatives à la réforme de l'État paraissent dignes de celles de Turgot, et son *Compte rendu* de 1781, qui présentait, en pleine guerre d'Amérique, une vue satisfaite des finances royales, se trouve aujourd'hui pris pour argent comptant. Les emprunts négociés par Necker n'auraient rien eu, en effet, de catastrophique. Au-delà de cette curieuse alternance des réputations ministérielles, la réhabilitation actuelle du père de Mme de Staël par tout un secteur de l'historiographie présente l'intérêt de rappeler que la crise prérévolutionnaire ne concerna qu'en partie le détail technique des problèmes financiers. Le conflit des intérêts, des ambitions et des idéologies l'utilisa à ses fins dans la tourmente qui emporta le gouvernement de Louis XVI [13].

La victoire aristocratique de 1788 fut-elle un succès des idées libérales ou des privilèges traditionnels ?

De février 1787 à août 1788, le pouvoir royal, sous Calonne puis Brienne, tenta vainement d'imposer des réformes de structure aux notables puis aux parlements. Son échec final, joint à une situation de banqueroute, l'obligea à convoquer les états généraux pour l'année suivante et à capituler devant l'opposition. Le succès de celle-ci, dominée par une aristocratie libérale empressée de se venger du despotisme autrefois essayé sous Maupeou, était ambigu. Les historiens y ont longtemps vu celui d'une obstruction réactionnaire, dirigée par la noblesse de robe, et visant les efforts d'une monarchie éclairée, progressiste mais réduite à l'impuissance par les privilégiés. Cet accord unanime n'a été rompu qu'à la fin de sa vie par Jean Egret, qui a fait des magistrats des cours souveraines les éducateurs politiques de la nation prérévolutionnaire, défenseurs de la loi et des droits des sujets contre les tendances autoritaires de la couronne. Leur affaiblissement par l'action de Maupeou, loin d'avoir favorisé des réformes fondamentales, dont le gouvernement était incapable, gêna plutôt celui-ci au moment où il entrait en conflit avec des hommes d'affaires et des capitalistes dont il dépendait et qui n'avaient plus confiance en lui [1].

La nature de l'opposition aristocratique, dirigée contre la royauté absolue à la fin de l'Ancien Régime, pose donc problème. En l'absence d'états généraux, soudainement réclamés par certains parlements, sous Maupeou, pour mieux sauver l'État du despotisme, et demeurés, depuis, comme une solution possible des difficultés politiques, et devant l'inaptitude d'autres forces (états provinciaux, municipalités, rébellions populaires) à jouer ce rôle, le gouvernement monarchique ne pouvait rencontrer d'obstacles qu'au sein d'institutions étroitement intégrées au fonctionnement de l'État lui-même. L'Église, par exemple, qui en dépendait, demeurait aussi un corps autonome, soumis à ses propres règles d'organisation et protégé des empiétements éventuels de la royauté par son énorme fortune foncière. Le clergé interdit ainsi au contrôleur général Machault, au milieu du siècle, de l'imposer, et il renouvela ce succès en 1785. Groupe de pression d'une incomparable cohésion, l'Église n'avait jamais hésité à se servir de tous les moyens possibles d'agitation contre le pouvoir.

Les parlementaires, maîtres de leurs charges, en avaient également l'habitude lorsque ce dernier était faible. Ils le dominèrent, au cours des années 1750 et 1760, avant que Maupeou ne les réduisît au silence. Plus que jamais, après leur retour, leur force éventuelle provenait surtout de l'inertie ou de l'irrésolution des ministres. Ceux-ci, dont on connaît les conditions difficiles dans lesquelles ils exerçaient leur autorité, étaient sensibles à la pression de l'opinion. Et il est certain que les années 1770 virent se développer, chez elle, une crise de confiance à l'égard d'un gouvernement incapable de choisir une politique économique cohérente, de tenir ses engagements envers ses créanciers ou d'alléger le fardeau de ses contribuables. On l'accusa vite de despotisme lorsqu'il se débarrassa, avec les parlements, des corps intermédiaires supposés protéger de l'arbitraire la vie politique française. Le coup d'État de Maupeou, simple intrigue de cour plutôt que grand projet de réforme, réduisit effectivement l'opposition au silence. Mais il apprit à l'opinion à se débarrasser de ses illusions relatives à ses garanties contre l'absolutisme ; pour la première fois depuis le début du siècle, elle se remit à penser aux états généraux.

En même temps que les parlements restaurés restaient privés de prestige, le jeune Louis XVI, peu sûr de lui et sur qui rejaillissait l'impopularité entourant sa femme, n'était guère à même d'exercer l'autorité absolue dont il jouissait en théorie. Tout son règne fut donc marqué, à côté de la frivolité de la cour et de l'impuissance du pouvoir, par une discussion passionnée, au sein du public éclairé, sur le moyen de mieux gouverner le pays, de façon plus responsable et plus conforme à l'intérêt national. Dès 1770, en somme, pour William Doyle, un parti patriote était né, face à Maupeou et aux jésuites. Les parlements pouvaient s'en prétendre à bon droit les créateurs tant ils avaient répandu, par leurs remontrances, l'idée de la supériorité de la nation sur le roi. L'opposition aux dernières initiatives de Louis XV avait contribué, autant que les écrits des philosophes, à faire progresser la réflexion de l'élite sur la question de la souveraineté.

D'où l'importance accordée, dès lors, à la mise en place d'institutions représentatives réclamées depuis longtemps, sur le plan local, par les physiocrates. Certains parlementaires du début des années 1770 élargirent cette revendication à la tenue régulière d'états généraux. Après que Turgot y eut songé, Necker installa, en 1778, les premières assemblées provinciales. Elles ne pouvaient satisfaire l'opinion dans la mesure où elles n'étaient ni élues ni représentatives et semblaient surtout dirigées contre les parlements. Il n'existait d'ailleurs aucun accord, dans le pays ou son élite, sur la forme souhaitable de gouvernement représentatif. La crise de 1787 survint dans cette atmosphère fiévreuse mais incertaine[2].

Les réformes proposées par Calonne généralisaient le système des assemblées provinciales en l'associant à un nouvel impôt foncier. Jointes à un programme ambitieux de développement économique permettant de résorber le déficit par l'emprunt, elles n'enthousiasmèrent pourtant pas les notables, triés sur le volet, auxquels elles furent d'abord proposées. L'opposition résolue, au nom de ses privilèges les plus étroits, du clergé et celle des nombreux ennemis personnels ou rivaux du ministre utilisèrent le peu de confiance dont il jouissait dans l'opinion. Accusé de cacher l'état exact des comptes de la nation, ce réformateur maladroit fut renvoyé, par certains, à de futurs états généraux. L'indignation des notables devant son comportement, et son isolement grandissant, malgré ses manœuvres en direction du public, amenèrent le renvoi de Calonne, par Louis XVI, dès avril 1787.

Son successeur, Brienne, travailla sous la menace de la convocation d'états généraux. Cet ultime sauveur potentiel de la monarchie d'Ancien Régime était, comme ses prédécesseurs, un réformateur décidé. Mais il dut renvoyer des notables qui parlaient maintenant d'un contrôle financier permanent du pouvoir, à défaut d'états généraux s'exprimant au nom « de la nation ». Les réformes ultérieures de Brienne eurent le sens d'un dernier effort de la royauté absolue pour résoudre ses problèmes en l'absence d'assemblée élue. Les notables en avaient agité le spectre parce qu'ils ne croyaient pas, à juste titre, à la compétence du gouvernement. Privé de la confiance des sujets les plus éminents du roi, et ayant révélé à tous le désordre de ses finances, le pouvoir se trouvait, dès l'été 1787, irrémédiablement compromis aux yeux de l'opinion.

Son programme réformateur n'y changea rien. Les parlements ne pouvaient en effet que se conformer au vœu général selon lequel de nouveaux impôts ne sauraient être consentis que par les états généraux. Appuyé par les plus influents des anciens notables, celui de Paris reprit la tête de l'opposition. Sa lutte contre le ministère fut approuvée par la population de la capitale. Brienne tenta vainement de la séduire par l'annonce de la convocation des états généraux pour 1792. Isolé et accusé de despotisme, il essaya de revenir aux méthodes de Maupeou au printemps de 1788. L'indignation générale accueillit ces mesures au milieu d'un déluge de pamphlets réclamant la réunion d'états généraux pour donner à la France une nouvelle Constitution. Face au refus ouvert de l'élite du pays de coopérer avec lui, Brienne répondit par un appel à l'opinion afin de lui demander de l'aider à préparer les états généraux. La brusque crise financière du gouvernement, incapable de dégager des moyens de crédit devant la mauvaise volonté des hommes d'affaires, inquiets des difficultés économiques et politiques, mit fin à ses illusions. Au mois d'août, et successivement, les états généraux furent convoqués pour mai 1789, les paiements, émanant d'un Trésor vide, suspendus, Brienne, enfin, remplacé, à sa demande, par Necker. Sans argent et sans idées, la vieille monarchie avait perdu la partie[3].

Cette présentation de la crise prérévolutionnaire interdit d'y voir la simple victoire d'une aristocratie privilégiée contre un pouvoir éclairé. Notables et parlementaires n'y agirent pas seulement en défenseurs de leurs intérêts égoïstes. Ils parlaient aussi en accord avec une opinion nationale mécontente d'un système usé et sans prestige. Les plus jeunes de leurs membres notamment, comme Pasquier s'en est fait l'écho dans ses *Mémoires*, se montraient avant tout soucieux, en leur idéalisme généreux, de l'intérêt public compromis par le despotisme ministériel. Leur demande révolutionnaire d'états généraux s'inséra dans ce cadre. L'écho qu'elle rencontra provint du fait qu'elle correspondait à une offensive idéologique sensible depuis plusieurs décennies[4].

Les historiens s'attachent ainsi de plus en plus à retracer les origines lointaines du discours politique inédit dont le triomphe assura la fin de l'Ancien Régime. Ils voient, avec Eberhard Schmitt, s'y développer la conception moderne de la représentation nationale qui rattachait, depuis Fénelon, le roi à l'idée du « bien commun » et faisait peu à peu des parlementaires les représentants de la nation. A côté du clergé, qui utilisait largement, depuis longtemps, le système représentatif, certains membres des états provinciaux étaient choisis par les différents ordres, et de nombreuses communautés, rurales ou urbaines, possédaient des conseils politiques élus selon un système censitaire parfois très large. Jacques Godechot a remarqué que les conseils municipaux révolutionnaires furent souvent composés des mêmes hommes que ceux qui les avaient précédés[5].

Devant une telle diffusion de l'idée de représentation, on comprend que le concept d'« assemblée nationale » ou de « corps législatif », accolé à l'avance, à partir de septembre 1788, aux futurs états généraux, ne soit pas apparu dans un vide institutionnel ou théorique. Toute la France moderne avait au contraire développé, depuis le XVIe siècle, l'idée de représentation nationale pendant que s'y construisait, en sens inverse, l'édifice absolutiste. Au temps de la Ligue catholique, la petite bourgeoisie urbaine, dressée contre la noblesse héréditaire ou d'office, présenta des revendications peu compatibles avec ce dernier. Le libéralisme du XVIIIe siècle retrouva, par-delà la parenthèse louis-quatorzienne, une tradition « aristo-démocratique » encore bien vivante au temps de Louis XIII. Elle devait nourrir, sous Louis XV, le constitutionnalisme d'une petite élite nobiliaire bientôt renforcée, après 1760, par tout un courant philosophique et politique. Ce fut donc sans rupture qu'on aboutit, sur ce point, à l'agitation qui précéda et prépara directement la Révolution[6].

Keith Baker a insisté, à cet égard, sur l'hypothèse émise par Mably, dès la fin des années 1750, et selon laquelle un conflit entre le parlement de Paris et l'autorité royale, tel qu'il se produisait alors, à propos de problèmes ecclésiastiques, pourrait déboucher sur une révolution délivrant la France du despotisme où elle croupissait. Ce philosophe n'y voyait en effet aucun régime constitutionnel digne de ce nom en l'absence d'une volonté nationale clairement affirmée. Hostile aux réformes administratives prétendues éclairées, il attendait seulement d'une crise politique, et de la « fermentation des esprits » qui y serait associée, la tenue d'états généraux entamant enfin le processus révolutionnaire désiré. Il aboutirait à un système de représentation nationale garantissant la liberté. Si Mably mourut, déçu, avant de pouvoir contempler la Terre promise, son langage de républicain classique avait été l'une des composantes de la formation, avant 1788, du futur discours révolutionnaire[7].

Analyste de la crise religieuse et idéologique qui donna naissance aux thèses audacieuses de Mably, Dale Van Kley a vu se former, dans la France des années 1760, les partis conservateur et libéral qui se la partageront dans la première moitié du XIXe siècle. Il associe le premier aux partisans ultramontains des jésuites et aux adversaires du gallicanisme jansénisant, tandis que le constitutionnalisme des parlementaires, associé à ce dernier, préfigurait les travaux de l'Assemblée constituante. L'abondante littérature *politique* née de cet ultime conflit théologique du XVIIIe siècle vit s'opposer, de manière presque caricaturale, la justification ecclésiastique de l'absolutisme et sa critique au nom de la naissante conception de la souveraineté nationale, chère aux « patriotes », dressés contre la « tyrannie » et le « despotisme ». A cette laïcisation du droit public correspondait, chez les amis ou les ennemis des dévots, une incontestable désacralisation de la monarchie si mal incarnée par Louis XV[8].

Keith Baker a retrouvé, d'une autre façon, ce contraste fondamental de la pensée politique française au début du règne de Louis XVI. Celui-ci fut sans doute couronné solennellement à Reims, en 1775, dans l'enthousiasme général suscité par l'auguste et traditionnelle cérémonie du sacre. Si les patriotes furent indignés par la suppression de la mention du consentement du peuple à l'élection du roi, différents pamphlets profitèrent de l'occasion pour opposer aux anciennes formules d'adulation le nouveau langage du contrat social et des droits de la nation. En cet *Ami des lois* et ce *Catéchisme du citoyen* se profilait déjà, contre le souvenir de Maupeou et de sa « révolution », le futur discours des ennemis du « despotisme ». Il était accordé aux tensions contemporaines entre l'absolutisme traditionnel et les nouvelles orientations centralisatrices du gouvernement, entre l'ancienne justice et la nouvelle administration, entre l'ancien type d'autorité royale et les nouvelles conditions de l'exercice du pouvoir, entre les demandes de l'opinion à l'autorité et sa critique de ses réalisations. D'innombrables publicistes traduisaient de plus en plus ces motifs d'inquiétude. Ils rejoignaient un magistrat éclairé comme Malesherbes, présentant alors, au nom de la Cour des aides, des *Remontrances* visant à restaurer le droit de représentation à tous les niveaux et à introduire la publicité de l'action gouvernementale. L'ancien directeur de la Librairie y affirmait au roi que le vœu unanime de la nation était d'obtenir des états généraux. Dans un esprit différent, Turgot souhaitait aussi, on l'a vu, à ce moment, régénérer la France par une hiérarchie d'assemblées représentatives. Quant au Bordelais Saige, auteur du *Catéchisme*, il affirmait le droit de la nation au pouvoir législatif et identifiait ce dépositaire de la souveraineté au tiers état, auquel se ramenait, en fait, la société française. La constellation idéologique des années 1770 voyait ainsi coexister, à côté du rituel immuable et archaïque du sacre, de nouvelles conceptions relatives à la nature de l'autorité royale. Au-delà de la restauration de sa collaboration avec les membres des cours souveraines, on pouvait souhaiter, au contraire, l'affirmation du caractère éclairé et rationnel de son absolutisme ou celle de la souveraineté nationale que choisira l'an 1789. Toute la problématique des *droits de l'homme et du citoyen* était posée à l'avance, au début du règne de Louis XVI, par les réformateurs, assoiffés de justice administrative, les traditionalistes, qui préféraient en confier le soin aux parlements, et les théoriciens, déjà révolutionnaires, qui posaient en premier lieu l'idée politique de la nation[9].

Héritiers de ces conflits et de ces aspirations qui nourrirent les luttes de la prérévolution française, les notables, convoqués par Calonne, ne peuvent se ramener à une pure élite de privilégiés, sans autre objectif que la défense de leurs intérêts particuliers. C'est pourquoi ils réagirent avec indignation lorsque le ministre tenta de les en accuser auprès de l'opinion. Leur opposition se voulait nationale et patriotique, en accord avec les nouvelles aspirations de la culture politique de l'élite. Faite de propriétaires attachés à l'idée de participation au pouvoir, elle entendait imposer le consentement et le contrôle de l'impôt à une bureaucratie dont elle se méfiait. Partisane de l'autonomie provinciale, elle voyait, dans le développement des institutions locales, un élément essentiel du type de gouvernement dont elle rêvait, conformément à l'évolution de l'esprit public[10].

Contrairement à une thèse ancienne, encore partagée par Egret en 1962, la révolte aristocratique de 1787-1788 ne constitua pas, selon l'expression de Marcel Reinhard, une « contre-révolution avant la lettre », née d'un « refus des sacrifices de la majorité des privilégiés », qui engendra la Révolution en empêchant la réalisation des réformes et en contraignant le gouvernement à recourir aux états généraux. L'opposition, qui profita de la crise financière à la fin du règne de Louis XVI, exprima des idées déjà pleinement formées à son début. Elles étaient nées devant le coup d'État de Maupeou, qui avait rompu, en 1771, avec l'équilibre traditionnel de l'Ancien Régime. Il avait en effet dévoilé à tous la vraie nature de l'absolutisme, où le pouvoir royal était au-dessus de la loi. Le rétablissement des parlements, en 1774, ne changea rien à cette situation, inquiétante, en premier lieu, pour les créanciers du souverain. Elle ne put qu'être renforcée, aux yeux des adversaires du despotisme ministériel, par l'ultime tentative de Brienne[11].

La monarchie démissionna-t-elle complètement à la veille et au début de la Révolution ?

Il est admis que l'effondrement du gouvernement, en août 1788, laissa un vide complet au centre du pouvoir, qui devait d'ailleurs durer pendant cinq ans. Necker limita sa tâche à la préparation de la réunion des états généraux, seuls chargés de la solution des problèmes du pays. La royauté parut, en quelque sorte, leur avoir passé la main et leur laisser le soin de l'indispensable régénération nationale. Elle ne se préoccupa guère de les contrôler. La toute-puissance de Necker auprès de l'opinion et son crédit chez les gens de finance ne furent pas utilisés au service d'une initiative politique. Le ministre semblait partager la foi mystique des Français dans le futur travail des états.

Il ne pouvait pas davantage dicter les conditions de leur élection, sur lesquelles s'engagea un âpre débat au cours de l'automne 1788. Dans une atmosphère de grande excitation et d'hostilité toujours marquée à l'égard de ce qui pourrait rappeler le despotisme, Necker consulta à nouveau, à ce sujet, les notables. Contrairement à leur avis, il décida, à la fin de l'année, qu'il y aurait dans les états autant de députés du tiers que des ordres privilégiés.

La question du vote par tête, cependant, restait ouverte, et la monarchie n'avait pas tranché entre les partis qui s'affrontaient sur ce point. Elle ne proposa pas en mars-avril 1789 ses propres candidats aux électeurs. Il est vrai qu'il lui aurait été difficile de leur proposer un programme gouvernemental quand celui-ci se résumait à la paralysie et au recours paresseux aux futurs états. Élus largement sur la base de considérations locales, les députés seraient les hommes d'un changement qui n'aurait rien à voir avec un ancien pouvoir devenu neutre parce que impuissant.

Il avait permis que les assemblées électorales du clergé soient de nature révolutionnaire, en favorisant le clergé paroissial, jusque-là sous-représenté au sein de l'Église gallicane. Lorsque les états se réunirent à Versailles, en mai, le gouvernement ne leur offrit, à leur grand désappointement, que des vœux pieux. Il semblait déplorer un excessif esprit d'innovation et ne se prononçait toujours pas en faveur du vote par tête. Cette timidité et cette réticence, qui déçurent tout le monde, gênèrent particulièrement les députés du tiers. Elles le contraignaient, en effet, à se renier ou à se révolter.

Ils commencèrent à se plaindre auprès de leurs commettants de l'inaction et de l'obstruction d'un pouvoir incapable, au bout d'un mois, de faire démarrer des états tant attendus. Cette situation compromit la position de Necker à la cour, où sa réputation chancelait. On renforça les troupes autour de Versailles sans qu'il le sache. Le public s'aperçut de cet afflux de régiments étrangers, et la rumeur d'un complot aristocratique, conduisant à la dissolution des états, commença à courir. Dans une atmosphère d'émeutes et de troubles, le gouvernement fut, comme toujours, tenu pour responsable des désordres à côté des privilégiés.

La décision du tiers visant, le 10 juin, à commencer sans se soucier d'eux la vérification des mandats mit en question, pour la première fois, la légitimité du pouvoir et entendit lui dicter les conditions de son exercice. Transformés, le 17, en Assemblée nationale, les députés révolutionnaires prétendaient clairement à la souveraineté politique tout en continuant à crier « Vive le roi ! ».

Celui-ci, devant un pareil défi à son autorité, se décida enfin à sortir de son inertie et à passer à l'action. Vu l'urgence et le risque de perdre le contrôle de la situation, il annonça, pour le 23, la tenue d'une séance royale où il proposerait un programme. La mesquine tentative d'empêcher auparavant les opposants de se réunir ne fit que renforcer leur unité et leur détermination.

Necker avait eu l'idée de la séance du 23 afin de les désarmer par un assaut de réformes généreuses, dont l'acceptation du vote en commun sur les questions importantes, la garantie de la tenue régulière des états, leur consentement à l'impôt, le développement des états provinciaux, etc. Au dernier moment, la reine et les frères du roi imposèrent de telles modifications au projet que Necker présenta sa démission à Louis XVI.

Celui-ci conserva la plupart des vues de son ministre. Mais il condamna les résolutions des 10 et 17, et proclama la nature sacrée de la séparation des ordres. S'ils pouvaient délibérer en commun, la noblesse et le clergé conservaient un droit de veto sur toute proposition les affectant. Le roi termina, de plus, par la menace implicite de faire les réformes seul s'il ne bénéficiait pas de la coopération de tous.

Les députés du tiers reçurent froidement des propositions qui auraient dû être présentées dès le début du mois de mai et se trouvaient maintenant jointes à la condamnation de tout ce qu'ils venaient de faire. Cette ultime tentative de la couronne pour servir de guide à la nation venait trop tard et dépendait trop des circonstances. Lorsque le roi partit en donnant l'ordre aux députés de se disperser, il ne fut pas obéi. Il ne s'en soucia pas, occupé qu'il était à tenter de persuader Necker de revenir sur sa démission.

Cette vaine manifestation d'autorité s'évanouit au premier signe de résistance. Devant cet échec, les députés de la noblesse et du clergé comprirent qu'ils ne pouvaient pas compter sur l'appui de Louis XVI. La foule, d'ailleurs, qui assiégeait les états applaudissait Necker et menaçait ceux qui ne se joignaient pas à l'Assemblée. Le seul espoir du roi, pour redresser la situation, résidait dans une intervention de l'armée. Il fut décidé, le 26, de doubler les effectifs stationnés autour de Paris. Il faudrait du temps, cependant, avant qu'ils soient concentrés et utilisables, d'autant plus que les troubles gagnaient les régiments de la capitale. Devant la menace d'une démonstration de masse en faveur de l'union des ordres, et pour gagner du temps afin de se renforcer, Louis XVI recommanda, le 27, aux députés récalcitrants, d'y procéder. On l'applaudit dans tout Versailles, mais de bons observateurs ne croyaient guère à la sincérité de cette capitulation[1].

Le mouvement de troupes décidé le 26 fut en effet renforcé au début de juillet et il était clair que le roi demeurait décidé à opposer la force à la Révolution. Le 8, l'Assemblée demanda en vain à Louis XVI de retirer toutes les troupes des environs de Paris. Tout à leurs projets contre-révolutionnaires, le souverain et ses conseillers aristocratiques décidèrent, le même jour, le renvoi de Necker, qui lui fut notifié le 11, avec l'ordre de quitter immédiatement le pays. Un ministère conservateur, dirigé par Breteuil et le maréchal de Broglie, fut constitué.

Malgré ses éclatantes insuffisances politiques, Necker n'avait jamais été aussi populaire ; on le regardait comme le protecteur du peuple au sein du pouvoir, et le roi devait savoir que son renvoi signifiait l'ouverture d'un défi capital. Il entraîna, on le sait, le soulèvement décisif du peuple de Paris, devant lequel, dès le 12 au soir, les troupes se retirèrent. Le 16, de Broglie fit savoir à Louis XVI qu'il ne pouvait compter sur son armée. Désormais complètement impuissant à imposer ses volontés, le souverain, après avoir annoncé le renvoi des troupes et le rappel de Necker, alla confirmer sa capitulation à Paris.

La Révolution fut donc sauvée, dès le début, contre la monarchie, qui lui demeura, avec ses courtisans, fondamentalement hostile. Elle tenta encore, à la fin de septembre, de jouer avec l'idée de reprendre le contrôle des événements par la force. Son retour dans la capitale, au début d'octobre, fut seul à apporter aux novateurs la certitude que le changement espéré était accompli. Contrainte de convoquer les états généraux, puis incapable de les guider, la royauté avait pesé de tout son poids en faveur de ceux qui s'opposaient au progrès. Ce dernier ne fut assuré, en 1789, que par l'impuissance du pouvoir à écraser la Révolution par la force[2].

Ce rappel permet de nuancer l'affirmation relative à la complète démission de la monarchie depuis l'été 1788. Il est certain que ses hésitations et son inertie, jusqu'au milieu de juin 1789, la rendirent incapable de peser sur la composition et la première orientation des états généraux. Cette irréparable perte de temps gâcha une occasion historique, qui ne se reproduira plus, et abandonna le devant de la scène aux partis affrontés. Mais lorsqu'il lui fallut choisir entre eux, Louis XVI, tout en conservant quelques-unes des réformes admises et proposées par Necker, indiqua nettement son camp. C'était celui des adversaires de la transformation nationale de l'État et de la société proposée par les patriotes. Le souverain tenta même vainement de l'empêcher par la force. Ses capitulations ultérieures, mal déguisées par une hypocrisie connue de tous, n'empêchèrent jamais de voir en lui un des chefs de la contre-révolution.

Dernier acte libre de l'ancien pouvoir, le discours du 23 juin optait pour une monarchie constitutionnelle, différente de l'absolutisme traditionnel. Mais, sur le plan social, il s'alignait sur la position des ordres privilégiés qui devaient préserver l'essentiel de leurs droits et de leurs prérogatives. Le coup de force militaire, prévu après l'échec de la séance royale, avait pour but d'empêcher qu'il y soit porté atteinte. Il se serait sans doute accompagné, selon les habitudes de l'ancienne monarchie, de mesures prises contre les opposants. Les 20000 hommes que l'on prévoyait de concentrer, vers la mi-juillet, dans la région parisienne, permettraient de les assurer. Appuyé sur ce formidable renforcement du dispositif de sécurité, Louis XVI, longtemps irrésolu et plein de bonne volonté mais maintenant acquis à la camarilla qui l'entourait, ne capitula devant la Révolution que par l'incapacité où il se trouvait de la réprimer par la force. L'effondrement de son autorité dans le pays était d'ailleurs général. Mais, par la suite, au cours de l'été, le roi persista à refuser de promulguer les premiers textes réorganisant la société et l'État. Il aggravait ainsi une situation politique marquée par de puissants phénomènes de désintégration. Son entourage se prêtait à des projets relatifs à le protéger de Paris et de l'Assemblée. Il fallut, le 6 octobre, une nouvelle journée populaire pour l'amener à une seconde et définitive capitulation. Louis XVI ne l'accepta jamais sincèrement et songea dès lors à une fuite qu'il avait jugée d'abord déshonorante[3].

Cette opposition profonde entre la nouvelle nation et l'ancien pouvoir était d'autant plus grave que ce dernier conservait, en 1789, un immense prestige. Les cahiers de doléances rédigés, en mars et avril, au nom de tous les Français le prouvent clairement. Ils abondent en effet, de la part de tous les ordres, en « effusions d'enthousiasme et d'amour » envers un monarque dont on attendait la régénération du peuple et sa réconciliation avec l'État. Dans un élan quasi religieux, les habitants des plus chétives paroisses voyaient en lui un sauveur et un père qui leur apporterait enfin la paix et le bonheur. On comptait sur sa sagesse, digne de celle d'Henri IV, pour accomplir une transformation sociale et politique qui renforcerait la royauté au lieu de l'affaiblir. Dans une atmosphère d'espérance millénariste, qui rejaillissait sur Necker autant que sur son souverain, les Français de toute région et de toute condition présentaient à ce dernier leurs « hommages délirants » en humbles admirateurs, persuadés qu'il résoudrait tous les problèmes des plus menus de ses sujets[4].

Cette étonnante popularité, qui contraste avec les accusations d'arbitraire dirigées contre l'administration ou les privilégiés, permet de relativiser les suites accordées, dans l'opinion, aux rumeurs superficielles et parisiennes entraînées, par exemple, par l'affaire du collier de la reine. Il y avait là un immense capital de confiance que le roi ne parviendra pas à dissiper complètement par son attitude entre l'été 1789 et l'été 1792. En dépit de tout, sous la Première République encore et jusqu'à Bonaparte, la majorité du peuple français demeura monarchiste. Le malheur du pays voulut que le choix initial de Louis XVI ait transformé ce sentiment en l'une des chances de la contre-révolution.

3

Une victoire de la bourgeoisie ?

Peu d'historiens rattachent encore, en premier lieu, les origines de la Révolution française à une hypothétique lutte de classes entre noblesse et bourgeoisie. Qualifiée de mythique par Alfred Cobban, dès 1955, l'identification du tournant de 1789 à une étape décisive de la transition entre féodalité et capitalisme s'est heurtée, depuis, à une série d'objections insurmontables. Il n'est plus possible, d'autre part, de continuer à traiter de bourgeoise ou capitaliste une Révolution voulue par l'ensemble de l'élite éclairée et appuyée par des paysans ou des ouvriers farouchement anticapitalistes. Sur tous ces points s'impose plus que jamais une difficile réécriture des causes et des aspects sociaux de 1789.

Une lutte de classes opposait-elle noblesse et bourgeoisie avant 1789 ?

Le tableau classique des origines de la Révolution possédait le charme des synthèses faciles. Par réaction contre l'absolutisme louis-quatorzien, l'aristocratie avait fini par miner la monarchie et provoquer l'opposition d'une bourgeoisie aliénée et frustrée. Celle-ci profita de la crise de la fin des années 1780 pour renverser l'Ancien Régime politique et social, avant de se heurter à la contre-révolution et d'affronter, au siècle suivant, la classe ouvrière.

Attachés aux concepts marxistes traditionnels, des historiens persistent à peindre le XVIIIe siècle sous l'angle d'un conflit de classes entre une noblesse décadente et une bourgeoisie ascendante. Assimilant le régime seigneurial à la « féodalité », ils placent l'ensemble de la société française sous le signe de celle-ci, dominée par l'aristocratie et contestée par le reste de la population. Ils voient dans la bourgeoisie, porteuse d'une idéologie neuve, l'interprète naturel de cette contestation. La Révolution de 1789 lui aurait permis d'aboutir à une transformation conforme à ses vues. Jean Nicolas, dans sa thèse sur la Savoie, y a rencontré les preuves de ce développement. Mais la démonstration reste à faire pour la France, qui, *elle*, connut une révolution [1].

L'ébranlement de ce dogmatisme, en ce qui la concerne, peut être daté de deux articles fondamentaux, parus en 1967 et 1973, et dus à George Taylor et Colin Lucas. Dans le premier, Alfred Cobban se voyait approuvé d'avoir ramené l'essentiel de la fortune prérévolutionnaire à des sources non capitalistes. L'aristocratie terrienne et la bourgeoisie foncière, qui les possédaient, formaient un seul groupe socio-économique. La Révolution de 1789 ne put avoir, en ce sens, que des causes d'un autre ordre, à savoir celui du politique [2].

Colin Lucas revint, six ans plus tard, sur l'impossibilité de distinguer clairement, dans l'élite française du XVIIIe siècle, deux classes antagonistes de nobles et de bourgeois. Il a montré qu'ils possédaient, au contraire, une communauté d'intérêts face aux classes populaires et qu'aucune frontière rigide n'existait entre eux au sein du régime dit « féodal ». Peu imprégnés d'esprit « capitaliste », les marchands eux-mêmes entendaient s'intégrer à ce système. Une élite foncière et seigneuriale, noble ou non, dominait la société. Aucune bourgeoisie pourvue d'une conscience de classe adéquate ne s'y opposait et ne put provoquer une crise révolutionnaire, qui naquit d'abord au sein de l'élite. La noblesse y constituait l'expression la plus pure de la supériorité sociale et y était souvent associée à une grande richesse. Y entrer s'identifiait donc à la forme normale de promotion et d'ascension. Elle était fréquemment le résultat le plus direct et le plus désiré de l'enrichissement. Ces différentes formes de compétition interne au sein de l'élite ne prirent jamais un aspect de crise avant 1788. Le problème politique et la lutte contre l'absolutisme y mobilisèrent beaucoup plus les esprits. Ils le firent sans que soit jamais mise en cause la notion de privilège nobiliaire. La révolte du tiers exprima seulement une revendication de statut des éléments inférieurs de l'élite. Cette bourgeoisie révolutionnaire ne combattit d'ailleurs l'ordre ancien, en 1789, qu'avec prudence. Elle demeurait attachée à la conception socio-économique d'une élite de propriétaires fonciers qui ne contredisait pas l'Ancien Régime tout en annonçant le nouveau. Ce fut l'opposition politique de la majorité de la noblesse à la Révolution qui créa le mythe de son conflit antérieur avec la bourgeoisie. Dans le nouveau cadre juridique entraîné par 1789, l'élite prenait cependant des caractéristiques inédites. En ce sens, ce ne fut pas la bourgeoisie qui fit la Révolution, mais celle-ci qui créa celle-là [3].

Les « révisionnistes » français s'étaient fait l'écho, dans les *Annales*, de cette nouvelle vue des choses. Guy Chaussinand-Nogaret, appelant noblesse « la bourgeoisie qui a réussi », remarqua qu'au XVIIIe siècle c'était la première, plus que la seconde, qui était pénétrée d'idéologie « bourgeoise ». Il notait son souci inédit de mérite et sa contamination, après 1760, par les valeurs neuves de la modernité économique et culturelle, constituant progressivement une nouvelle élite du talent. Cet embourgeoisement de la noblesse, confirmé, en 1789, par ses cahiers, la rendait sur de nombreux points plus libérale que le tiers. Aucun désaccord idéologique fondamental ne les opposait. On le comprend en songeant que la noblesse était à la tête du développement capitaliste. Unie par une solidarité profonde, l'élite française ne pouvait connaître que des divisions apparentes. Provisoirement renforcées par les événements révolutionnaires, elles céderont vite le pas à la reconstitution d'un nouvel ordre social qui ressemblera, par beaucoup d'aspects, à l'ancien [4].

Cette conception d'une noblesse en grande partie progressiste et pleinement acquise à l'esprit « bourgeois » a gagné beaucoup de terrain. Souvent composée de gestionnaires rationnels, cette classe n'était pas plus privilégiée que beaucoup d'autres éléments de la société française. Elle était aussi intéressée qu'eux, en revanche, par les activités économiques et participait, au sommet, à une élite de la richesse. Son antagonisme avec une bourgeoisie d'ailleurs très divisée était imaginaire, de même que sa constitution en caste fermée. La noblesse, au reste, manquait totalement d'unité, et ce ne fut que la convocation des états généraux qui lui en redonna une, de manière artificielle.

La récente synthèse de William Doyle, tenant compte de ces éléments, présente l'ordre nobiliaire comme dominant la France à la fin du XVIIIe siècle. Ses privilèges, au moins aussi enviables que ceux de l'Église, attiraient le désir des parvenus, de même que son mode de vie. Indispensable au service du roi, la noblesse était une élite ouverte et sans rivale. Ceux qui l'attaquaient, ou l'attaqueront, rêvaient d'en faire partie. Le gouvernement, naturellement, la respectait, et le plus grave danger pour elle était sans doute constitué par ses divisions internes. Elles expliquent une bonne part des mesures dites de réaction aristocratique et par lesquelles les anciens nobles, souvent appauvris, entendaient se protéger des riches anoblis. A côté des oppositions sociales et financières, un gouffre culturel séparait également la plupart des hobereaux des grands seigneurs libéraux qui se placèrent normalement à la tête du mouvement révolutionnaire[5].

Très difficile à définir, la bourgeoisie était encore moins unie et sans conscience de classe précise. Elle ne se voyait pas comme un groupe social distinct et dont les valeurs étaient supérieures aux autres. Hostile au peuple, elle aspirait à la noblesse. L'immense variété de cette classe et son étroitesse d'horizon lui interdisaient toute autre idée d'ascension. Méprisant les travailleurs manuels, elle songeait à quitter les affaires dès qu'elle le pouvait. Acheteuse d'offices ou de terres, et avide de respectabilité, elle put craindre, au cours des années 1780, d'avoir plus de difficulté à l'acquérir. Mais sa mentalité rentière demeurait conservatrice, anticapitaliste et paranobiliaire. Elle pouvait seulement s'inquiéter de voir freinée par le haut la mobilité sociale d'Ancien Régime qui conduisait à la noblesse par la vénalité des charges. Ses membres les plus timorés jalousaient donc les plus riches qui empruntaient d'autres voies pour pénétrer dans l'aristocratie. Aspirant à y entrer, la bourgeoisie de l'office ou du barreau ne ressentait encore, cependant, que des frustrations naissantes lorsque les états généraux s'annoncèrent. La crise politique lui permit de les exprimer dans la mesure où ce groupe était plus cultivé qu'auparavant, même si les Lumières étaient loin de l'avoir gagné entièrement. Mais la bourgeoisie éclairée participait, comme les secteurs correspondants de la noblesse, à cette nouvelle opinion publique désireuse de transformer la société et la nation. Elle se rallia entièrement, jusqu'à l'été 1788, à l'opposition aristocratique. Ce ne fut que dans le cadre de la préparation des états généraux qu'elle commença à prendre conscience d'elle-même. Ayant élargi ses horizons, elle cessa de se considérer comme un membre passif de la communauté et d'envisager le jeu politique comme un monopole des nobles. Il fallut pourtant tout le conservatisme de la majorité de ceux-ci pour que les bourgeois français, pour la première fois de leur histoire, s'aperçoivent qu'ils avaient des intérêts communs[6].

Cette nouvelle vision des choses présente l'aristocratie française du XVIIIe siècle comme une classe ouverte, d'origine récente et liée à la richesse. Ce ne fut que dans le choc de la lutte révolutionnaire qu'elle s'acharna à se définir et à se préserver par le privilège. Avant cela, il est imaginaire d'assigner à l'Ancien Régime finissant une rigidité insurmontable. Son groupe dirigeant s'enrichissait plutôt qu'il ne s'appauvrissait. Ce sont des nobles qui s'occupaient de course maritime ou de traite négrière ; ils fournissaient les maîtres de forges ou les rois du fer ; ils dominaient, outre les mines et la métallurgie, l'industrie textile ou les sociétés par actions et commençaient à s'intéresser à la nouvelle chimie. A côté de ces réalités, la « société de cour » chère à

Norbert Élias paraît appartenir à l'ordre du fantasme. Il en va de même de l'image classique de la « féodalité ». Nous devons à Guy Chaussinand-Nogaret un regard autrement stimulant sur un ordre sans doute divers mais où les ploutocrates comptaient plus que les indigents et où culture et capitalisme se rencontraient plus que chez les bourgeois. Le vrai projet de mettre fin à l'Ancien Régime, ce fut l'aristocratie qui le forma [7].

Ces vues ont laissé sceptiques certains qui expliquent toujours la noblesse d'avant la Révolution par celle d'après et reprochent à cette « conception de l'élite » d'être « très marquée par la psychologie américaine » et son idéalisme supposé. Ils demeurent persuadés de l'opposition irréductible, dès l'époque prérévolutionnaire, « entre notables bourgeois et gentilshommes » et n'attribuent la constitution de la future « classe de propriétaires » qu'à la nécessaire suppression de la supériorité aristocratique [8].

On ne comprend pas, dans ces conditions, l'adhésion massive des cahiers nobles de 1789 à l'idéologie du mérite. Elle correspondait à tout un courant continu et libéral de la réflexion de l'aristocratie française au XVIIIe siècle. Futur apôtre de la contre-révolution, le comte d'Entraigues fut d'abord, en 1788, un héritier décidé de ces idées, ami du peuple et ennemi des despotes [9].

William Doyle vient de montrer que le déclin de la valeur vénale des charges d'officier fut loin d'être général au XVIIIe siècle. Celles qui conduisaient à la noblesse ou pouvaient permettre d'y accéder continuèrent, au contraire, à être l'objet d'un vif attrait et d'une forte spéculation. Cette tendance prouve le maintien, au sein de la bourgeoisie française, d'une ambition traditionnelle, et non capitaliste, de pénétrer au sein du groupe dirigeant de la société. Ce ne fut pas en raison de leurs frustrations, mais par suite d'un soudain renversement de leurs valeurs contraire à leurs anciens intérêts que les députés du tiers, en majorité détenteurs d'offices, abolirent, en 1789, un système auquel ils avaient jusque-là aspiré à s'intégrer. L'idéalisme révolutionnaire, en radicalisant leur point de vue, leur fit abandonner d'un coup la conception des choses propres à leur classe[10].

Cet historien avait contribué à mettre en doute le mythe de la réaction aristocratique propre à la France prérévolutionnaire. Le XVIIIe siècle ne changea rien, à cet égard, au mode de recrutement d'un pouvoir déjà constitué de nobles sous Louis XIV. Quant à la fameuse ordonnance de Ségur, en 1781, qui limitait l'entrée au corps des officiers de l'armée à ceux jouissant de quatre quartiers de noblesse, elle visait à défendre les moins riches des nobles contre le népotisme des courtisans et des anoblis. Le renforcement du régime seigneurial à la veille de la Révolution ne fut pas, de même, un phénomène inédit ou général, et il concerna les propriétaires bourgeois autant que les nobles[11].

David Bien n'a vu, sous le règne de Louis XVI, aucune offensive résolue de la noblesse pour consolider la hiérarchie traditionnelle afin de garantir sa prééminence contre les roturiers. Cette cause imaginaire de la Révolution ne constitue qu'une projection rétrospective sur le passé, faite à partir des événements intervenus en 1789. Elle attribue à l'armée ou à la société d'Ancien Régime des problèmes qui ne se posaient pas à elles et ignore ceux qui les inquiétaient. C'était le cas de l'anoblissement par achat d'offices, jugé trop rapide et trop facile par Necker et beaucoup d'autres. Le règlement de Ségur réagit contre l'ouverture des emplois militaires à cette aristocratie de fraîche date, au nom des vieux gentilshommes. La première, qui dominait déjà tant de cours souveraines et se trouvait souvent à la tête de l'État et de la société, avait surtout à se plaindre de cette mesure. Œuvre de techniciens plus que d'idéologues, celle-ci visait à préserver le recrutement professionnel des officiers de l'armée dans les familles de tradition militaire. La lutte contre la bourgeoisie était le cadet de ses soucis, à côté de celle dirigée contre la cour et l'argent, dans le cadre des divisions nobiliaires qui comptaient beaucoup plus, alors, que les autres au sein de la société française[12].

Nullement unie par le privilège, son élite aristocratique ne songea même pas à faire bloc contre ses adversaires, en 1789, tant elle en avait peu l'habitude. Les plus riches bourgeois aspiraient depuis des siècles à accéder à son statut, que l'on obtenait maintenant par l'acquisition d'offices où l'on voyait volontiers la justification de l'activité économique. En cette chaîne continue, du marchand et du négociant à l'officier et au noble, se lisait une stratégie de l'ascension sociale à laquelle la plupart des familles françaises croyaient encore à la veille de la Révolution[13].

La révolution politique de 1789 fut-elle due à la bourgeoisie ?

On a justement insisté, depuis Alfred Cobban, sur le fait que ce fut la bourgeoisie de robe, et non la classe capitaliste, qui occupa le devant de la scène pendant les événements révolutionnaires. Ces hommes de loi, notaires, procureurs, avocats ou juges des bailliages et des sénéchaussées, jouèrent un rôle décisif dans la campagne électorale des états généraux, de même qu'ils y constituèrent la majorité des députés du tiers. Ils ne furent jamais aussi unis, derrière un programme politique local et national, qu'à ce moment capital. Georges Lefebvre en avait conclu qu'ils avaient interprété et incarné, à partir de septembre 1788, la volonté de l'ensemble de la bourgeoisie de diriger la Révolution naissante. Elizabeth Eisenstein objecta à ce point de vue, dès 1965, le caractère massivement nobiliaire des dirigeants du parti patriote, groupés au sein de la fameuse Société des trente, qui orchestrèrent ce mouvement. Elle estimait qu'une alliance hétérogène d'aristocrates et de bourgeois également éclairés l'avait animé. Le ramener à une pure action de la bourgeoisie revenait à une pétition de principe sans preuve décisive ; c'était minimiser à l'excès la continuité libérale de l'action aristocratique menée contre la monarchie d'Ancien Régime depuis au moins le début de 1787. Loin de se borner aux personnalités individuelles de Sieyès, Mirabeau ou La Fayette, la participation *collective* de politiciens ou d'intellectuels privilégiés aux origines de la Révolution fut, au contraire, considérable. Elle interdit donc de limiter ses dimensions initiales à celles d'une opération bourgeoise [1].

Ce développement des idées d'Alfred Cobban, s'il heurta des esprits plus conservateurs, a fini par avoir gain de cause, du moins dans l'historiographie anglo-saxonne, plus sensible que la nôtre au caractère abstrait de l'application des concepts de classe au jeu mouvant des forces politiques, notamment dans les phases révolutionnaires. Pour sortir de cette théologie, rien ne vaut l'observation concrète, telle celle appliquée par Lynn Hunt à l'élite des principales villes champenoises à la fin du XVIIIe siècle. Elle confirme, malgré de nombreux clivages, le caractère coopératif de cette domination exercée par un ensemble bigarré de capitalistes et de propriétaires, de nobles ou de bourgeois. La solidarité et la puissance de ce groupe se renforcèrent plutôt, malgré les progrès de la conscience civique, jusqu'à l'été 1789. A Reims même, sa domination parvint à survivre aux événements révolutionnaires. Faite d'une multiplicité de situations locales, la vie politique et sociale des notables urbains manifestait, en général, une étonnante capacité d'intégration. Si la Révolution la mit un moment à mal, elle devait réussir à lui survivre [2].

La déclaration du parlement de Paris, le 25 septembre 1788, visant à faire convoquer les états généraux sur le modèle de ceux de 1614, déplut à ceux qui s'inspiraient plutôt du modèle récent du Dauphiné où les ordres siégeaient ensemble, les députés du tiers étant le double des autres. La campagne d'opinion lancée alors en sa faveur le fut surtout, on le sait, non par des bourgeois, mais par le club politique dit « Société des trente », formé en majorité de nobles et se réunissant chez Duport, membre lui-même du parlement de Paris. Ce microcosme de l'élite parisienne, avide de régénération nationale, souhaitait normalement y accorder toute sa place à la richesse et au talent. Il fallait donc que les états soient plus représentatifs de la meilleure partie du pays que ne le voulait le parlement. Mirabeau appela d'ailleurs ce projet, qui adressa en direction de la bourgeoisie un flot de pamphlets et d'agitation, « une conspiration de gentilshommes ». Elle ébranla puissamment la conscience politique française en faisant circuler des pétitions modèles à envoyer au gouvernement par l'intermédiaire des autorités. Cette offensive vers l'opinion publique fit boule de neige. Dès décembre, elle n'était plus contrôlée par ses auteurs et, si elle réussit, ne le fit qu'en éveillant le ressentiment contre les privilégiés. Même les plus modérés d'entre eux devinrent plus intransigeants, et une stratégie d'unité sociale parvint à des résultats contraires à ses buts. L'idéal de fusion, qui avait été celui de l'assemblée de Vizille, en juillet, puis celui de la Société des trente, se limita à une minorité.

La majorité des notables reconvoqués par Necker se prononça contre lui, de même que cinq des sept princes du sang. La masse des pamphlets et des pétitions continuait, au contraire, à le recommander, souvent sur la base d'initiatives locales. Le parlement de Paris finit par se rallier partiellement à cette vue, suivi, on le sait, par le gouvernement. Ce triomphe de la campagne lancée par les Trente n'arrêta pas la dénonciation des privilégiés qui pouvaient se raccrocher au vote par ordre. Ce fut dans cette ambiance que parut, en janvier 1789, le fameux pamphlet de Sieyès interdisant à la noblesse et au clergé de faire partie de la nation s'ils ne renonçaient pas à leurs droits particuliers. L'antagonisme entre les ordres avait été, d'autre part, accru par la controverse relative à une éventuelle renaissance des états provinciaux. Des combats de rue opposèrent à Rennes, à la fin du mois, étudiants en droit, partisans de leur réforme, et domestiques de la noblesse conservatrice. La question de ses privilèges polarisait de plus en plus l'opinion. Or ses assemblées électorales furent marquées par d'amères divisions, et les nobles de Bretagne, par exemple, refusèrent d'être représentés aux états généraux. Peu de nobles de robe furent élus à côté de ceux exprimant la majorité silencieuse de l'ordre, plus pauvre et sans expérience politique. Il y eut quand même près d'un tiers d'élus libéraux, plus jeunes et plus proches de la mentalité urbaine.

Les cahiers de l'ordre, d'ailleurs, furent influencés par

leurs idées. L'hostilité déterminée au vote par tête n'y est présente que chez 41 % d'entre eux ; 89 % se disaient prêts à renoncer aux privilèges fiscaux de la noblesse. Moins de 10 % des demandes de l'ordre visaient un exclusivisme de type réactionnaire. Loin d'être absolument hostiles à la future Révolution, les députés nobles étaient prêts à lui faire d'importantes concessions. De nombreux points communs les rapprochaient de ceux du tiers en matière constitutionnelle. Leur affrontement ultérieur, au début de la réunion des états, fut plus dû à des difficultés de procédure et à une atmosphère politique d'ensemble qu'à un désaccord sur des principes fondamentaux. Quant aux élections au sein du tiers, beaucoup plus harmonieuses, elles furent le fait de paysans et d'artisans envoyant siéger, à Versailles, des bourgeois, émanant surtout de ces hommes de loi et de ces détenteurs d'offices qui avaient toujours été les porte-parole naturels de la roture. Forts de leur culture, en particulier juridique, ils se firent élire sans peine. Mais les cahiers dont ils étaient porteurs n'expriment pas un ressentiment particulièrement violent, notamment à propos de l'abolition du régime seigneurial ou, encore plus, de l'éventuelle confiscation des biens ecclésiastiques. Ils étaient réformateurs plus que révolutionnaires, et la radicalisation des députés du tiers ne tint pas à leur expérience de l'Ancien Régime mais à celle qu'ils firent de mai à juillet 1789. Seule la question du vote par tête séparait les deux premiers ordres du reste de la nation. L'accord des cahiers sur la plupart des autres points frappait davantage. Ce consensus libéral servira de base au travail de l'Assemblée nationale à partir de juillet. Mais il fallut qu'auparavant interviennent les résultats négatifs des soupçons, des ressentiments et des antagonismes, ainsi que l'intervention populaire que l'idéalisme des cahiers n'avait pas prévue. En sauvant la Révolution, elle obligea ses chefs, qui se méfiaient du peuple, à lui faire des concessions qui allaient bien au-delà des prévisions des électeurs de 1789[3].

Les députés du tiers habitués, tels ceux du Dauphiné et de Bretagne, à défier l'autorité, à travailler ensemble et à savoir ce qu'ils voulaient, imposèrent à l'ensemble de l'ordre, à l'ouverture des états, son refus de se constituer en corps particulier avant la réponse des deux autres à sa proposition de vérifier les mandats en commun. Cette demande fut rejetée par la noblesse dès le 7 mai. Sa minorité libérale espérait cependant obtenir un changement de ce point de vue avec le temps. Le clergé fut tout de suite beaucoup plus sensible aux propositions du tiers, mais les conversations qui s'engagèrent entre délégués des ordres demeurèrent stériles, devant l'opposition de la majorité de la noblesse. Ce premier mois d'inaction des états durcit, de chaque côté, les attitudes. Ce changement d'esprit conduisit, le 10 juin, les représentants de la bourgeoisie à leur acte révolutionnaire de prise du pouvoir. Leur fermeté, on le sait, devait résister à la pression royale après avoir commencé à ébranler les autres députés. Une Assemblée nationale, votant par tête et sans distinction d'ordres, était enfin constituée[4].

Il s'agissait là du grand but de l'opposition libérale, *à la fois* aristocratique et bourgeoise, qui s'était affirmée depuis septembre 1788. La plupart des membres de la Société des trente, par exemple, courtisans ou jeunes magistrats, appartenaient à la plus ancienne noblesse. Le programme réformateur de ces grands seigneurs patriotes, qui eurent les moyens de leur propagande, fut approuvé, dans les provinces, le plus souvent par des bourgeois, parfois, comme en Dauphiné, par les privilégiés. Les élections, par ailleurs, envoyèrent une majorité de députés (robins du tiers, curés de paroisse, nobles libéraux) émanant du milieu urbain et cultivé de la France du Nord dans la nouvelle génération. Ces éléments d'homogénéité culturelle, qui transcendaient les ordres et les classes, se révéleront féconds chez les futurs activistes de la Constituante. Ils correspondaient à un large et ancien consensus constitutionnel, anti-absolutiste, au service d'une nation régénérée. Il demeurait cependant une certaine différence d'appréciation sur les conditions d'application de ces principes, la noblesse, par exemple, étant beaucoup moins favorable que la bourgeoisie à l'idée d'égalité des chances ou même à l'abolition de la vénalité des offices. L'aristocratie représentée aux états était au fond divisée entre ceux qui avaient peur de perdre leurs monopoles institutionnels et ceux qui en prenaient le risque, confiants dans les bases sociales de leur puissance. Le tiers, de son côté, demandait le changement et non la subversion, de nouveaux droits individuels mais non la suppression des anciens privilèges. Il parlait très peu de souveraineté nationale, et le conservatisme, dans ce camp, était sans doute encore plus grand chez les électeurs de base que chez les députés.

Tout changea, on l'a vu, avec la polarisation stérile des mois de mai et juin qui affaiblit les modérés et les découragea tout en radicalisant les militants. Leur mentalité imprégna une Assemblée devenue beaucoup plus sensible aux idées défendues par Sieyès depuis janvier. Sauvée par le peuple, la Révolution, due à ces juristes, en fut durcie. L'ensemble de la France bourgeoise avait suivi les événements avec passion dans un sens favorable au tiers. Les villes de province précédèrent souvent le soulèvement parisien afin d'imposer un nouvel ordre de choses. Elles le firent surtout, comme dans la moitié septentrionale, là où les patriotes se voyaient refuser la participation au pouvoir par les conservateurs. Mais, presque partout, se constituèrent des comités permanents inédits, maîtres de la force armée et se défiant à la fois de la contre-révolution aristocratique et des soulèvements populaires. Le pouvoir royal traditionnel s'effondrait devant une révolution municipale due certainement, cette fois, à la bourgeoisie[5].

Elle recueillait là, paradoxalement, le fruit d'une action inaugurée par quelques-uns des membres les plus huppés de la noblesse de cour. Ils s'y étaient engagés fréquemment par esprit de faction et hostilité au mode de patronage imposé par le cercle entourant Marie-Antoinette. Ils s'en prenaient également à la bureaucratie royale des maîtres des requêtes qui contribuaient à leur fermer les portes du pouvoir. Des ducs et pairs mécontents, après avoir conduit le combat contre Calonne ou Brienne, animèrent celui de la Société des trente. Ils y retrouvèrent, avec La Fayette, des héros de la guerre d'Amérique opposés à la politique militaire de la couronne. On retrouvera ces dirigeants aristocratiques du parti patriote à la tête des affaires jusqu'à la fin de la Constituante, pour ne pas parler de l'opposition libérale au temps de la Restauration. La Révolution « bourgeoise » eut en partie pour chefs et initiateurs des grands seigneurs dont les titres de noblesse remontaient au Moyen Age[6].

La même impression de libéralisme et de relative irresponsabilité aristocratique ressort de l'examen de la machine politique du duc d'Orléans, qui joua un grand rôle en 1788 et 1789. Ce prince ploutocrate, qui possédait l'équivalent de trois ou quatre de nos départements actuels, dirigeait la franc-maçonnerie française et dominait Paris depuis son Palais-Royal, vit, dans les événements révolutionnaires, l'occasion de manifester son tempérament frondeur. Cet anglomane, frustré par l'étiquette, ne pensait qu'à la liberté et fit élever son fils, le futur roi Louis-Philippe, en républicain vertueux. Membre de l'opposition à Maupeou, Calonne et Brienne, il prit résolument la tête de la lutte réformatrice. Il y utilisa sa fortune, à partir de septembre 1788, pour influencer l'opinion. De nombreux conseillers, sous Laclos, l'aidèrent à cette tâche, dans le cadre de la préparation des états généraux. 100 000 exemplaires de son modèle de cahiers furent, par exemple, diffusés. Élu aux états par la noblesse d'Ile-de-France, le duc n'y joua aucun rôle important. Mais sa contribution antérieure à l'agitation politique conduit à ne pas enfermer celle-ci dans le seul cercle de la bourgeoisie[7].

Cette dernière n'eut pas de mal à s'imposer à des paysans habitués à être dominés par des robins, d'ailleurs propriétaires de seigneuries et brûlant d'acquérir des terres nobles[8]. Mais ces bourgeois de province abandonnèrent longtemps la direction de la lutte révolutionnaire à l'aristocratie la plus traditionnelle, souvent plus extrémiste qu'eux. Partie de l'élite la plus politisée et la plus accessible à l'idéologie, elle fournit, dans le cadre du monde moderne de la ville et des Lumières, un apport capital à la Révolution française[9]. Étrange révolution « bourgeoise », au reste, que celle qui eut besoin, pour s'illustrer, d'un

Sieyès, à propos duquel Georges Lefebvre a soutenu que, s'il avait obtenu un évêché, il n'aurait sans doute pas été révolutionnaire ; d'un Mirabeau, hobereau libertin et révolté, pressé de réaliser ses ambitions ; d'un La Fayette, qui allait devenir pour un moment, *après* la rupture de 1789, l'homme le plus puissant de France et symbolisa, jusqu'à sa mort, en 1834, l'aspiration à une synthèse entre la Révolution et l'ensemble de la classe dirigeante [10] ! Elle se serait sans doute produite, dès les états généraux, si le tiers avait pu se rallier, outre les curés éclairés, une noblesse dominée par les libéraux et non, comme elle le fut, par les conservateurs. Mais la Constituante fut bien la représentation du tout-État monarchique et exprima une décomposition de l'absolutisme à laquelle les fossoyeurs aristocratiques de l'Ancien Régime avaient, plus que d'autres, contribué. Hommes de la continuité, les députés de 1789 sont résumés par ce Démeunier, élu réformateur du tiers parisien, après avoir été censeur royal et secrétaire de Monsieur, et qui finira, lui fils d'un marchand illettré mais régénéré par les Lumières, sénateur de l'Empire. Il avait suivi sans difficulté, au début de la crise révolutionnaire, une radicalisation idéologique qui affecta la majorité de l'élite sans qu'elle y voie une trahison ou une source de déchirement [11].

La révolution sociale de 1789 fut-elle une opération bourgeoise ?

Si la bourgeoisie révolutionnaire et ses alliés parvinrent à maîtriser et canaliser le soulèvement populaire des villes au cours de l'été 1789, il n'en alla pas de même pour celui des campagnes. L'anarchie qu'il créa, et dont bourgeois et aristocrates se renvoyèrent la responsabilité, semblait leur présager un risque catastrophique pour toutes les propriétés. L'abolition de la féodalité, proclamée le 4 août, eut pour but de le prévenir. Elle ne correspondait nullement à un mandat général des cahiers ni à un très vif intérêt de la part du tiers. Ses députés ne songèrent d'abord pas à supprimer les droits seigneuriaux. Devant le chaos général où le pays paraissait devoir plonger et l'impuissance des nouvelles autorités à y remédier, l'idée s'imposa d'abolir, contre compensation, les « droits féodaux » qui importaient tant aux paysans. Cette manifestation de la radicalisation politique et sociale serait d'ailleurs proposée à l'Assemblée par une personnalité de la noblesse.

Au cours de la fameuse séance de nuit qui s'engagea, cette proposition mesurée fit bientôt boule de neige, et tous les privilèges, les dîmes, la vénalité des offices, etc., furent emportés par le mouvement. Ce « moment d'ivresse patriotique » symbolisa plus que tout la nouvelle unité de la nation. Au-delà d'une manœuvre visant à accélérer des changements désirés, il y eut certainement quelque chose de « magique » dans cette excitation générale. Elle aboutit, au matin, à la disparition de la plus grande partie des institutions sociales du pays, qui appartenaient désormais au passé.

Cet acte rendait la Révolution irréversible et condamnait définitivement l'Ancien Régime, à moins d'une guerre civile prolongée, d'autant plus que les nouveaux notables disposaient maintenant des moyens de garantir l'ordre. Leurs principes furent précisés, en août, par le décret du 11, sur l'abolition de la féodalité, et la Déclaration des droits de l'homme et du citoyen, promulguée le 26. Celle-ci sanctionnait la lutte politique et constitutionnelle menée, *depuis le début de 1787*, contre le despotisme et le pouvoir arbitraire de l'ancienne monarchie. Elle correspondait en cela au consensus libéral que l'on pouvait dégager des cahiers. Ce fut surtout dans le domaine religieux qu'il fut le plus difficile d'y parvenir. Mais ce texte émanait bien des propriétaires, *nobles ou bourgeois*, qui avaient fait la Révolution non pour transformer la société, mais pour se mettre à l'abri d'un gouvernement irresponsable.

A la différence de la Déclaration, tournée vers les causes de 1789, le décret du 11 août portait sur ses résultats. Cette codification des décisions du 4, prises en vue de se concilier la paysannerie pour éviter la généralisation du désordre, transformait durablement le régime de la propriété en France en instituant le rachat de la plupart des droits féodaux supprimés. Ce ne fut pas le cas des revenus ecclésiastiques, qui le furent sans compensation. Quant aux privilèges régionaux et locaux, leur abolition, corollaire logique de celle des autres, était aux antipodes de ce que la plupart des Français avaient paru souhaiter jusqu'à la fin de 1788.

La suppression de la vénalité des offices constituait une autre réforme sociale fondamentale, plus souhaitée par les cahiers, pour des raisons d'ailleurs contradictoires, ceux du tiers condamnant ce système comme un obstacle au talent pauvre et ceux de la noblesse voyant en lui un moyen d'accès à la pureté de leurs rangs offert aux parvenus. Même si une compensation était prévue, il s'agissait là de la disparition du plus important levier d'ascension dans l'ancienne société. La nouvelle ne devait donc plus jamais lui ressembler. Au lieu d'acquérir une charge pour obtenir un rang, il faudrait plutôt y posséder le second pour occuper la première.

Ce nouveau rang serait défini par la propriété, ce qui n'était pas inédit. Ce qui l'était, en revanche, résidait dans le monopole politique accordé aux propriétaires, par la Révolution française, dans le cadre d'institutions représentatives. Leur création émanait de la contestation soudaine de l'ancien monopole réservé aux privilégiés. Elle provenait moins d'une revendication des propriétaires bourgeois que de la décision sociopolitique capitale prise par la monarchie en organisant des élections. L'Ancien Régime finissant créa ainsi l'élite de notables, composée seulement en partie de nobles, qui devait diriger le pays pendant la plus grande partie du XIXᵉ siècle.

Les luttes de l'été 1789 s'attachèrent surtout à la définir plus précisément. L'égalité des droits, dans ce processus, fut contrebalancée par l'inviolabilité des propriétés qui garantissait aux nobles le maintien de leurs privilèges de fait. Assuré par la cooptation des talents, le recrutement de la nouvelle élite résulterait d'un subtil équilibre entre la richesse et la capacité. On sait que la noblesse était déjà prête à consentir l'égalité civique et fiscale. Elle ne manifesta pas moins d'enthousiasme apparent pour l'abolition de la féodalité. La promotion du mérite n'était-elle pas conforme à ses principes et à toute son histoire ? La plupart des nobles acceptèrent ces changements sans songer à leur résister. Il demeura seulement, en leurs rangs, une minorité irréconciliable qui choisit de le faire ou d'émigrer, ouvrant par là une lutte inexpiable entre la Révolution et ce que l'on appela désormais l'aristocratie.

Les principes de 1789 ne correspondent donc, étroitement, aux aspirations d'aucun des groupes de la société prérévolutionnaire. Leur énoncé n'était pas plus clair au moment de la réunion des états généraux et ne dépendit pas du mandat des cahiers. Ils furent formulés de manière en grande partie accidentelle, conformément à la nature des origines de la Révolution. La disparition de l'Ancien Régime, sans doute, était inévitable en raison de sa débâcle financière et de son incapacité à se réformer. La convocation des états généraux lui fut imposée après dix-huit mois de crise. Ses adversaires ne savaient pas, au début, par quoi le remplacer et se contentèrent, d'abord, de définir un consensus constitutionnel et libéral.

Il leur fallut ensuite intégrer politiquement la bourgeoisie à la nation. Ce spectateur de mieux en mieux informé des affaires publiques ne semblait pas désirer y participer jusqu'en 1788. La convocation, la préparation et la composition des états généraux le rendirent au contraire actif. Sa participation à un pouvoir jusque-là réservé aux nobles, peu contestée par la plupart d'entre eux, fut malheureusement mêlée à la critique, inédite, de leur prépondérance sociale et souleva ainsi suspicion et incompréhension mutuelles. Ces antagonismes, accrus par la rédaction des cahiers, poussèrent, aux états, noblesse et bourgeoisie à s'affronter pour le pouvoir, alors qu'elles étaient fondamentalement d'accord sur les bases de son exercice. La destruction du privilège nobiliaire devint donc la condition indispensable de la constitution d'une nouvelle élite qui n'était pas seulement bourgeoise. Il fallut l'intervention populaire pour venir à bout, sur ce point, de l'obstruction aristocratique et gouvernementale. L'abolition de la féodalité résulta, peu après, non d'une claire volonté initiale, mais d'une réponse improvisée à la révolte des campagnes. Comme il est normal, les vainqueurs de cette immense crise sociale et politique affirmèrent qu'ils en avaient toujours souhaité la solution. Ces résultats n'étaient, en fait, prévus par personne deux ans auparavant. Loin d'avoir créé la Révolution, les révolutionnaires, leur mentalité et leurs réalisations furent plutôt produits par elle[1].

Cette mise au point de William Doyle ne peut guère être mise en cause que sur des points de détail. Son interprétation de la nuit du 4 Août, notamment, néglige peut-être trop les soucis financiers des députés. Il est également intéressant de noter que la manœuvre visant à utiliser la violence populaire contre les privilégiés fut dirigée, en apparence, avec le duc d'Aiguillon, par un des nobles patriotes les plus riches, ancien membre de la Société des trente. Ses possessions, dans le Sud-Ouest, lui rapportaient des sommes considérables en termes de revenus seigneuriaux, et sa proposition pour leur compensation, qu'il chiffrait à un taux de 7 % de leur valeur pour une période de trente ans, était fort élevée. D'Aiguillon, comme son acolyte Noailles, était un noble de cour qui dépendait moins de la féodalité que beaucoup de provinciaux. Mais il est certain que l'idéalisme, autant que l'intérêt, domina la plupart des dispositions prises au cours de cette séance mémorable.

Elle eut peut-être moins pour but, également, de répondre à la crise sociale que de faire disparaître un obstacle gênant à la solution du problème constitutionnel. Débarrassée de *tous* les privilèges, l'Assemblée pouvait aller de l'avant dans cette voie. Les résultats obtenus par les paysans n'étaient pas, d'autre part, négligeables. Quant à l'abolition de la dîme, acquise par le duc du Châtelet en réponse à la motion d'un évêque qui avait fait disparaître les monopoles de chasse, elle montrait qu'on songeait déjà à faire servir les biens ecclésiastiques au paiement des dettes de l'État. La suppression des libertés provinciales, enfin, résultait de l'expérience politique fraîchement acquise par la majorité des députés et selon laquelle tout privilège était haïssable.

Ce fut le projet de La Fayette, en préparation depuis janvier et fortement influencé par la Révolution américaine, qui servit de base à la Déclaration des droits. Elle traitait de problèmes spécifiquement français en détruisant les privilèges de l'aristocratie, limitant le pouvoir de la monarchie et éliminant les monopoles de l'Église. Au-delà de cet abandon de l'Ancien Régime, le texte esquissait une société nouvelle dominée par les propriétaires. Il émanait d'une Assemblée qui venait de trouver normale la pendaison de paysans insurgés, condamnés par des tribunaux d'exception en faveur desquels aucune voix ne s'était élevée dans la presse révolutionnaire. Œuvre de citadins, la Révolution méprisa, dès ses débuts, le peuple des campagnes. Elle dut tout de suite composer, en revanche, avec la violence d'un artisanat urbain peu gagné à ses idées de liberté économique. La nouvelle autonomie des villes, qui dura jusqu'à la Terreur, conduisit souvent, en un premier temps, à un ralliement de l'élite. Il y eut même persistance des éléments de l'Ancien Régime dans l'administration d'Aix, Grenoble ou Toulouse. Les nobles et les prêtres conservèrent une partie du pouvoir au Berry et à Lyon, tandis qu'à Marseille la révolution locale, antérieure à celle de Paris, succomba à un sanglant contrecoup militaire qui dura jusqu'à la fin de l'année. La noblesse provinciale fut donc rarement immédiatement écartée des affaires comme à Rennes ou à Montauban. Même dans la première de ces villes, d'ailleurs, on eut recours à elle pour recruter les officiers de la garde nationale. La peur des brigands tendait, au lendemain de la Révolution de 1789, à resserrer les liens au sein d'une élite qui oubliait, pour un temps, ses différences devant sa crainte des classes inférieures[2].

Mieux que de vagues considérations générales, relatives à l'enthousiasme idéologique du temps et au caractère radical de l'œuvre accomplie, la judicieuse présentation de la nuit du 4 Août par Jean-Pierre Hirsch introduit à sa signification sociale. Il est vrai qu'elle fut vue, par ses acteurs, comme une régénération métaphysique et institutionnelle du monde, conduisant à une nouvelle conception de celui-ci, qui mettait fin à l'affrontement entre les principes de l'Ancien Régime et ceux, peu à peu dégagés, du nouveau. Mais le marquis de Ferrières, député à la Constituante, rappela cyniquement à sa femme, un an plus tard, qu'après tout on n'empêcherait jamais « que chacun ne soit le fils de son père ». Devant un double risque de banqueroute et de subversion, l'abolition de la féodalité lui était apparue, comme à ses collègues, aristocrates libéraux ou bourgeois propriétaires, un sacrifice et un compromis nécessaires. A côté de la solidarité qui venait de se manifester entre les seconds et le peuple de Paris, il y en eut une autre, qui se forma alors, entre la noblesse et une bourgeoisie d'ordre et de répression, face à la menace paysanne contre les propriétés. La solution, imposée par cette double alliance, apparemment contradictoire, ne fut pas d'arrêter la Révolution, mais, au contraire, de l'élargir aux dépens de tous les privilèges. Né de la frayeur des possédants, cet « usage institutionnel et verbal de l'universel » sauvait en fait les propriétés. Satisfaisant l'ensemble des intérêts représentés à l'Assemblée, il leur assurait la tranquillité de la part de ceux qu'elle ne voulait pas entendre. Complétée par l'abolition sans rachat des dîmes, la nuit du 4 Août constituait la grande fête des plus riches des propriétaires, c'est-à-dire des nobles. Ils y avaient conservé, en un premier temps, l'existence même de leur ordre, celle de leurs droits honorifiques et de celui d'aînesse. Gardant la totalité de leurs biens et l'essentiel de leurs revenus, plus les bases statutaires principales de leur supériorité, ils perdaient peu de chose, dans l'immédiat, à un changement qui n'affectait ni leur autorité sociale ni la puissance réelle des détenteurs de fiefs. C'est seulement sur place qu'ils avaient dû parfois courber la tête et assister à l'incendie de leurs châteaux. Mais ils disposaient désormais, pour lutter contre les paysans révoltés, des moyens de l'ordre nouveau. Malgré l'abolition de la féodalité, bientôt définitive, les anciens maîtres du sol sauront longtemps le conserver dans une grande partie de la

France contemporaine toujours marquée par la propriété nobiliaire[3].

L'Assemblée qui avait procédé aux décrets d'août eut en majorité des présidents d'origine aristocratique. Les nobles y prirent sans cesse une part importante à l'élaboration des lois. Battus sur l'absence d'indemnisation d'une partie des droits féodaux, ils triomphaient en revanche en obtenant, conformément à l'une de leurs revendications les plus anciennes et les plus acharnées, de ne plus verser la dîme au clergé. Ce cadeau fait aux propriétaires se révéla de nul bénéfice pour les simples cultivateurs, dont le sort fut souvent aggravé. Sieyès ne vit donc pas sans raison, dans la nuit du 4, une initiative nobiliaire destinée à s'entendre avec la bourgeoisie révolutionnaire sur la réforme foncière en échange d'une modération, qui n'eut d'ailleurs pas lieu, sur celle de l'État. Mais l'abbé était lui-même si enraciné dans la pratique sociale de l'Ancien Régime qu'il justifiait sans critique l'utilité des biens ecclésiastiques. Il défendait lui aussi avec acharnement un ordre immobilisé dans la conservation de la richesse acquise. Héraut d'une Révolution non capitaliste et purement politique, il identifiait sa cause à celle de *toutes* les propriétés. Ce fut au nom de ce principe que le comte d'Entraigues, à ce moment, rappela les anciens mérites de la féodalité et soutint la nécessité du rachat des droits seigneuriaux. Étonnamment timide, l'idéologie économique et sociale de la Révolution fut, dès ses débuts, moins modernisatrice que conservatrice. Obsédée par les risques de subversion et le souci répressif, elle n'imaginait pas la vraie liberté sans « la propriété légitime » qui « assure l'indépendance[4] ».

4

Une Révolution populaire ?

Il est admis que l'on doit à l'intervention du peuple des villes et des campagnes, au cours de l'été 1789, la défaite de la minorité conservatrice des états généraux alliée à la monarchie, puis, après la destruction de l'absolutisme, celle de la féodalité et de la plupart des institutions d'Ancien Régime. Ce phénomène n'était pas prévu par les dirigeants politiques de la Révolution, qui estimaient encore avec Sieyès, au début de l'année, que la canaille prenait toujours le parti de l'aristocratie. Il transforma durablement les événements en obligeant les élites en conflit à tenir compte des classes inférieures et en les poussant à les mobiliser en leur faveur. Mais le peuple se révéla à tous, révolutionnaires ou contre-révolutionnaires, un élément indocile. En 1789, comme avant ou après, il songeait d'abord à défendre ses propres intérêts, qui n'avaient souvent rien à voir avec ceux des politiciens du sommet. Et l'originalité de son passé socioculturel explique sans doute, plus que tout, l'aspect complexe de l'action qu'il mena pendant la Révolution française [1].

L'intervention populaire de 1789 fut-elle une insurrection inédite de la misère ?

On a beaucoup insisté, depuis Ernest Labrousse, sur les causes économiques de la Révolution. Elles avaient échappé, jusqu'au printemps de 1789, à ses dirigeants, qui n'apercevaient pas dans le pays de crise sociale, en dehors de celle entraînée par l'effondrement du gouvernement. Ses difficultés budgétaires et financières furent cependant de peu de poids à côté des conséquences de la mauvaise récolte de 1788 qui affecta profondément le visage revêtu par la Révolution.

L'agriculture française, qui devait nourrir, maintenant, plus de 26 millions d'habitants, y était parvenue, au XVIIIe siècle, sans difficultés importantes. Le gouvernement voyait là, d'ailleurs, une de ses tâches prioritaires en ce qui concerne, notamment, l'acheminement vers les populations de la production céréalière. Cette prospérité relative commença à connaître de graves fluctuations à partir de 1770 ; elles tournèrent à la catastrophe en 1788. L'incertitude des récoltes entraîna, dans toutes les campagnes, une baisse importante des revenus. La majorité de leurs habitants était en effet composée de petits cultivateurs sans marge suffisante de sécurité.

La crise économique affecta également l'industrie, en particulier textile, car la baisse des revenus entraîna une chute de la demande et un important chômage urbain qui doubla la paupérisation rurale. Ce désastre général vint accroître une tendance déjà ancienne à la baisse du niveau de vie en raison d'une inflation qui dépréciait toujours plus les salaires réels. La hausse du prix du pain, en particulier, eut des conséquences catastrophiques sur le sort des classes populaires habituées déjà à lui consacrer 50 % de leurs dépenses quotidiennes. Cette proportion devait atteindre près de 90 % chez les ouvriers parisiens aux pires jours du printemps 1789. Ces travailleurs sortaient, de plus, d'un hiver spécialement froid qui n'avait fait qu'aggraver la situation.

Le seul secteur prospère du pays demeurait le commerce maritime, associé à la réexportation des produits coloniaux dans l'Europe du Nord. Bordeaux, qui en concentrait, en 1789, 40 %, connaissait alors, à côté de Nantes, son apogée, qui ne devait être affecté, à partir de 1791, que par la révolte des esclaves de Saint-Domingue puis par la guerre avec l'Angleterre. Mais cet essor spectaculaire n'était que marginal. Tout le reste de l'économie française souffrait au moment de la rédaction des cahiers. Cette source de mécontentement accrut les difficultés politiques et l'excitation générale dirigée contre le gouvernement. On lui reprochait le traité de commerce libéral conclu avec Londres, en 1786, et qui défavorisait l'industrie française. Une autre expérience, recommandée par les physiocrates et reprise à la fin de l'Ancien Régime, avait consisté à libérer le commerce des grains. Cette initiative, qui avait déjà causé des troubles sous Turgot, fut à nouveau abandonnée par Necker lorsqu'il revint au pouvoir en 1788.

Mal nourrie, appauvrie, mécontente des droits et des taxes qu'elle avait à payer, la population française se trouvait, au printemps de 1789, en état de soulèvement latent. Elle songeait surtout, comme d'habitude, à contrôler la circulation des grains et à fixer le prix du pain. Ces émeutes dans les boulangeries et les greniers parcoururent tout le pays, de janvier à mai, avant d'apparaître à Paris. Le calme y avait été pourtant longtemps maintenu jusqu'à l'imprudence du manufacturier Réveillon, qui parla, le 23 avril, de réduire les salaires. Sa fabrique fut pillée le 28 et il y eut de nombreux morts dans la répression qui suivit. Le problème du maintien de l'ordre se posait ainsi de manière aiguë, dans la capitale ou en province, et le gouvernement ne savait comment le résoudre. Il ne pouvait se reposer que sur l'armée, et celle-ci était de plus en plus démoralisée par les activités auxquelles on l'employait. Ce fut donc dans une atmosphère générale de désordre et d'anxiété populaire que se réunirent les états généraux. Ils étaient au reste incapables de trouver des solutions aux problèmes entraînant cet état d'esprit. Obsédés par leurs propres préoccupations, qui n'avaient rien à voir avec celles du peuple, ils envisageaient l'action de ce dernier sous l'angle de sa nécessaire répression en vue de défendre la propriété des riches. Le pouvoir bourgeois se mit ainsi en place, à Marseille puis dans d'autres villes, à partir de mars, afin de remédier à cette situation chaotique[2].

Ce tableau classique est confirmé par des analyses

insistant sur la profondeur de la crise de la vie quotidienne affectant alors les classes populaires. Leur existence se déroulait toujours dans un cadre extrêmement étroit, sans claire conscience de l'unité nationale, rendue illusoire par la diversité des dialectes. La routine économique venait renforcer ce traditionalisme social. Les changements récents du monde rural avaient peu concerné la répartition de la terre entre paysannerie, noblesse, bourgeoisie et clergé. Très variable selon les régions, une inégalité globale, qui attribuait 50 % du sol à 10 % de la population, était plus marquée dans le Nord et surtout le Midi que dans l'Ouest. Fortement hiérarchisées, les communautés rurales comprenaient une élite, diverse mais puissamment dominante, à côté d'une masse considérable de familles paysannes aux ressources insuffisantes. Elles ne pouvaient pas toujours s'en tirer par le travail industriel ou l'émigration, et 40 % de la population française dépendait, en 1789, de la charité. Cette situation de paupérisme et de mendicité alimentait, depuis longtemps, la délinquance, et des bandes de malfaiteurs plus ou moins organisés écumèrent la région parisienne pendant toute la seconde moitié du XVIIIe siècle, avant comme après la Révolution. Du Dauphiné à la Bretagne, le brigand était, partout, un héros populaire, parce que l'homme du peuple était, souvent, un brigand potentiel.

Les pauvres ne jouèrent d'ailleurs pas, en eux-mêmes, un rôle important en 1789 ou après. On en eut simplement peur et beaucoup d'entre eux contribuèrent à une recrudescence du brigandage après l'effondrement économique de 1794. Ils continuèrent, pendant toute la période révolutionnaire, à se préoccuper d'abord de leur propre sort. Mais la diminution générale du niveau de vie des Français facilita le déclenchement de la Révolution dans le cadre d'une économie incapable de répondre à un accroissement démographique qui déséquilibrait la société dans les villes ou à la campagne. La population française gagna en effet plusieurs millions d'habitants au XVIIIe siècle sans que la production des subsistances suive ce mouvement. Il n'y eut pas de révolution agricole correspondant au progrès démographique. La hausse des prix, on l'a vu, accroissait d'autre part les difficultés d'existence des travailleurs, et leur appauvrissement atteignait des proportions de crise à la veille de la Révolution. Les contemporains n'en furent que davantage sensibles à la succession de mauvaises récoltes qui se produisit alors, ainsi qu'à ses conséquences sur l'emploi rural et urbain ou sur les conditions de vie générales de la population.

Celle-ci n'attribuait pas cette situation, comme les historiens ultérieurs, aux accidents de la météorologie, mais à la spéculation sur les grains, à laquelle elle répliquait, on le sait, par des révoltes spontanées. Ces centaines de troubles, depuis 1770, révèlent, de la part des masses, une aspiration précapitaliste à une subsistance communautaire minimale. Lorsque le gouvernement ne la satisfaisait plus par le respect des contrôles traditionnels, il était accusé de trahir, au nom de la liberté du commerce, ses devoirs de père de famille. La croyance du peuple de Paris en un complot de famine émanant des ministres, et peut-être même du roi, afin de résorber le déficit budgétaire par la hausse des prix des grains, fut renforcée à partir des années 1760. Ce mythe contribua, plus que toute autre chose, à miner la réputation du pouvoir, dans la capitale, à la fin du règne de Louis XV. Il subsistait à l'égard des ministres et de la plupart des autorités à la veille de la Révolution. Dans les provinces, la ruine des viticulteurs, la hausse des redevances paysannes et la conjonction entre la crise constitutionnelle et les calamités de l'économie ne pouvaient que faire de 1789 une année terrible, marquée par le chômage, la famine et la pauvreté. Le maintien de l'ordre devenait ainsi impossible dans le cadre des moyens traditionnels, et des milices bourgeoises, on l'a vu, commencèrent à l'assurer, à partir de mars, sur le modèle de la future garde nationale. En même temps qu'il s'effondrait au sommet, l'Ancien Régime disparut donc, par la base, *avant* la réunion des états généraux.

Appelées à y participer au moment où le pouvoir se désintégrait, les classes populaires conçurent l'espoir inédit de voir leurs problèmes résolus par des solutions politiques.

Leurs souffrances, selon cette perspective millénariste, allaient être abolies par une miraculeuse intervention d'en haut. Cela ne les amena pas à s'intéresser beaucoup aux élections, toujours marquées, à la campagne, par la domination de l'élite rurale. Du coup, les cahiers urbains furent plus hostiles aux privilèges seigneuriaux que les autres. Ils furent d'ailleurs souvent rédigés, comme à Paris, au milieu d'une forte agitation ouvrière. Le peuple, maintenant, mêlait à sa vieille conception d'un complot de famine celle d'une dangereuse manipulation aristocratique des futurs états. Cette combinaison psychologique explosive n'était pas limitée à Paris et se renforçait de la peur des brigands. De moins en moins contrôlés, les vagabonds étaient normalement assimilés à des agents de la conspiration nobiliaire hostile à la régénération nationale. Leurs bandes n'allaient-elles pas détruire les récoltes, parallèlement à une invasion étrangère en faveur des privilégiés ? Cette mythologie complexe, où se retrouvaient la peur de la disette, celle des machinations des grands, celle des criminels organisés et celle de l'étranger, n'allait plus cesser de caractériser la mentalité populaire en temps de crise, jusqu'en 1815[3].

Les progrès de la recherche ont surtout tendu, ces derniers temps, à intégrer cette analyse, dérivée de celles de Georges Lefebvre, au long terme de l'histoire nationale. La Révolution, en ce sens et dans ce domaine, n'y introduit nullement une coupure, car l'intensité des mouvements populaires, comme forme de contestation sociale de l'ordre public et de ses normes politiques et culturelles, constitue l'une des lois de l'évolution de la France depuis au moins le XVIe siècle. Si, pour les XVIIe et XVIIIe, par exemple, Jean Nicolas a pu établir, en Savoie, de savoureux éphémérides relatifs à ces soulèvements, il est certain que la plupart des provinces françaises, abordées avec le même souci de méthode, apporteraient une semblable réponse. Une insubordination sporadique mais permanente, faite d'émotions diverses, de murmures et de séditions, y opposait, à l'autorité abusive, la défense conservatrice et restauratrice d'une collectivité traditionnelle, hostile à la rupture des équilibres assurant la survie du groupe. Loin d'être marginaux, ces mouvements témoignent de l'inconscient propre à la misère populaire et des formes de sensibilité qui en découlent [4].

Charles Tilly a tenté d'esquisser, dans la longue durée, la typologie de cette révolte séculaire de la France profonde contre le capitalisme et l'État. Toutes les régions, dans les villes ou les campagnes, la connaîtront de manière plus ou moins analogue, et Dijon, par exemple, eut, en 1775, comme Paris, sa petite guerre des farines, acharnée au maintien des conditions de l'alimentation des pauvres. Sous la Révolution, la Bourgogne se contenta de poursuivre, dans un cadre évidemment inédit, sa lutte ancestrale, rurale ou urbaine, contre les autorités. La même impression de continuité, qui dura au moins jusqu'en 1848, se retrouve ailleurs et s'explique par la nécessité de lutter partout contre l'édification de l'État moderne et la politique économique qui lui était jointe. Toulouse combattit ainsi, comme Dijon ou Paris, pour assurer ses subsistances au cours des années 1770. Dans toutes les petites villes du Languedoc, on recourait alors à des prises de grain à côté d'autres formes de troubles, telles celles associées au régime foncier. La crise de subsistances, qui emporta l'Ancien Régime, ne marque pas une rupture révolutionnaire. Elle fit triompher, contre les progrès du capitalisme et de l'État, la riposte spontanée et *traditionnelle* de la révolte populaire, simplement associée, cette fois, et *par hasard*, à une profonde perturbation politique. La Révolution, entraînée par cette conjonction accidentelle, ne put jamais résoudre les problèmes économiques et sociaux qui l'avaient en partie causée [5].

Rien ne les révèle mieux que l'émeute frumentaire, forme majeure, quoique masquée, des conflits politiques, en France, de la fin du XVIIe siècle au milieu du XIXe. Face à elle, la politique du gouvernement en matière de subsistances visait traditionnellement à réglementer le marché et à contrôler le commerce. L'insuffisance ou le relâchement de ces mesures interventionnistes ne pouvaient que mécontenter les classes populaires tant qu'un marché national, insuffisamment développé, laissait les consommateurs à la merci des aléas des crises. Maintien d'un bas prix du pain, par la taxation si nécessaire ; recherche des réserves de grain, réquisitionnées ou vendues de force s'il le fallait ; interdiction, enfin, des sorties de céréales des régions où les besoins n'étaient pas satisfaits de manière acceptable : ces trois mesures constituaient toujours, en 1789, le programme économique et social du peuple et elles avaient longtemps correspondu à l'orientation de la royauté. L'opposition progressive, apparue au cours du XVIIIe siècle, entre les vues du pouvoir en ce domaine et les aspirations populaires y fut le principal facteur de troubles et se retrouva en 1789 comme en 1775. La nouvelle politique économique de l'État, résultant de l'élargissement du marché et de la centralisation administrative, heurta la conscience politique de masses qui estimaient que lutter contre la famine, sur place, par tous les moyens de contrôle appropriés, demeurait le premier devoir des autorités. La violence révolutionnaire ne fit en cela que s'insérer dans une attitude séculaire [6].

D'abord sensibles, dans le jeu politique, aux mécanismes de l'approvisionnement, les classes populaires se révoltèrent, dès la fin du règne de Louis XV, contre des mesures adoptées sous l'influence d'un groupe de pression libéral, favorisé par la mode physiocratique ; elles lui imputèrent l'idée d'un pacte de famine et furent rejointes, dans leurs critiques sinistres, par les adversaires du libéralisme économique, souvent proches des milieux parlementaires. Oscillant entre le paternalisme traditionnel et une idéologie moderniste qui le désacralisait, la politique de subsistances du pouvoir monarchique annonçait les hésitations qui seront celles de la période révolutionnaire. Car celle-ci demeura pareillement déchirée entre les aspirations populaires au droit à la vie et les nouvelles nécessités du capitalisme et de l'État. Mais elle avait été inaugurée, dans le cadre d'une psychologie de complot qui ne parvenait pas à comprendre qu'un pays cru riche soit accablé de disettes, par la hantise du pacte de famine. Cette obsession psychologique reflétait la priorité traditionnelle du problème des subsistances et la difficulté, également traditionnelle, qu'il y avait à le résoudre. Vue d'en bas comme le gouvernement d'un roi boulanger, la monarchie d'Ancien Régime finit par périr de cette incapacité qui avait déjà nourri tant de rumeurs, relatives à la spéculation de gens haut placés, et justifié tant de révoltes. Elles émanaient d'un conservatisme viscéral qui enverra à la guillotine, après Louis XVI, l'ancien contrôleur général Laverdy, accusé dès 1768, par un pamphlétaire paranoïaque et longuement embastillé depuis, d'avoir voulu organiser la famine, comme ses successeurs de 1789[7].

Pourquoi Paris se souleva-t-il en 1789 ?

Les troubles populaires parcoururent donc toute la France, du printemps au début de l'été 1789. Les membres des états généraux se rendaient compte de ce risque d'anarchie généralisée et convenaient de la nécessité absolue du rétablissement de l'ordre public. Ce climat d'angoisse explique même l'amertume d'un grand nombre d'entre eux pendant les atermoiements des mois de mai et juin. Il n'est pourtant pas sûr que les troupes n'aient pu assurer l'ordre jusqu'à la moisson, ni que les troubles aient eu des conséquences politiques décisives, s'ils ne s'étaient répandus dans la capitale. Les villes de province, qui craignaient les émotions populaires causées par la disette, attendaient encore, à la mi-juillet, le mot d'ordre de Paris. Cette cité de plus de 700 000 habitants, chiffre énorme pour l'époque, dominait en effet sans discussion le pays. Les contrastes sociaux y étaient considérables entre la plus riche partie de la population française, qui y demeurait, ainsi que les dirigeants de l'État, et une masse de plus en plus appauvrie et refoulée aux extrémités orientales de la ville. Elle n'apercevait les dominants que lorsqu'ils circulaient en voiture, dans les rues étroites, en y causant des accidents qui aggravaient la haine de classe. Une population flottante de travailleurs immigrés y cherchait de l'embauche et s'accroissait en cas de crise économique. Source de mendicité et de délinquance, ils étaient craints par les autorités et considérés comme des facteurs de désordre.

En fait, n'ayant rien à craindre, ils avaient peu à défendre et participèrent peu aux émeutes. Ces criminels potentiels manquaient d'esprit d'organisation et de forts intérêts communs, nécessaires à une action collective. On rencontrait davantage ces qualités chez les Parisiens bien établis, possédant quelques propriétés, connaissant leurs voisins et partageant leurs préoccupations, habitués à les rencontrer dans les corporations et les confréries. La plupart des entreprises artisanales n'employaient pas plus de vingt personnes et étaient surveillées par des organisations privilégiées. Ce sont les autorités policières qui considéraient indifféremment tous les travailleurs comme des ennemis de l'ordre, bêtes sauvages dont il fallait contenir les instincts anarchiques. Cet accroissement du contrôle du monde du travail avait marqué le XVIIIe siècle et abouti, en 1781, à l'institution du livret, indispensable pour trouver de l'emploi. L'insubordination n'en augmenta pas moins, marquée par des grèves de plus en plus fréquentes. Elles répondaient aux difficultés économiques de l'heure, mais les ouvriers parisiens entendaient d'abord y répondre par une pression sur le gouvernement en vue d'obtenir une baisse des prix des produits de première nécessité.

Un approvisionnement régulier en pain constituait le vrai moyen de maintenir l'ordre public. Les autorités le savaient et se préoccupaient d'assurer, par priorité, ses subsistances, à la capitale, à un prix qu'elles fixaient elles-mêmes. Sa hausse, parfois inévitable, entraînait des troubles. Ils survenaient souvent les jours de marché, lorsque les consommateurs attendaient leur tour. Des femmes, fréquemment, contraignaient alors marchands et boulangers à baisser leurs prix. Un vif ressentiment existait aussi contre les droits d'entrée sur les marchandises, symbolisés, aux portes de Paris, par un mur et des barrières, décidés depuis peu et encore en construction en 1789. On ne croyait pas, pourtant, au succès d'un soulèvement populaire dans la capitale, alors que les forces de police, on l'a vu, y étaient cependant rares. Le maintien de l'ordre reposait sur le régiment permanent des gardes françaises, qui contint encore l'émeute jusqu'en avril 1789.

Les classes populaires parisiennes avaient pris peu de part à l'effondrement gouvernemental de l'année précédente, tout en se rangeant, conformément à leur tradition, derrière le parlement. Mais on craignait de plus en plus leur intervention répétée dans la vie publique, dans un climat d'excitation politique prolongé et de difficultés économiques considérables. Le peuple n'allait-il pas, à nouveau, sortir dans les rues ? Certains dirigeants patriotiques commencèrent à espérer que ce serait en leur faveur. Il s'agissait de leurs éléments les plus radicaux, groupés dans les nouveaux cafés du Palais-Royal. Ce rassemblement d'escrocs, de déserteurs et de prostituées, puisque protégé des interventions de la police par le patronage du duc d'Orléans, était aussi devenu un foyer de discussions et de rumeurs. On y écoutait et applaudissait, au début de juin, de violents discours contre le gouvernement. L'affaire Réveillon venait de placer l'ombre du désordre populaire et de sa menace d'explosion sur la politique parisienne et nationale. Or les gardes françaises, qui l'avaient résolue, commençaient à se désintégrer sous l'effet d'une attention insuffisante aux conditions de leur discipline et de leur moral.

Dans cette atmosphère tendue, la hausse fantastique du prix du pain, qui atteignit son sommet, depuis 1770, le 14 juillet, entraîna un renforcement spécial des troupes disposées autour de la capitale, à partir de la mi-avril. On y vit la preuve d'un complot dirigé contre les états généraux. Plusieurs compagnies des gardes françaises annoncèrent, à la fin de juin, qu'elles ne réprimeraient plus les démonstrations d'un peuple qui les acclama en héros. Les dirigeants de la mutinerie, emprisonnés, furent libérés par la foule et soutenus par les patriotes du Palais-Royal. L'ordre, pourtant, continuait à être maintenu. Ce fut l'annonce du renvoi de Necker, le dimanche 12, qui le rompit. Le peuple de Paris, qui croyait qu'on voulait l'affamer, s'estima en état de légitime défense, et l'insurrection, qui culmina par la prise de la Bastille, commença. Marquée par une recherche fiévreuse des armes disponibles, elle déboucha logiquement sur ce formidable dépôt. Ce fut aussi une émeute de la faim qui brûla la plupart des nouvelles barrières d'octroi. Le peuple armé voulait peser de toutes ses forces sur les conditions concrètes de son ravitaillement, problème, à ses yeux, le plus important. Aussi ce mouvement alarma-t-il les propriétaires, qui appelèrent, au son du tocsin, à la formation d'une milice bourgeoise qui allait désormais contrôler Paris. Destinée à contenir la violence populaire, elle devait commencer à s'appuyer sur elle. Imitée dans tout le reste de la France, cette conduite des notables locaux, à l'origine de la garde nationale, cachait mal le fait que l'intervention des classes populaires, qui avait sauvé la Révolution, continuerait à la marquer[1].

Triomphe d'une opinion publique politiquement surexcitée, qui avait su ébranler les bases militaires du pouvoir monarchique par la fraternisation entre les soldats mutinés et les civils, cette action commune, faite parfois de pillage et d'anarchie, était grosse de dangers pour l'avenir. On y avait vu la foule se faire justice elle-même, en promenant à travers les rues les têtes de ses ennemis. Elle recommencera à intervenir, au début d'octobre, sous la pression des difficultés économiques et de la crise de subsistances. Ce furent alors des milliers de femmes qui partirent chercher, à Versailles, le roi boulanger et finirent par le ramener à Paris. Cette offensive constituait une étape supplémentaire de la désintégration de l'autorité. Elle plaçait pour longtemps l'État sous la pression des masses de la capitale. Plusieurs mois d'insurrection permanente, en les éduquant politiquement, leur avaient donné conscience de leur force au sein de la Révolution et de ses institutions, où, souvent, elles comptèrent autant, sinon plus, que les bourgeois[2].

Après Georges Lefebvre, on doit à George Rudé les grandes lignes de cette présentation des foules révolutionnaires suscitées par les événements de 1789. Artisans, petits boutiquiers et compagnons des faubourgs ouvriers parisiens les composaient en majorité, à la différence de la légende réactionnaire qui les associait à des gens sans aveu ou des éléments criminels. Leurs mobiles, étrangers à l'idée du pillage, ne furent pas seulement les mots d'ordre politiques du moment, mais, principalement, la revendication économique et sociale fondamentale du menu peuple d'Ancien Régime, à savoir le pain à bon marché. Ce fut elle qui permit de mobiliser ces futurs sans-culottes au service des dirigeants révolutionnaires. Grande source de l'action populaire, elle continuera à expliquer son effervescence jusqu'en 1795. Sa rencontre avec la crise politique la rendra sans doute plus explosive. Mais ce fut toujours pour défendre « des droits traditionnels et faire respecter des bornes qu'ils croyaient menacées par les agissements novateurs des ministres, capitalistes » et autres réformateurs ou spéculateurs que les Parisiens se soulevèrent pendant la Révolution française. La radicalisation de celle-ci s'appuya donc, en premier lieu, sur la tradition de lutte de consommateurs contre les nouveaux principes du marché. Le plus ancien passé revivait au sein de ces insurrections qui inauguraient la modernité [3].

Nous connaissons mieux, depuis quelque temps, les conditions d'existence et la psychologie des classes populaires de la capitale au XVIIIe siècle. L'examen de leur vie matérielle confirme une situation d'appauvrissement et d'endettement pour les deux tiers des salariés. Leur logement demeurait coûteux et médiocre, et l'élargissement de leur consommation, vestimentaire en particulier, très relatif. Largement alphabétisés mais en profitant peu, ils allaient s'alimenter au cabaret, à crédit, quand ils n'avaient plus de quoi manger chez eux. Contrôlés et surveillés, ils avaient bien à se préoccuper d'abord de leur subsistance [4].

Tout un sous-prolétariat de marginaux, indigents et délinquants exprimait, à Paris, une misère encore plus profonde, celle des gueux et des vagabonds. Ces pauvres, plus ou moins bien révélés par les enquêtes policières relatives à leur mendicité, étaient souvent des garçons ou de jeunes hommes provenant surtout des campagnes de la région parisienne. Ils naviguaient entre le chômage et la recherche difficile d'un nouvel état, et demeuraient naturellement en marge de la scolarisation. Leur grand problème était de trouver un logement. Ils couchaient à la belle étoile ou se réfugiaient dans des garnis, situés au cœur de la ville ou, au contraire, hors des murs. Ils mendiaient de préférence dans les beaux quartiers du nord-ouest. Ce milieu dépendant de l'assistance ou de l'escroquerie était considéré comme une menace pour la cité. On retrouvait l'équivalent de ce paupérisme dans les villes ouvrières du royaume, où il constituait, comme à Amiens, une réalité massive. Vivant dans la promiscuité, l'indigence et la maladie, près d'un tiers des habitants y avaient besoin de secours. Causée par la dimension des familles ou l'insuffisance des salaires, cette misère poussait à la résignation ou à la fuite dans l'armée ou vers l'émigration. Telles étaient, vers 1789, les conséquences sociales des difficultés économiques. On craignait « la guerre des pauvres contre les riches », les premiers demandant du pain et les derniers s'armant pour leur en refuser[5].

Vers 1780, un haut administrateur comme Montyon ou un journaliste critique comme Mercier faisaient pareillement de la misère un facteur essentiel de criminalité. Ils se scandalisaient et s'inquiétaient d'une situation qui poussait tant de nécessiteux aux mauvaises passions excitées par la faim. Dans sa haine de l'inégalité, le second allait jusqu'à écrire que « le malheureux qui monte à l'échafaud » lui paraissait « toujours accuser un riche ». Mais ces deux observateurs s'accordaient pour voir, dans Paris, une ville où le dénuement des classes populaires multipliait le nombre des criminels potentiels. Ils attribuaient ce danger à l'invasion de la capitale par une population jeune, instable, sans travail et prompte à la violence. Remuante, difficilement contrôlable et mal intégrée, elle angoissait l'opinion et constituait un élément important de tension et de peur sociales à la veille de la Révolution[6]. C'est sur cet arrière-plan que se posait le problème du maintien de l'ordre. Affaire d'État, à Paris, où une émeute pouvait dégénérer en révolution, il y amena, au XVIIIe siècle, les autorités à étendre les activités de répression sous prétexte de sécurité. Elles avaient à surveiller la population flottante du vieux centre, faite de classes encore plus dangereuses que laborieuses. La police de la capitale se militarisa peu à peu, tandis que les gardes françaises se transformaient en agents de police. Les troupes bourgeoises furent en effet considérées comme inaptes au maintien de l'ordre, qui fut confié à la garde de Paris et à l'armée. La première, en 1789, ne comportait que près de 1500 hommes, sous l'autorité du secrétaire d'État à la Maison du roi. Les gardes françaises, d'abord simple troupe d'intervention, devinrent donc responsables de la sûreté quotidienne. Ce fut souvent, d'ailleurs, pour lutter contre l'indiscipline de ses membres que ce régiment glissa dans l'engrenage policier. Il y gagna, auprès de l'opinion, une réputation d'arbitraire et de rigueur excessive sans avoir, au reste, la haute main sur la stratégie d'ensemble du maintien de l'ordre. Les progrès du casernement y entraînèrent des difficultés de recrutement, accrues par la dureté du service. Devant ce risque de désarticulation, il fut même question, en 1788, de faire disparaître le régiment. Sa fraternisation avec les éléments insurgés ne vint donc pas de sa proximité imaginaire avec le petit peuple mais des lacunes de son encadrement et de son regroupement dans des casernes où les réactions collectives étaient beaucoup plus faciles. L'Ancien Régime tomba aussi parce que, à Paris, les ministres, obsédés par la sécurité, désorganisèrent la police sous prétexte de maintien de l'ordre[7].

Cette dernière nécessité s'imposait, à leurs yeux, en raison d'une violence populaire qui paraît, au contraire, en régression. Admirée dans toute l'Europe, la police parisienne, chef-d'œuvre de modernité, créait elle-même le désordre par sa brutalité ou son arbitraire. Face à elle, la population se montrait souvent solidaire de ses victimes, honnêtes gens ou vagabonds. Les conflits qu'elle avait à apaiser ou à arbitrer exprimaient moins le besoin de défoulement des ouvriers de la capitale que la révolte sourde des immigrés de fraîche date, mal logés, mal nourris, souvent méprisés par ceux qui exploitaient leur force de travail. Ces « sauvages » ne connaissaient que le langage de la force, dont ils avaient le culte. Ils importaient, dans la grande ville où ils débarquaient, leur goût de la bagarre et du maniement d'armes, leur propension à l'émotivité et leur résistance à la douleur. A côté des simples émotions frumentaires ou coalitions ouvrières, ils étaient déjà là, dans l'ombre, pour transformer la violence populaire en violence révolutionnaire. Ses futures journées constitueront, en effet, l'intrusion brutale du langage de la violence quotidienne sur un terrain sociopolitique qui en était jusque-là protégé[8].

Arlette Farge, à qui l'on doit ce jugement, vient de le compléter par une étude très fine des rapports entre « violence, pouvoirs et solidarités » dans le Paris du XVIIIe siècle. On y observe, grâce aux archives policières, les conséquences psychologiques d'une instabilité sociale et d'une précarité économique fondamentales. Elles avaient amené, dans les six premiers mois de 1750, une quinzaine de révoltes dirigées contre les enlèvements d'enfants dont on accusait la police. L'insécurité et la fragilité modelaient ainsi, dans la capitale, un « horizon mental collectif » fait avant tout de la peur des dangers et des menaces les plus diverses. Cette nervosité généralisée, qui se retrouvait dans les excès de la passion, était à peine compensée par les solidarités nées du monde du travail. La violence se retrouvait souvent à l'atelier comme dans le quartier et, encore plus, au sein de la population flottante dont nous avons déjà parlé, propice, parfois, aux bandes de filous parfaitement organisés. Car ce monde de marginaux possédait aussi ses réseaux. Les rassemblements de foules furent faits de tous ces milieux. On les conviait régulièrement aux réjouissances publiques, telle la naissance du dauphin en 1781. Ils participaient aux vastes mises en scène des exécutions capitales, spectacle familier et fascinant. Lors du mariage du futur Louis XVI, en 1770, la fête fut gâchée par une effroyable bousculade qui fit plusieurs centaines de victimes parmi les artisans et les gagne-deniers. On en accusa les négligences policières. Crédule et avide de sensationnel, le peuple de Paris ne l'était peut-être pas beaucoup plus que ses dirigeants. Avide de rumeurs, il était sûrement propice à des bouleversements collectifs subits. Ses foules, qui étaient à la fois une forme nécessaire de la société urbaine, une composante du rituel monarchique et un souci du gouvernement, représentaient, pour ce dernier, une source permanente d'inquiétude. Les rues de la capitale n'étaient jamais calmes, parce que le désordre y constituait une revendication d'ordre face à un avenir mal assuré. Il s'identifiait en cela « aux formes traditionnelles d'existence de la population ». Incapable de lire en cet océan confus des révoltes et des émotions, la police se contentait de le contenir sans le comprendre. Or la Révolution, qui va venir, ne fera que ressembler, en les élargissant, aux émeutes précédentes[9].

Les soulèvements ruraux de 1789 constituent-ils une révolution paysanne originale et autonome ?

80 % des Français, au moment de la Révolution, étaient des paysans, mais ils ne jouèrent aucun rôle dans les événements qui préparèrent la chute de l'Ancien Régime. Lors de la crise prérévolutionnaire, en effet, et jusqu'au printemps de 1789, ils se contentèrent d'observer ce qui se passait, de même que les hommes politiques engagés dans cette lutte pensaient très peu à eux. Les paysans devinrent importants en raison de la mauvaise récolte de 1788, qui mit en péril l'ordre public dans les campagnes comme dans les villes. La rédaction des cahiers, d'autre part, souleva chez eux de grandes espérances. Leur insatisfaction les amena, peu après, à imposer leur façon de voir à l'Assemblée nationale.

La diversité du monde rural, où 4 millions de paysans possédaient peut-être un quart du sol du pays, était considérable. Il était dominé par un petit groupe de riches fermiers, aux vastes exploitations situées notamment dans le Nord et le Nord-Est. Après cette élite, de moins de 600 000 personnes, qui profitait de l'absentéisme noble et bourgeois, venait une autre minorité de laboureurs, ayant assez de terres pour se suffire à eux-mêmes ou disposant d'un surplus. Enviés et respectés par le reste de la communauté, ils avaient bénéficié, comme les gros fermiers, d'une conjoncture favorable au XVIIIe siècle.

L'immense majorité des paysans devait trouver, pour survivre, d'autres moyens que l'exploitation de leurs terres, lorsqu'ils en avaient. Cette situation économique précaire accablait encore plus l'importante catégorie des ruraux les plus pauvres. On y rencontrait beaucoup de mendiants, de vagabonds, de petits délinquants, de même que la source de la main-d'œuvre nomade, à la campagne et à la ville. Ce groupe sans racines et difficile à contrôler effrayait les paysans plus sédentaires.

Par-delà une diversité régionale qui venait compliquer ces contrastes sociaux, ce monde rural avait été fondamentalement marqué par l'essor démographique, entraînant une surpopulation relative par rapport aux moyens de subsistance disponibles. Le besoin de terre était accru par la division des héritages et poussait à d'âpres compétitions relatives à la jouissance des droits d'usage collectifs. Le nombre des démunis, des travailleurs migrants et des gueux grossissait naturellement en cas de crise économique, comme en 1789. D'autant plus que la paysannerie subissait, elle aussi, le contrecoup de la baisse des salaires réels. Il s'y ajouta, après 1770, le déclin de la viticulture, de l'industrie textile et du débouché offert par les emplois urbains. Accablés comme producteurs, consommateurs et contribuables, les paysans l'étaient enfin par le régime seigneurial.

Cet héritage médiéval demeurait bien vivant et abondait en droits et autres obligations dues, par les ruraux, à de nombreux dominants. Elles symbolisaient leur pouvoir, honorifique, judiciaire ou surtout économique. D'un poids extrêmement variable, elles étaient associées, pour les paysans, à la noblesse, à qui elles rapportaient en effet de gros profits, dont bénéficiaient aussi l'Église ou beaucoup de bourgeois. L'accroissement de ce fardeau, au cours du siècle, résulta normalement d'un souci d'investissement de la part des plus riches propriétaires fonciers, désireux d'une gestion plus rationnelle de leurs droits. Les cahiers de 1789 s'en plaignirent pourtant assez peu, à l'exception des manifestations les plus typiques de la « féodalité », lorsqu'ils étaient rédigés par des paysans ; ce ne fut pas le cas dans les villes, sensibles aux attaques économiques dirigées contre le régime seigneurial. Elles allaient être doublées, en 1789, par celles visant les privilèges de la noblesse, qui lui étaient si associés. Il n'en reste pas moins que la lutte contre la féodalité ne dominait pas les consciences, populaires ou bourgeoises, à la veille de la Révolution. Ce fut la crise du printemps 1789 qui la mit au premier plan.

Ses ingrédients, dans le monde rural, se nomment faim, espérance et peur. Les difficultés économiques expliquent le premier, qui entraîna des troubles dès janvier. On attaqua des convois de grain, des moulins et des boulangeries, on menaça les autorités. La campagne électorale vint, là-dessus, susciter l'espoir d'une amélioration imminente et générale. Les paysans pensaient que tout ce qui avait été demandé, à titre de doléance, allait être accordé et ils se mirent en conséquence à ne plus payer ce qu'ils devaient. Cette grève fiscale nationale s'étendit au régime seigneurial. On refusa d'acquitter des droits, dans le Dauphiné, dès février. Les troubles s'étendirent ensuite, particulièrement en Provence. L'impatience devant le mauvais démarrage des états généraux fut accrue, dans les provinces, par les bruits relatifs au « complot aristocratique » destiné à faire échouer l'œuvre de régénération nationale. On attribuait l'accomplissement de cette besogne néfaste à des « brigands » auxquels correspondait bien le signalement des vagabonds circulant alors dans les campagnes. L'anxiété, à leur propos, ne put qu'être accrue par les promesses estivales d'une bonne moisson. Une panique, faite d'une crédulité compréhensible, étreignit le monde rural à l'idée qu'on pourrait l'en frustrer par des manœuvres criminelles.

La crise politique du 23 juin au 16 juillet surexcita ces

tensions en semblant donner raison aux pires craintes paysannes. L'annonce du soulèvement parisien constitua l'étincelle finale et, pendant trois semaines, l'ordre sembla disparaître dans les campagnes. Les attaques du printemps précédent se généralisèrent et entraînèrent, cette fois, de nombreuses destructions de châteaux dans le cadre de la recherche des titres féodaux. Cette détermination antiseigneuriale du monde rural ne put qu'être accrue par la capitulation du roi. Elle fut interprétée par les paysans, dans le cadre d'une action d'ailleurs très peu sanglante, comme une autorisation à accentuer leur pression sur l'aristocratie. Ce mouvement, au reste, fit peur à tous les propriétaires et même à beaucoup de ruraux qui n'y étaient pas impliqués. Car il s'accomplit dans le cadre de rumeurs hystériques, persuadant le populaire que les incendies de châteaux étaient l'œuvre de brigands haïssables venus pour tuer, piller et détruire les récoltes. Au milieu d'un pareil chaos, les paysans dauphinois, par exemple, s'armèrent d'abord contre ces brigands imaginaires avant de se retourner contre les châteaux. On a vu comment cette crainte universelle finit par s'étendre, pour de bonnes raisons, aux députés eux-mêmes, incapables d'admettre l'autonomie du monde rural et persuadés que cette gigantesque révolte était l'effet de complots diaboliques[1].

Les historiens, fascinés par elle, ont longtemps expliqué cette révolution paysanne par une réaction seigneuriale intervenue au XVIIIe siècle. La révision des terriers aurait abouti à l'accroissement ou à la renaissance des droits, en particulier dans les régions arriérées du pays. Le ressentiment rural contre cette évolution aurait abouti au soulèvement de 1789 et, par-delà, à une lutte menée jusqu'à l'abolition complète du régime féodal en 1793. On a opposé à ce schéma le fait que la révision en question n'avait été un phénomène ni inédit, ni général, ni fréquent. Il n'aboutissait pas toujours, comme en Bretagne, à un accroissement des droits. Dans des régions comme la Flandre ou la Bourgogne, où il intervint, les paysans purent toujours refuser de payer. En Normandie ou en Auvergne, ils s'imposèrent aux seigneurs ou à leurs agents lorsqu'ils allaient trop loin. Souvent armés, les ruraux firent peur à leurs maîtres, parfois, bien avant 1789. Et il pouvait arriver à leurs communautés, très implantées dans les pays riches, de traîner avec succès le seigneur abusif devant la justice.

S'il est impossible de démontrer que le régime « féodal » s'aggrava à la veille de la Révolution, il est certain que son poids pouvait paraître insupportable comme dans les régions de mainmorte du Berry, de Lorraine et surtout de Franche-Comté. Ce fardeau était souvent plus léger et représentait sans doute, dans la plupart des régions, un prélèvement de l'ordre de 5 à 10 % de la production agricole. Il retombait de plus, surtout, sur les paysans riches, davantage intégrés au circuit de commercialisation. Ils payaient pour leurs voisins les plus pauvres et, sous le règne de Louis XVI, le mécontentement antiseigneurial, en Bourgogne par exemple, était d'abord le fait de villageois aisés. Il en allait de même de la pression fiscale, car la paupérisation des campagnes faisait de plus en plus retomber le poids de l'impôt sur les notables ruraux. Comme ils avaient aussi à se plaindre d'un accroissement de ce qu'ils devaient au seigneur, leur hostilité ne faisait que s'accroître envers les privilégiés.

Ceux-ci, surtout dans les régions de champs ouverts, exploitaient de manière agressive leur situation de supériorité économique aux dépens des droits collectifs, et les pauvres des communautés en souffraient comme les riches. Une puissante coalition antiseigneuriale se préparait ainsi dans les villages et visait l'ensemble des activités traditionnelles propres au grand domaine, qu'il soit possédé par des nobles ou par des bourgeois. La crise économique de 1789 aggrava ces problèmes, parce que ces grands domaines, laïcs ou ecclésiastiques, détenaient le monopole des stocks de grain à acheminer vers les villes. Il fut normal de considérer leurs possesseurs comme des ennemis à combattre. D'abord faite, à partir du printemps, d'une résistance désespérée, cette lutte se transforma en une offensive ouverte après la victoire du tiers et la capitulation du roi.

Prenant leurs affaires en main, les paysans se soulevèrent alors, jusqu'au début août, dans une série de régions. Ils y poursuivirent des formes différentes d'action, appropriées à la diversité des conditions du régime seigneurial. Leur mouvement de révolte ne fut donc point une explosion de colère aveugle. Règlement de comptes séculaire, il prétendit, presque partout, avoir la sanction officielle et fut souvent dirigé par de riches ruraux. Mesure sommaire, sinon violente, de justice populaire, il entendait poursuivre autrement des procédures traditionnelles, parfois en suspens. Dans le Mâconnais, où les citadins avaient donné le signal en s'en prenant aux marchands de grain le 20 juillet, les paysans, sûrs de l'impunité, menèrent bientôt contre les châteaux et leurs associés un immense charivari folklorique, célébration de l'espérance récompensée. Après avoir pas mal saccagé et beaucoup bu ou mangé, vingt-six d'entre eux furent condamnés à la pendaison par les tribunaux bourgeois comme émeutiers et pillards. Les bandes dauphinoises agirent de même contre leurs seigneurs, ennemis du tiers et pourvoyeurs de brigands, avant d'être réprimées par la garde nationale lyonnaise. Au milieu d'une agitation générale, qui visa l'impôt, le ravitaillement et la seigneurie, les phénomènes de Grande Peur apportèrent seulement un élément d'irrationnel, d'ailleurs mêlé aux rumeurs relatives aux complots aristocratiques et de l'étranger. Tout en envenimant, en un premier temps, les relations avec l'aristocratie, cette hantise finit par renforcer, en particulier dans les villes face aux campagnes, la solidarité des élites [2].

Le secret de ces événements est à chercher dans les structures sociales et mentales du monde rural d'Ancien Régime. Il possédait, comme le milieu urbain, son potentiel de délinquance, qui semble s'être accru au XVIIIe siècle où, dans le Languedoc par exemple, une angoisse latente est de plus en plus exprimée devant le comportement des marginaux, vagabonds ou bandits de grands chemins échappant à la justice réglée. La répression du parlement de Toulouse y poursuivait alors, selon Nicole Castan, une « société criminogène », en raison d'une expansion démographique qui multipliait la mendicité des sans-terre et la vulnérabilité des femmes et des jeunes aux phénomènes de crise. L'appareil judiciaire ne pouvait viser qu'à l'élimination des plus dangereux par la mort ou les galères. Ce désordre des campagnes méridionales, qui répondait à celui de la capitale, était dû, comme lui, à la misère des plus dépendants. Privés de la moindre sécurité, les plus pauvres des paysans, tels ces métayers de la région de Castres dont le subdélégué dépeignait l'avilissement en 1777, ne pouvaient vivre qu'au jour le jour, le plus souvent sans travail comme sans terre. Ils aboutissaient, comme en ville, au vagabondage et à la mendicité, poursuivis par les autorités. Ces classes souffrantes devenaient particulièrement criminelles au moyen du banditisme rural, endémique, des Pyrénées au Rhône, autour de 1780. L'engrenage de la pauvreté en était autant responsable que des émeutes de cherté. Il aboutira, en 1783, à la révolte des Masques, explosion de désespoir des campagnes du Vivarais rançonnées par des mafias d'usuriers. Les insurgés y annonçaient pour bientôt le « temps de la vengeance ». L'incapacité de la maréchaussée à constituer un corps de police d'intervention en milieu rural y laissait pulluler des bandes de voleurs[3].

La criminalité paysanne dans la France du XVIIIe siècle, de plus en plus scrutée par les historiens, ne concerne pas seulement les gens sans aveu, vagabonds ou migrants pris à mendier ou à dérober. Elle concernait aussi des communautés acharnées à lutter contre le seigneur, que l'on insultait, méprisait, attaquait. Le gouverneur militaire, en Languedoc, était assiégé par les plaintes concernant l'assaut des groupes de jeunes contre les autorités. Le désordre économique de la fin de l'Ancien Régime y multipliait ces phénomènes de violence, devenus impossibles à résoudre dans le cadre des institutions traditionnelles. L'Auvergne, aux conditions encore plus défavorables, voyait les villageois heurter directement ou ignorer la loi et les tribunaux. Même au nord de la Loire, les ruraux préféraient souvent régler leurs conflits par l'emploi de la force brutale. La cour prévôtale, en tout cas, vit le volume de crimes dont elle s'occupait, et qui était lié au vagabondage, augmenter de 300 % dans la seconde moitié du siècle. Ce phénomène concernait surtout les pays de grande culture de la région parisienne, où les bandes de brigands rassemblèrent alors, parfois, plusieurs centaines d'hommes et devinrent une véritable source de terreur. Appuyées par la complicité populaire, peu soucieuse de leurs victimes et hostile à la répression militaire, certaines survécurent jusqu'à l'extrême fin de la Révolution. La communauté rurale, au fond, n'aimait pas la maréchaussée et en protégeait souvent les mendiants inoffensifs ou les braconniers poursuivis par les seigneurs. Elle considérait les policiers comme des intrus. Même les prêtres bretons répugnaient à leur servir d'auxiliaires. L'attitude contraire, au sud de la Loire, passait d'ailleurs pour porter malheur en détruisant les récoltes. Les villageois étaient capables, en ce cas, d'interdire aux curés de collaborer avec les autorités. Ils se croyaient les seuls exécuteurs naturels de la loi, et les phénomènes de 1789 (peur des brigands et généralisation des destructions dans un contexte de difficultés économiques) manifesteront, en premier lieu, « une crise de la justice ». La société rurale la voulait à bon marché et pensait toujours pouvoir préserver l'ordre elle-même. Elle ne comprendra guère une Révolution qui établira cette justice en développant la bureaucratie[4].

L'hostilité inédite du monde paysan au régime « féodal » peut être datée, pour certains auteurs, du milieu du XVIIIe siècle, et suivie dans les procédures litigieuses qui l'opposèrent aux seigneurs. Le langage plus sophistiqué de cette nouvelle forme de résistance collective préfigura souvent celui de 1789 : après avoir échoué, en général, sur le terrain du droit, il se vengea alors par la violence. Cette campagne juridique, parfois appuyée par les représentants du pouvoir royal, s'en prit, pour la première fois, au principe même du système seigneurial. Ce fut le cas dans la Bourgogne d'après 1750, où l'attitude paysanne, et non la réaction féodale, constitua la nouveauté révolutionnaire. Cette stratégie des ruraux témoignait d'un refus de payer des droits pourtant traditionnels. Leurs communautés purent la soutenir financièrement et bénéficièrent du soutien de juristes et d'administrateurs. Les premiers forgèrent, à ce feu, quelques éléments du futur discours révolutionnaire, tandis que les seconds ne sympathisaient pas toujours avec la féodalité. Celle-ci aborda donc affaiblie l'épreuve révolutionnaire, car il semblait aux habitants des campagnes que l'État ne la soutenait plus [5].

L'incontestable modération des révoltes paysannes au XVIIIe siècle n'y signifie nullement une disparition de la contestation villageoise. 1750 voit au contraire s'épanouir et 1780 se déchaîner la lutte antiseigneuriale dans la France du Centre-Est. Revendication authentique d'un pouvoir paysan par des ruraux mieux armés parce que plus cultivés et plus politisés, elle exprime, dans ce milieu, un nouveau développement de l'esprit public, souvent associé à l'évolution urbaine. On y nomme des procureurs pour défendre une cause modernisée sur le plan idéologique, social et culturel. Elle combat un capitalisme agraire qui se situe au cœur de la « féodalité » rénovée. Dans les régions plus arriérées du Massif central ou de l'Occitanie, une semblable action sera beaucoup moins marquée. L'Ouest bocager demeurait de même plus calme. Mais 1789 fut préparé, ailleurs, par ce conflit entre une seigneurie qui veut s'adapter à l'évolution économique et des paysans plus instruits et refusant de lui être sacrifiés. On a également noté, pour les cahiers de la région de Chartres, le développement de cette nouvelle priorité par rapport au passé [6].

Jean Nicolas, dressant récemment le bilan des mouvements populaires dans le monde rural sous la Révolution française, y a reconnu sans peine une extraordinaire complexité, sociopolitique ou régionale, qui est le fait de la vie même. Actions antiseigneuriales et émeutes de subsistances les marquèrent, dès 1789, à côté du soulèvement antifiscal, du braconnage collectif à caractère insurrectionnel, de la reconquête ou du partage des communaux, du rejet de l'autorité traditionnelle des notables locaux. Les paysans dauphinois, au temps de la Grande Peur, annonçaient ainsi la fin de la domination des « grands de la terre » qui possèdent des « richesses immenses ». Ces diverses motivations se renforcèrent les unes les autres et ébranlèrent profondément le pays, lors de la première année de la Révolution, sans disparaître après pour autant. L'interprétation de ces révoltes paysannes a de plus en plus insisté sur leur aspect passéiste, enraciné dans la longue durée d'une tradition contestataire. Autonomes par rapport à l'action des élites, diverses et contradictoires, elles furent surtout la manifestation d'un héritage, hostile à la ville et aux pouvoirs. Aussi purent-elles se retrouver, ultérieurement, avant le ralliement de la France rurale du XIXᵉ siècle à la démocratie, dans les mouvements contre-révolutionnaires apparus à partir de 1792. Yves-Marie Bercé, historien des soulèvements des croquants au XVIIᵉ siècle, a reconnu dans les paysans de 1789, malgré les changements intervenus dans leurs relations avec le seigneur ou l'État, les successeurs des troubles communautaires d'autrefois. Et il a noté les suites de cette violence anticitadine continue dans l'insurrection par laquelle les campagnes de l'Ouest, après avoir contribué à la chute de l'Ancien Régime, se dressèrent, en 1793, face à la Révolution[7].

II

Un cours logique ?

5

Un dérapage évitable ?

François Furet et Denis Richet ont soutenu, il y a plus de vingt ans, que la Révolution française avait « dérapé », à partir de 1791, en ne parvenant pas à se stabiliser sur les bases d'une monarchie constitutionnelle et en se radicalisant dans une atmosphère de guerre civile et étrangère. Il est difficile de doser, à la veille de Varennes, les éléments favorables ou non à cette thèse. Donald Sutherland défend, à ce propos, des positions contradictoires. Il remarque, en effet, que le climat créé par les événements de 1789 était porteur d'une dynamique révolutionnaire. Ce fut à la fin de cette année que les Français inventèrent le sens moderne du mot « révolution », non point simple coup d'État, comme celui de Maupeou, mais soulèvement de masse transformant la société. Cette prise de conscience s'accompagna, chez beaucoup, d'espérances millénaristes en l'établissement d'un régime enfin parfait. Confrontés aux réalités, en particulier financières, les députés ne purent satisfaire cette illusion. Dès la fin de 1790, le sang avait coulé, dans le pays, pour des motifs agraires ou religieux ; le mécontentement économique et fiscal persistait. Cela ne signifiait pas le ralliement d'une partie importante du peuple à la contre-révolution aristocratique mais offrait des chances aux rassemblements armés d'émigrés aux frontières et aux conspirateurs de l'intérieur en liaison avec eux. En même temps, cependant, les idées de la Révolution étaient appuyées par des institutions comme les clubs et la garde nationale. Les partisans de la démocratisation de la nation y progressaient et l'on pouvait estimer probable, devant une situation aussi déchirée, l'éclatement d'une guerre civile[1].

Cet historien minimise pourtant, au printemps 1791, l'importance des oppositions aux solutions adoptées par la Constituante. Il observe que sa majorité pouvait compter sur le manque de cohésion de ses adversaires. Il insiste sur la loyauté, envers le nouveau régime, de la plus grande partie de l'armée et de la garde nationale. Les députés conservaient l'essentiel des idéaux communs de 1789, détestaient la violence populaire et aspiraient à un changement dans le cadre de l'ordre parlementaire. Même si la réorganisation de l'Église catholique venait de rompre, partiellement, cet accord fondamental, l'Assemblée faisait toujours confiance au roi, et ce fut seulement sa fuite qui brisa, au sommet, l'unité de l'élite dans sa conception de la Révolution[2].

Ces ambiguïtés imposent l'examen de la solidité, à cette date, de l'œuvre réorganisatrice de la Constituante.

Une monarchie constitutionnelle était-elle viable en 1790 ?

* Les bases institutionnelles du nouveau régime avaient unifié le pays dans le cadre réaliste des départements. Leur définition fit des mécontents parmi les villes, comme Marseille, qui ne furent d'abord pas choisies comme préfectures. Héritières des assemblées provinciales de Brienne, ces circonscriptions étaient à la tête

* La qualité exceptionnelle de l'œuvre de Donald Sutherland, *France 1789-1815 : Revolution and Counter-Revolution* (Fontana, 1985), en particulier pour le déroulement des événements entre 1790 et 1799, nous amène, dans l'intérêt même du lecteur, à distinguer dans les développements de notre seconde partie :

— un résumé, *imprimé en plus petits caractères,* de ce point de vue autorisé qui constitue actuellement, à notre avis, la meilleure synthèse de nos connaissances sur le sujet ;

— un exposé, plus personnel, des questions soulevées par les autres historiens et qui apportent un éclairage complémentaire.

de la hiérarchie du gouvernement local. Si celui-ci ne faisait que partager les responsabilités avec l'appareil central de l'État, il disposait en fait d'une liberté de manœuvre considérable. Indépendants de la bureaucratie royale, ses dirigeants pourraient la défier avec impunité.

Ce système devait assez bien fonctionner dans la mesure où il tomba aux mains d'administrateurs ayant déjà acquis, sous l'Ancien Régime, une certaine expérience politique. Le système électoral l'explique par sa division, d'origine économique, entre citoyens passifs, électeurs et éligibles. Cette violation de la Déclaration des droits fut d'ailleurs limitée puisqu'elle maintint plus de 4 millions d'électeurs. Fondé sur les impôts d'Ancien Régime, le système favorisa les régions rurales par rapport aux villes, où, à Paris, par exemple, la moitié au moins des adultes mâles furent privés du droit de vote. Les éligibles, identifiés aux plus riches, furent en revanche davantage citadins. Bourgeois ou aristocrates, ils avaient réussi à éliminer du pouvoir les paysans ou les artisans. Ce furent naturellement les bourgeois qui en profitèrent. Le gouvernement local tomba entre les mains des légistes de province, habitués à la vie politique depuis 1787 et souvent très différents des membres des comités permanents de 1789, jugés trop révolutionnaires. Ces modérés, soucieux d'ordre, contribuèrent cependant à la radicalisation de la Révolution lorsqu'elle fut menacée en 1791 et 1792. Le maintien de cette décentralisation du pouvoir, qui correspondait à l'idéal des débuts de la Révolution, dépendrait du destin des autres réformes de la Constituante[3].

Sur le plan financier, qui demeurait capital et de plus en plus critique, la solution consista, le 2 novembre 1789, à se saisir des biens de l'Église. Peu demandée au printemps, cette mesure découla de la gravité de la situation, sans d'ailleurs l'améliorer, puisque le déficit annoncé par Necker en mars suivant était de loin supérieur à celui avoué autrefois par Calonne. D'où la décision prise alors de vendre au public les biens de l'Église et d'émettre des « assignats » garantis par cette opération. On en doubla le nombre en septembre en autorisant, cette fois, la création d'un papier-monnaie.

La masse d'assignats en circulation demeurait encore inférieure à la valeur des « biens nationaux ». Mais leur apparition coïncida avec une disette monétaire et un déficit de la balance des paiements. L'émission locale, pour empêcher l'effondrement économique, de « billets de confiance » fit perdre à l'État le contrôle de la monnaie. Il aggrava cette situation en émettant une masse de petites coupures, d'où une spirale inflationniste qui aboutit, dès 1791, au début de la dépréciation de l'assignat. Elle entraîna une chute du niveau de vie des pauvres qui ne pouvait qu'accroître les troubles et mettre en danger le nouvel ordre politique[4].

La fin du privilège fiscal ne soulagea pas davantage le peuple. Le nouveau système des impôts resta fixé sur les anciens rôles, ce qui maintint de considérables disparités régionales. Les revenus du capital furent relativement sous-imposés en raison d'un inventaire insuffisant de la richesse privée. Il semble que, dans l'ensemble, les Français aient payé plus d'impôts après la Révolution qu'avant, surtout à partir de 1792. Les révolutionnaires affirmèrent le contraire, mais il est sûr que, dans certains cas, la charge fiscale augmenta de plus de 20 %. Le nouveau système n'étant pas progressif, les riches en bénéficièrent plus que les pauvres. L'impôt augmenta ainsi de 50 %, dans le Nord, à partir de 1792, par rapport à l'Ancien Régime ; l'impôt direct doubla en haute Bretagne ; la majorité des cantons du Puy-de-Dôme ne connut, à cet égard, aucun changement par rapport à la situation antérieure à la Révolution. L'abolition des privilèges n'ayant pas allégé le fardeau fiscal, les contribuables se montrèrent donc aussi récalcitrants qu'avant. Ils le purent d'autant plus que les mécanismes de perception étaient chaotiques, ce qui prolongea la crise financière.

Les paysans souffrirent particulièrement de la mesure prise par l'Assemblée, le 2 décembre 1790, selon laquelle les propriétaires furent autorisés à ajouter aux charges qu'on leur devait l'équivalent de l'ancienne dîme. Dans toutes les régions où le régime seigneurial était relativement léger par rapport aux impôts et aux dîmes, cela représenta une perte globale de revenu pour les agriculteurs. Les tenanciers des domaines du duc de Cossé-Brissac, dans les Deux-Sèvres, durent ainsi lui verser 25 % de plus dès 1791. De nombreux ruraux en conclurent que la Révolution était dirigée contre leurs intérêts. La vente des biens nationaux attacha sans doute au nouveau régime des milliers d'acheteurs. Mais ceux-ci se recrutèrent surtout au sein de la bourgeoisie urbaine. Les anciens détenteurs d'offices, qui avaient reçu, en compensation, des assignats, les utilisèrent à cette fin. La Révolution eut surtout pour résultat, dans ce domaine, un réaménagement des formes d'investissement propres à l'ancienne bourgeoisie foncière. Sa réforme agraire, en les favorisant, accrut l'influence des plus riches citadins sur les campagnes.

Les bénéficiaires principaux de l'œuvre de la Constituante se rencontrèrent chez un grand nombre de propriétaires, allant de la plus riche bourgeoisie à de petits producteurs indépendants. Un certain nombre de citadins et la plupart des pauvres gagnèrent à la disparition de nombreux impôts indirects. Mais, à côté de l'Église ou de nombreux nobles des régions où leur revenu seigneurial était important (Bretagne, Bourgogne, Auvergne, haut Languedoc), beaucoup de dépendants ruraux n'avaient aucune raison d'appuyer un régime qui aggravait leurs charges. Il y avait là, pour la contre-révolution, une chance incontestable, surtout si elle parvenait à se rallier encore les misérables et si le mécontentement des masses était accru par la pression religieuse, économique ou militaire[5].

Ces considérations ont plus de poids que les manœuvres des politiciens, occupés, tel Mirabeau, à se présenter, en secret, en sauveurs de la monarchie (qui n'en voulait d'ailleurs pas) tout en accumulant les discours démagogiques aux diverses tribunes parisiennes[6]. Samuel Scott a raillé les historiens qui font de 1790 une « année heureuse », marquée par la fraternité universelle et la concorde nationale, si l'on excepte les conflits parlementaires. On a pris, comme souvent, Paris pour la France, et le calme relatif de la capitale a fait oublier les désordres des provinces. Les futurs déchirements de la Révolution prirent en fait naissance dès sa deuxième année d'existence. A côté de la violence traditionnelle liée au brigandage ou à la faim, de nouveaux types d'affrontement apparurent alors. Ils tournèrent souvent autour de la question de la légitimité du pouvoir : la nouvelle fragmentation de l'autorité encouragea, en effet, les disputes ou confrontations à propos de son exercice ; elles rendirent délicat le problème du maintien de l'ordre. L'armée et la garde nationale avaient à l'assurer, et les conditions de leur emploi furent âprement discutées. Les responsables locaux s'affrontèrent, à ce propos, aux autorités nationales, tandis que, parmi les premiers, différents groupes entraient en compétition. Elle existait aussi entre ces deux organisations et à l'intérieur de chacune d'elles, les soldats s'opposant aux officiers dans l'armée et diverses factions se disputant le contrôle de la garde nationale. Cette situation eut pour résultat de paralyser l'autorité et de favoriser le désordre. Celui-ci revêtit deux principales formes. La Révolution revivifia, en les transformant, d'anciens antagonismes tout en en créant d'autres, associés à la lutte pour le contrôle du pouvoir. Dans tous les cas, il s'agissait d'affrontements liés aux bénéfices à tirer de l'exercice de l'autorité légitime. Samuel Scott distingue trois sources essentielles de violence qui scandèrent 1790. Au sein de l'armée, les soldats, mécontents du régime que leur avaient imposé autrefois leurs officiers, profitèrent de l'atmosphère révolutionnaire pour rompre avec la discipline traditionnelle. En même temps, la vieille hostilité entre catholiques et protestants réapparut, tandis que l'animosité paysanne envers le reste de la féodalité ne disparut pas. Cette politisation inédite d'anciens conflits accompagna ceux engendrés par la Révolution et tournant autour des élections, du contrôle de la force publique et de l'étendue de l'autonomie locale. La question principale posée à la France se ramenait à l'identification de l'autorité légitime et à celle de ses pouvoirs [7].

1790 fut, pour l'armée, l'époque d'une désintégration liée à une insubordination d'un niveau sans précédent. Elle prit surtout la forme d'une révolte ouverte contre l'autorité des officiers. Ce mouvement atteignit son apogée, à la fin d'août, dans la grande mutinerie de Nancy. Il mit en doute la capacité du gouvernement à défendre le pays et à y maintenir l'ordre. L'insubordination militaire fut d'ailleurs liée aux relations entre soldats et civils. Appuyés par les citoyens patriotes ou les membres de la garde nationale, les régiments se mutinaient, tel, à Hesdin, celui qui fut dirigé, dans son mouvement, par un officier renégat, le futur maréchal Davout. Fraternisant avec les représentants du nouveau régime, les soldats, désormais, refusaient l'obéissance passive. Le mouvement de la Fédération accrut ce type de contacts et la suspicion mutuelle entre officiers et soldats. Les événements de Nancy l'illustrèrent et ils furent ponctués par vingt-trois condamnations à mort, des centaines d'emprisonnements et une répression politique qui prit des allures contre-révolutionnaires. Leur association avec les patriotes avait fourni aux soldats une justification idéologique à une révolte contre des officiers aristocrates. Cette participation des civils aux désordres militaires ne fit qu'accroître les difficultés du rétablissement de l'ordre. Née d'une révolte commune contre l'injustice et le privilège, d'un désir de réforme et de contacts quotidiens, elle était capable de paralyser les forces de police, surtout lorsqu'elle était appuyée par la garde nationale. Ces conflits militaires accrurent ceux des civils en opposant entre eux les différents membres du gouvernement local. Il s'ensuivit d'amères récriminations entre factions radicales et modérées. On ne parvenait plus à situer précisément une autorité dispersée en autant de lambeaux. Que répondre à des mutins qui se réclamaient de l'Assemblée ou d'élus locaux, de l'approbation des citoyens ou des principes de la Révolution ? L'ordre, dans ces conditions, devenait une réalité difficile à établir ou à maintenir. A l'opposé des illusions fraternelles propres à la grande fête parisienne du 14 juillet 1790, de nombreuses régions françaises connurent plutôt une guerre civile larvée [8].

Comment aurait-il pu en aller autrement au sein d'une armée où, parmi les vingt-deux réformateurs survivants de 1781, un seul choisit le camp révolutionnaire, à la différence de quinze qui émigrèrent ou de cinq qui le combattirent ? La politisation des anciens griefs des soldats, favorisée par la Révolution, devait y multiplier désertions et rébellions. La désagrégation militaire ne fit que refléter la crise générale du corps social[9].

A cette décomposition d'une partie capitale de la force publique vint s'ajouter, en Languedoc, l'exaspération de l'ancien conflit entre catholiques et protestants. Une partie des premiers reprochait aux seconds de bénéficier à l'excès de la Révolution. A partir d'avril 1790, une série d'incidents violents éclatèrent à Uzès. Il en alla de même à Montauban, où la garde nationale s'opposa à la municipalité conservatrice. Les plus graves événements de ce genre se déroulèrent à Nîmes, au printemps. Catholiques et calvinistes y réglèrent de vieux comptes. Marchands protestants et paysans papistes ne s'entendaient guère, dans la région, et l'oligarchie nîmoise craignit de perdre le pouvoir à l'occasion de la Révolution. Elle s'opposa, comme à Montauban, à la garde nationale protestante. François Froment, chef des catholiques locaux, regroupa, autour de sa cause, une milice plébéienne. Ses provocations aboutirent à une guerre civile régionale qui fit plus de 300 morts. La Révolution et les problèmes d'autorité et de légitimité qu'elle posait avaient ainsi exacerbé de vieux conflits et l'armée était devenue incapable de les apaiser. Le principal résultat de ces violences fut de développer, dans le Midi, un mouvement contre-révolutionnaire de tendance populaire[10].

James Hood et Gwynne Lewis se sont livrés, depuis une quinzaine d'années, à son anatomie. Ils ont montré les racines religieuses, socio-économiques et politiques de l'antagonisme nîmois, lié à un héritage de peur et de haine, tiré de l'Ancien Régime. Les habitudes d'intolérance s'étaient plus conservées que ne le croyaient les dirigeants des deux communautés, et la Révolution, par les menaces de déséquilibre qu'elle créa, les exaspéra. D'où la naissance de factions qui polarisèrent les sentiments pour ou contre le changement en cours. L'enthousiasme gardois fut ainsi décuplé par la Révolution ; il y aggrava la lutte de classes entre la bourgeoisie protestante et un petit peuple souvent gagné, par haine d'elle, à la cause royaliste. Si cette milice contre-révolutionnaire ne put, comme l'Ouest réussit à le faire ultérieurement, éliminer les patriotes, elle n'en montra pas moins le double visage possible, révolutionnaire *ou* réactionnaire, du peuple français pendant la Révolution. Ses choix politiques, en Languedoc comme ailleurs, dépendirent souvent de la permanence de conflits traditionnels et de vieilles rivalités locales. La Révolution, qui les réinterpréta sans les effacer, les réactiva partout, et c'est ainsi qu'à Nîmes, comme au XVIe siècle, « entre octobre 1789 et juin 1790, l'oligarchie catholique tenta de renverser la tyrannie protestante ». Les nouveaux noms de royalistes et de patriotes constituaient une simple mutation de ces anciens clivages. Cette continuité devait se prolonger jusqu'au début du XIXe siècle, où les massacres de 1815 répondirent à ceux de 1790. La Révolution créa souvent, comme dans le Gard, un univers *politique* inédit, fait d'animosités personnelles et de vengeance permanente. Motivations et rivalités familiales y jouèrent un rôle décisif dans l'engagement des dirigeants locaux[11].

Les historiens s'intéressent ainsi de plus en plus à une contre-révolution aux origines et aux contours encore trop flous. Elle ne fut pas seulement l'effet des conspirations des émigrés groupés, depuis juillet 1789, autour du comte d'Artois et de ses amis. Peu appréciés de la monarchie, qui préférait payer des chefs révolutionnaires ou escomptait vainement une intervention des souverains, ils étaient sans grands moyens, même si la noblesse commença à se détourner de la Révolution lorsqu'elle abolit les titres héréditaires en juin 1790. Les roturiers, groupés par Froment, se montrèrent plus utiles et réussirent, on l'a vu, à mettre le feu au Languedoc au cours de l'année. Après leur échec à Nîmes, 20 000 gardes nationaux catholiques se réunirent à Jalès, en Ardèche, et inaugurèrent une campagne de protestation contre l'Assemblée. Elle eut des échos à Lyon, où se trama un complot, qui échoua ; il en alla de même en Provence, où trois contre-révolutionnaires emprisonnés furent massacrés en décembre. Cette agitation laissa persister une menace dans le Sud-Est. Elle y esquissa une stratégie insurrectionnelle, liée à des concours extérieurs, qui devait persister. Elle disposait d'appuis importants chez les anciens privilégiés, la bourgeoisie liée aux institutions d'Ancien Régime, les artisans et les paysans catholiques heurtés par les mesures dirigées contre l'Église. Ces tenants de la société d'ordres, dominée par la religion, se recrutèrent aussi dans le monde des travailleurs manuels. Comme à Avignon, bientôt marqué, en 1791, par les massacres de la Glacière où périrent soixante-cinq contre-révolutionnaires, les représentants des classes populaires, à la différence de la bourgeoisie, se rencontraient dans les deux camps. Tout dépendait des situations locales, et les masses y avaient souvent d'autres buts que les dirigeants. Les membres du second camp de Jalès, en 1791, profitèrent de l'occasion pour se venger des petits bourgeois patriotes qui les exploitaient déjà sous l'Ancien Régime et, partout, une partie du monde rural s'opposait d'une manière plus ou moins confuse aux bénéficiaires d'une Révolution qui ne lui avait pas assez apporté[12].

Des phénomènes de violence affectèrent constamment le Midi à partir de 1789. Les élites révolutionnaires installées au pouvoir au cours de cette année durent vite affronter les victimes du changement ou ceux qui s'en méfiaient. Ces tendances, à la force et à l'implantation variables, s'exaspérèrent au sein de la noblesse à partir de la fin de 1790. Elles purent s'appuyer dans beaucoup de régions, comme dans l'Ouest, sur « une ligne politique spécifique adoptée par la masse des paysans pauvres et une partie des élites rurales [...] disputant à la bourgeoisie urbaine le pouvoir local dans les campagnes » (Roger Dupuy). Réaction en faveur de l'Ancien Régime et simple mécontentement populaire face à certains aspects de la Révolution se mêlèrent de façon inextricable dans ce mouvement[13].

Son origine fut contemporaine d'une continuation des soulèvements paysans contre le paiement des droits féodaux. Ils marquèrent 1790, du Quercy à la Bretagne et du Bourbonnais au Gâtinais. Leur développement, associé aux ambiguïtés de la politique agraire de la Constituante, atteste l'effondrement des notions de loi et d'ordre au début de la Révolution. Ce phénomène se retrouvait dans de nombreuses villes en Alsace ou dans le Berry, à Belfort ou en Provence, à Marseille et à Lyon. La loi martiale fut proclamée, dans cette dernière cité, en juillet 1790, et l'agitation y persista par la suite. Le problème du choix de la force publique (armée régulière ou garde nationale) à qui confier le maintien de l'ordre y était une source majeure d'affrontements. Le tableau idyllique et parisien d'une Révolution fraternelle était loin de correspondre aux réalités du pays. 1789 n'avait pas seulement introduit le jeu politique moderne et sa lutte pour le pouvoir entre factions rivales ; il avait aussi contribué à politiser les oppositions d'intérêts locaux et la fonction même des autorités chargées de faire respecter la loi. En cette extraordinaire fragmentation, les notions de consensus et de légitimité s'évanouirent et furent remplacées par celles de compétition et de force nue. La violence, en ce climat, devint un phénomène normal et tourna autour du contrôle des forces armées. Divisées comme le reste de la société, elles n'étaient pas plus capables qu'elle d'apaiser les conflits et de stabiliser l'État [14].

C'est sur cette toile de fond qu'il faut apprécier la contestation rurale portant sur l'inapplicable rachat d'une partie des droits seigneuriaux. Le refus de les payer se généralisa en 1790, d'autant plus que les tribunaux seigneuriaux furent définitivement abolis en août. Des dizaines d'incidents, dans plus d'un tiers des départements, témoignèrent de cette protestation des campagnes. Elle prit une forme particulièrement dramatique en haute Bretagne, dans le bas Limousin et surtout dans le Périgord, où les insurrections se rattachèrent à une séculaire volonté villageoise de se libérer d'un régime haïssable. Ces bandes pacifiques de paysans en voulaient d'ailleurs autant aux bourgeois qu'aux nobles. Elles empêchèrent bientôt, par les armes, les autorités de renverser les « arbres de mai », qui symbolisaient leur souhait de régénération. Lorsque les nobles résistèrent, on s'en prit à leurs châteaux. Ce mouvement fut surtout actif dans les régions de fermes isolées ou les bocages de l'Ouest, où les nouvelles communes ne constituaient pas un cadre de lutte approprié contre le régime féodal moribond [15].

Les tumultes antifiscaux, l'assaut contre les gardes forestiers, la contestation des manœuvres de gros acheteurs de biens nationaux, la revendication de l'augmentation des salaires agricoles accompagnèrent ces manifestations. Elles firent de cette période une époque de tension agraire généralisée. Le peuple continua à s'y organiser pour la révolte après la Révolution comme avant. Luttes pour les subsistances dans les pays de grande culture et lutte antiféodale ailleurs persistèrent à s'y épauler. Cette résistance paysanne fut autant dirigée contre l'Assemblée « bourgeoise » et ses alliés que contre l'aristocratie. Attaque frontale contre la seigneurie et manifestation du pouvoir villageois visèrent *tous* les notables. Si les espérances de 1789 et la crise politique qu'elles suscitèrent favorisèrent ce mouvement, il fut encore plus marqué, dans le Périgord, contre les bourgeois ruraux que contre les seigneurs. Artisans et journaliers, en majorité jeunes, avaient repris contre ces profiteurs les rites traditionnels de la révolte. Ils s'attaquèrent sur place, dans le cadre étroit de leurs paroisses, à un ennemi qu'ils connaissaient bien et face auquel une solidarité maximale pouvait s'établir. L'ampleur de cette protestation atteste de la force, dans les campagnes, d'un esprit égalitaire qui faisait peur à la bourgeoisie comme à la noblesse. Le spectre de la « loi agraire », dont les perspectives allaient dominer la Révolution, lui fit écho. La redistribution forcée des biens communaux, appropriés par le seigneur, lui fut associée. C'était le moment où, dans un vide complet de l'autorité, les milliers d'auditeurs parisiens de l'abbé Fauchet, orateur du club radical du Cercle social, apprenaient de lui que tout homme avait droit, pour vivre, à la propriété de la terre. Sur cette lancée, Sylvain Maréchal, futur collaborateur de Babeuf, demandait dans *les Révolutions de Paris*, journal immensément lu, que les riches abandonnent une partie de leurs biens aux paysans démunis et souhaitait, dans cet esprit, le partage entre les cultivateurs de l'immense domaine des biens communaux[16].

Le mouvement révolutionnaire se radicalisa-t-il avant la fuite à Varennes?

On le soutient en s'appuyant sur l'exemple parisien. Cette thèse est liée à l'affirmation récente de François Furet relative à la souveraineté de l'idéologie sur le développement de la Révolution jusqu'en 1794. Dans le vide politique laissé par la démission des autorités traditionnelles, le pouvoir aurait été pris par un système symbolique de représentations mentales et de signes dominant l'action quotidienne. Ce dynamisme idéologique, transcendant les classes et les partis, aurait fait oublier les divisions et les conflits d'intérêts de la société civile. Ce « despotisme sémiotique » oublie, en son monisme abstrait, digne du primat marxiste de l'économie, les réalités et les contraintes de la lutte des classes, des relations internationales, des alliances intérieures et de la construction de l'État. S'il y eut radicalisation de la Révolution jusqu'à Thermidor, il faut l'expliquer *à la fois* par les nécessités de l'évolution politique et la structure propre de l'idéologie révolutionnaire. Ce discours, de plus, ne fut jamais homogène. Il fit coexister, avant Varennes, différentes conceptions de la monarchie constitutionnelle[1].

Elles cohabitaient au sein d'institutions révolutionnaires dont l'optimisme sous-estimait l'importance de l'opposition aux réformes de la Constituante. On pouvait croire, au milieu de 1791, que les patriotes empêcheraient, par leur haut degré de conscience et d'organisation, les débordements de cette opposition. Moins connue que les jacobins, la garde nationale fournissait, à cet égard, un élément capital de répression. Ses expéditions dans le Midi et ses actions dans l'Ouest y confirmèrent le dévouement des militants locaux à la cause de la Révolution. Ils se recrutèrent au sein de la petite et moyenne bourgeoisie urbaine, tout en y demeurant une infime minorité au sein de la population. Ils étaient souvent membres des clubs des jacobins

qui se contentaient, alors, d'assister en spectateurs aux événements mais constituaient un réseau aux relations assez serrées. Si le centre parisien fonctionnait surtout comme un lieu de rencontre des députés radicaux, les sociétés provinciales fournissaient aux anciens membres des loges ou des académies un endroit où discuter. Une intense correspondance leur permettait d'accroître leur influence et d'adresser leurs vœux à Paris. Bien que l'adhésion y fût moins chère que dans la capitale, le recrutement y était plus élitiste que populaire. De fréquentes réunions permirent à de futurs responsables de s'y former. Il ne faut pourtant pas exagérer leur influence sur les travaux législatifs ou la vie locale. Ils servirent seulement de foyer au mouvement radical, en particulier dans les départements où l'hostilité des ruraux à la Révolution était la plus grande.
Si les jacobins comportèrent toujours des artisans et des boutiquiers, il y eut aussi, dans les plus grandes villes, des sociétés populaires qui apparurent en réponse à la propagande aristocratique et à l'agitation cléricale. L'adhésion étant peu coûteuse, elles eurent beaucoup de succès et il y en eut, par exemple, à Lyon, à partir de l'automne 1790, une dans chacune des trente-deux sections. Leurs délégués à un club central participaient à l'agitation révolutionnaire. Leurs 3000 membres eurent tôt fait de l'emporter sur un Club des jacobins atrophié et d'attirer l'attention des politiciens les plus ambitieux. Si Bordeaux et d'autres villes comptèrent aussi, à une échelle plus réduite, des sociétés analogues, ce fut à Paris, surtout, qu'elles fleurirent. Elles s'appuyèrent sur le réseau des quarante-huit assemblées de section, établies depuis juillet 1790, ou sur celui des sociétés fraternelles souvent liées à des activités professionnelles. Certaines s'affilièrent au fameux Club des cordeliers, fondé au printemps. En compagnie de journalistes radicaux, tel Marat, elles critiquèrent l'autorité municipale, l'excès de pouvoir de La Fayette et la distinction entre citoyens actifs et passifs. Dans le climat contemporain de rénovation institutionnelle, des conflits de juridiction avaient vite éclaté entre la commune et les sections ou entre l'état-major de La Fayette et les bataillons de volontaires, responsables, en dernier ressort, de l'autorité.

Ces luttes opposaient, sur le plan des principes, la théorie du gouvernement représentatif et la doctrine de la démocratie directe. Celle-ci fut en partie élaborée et diffusée par les dirigeants des cordeliers, qui créèrent alors les points principaux de la future idéologie de l'an II : souveraineté de la section, rappel des députés, solidarité des sections, droit d'insurrection, droit de référendum, responsabilité des représentants afin qu'ils n'usurpent pas la souveraineté populaire, symbolisme de l'œil de surveillance circonscrit dans le triangle maçonnique. Ces idées, qui rencontrèrent sûrement du succès auprès des artisans et des ouvriers parisiens parce qu'elles exprimaient les aspirations nées de leur expérience quotidienne, ne furent pas l'œuvre d'hommes appartenant eux-mêmes aux classes populaires. A la différence du faubourg Saint-Antoine, la section de la rive gauche, où se trouvaient les cordeliers, comportait une proportion élevée de journalistes, d'imprimeurs et de libraires. Les dirigeants du club, qui se réunissaient au café Procope, n'étaient pas des travailleurs manuels mais des hommes de loi sans clients ni affaires ou des intellectuels passant enfin des tristes besognes de la littérature clandestine à la nouvelle carrière permise par la liberté de la presse. Danton et Desmoulins chez les premiers, Hébert, Brissot ou Marat chez les seconds partageaient, à côté d'un incontestable idéalisme, une haine violente et personnalisée du pouvoir, du privilège et de l'autorité des gens riches et célèbres.

L'origine des membres des autres sociétés populaires ou des militants des sections n'était pas différente. Ils associaient aux professions libérales et à l'administration artisans et boutiquiers plus ou moins qualifiés ou aisés. Ces organisations démocratiques comportaient très peu d'ouvriers ou de pauvres, insuffisamment politisés. Les dirigeants révolutionnaires les plus radicaux, tout en sympathisant avec eux, se méfiaient toujours des misérables, trop facilement corrompus par les aristocrates. Le citoyen idéal restait, pour eux, le travailleur indépendant et père de famille. Si leur littérature comporte, en 1790, des propositions généreuses en matière fiscale ou économique et une dénonciation des méfaits moraux ou sociaux de la richesse, elle accorde peu de place aux questions de cet ordre. Ce sera l'extension de sa haine de l'oppression qui l'emportera plus loin[2].

Cette présentation de Donald Sutherland, confortée par les plus récentes recherches, peint un mouvement démocratique parisien largement appuyé sur des membres de la petite et moyenne bourgeoisie artisanale et commerçante, mais dont la direction était réservée à des intellectuels et des hommes de loi. L'unité du mouvement résidait dans son aspiration à la démocratie directe dans la capitale. Cet idéal avait été expérimenté d'abord par les soixante districts créés en avril 1789. Combattu par les modérés, qui y voyaient un principe d'anarchie, il fut repris par les sections, dont les fréquentes réunions représentèrent l'équivalent d'une permanence de fait. Jalouses de leur autonomie, elles cherchèrent à limiter, à leur profit, les pouvoirs de la municipalité, tout en s'attachant à jouer un rôle national. Désireuses de liberté, elles s'accommodèrent pourtant de l'inégalité du cens, tandis que l'abstention massive des citoyens actifs y « laissait le champ libre à une minorité de militants, véritable avant-garde révolutionnaire » qui n'eut même pas à conquérir pour s'imposer. Elle associait sa conception de l'ordre politique à une société de petits propriétaires indépendants[3].

Les clubs des jacobins, héritiers, en bonne partie, des loges maçonniques, des sociétés mesméristes, des sociétés philanthropiques et des chambres littéraires de l'époque prérévolutionnaire, reflétèrent la politisation de la France. Ils prirent vite un ton agressif à l'égard de l'aristocratie et s'affilièrent, dans tout le pays, à la société mère de Paris. Cette contagion avait gagné la plupart des grandes villes au milieu de 1790 et ce réseau ne fit que s'étendre par la suite. S'il s'accompagna souvent de grands contrastes sociaux dans la composition des différents clubs, leur évolution alla, en gros, dans le sens de l'accroissement numérique et de la démocratisation[4].

Ils s'intéressèrent beaucoup à la diffusion de la presse révolutionnaire. Ce puissant moyen de propagande contribuait à placer encore plus la nation sous l'influence de la capitale. Amoureux de la liberté, les militants jacobins n'en brûlaient pas moins, en cérémonie, les infâmes gazettes aristocratiques. Mais ils ne prisaient pas davantage les pamphlets de l'extrême gauche et aucune de leurs sociétés ne s'abonna au journal de Marat. Ils accusèrent l'organe du Cercle social de vouloir prôner la loi agraire et se méfièrent longtemps des grossièretés d'Hébert. Si l'hebdomadaire de Desmoulins avait plus de succès, celui de l'abbé Cerutti, *la Feuille villageoise*, qui touchait, par ses informations, près de 300 000 Français, fut peut-être l'instrument de propagande préféré des jacobins à partir de septembre 1790. On envoyait des délégués le lire, dans les campagnes, aux paysans. Moyen exceptionnel de participation politique rurale, il tenta de transformer les villageois en citoyens. Mais il s'y employa toujours dans l'esprit dominateur et paternaliste de l'élite urbaine, ce qui ne pouvait que justifier la méfiance des campagnards à l'égard du nouveau régime. Pour le reste, les *Annales* de Carra modelèrent surtout la conscience politique des jacobins de province. Leur radicalisme extérieur et intérieur, mais ignorant des débats sociaux, les excitait en même temps qu'il les rassurait[5].

La presse ultra-révolutionnaire de la capitale, en bonne partie associée aux dirigeants des cordeliers, œuvra plus nettement en faveur de la théorie de la souveraineté populaire. Ces partisans de la démocratie directe, méfiants par principe à l'égard de tout gouvernement, forgèrent, dans les premières années de la Révolution, la future idéologie de l'an II. Encore plus original, Marat témoigna d'un étonnant génie journalistique et pamphlétaire, et sa personnalité d'intellectuel frustré sut merveilleusement s'adapter à une situation inédite qu'il exploita en artiste. Critique de toutes les institutions et dénonciateur de tous les complots, il se présente comme l'ennemi des riches et l'ami des opprimés. Apôtre de la violence légitime et de la dictature nécessaire, il participe au combat en faveur de la démocratie directe au titre de précepteur éclairé d'un peuple enfant. Méfiant à l'égard de la force armée et de son chef La Fayette, il appelle sans cesse à l'union des forces populaires face à la trahison. Apologiste de l'émeute, il regrette que l'on n'ait pas abattu « cinq à six cents têtes [...] dès le jour de la prise de la Bastille ». Sûr de la vertu des gueux mais sensible à leur misère, il rêve de la protection sociale et de la diffusion de la propriété qui y mettront fin. Sinon, annonce-t-il à ses lecteurs, le 27 octobre 1790, « le progrès des Lumières » amènera bientôt « les trois quarts de la nation » à demander « le partage des terres »[6].

On sait que Fauchet commentera peu après, dans le même esprit, au Palais-Royal, la pensée de Rousseau. Cela lui valut d'ailleurs une très mauvaise réputation. Mais lorsque La Harpe, six mois plus tard, combattit Maréchal et ses projets de loi agraire au nom de la sagesse conservatrice, *les Révolutions de Paris* lui répliquèrent que, dans la marche inéluctable de la Révolution, le peuple, après avoir retrouvé ses droits, récupérerait ses propriétés. Un professeur au Collège de France publiait, de son côté, un plan détaillé visant à abolir tous les héritages et à distribuer à chacun 4 à 5 arpents, le reste étant loué par l'État, ce qui dispenserait de l'impôt. Nicolas de Bonneville, étroit ami de Fauchet et franc-maçon illuminé, défendait aussi à ce moment la loi agraire, attribuée par lui à la sagesse ancestrale de la nation française. C'était le moment où Babeuf, après avoir formé sa doctrine dans le monde des districts parisiens, s'attachait à l'appliquer dans celui des campagnes picardes. Des curés de village appuyèrent ses efforts patriotiques en faveur d'un peuple écrasé d'impôts et l'un d'eux se prononça carrément en faveur du massacre des percepteurs et du lynchage des autorités récalcitrantes[7].

Ce qui rendait graves ces outrances, et, d'ailleurs, les expliquait, était le profond état d'anarchie où se trouvait le pays. Des habitants du Périgord insurgé l'avaient à la fois constaté et déploré au début de 1790. Interruption de la justice en temps de crise, disparition absolue de l'autorité dans l'intervalle de la passation des pouvoirs, désordres dus au retard dans la mise sur pied du nouveau régime, vaine attente d'un commandement venu d'en haut et, en conséquence, impuissance des créanciers ou des victimes de la violence : ces caractéristiques de la période de transition, dont se félicitaient les paysans révoltés, leur paraissaient signifier la liberté de chacun par la disparition de la loi et de la justice. La satisfaction de leurs doléances, désormais, les remplaçait et devait dicter leur conduite au pouvoir et à ses agents. Ce vertige rend compte, en premier lieu, de la radicalisation du mouvement révolutionnaire qui se produit entre 1789 et 1791. Elle fut moins liée aux vertus supposées de son discours idéologique qu'à une situation politique exceptionnelle, marquée par la crise de toutes les autorités, la vacance du pouvoir légitime et l'âpreté des compétitions en vue de s'en emparer ou de s'en partager le contrôle[8].

La réorganisation de l'Église catholique par la Révolution créa-t-elle un risque de guerre civile?

Beaucoup d'historiens admettent que la Constitution civile du clergé, votée par l'Assemblée en 1790 et qu'elle commença à imposer dès l'année suivante, représenta un tournant décisif et une faute capitale dans le déroulement de la Révolution. En s'opposant à la majorité des évêques et à la moitié au moins des prêtres et des fidèles, ses dirigeants heurtèrent la conscience d'une bonne partie de leurs compatriotes, préparèrent un schisme et favorisèrent la naissance d'une guerre civile. S'il est facile de le constater, il l'est moins de l'expliquer.

On peut recourir, pour le faire, à l'hypothèse commode d'un complot antichrétien, tramé par les philosophes du XVIIIe siècle et réalisé par leurs héritiers de 1789. Cette thèse simpliste, qui peut s'appuyer sur la lutte menée par Voltaire et ses amis contre l'Église catholique, est encore véhiculée par des ouvrages plus ou moins délirants, lointains successeurs d'une littérature cléricale autrefois abondante. Plus sérieusement, d'autres synthèses exagèrent sans doute le poids sur l'opinion, même éclairée, des attaques antichrétiennes[1].

La plupart des spécialistes s'accordent aujourd'hui sur la relative bonne santé de l'Église de France à la veille de la Révolution. Peu avant sa fin tragique, le moule des séminaires y formait des curés impeccables, tandis qu'elle était dirigée par des « prélats administrateurs et laboureurs de diocèses ». On ne sait même pas si les religieux y étaient vraiment en décadence. En revanche, en dehors de l'encadrement paroissial réalisé par ses prêtres et ses prédicateurs, elle jouait encore un rôle social éminent dans le domaine de la culture et de l'assistance. Tel était le corps qui allait perdre, d'un coup, toute autorité et tout prestige au milieu du bouleversement révolutionnaire. On est frappé de la soudaineté de ce changement lorsqu'on considère, par exemple, la carrière d'un Talleyrand, défenseur acharné des intérêts matériels de son ordre au cours des années 1780, avant de s'en faire, à la Constituante, le fossoyeur, puis de devenir le douteux parrain de la nouvelle Église constitutionnelle. Bien d'autres évêques, plus honnêtes, seront affectés par ce divorce imposé entre leur ancien attachement aux Lumières et aux libertés et leur fidélité à une foi soudain menacée par la Révolution[2].

On peut songer, pour l'expliquer, à l'affrontement entre bas et haut clergé. Le premier, plus bourgeois sinon plus plébéien, aurait nourri « l'anxiété, l'insécurité et l'insatisfaction » devant « l'injustice de la distribution des richesses dans l'Église ». Son esprit de corps et ses revendications auraient entraîné, à la fin de l'Ancien Régime, une « révolte des curés » qui entendaient, d'ailleurs, conserver leur rôle dirigeant au sein de la société et entraient souvent, pour cela, en conflit avec les notables laïcs. De cette division, et de la profonde cassure ainsi instituée entre une caste épiscopale et des prêtres contestataires, seraient nés chez ceux-ci un désir de réforme égalitaire et une insubordination qui profitèrent du triomphe électoral de 1789. Majoritaires dans la représentation de l'ordre aux états, les curés lui imposèrent peu à peu le ralliement au tiers et y acquirent une fabuleuse popularité[3].

Ce schéma néglige une étude en profondeur de l'Église française du XVIIIe siècle par rapport à la société dont elle fait partie. Toujours omniprésente et fort puissante, en liaison étroite avec l'État, elle y a pris un nouveau visage, plus conforme à la réforme catholique inaugurée à la fin du XVIe siècle. Mieux formés, ses prêtres y font l'admiration de tous pour leur sens de leurs devoirs moraux et sociaux. Leur pastorale, à la fois active et austère, contribue à une christianisation des masses qui semble en accord avec les valeurs bourgeoises et populaires du temps. On sait que la ferveur ne manquait pas dans la France des Lumières. Jean Quéniart s'est demandé si celle-ci n'avait pas vu s'établir, en fin de course, un certain nombre de malentendus entre les tendances de son évolution et l'état de l'Église gallicane. L'individu tendait souvent à s'y émanciper par rapport à ses enseignements, la pensée à s'y laïciser, le clergé à s'isoler dangereusement, au moins d'une société urbaine d'un type nouveau. Au demeurant, les pauvres de Paris, à la fin du XVIIIe siècle, restaient attachés aux formes anciennes de leur dévotion et de leurs croyances. Longtemps admirateurs des miracles jansénistes, ils n'étaient pas encore devenus des militants de la déchristianisation [4].

Bernard Plongeron a même pu soutenir que la conscience religieuse s'accorda avec l'esprit de la Révolution. Réagissant contre une historiographie manichéenne qui opposait aux bons prêtres, futurs réfractaires, les mauvais, pervertis par les Lumières, il a montré que celles-ci influencèrent les chrétiens attachés à la réforme de l'État. La phase révolutionnaire s'inséra au cœur d'une *Aufklärung* catholique, en rapport avec tous les courants de pensée importants, et qui interdit de transformer l'histoire de l'Église, à cette époque, en celle d'une simple agression extérieure contre ses saints et vieux principes. Le fait religieux doit y être considéré moins comme le cadre des conflits politiques que comme l'objet d'un développement culturel continu. La Révolution se voulut souvent religieuse, en ce temps, et la religion révolutionnaire. Théologie et politique persistèrent à y faire sinon bon, du moins étroit ménage. D'où l'intérêt porté par cet historien à une Église constitutionnelle qui eut le mérite, en des temps difficiles, d'accepter toutes les conséquences de cette situation. Seize évêques siégèrent à la Convention, dont dix moururent toujours prêtres. Dirigeants ecclésiastiques d'un type nouveau, ils se référaient autant à la fraternité enseignée par Jésus qu'aux idées des philosophes. Ils leur préféraient la religion, détestaient le déisme antichrétien de Voltaire et critiquaient parfois Rousseau. Quatre d'entre eux, seulement, furent régicides, et Audrein, qui mourut en 1800 assassiné par des royalistes bretons lors d'une visite épiscopale, avait réaffirmé peu auparavant son hostilité à des Lumières privées de l'idée de révélation[5].

On voit l'étendue du malentendu où s'enferma la politique religieuse de la Constituante. Impressionnée par l'adhésion à la Révolution de ses membres appartenant au bas clergé, elle négligea ce qui unissait encore profondément l'Église de 1789. Si l'on en croit ses cahiers, en effet, elle souhaitait que le catholicisme reste la religion établie et conserve le contrôle du système pédagogique. Elle se méfiait de la tolérance envers les protestants et demeurait partisane de la censure des publications impies. Si elle était prête à l'abandon de ses privilèges fiscaux, ses membres inférieurs étaient venus aux états animés surtout de revendications professionnelles concernant l'amélioration de leur sort. Ils n'entendaient pas mettre en cause le rôle central de leur institution dans la vie nationale mais plutôt le renforcer. Par une ironie tragique mais compréhensible, leurs collègues laïcs furent incapables de tenir compte de cette ambiguïté. Selon la formule de Louis Trénard, ils crurent pouvoir absorber l'Église dans un État désacralisé et « fonctionnariser » les prêtres. Leur seule excuse est que cette politisation du religieux et ce transfert d'absolu ne manquaient pas de précédents dans la longue histoire chrétienne antérieure[6].

Leur réorganisation de l'Église eut d'abord des sources financières. Dépourvu de ressources, le clergé devrait être salarié, donc contrôlé. Dès le 28 octobre 1789, les vœux religieux furent supprimés et les ordres contemplatifs dissous. Cinquante-deux diocèses furent bientôt éliminés. Si la Déclaration des droits, en garantissant la liberté de pensée, avait miné l'existence de l'Église en tant que corps privilégié, la Constituante, comme Voltaire, n'imaginait pas que l'État puisse se désintéresser de son organisation. L'Assemblée avait même l'intention de renforcer cette dépendance dans l'intérêt de l'ordre, de la propriété et de la Révolution. Beaucoup, notamment parmi les curés, rêvaient, de plus, de restaurer la pure Église des premiers siècles. Cet idéalisme explique, en particulier, la facilité avec laquelle fut votée la profitable mais discutable nationalisation des biens du clergé.

La Constitution civile fut surtout discutée parce qu'elle confiait l'élection des nouveaux responsables de l'Église à l'ensemble des citoyens actifs, y compris les non-catholiques. Cette innovation disciplinaire et doctrinale était inévitable, étant donné les théories de l'Assemblée et les circonstances politiques. Les premières exigeaient que le nouveau pouvoir ait au moins autant de droits sur l'Église que l'ancien. En réponse à cette invocation du précédent, les adversaires du projet demandaient la consultation et le consentement de l'Église. Ignorant leurs protestations et désireuse de remplacer des aristocrates par des fonctionnaires élus, l'Assemblée adopta la Constitution civile, le 12 juillet 1790, au moment où des soulèvements contre-révolutionnaires, dans le Midi, arboraient le drapeau de la religion catholique. D'où le refus, par la Constituante, de convoquer un concile national à l'image de réunions qui, dans un passé récent, avaient osé défier la couronne. Le compromis, dans ces conditions, était fort difficile. Le pape, très tardivement invoqué par une minorité du clergé, temporisant, et les troubles se multipliant, l'Assemblée décida, à la fin de l'année, d'imposer un serment de fidélité envers la Constitution à tous les candidats à un poste dans le nouveau système ecclésiastique.

Ce serment à la Constitution civile du clergé marqua une date dans l'histoire de la Révolution en donnant à ses adversaires un large soutien populaire. Il faut distinguer les raisons du refus des prêtres et celles de l'appui qu'ils reçurent. Il y avait beaucoup de motifs, en effet, pour approuver un projet qui reprenait certaines demandes des cahiers au sujet, notamment, de la résidence des évêques, de la réduction des injustices concernant leur statut ou celui des curés, etc. Mais le clergé avait rêvé de davantage. Souvent il n'avait pas imaginé la régénération nationale sans une sorte de théocratie et devait maintenant la contempler liée à la dissolution de l'Église traditionnelle. Si les constitutionnels acceptèrent cette situation, les réfractaires pouvaient y voir, avec d'autres mesures prises par la Constituante, une intention délibérée de laïciser l'État et la société.

Au milieu de 1791, 60 % des curés et seulement sept évêques avaient prêté le serment. Ce clivage n'eut pas seulement ses sources dans l'idéologie ou de précédentes attitudes. Les condamnations du pape, intervenues au début du printemps, entraînèrent quelques rétractations. Diverses pressions, familiales, amicales, professionnelles, officielles, officieuses, s'exercèrent sur les curés. Il n'y eut donc pas d'explication simple à la prise de serment, quoiqu'on puisse noter, en Bretagne, une corrélation entre le refus et l'existence de plusieurs prêtres dans une même paroisse. La pression des laïcs constitua, sans doute, un élément capital. Une large zone centrale, allant de la Picardie au Berry et du Maine à la Bourgogne, prêta le serment. Ce fut aussi le cas du Sud-Est. En revanche, le sud du Massif central, l'Alsace et le Nord furent des régions de refus massif. Il y en eut une autre, encore plus impressionnante, à l'ouest d'une ligne passant par Caen, Le Mans et Poitiers. Ainsi se trouvaient définies, en gros, la carte des futures attitudes populaires face à la Révolution et celle, aussi, des futures élections sous les Républiques des XIXe et XXe siècles.

Les révolutionnaires expliquèrent l'appui apporté aux réfractaires par l'ignorance des populations, et leur législation répressive ultérieure tenta de remédier à cette hostilité. On a tenté, depuis, d'établir des corrélations plus fines entre la prestation du serment et la situation culturelle et religieuse, comme si, d'ailleurs, les constitutionnels étaient forcément moins catholiques ou fervents que les autres. Donald Sutherland ne croit pas qu'un élément proprement religieux ait été à la base de la discrimination. Il remarque que la Constitution civile ne toucha pas à la liturgie, beaucoup plus importante, pour le peuple, que la croyance. Les prêtres constitutionnels étaient aussi capables que les autres d'accomplir ces rites de passage et de protection auxquels il tenait. S'il préféra, pour cela, en certains endroits les réfractaires et en d'autres non, ce fut parce que la Constitution civile représenta aussi un référendum pour ou contre une Église associée à la Révolution qu'elle était chargée de promouvoir et de servir. Choisir le camp du refus religieux signifia le rejet du nouveau régime politique et social imposé par les patriotes de 1790[7].

La formulation de ce choix survint au moment précis où, au tournant des années 1790 et 1791, les oppositions s'accumulaient contre l'œuvre de la Constituante. Sans leur être forcément liés, les troubles religieux affectèrent souvent des régions où les paysans étaient mécontents du peu qu'ils avaient gagné à la Révolution. Ils tentèrent, dans le Nord et l'Ouest en particulier, d'influencer en ce sens la décision du curé, puis rendirent la vie impossible aux prêtres constitutionnels, qui n'eurent plus aucun enracinement. Ces malheureux, symboles d'une Révolution purement urbaine, ne pouvaient plus s'appuyer que sur une poignée d'administrateurs, de jacobins ou de gardes nationaux venus de la ville. Le peuple des campagnes, en beaucoup d'endroits, appuya les réfractaires pour montrer son hostilité à la Révolution. La présence et les droits de ces prêtres y multiplièrent, d'ailleurs, les conflits, qui rendirent le règlement ecclésiastique inapplicable. Leur dénonciation du clergé constitutionnel et de ses soutiens comme hérétiques et schismatiques y fit faire un pas vers la guerre civile. Mais l'opinion, fréquemment, n'avait pas besoin d'eux pour se prononcer en masse, à cette occasion, contre la Révolution. Après celles d'Aubenas, les femmes de Strasbourg, au début de 1791, se révoltèrent pour ce motif contre les autorités. De nombreux catholiques alsaciens défendirent, comme elles, leur religion face aux municipalités. C'est surtout dans l'Ouest que se manifesta cette résistance populaire. Des processions silencieuses de protestation s'y déroulèrent en même temps que s'y diffusèrent de merveilleuses histoires d'apparitions et de prophéties. La Révellière-Lépeaux, enquêtant sur ces troubles en Anjou, fit détruire, en un premier acte de déchristiani-

> sation révolutionnaire, une chapelle de la Vierge. Des violences plus graves éclatèrent à Vannes en faveur d'un évêque réfractaire, à Maulévrier pour défendre la religion contre les autorités, en Vendée où un siège opposa à des paysans barricadés dans une église des bourgeois jacobins, près de Nantes où des femmes patriotes et leurs maris armés envahirent un couvent de carmélites récalcitrantes, etc. [8]

Un éclairage inédit sur les origines de cette dissidence vient d'être apporté par les recherches de Timothy Tackett. Persuadé d'en trouver la clé dans la structure ecclésiastique et la géographie cléricale de la France à la veille de la Révolution, il a d'abord remarqué, avec Claude Langlois, que certaines des futures régions réfractaires (Ouest, Nord, sud du Massif central, Sud-Ouest) possédaient une proportion plus importante de prêtres nés chez elles, notamment en milieu rural. Ils y étaient, d'autre part, en nombre plus important qu'ailleurs. Tandis que de futurs foyers de l'Église constitutionnelle, tels que le Bassin parisien ou le cours moyen de la Loire, recouraient souvent à un recrutement pastoral extérieur, il s'était formé là une société cléricale où les prêtres, qui abondaient, étaient des gens du pays, profondément intégrés à la vie locale [9].

La synthèse de Timothy Tackett sur le serment de 1791 a développé et approfondi ces résultats. La sociologie du refus clérical (très fort dans les villes, sauf à Paris) y est précisée, de même que sa géographie (qui englobe, en effet, une région supplémentaire dans le Sud-Ouest). Surtout, l'explication principale est à nouveau reliée, après une très longue enquête, à la présence, dans l'Ouest en particulier, d'une société cléricale massive et homogène, d'origine rurale (à l'opposé du Centre ou du Sud-Est), encadrant la religion populaire et la vitalisant. Timothy Tackett remarque aussi que ce fut souvent dans de futures régions réfractaires que les cahiers du tiers, émanation de la bourgeoisie urbaine, manifestèrent un violent anticléricalisme. Ainsi se profilait déjà, à l'horizon, le conflit entre des campagnes ferventes et des villes « éclairées » qui sera au cœur de la crise de la Constitution civile et, peut-être, de toute la Révolution[10].

Cette réhabilitation de l'importance du facteur religieux, ou au moins socioreligieux, à l'origine des déchirements de l'Ouest pendant la Révolution vient d'être confirmée par Jean-Louis Ormières dans le cadre d'une étude sur la situation politique en Mayenne et dans le Maine-et-Loire en 1790 et 1791. Il y observe, à la ville comme à la campagne, la gravité particulière des troubles liés à l'application de la Constitution civile. Il s'agit là d'un conflit spirituel qui déborde, naturellement, sur le terrain politique, puisque les autorités révolutionnaires appuient l'Église constitutionnelle. La naissance de celle-ci apporta vraiment, dans l'Ouest, un renfort exceptionnel à la contre-révolution dans la mesure où les curés réfractaires y vivaient, depuis longtemps, en symbiose avec la communauté rurale[11].

Sommée de le faire, la moitié de la France venait, par l'intermédiaire des prêtres qu'elle appuyait, de refuser un serment civique, vœu public d'adhésion au nouveau contrat social. Ce désastre politique, qui devait se transformer en une source permanente de désordres, signifiait clairement l'opposition de très nombreuses régions, familles spirituelles ou catégories sociales du pays à l'idéologie révolutionnaire[12].

6

Une guerre idéologique ?

De l'été 1791 à l'été 1793, le mouvement de la Révolution s'accéléra et sembla tout emporter sur son passage : au milieu de ses déchirements, il déclara la guerre à l'Europe, renversa la monarchie, exécuta le roi et fomenta la guerre civile. Dans ce tourbillon fait d'énormes bouleversements, trois points peuvent être distingués. Le premier concerne les origines et la signification du conflit qui s'engage, pour plus de vingt ans, entre la France et l'Europe. Le second a trait à la nature exacte de la mobilisation populaire qui s'observe alors et joue, à la fois, dans le sens de la Révolution et contre elle. La division des dirigeants révolutionnaires, enfin, symbolisée par l'affrontement entre girondins et montagnards, et qui ajoute, au printemps de 1793, une guerre civile à tant d'autres, pose problème : s'agit-il d'une opposition absolue, de nature sociale par exemple, ou d'une simple rivalité pour l'exercice du pouvoir ?

La France révolutionnaire porte-t-elle la responsabilité de son conflit avec l'Europe ?

La fuite du roi, en juin 1791, et son lamentable échec eurent des conséquences considérables. Parti pour retrouver son autorité, Louis XVI brisa l'unité des patriotes et poussa certains d'entre eux à recourir au mouvement populaire. D'autres, tel Brissot, songèrent à une guerre comme solution aux difficultés politiques. La méfiance des autorités locales envers celles de Paris s'en accrut et le prestige de l'Assemblée constituante diminua. Il en alla de même de celui du roi, dans la capitale ou en province. Les divisions du pays ne firent qu'augmenter après cette aventure déplorable. Si l'Assemblée prit les choses en main avec calme, Paris s'effraya et parla d'un complot des prisons. Des comités permanents, sur les frontières, se mirent en état d'alerte, de crainte d'une invasion. La répression contre les réfractaires se développa, ainsi que quelques meurtres d'aristocrates. La confiance dans les administrations locales empêcha, pourtant, que cette peur légitime de la contre-révolution ne dégénère. Mais, à Paris, l'agitation, menée par les radicaux contre le roi, accrut l'opposition entre les démocrates et l'Assemblée, qui ne voulait pas le déposer. Elle se doublait d'une lutte sociale entre ouvriers et législateurs bourgeois. Une manifestation, rassemblant 20 000 personnes, eut lieu le 4 juillet. Le 17, la garde nationale tira sur la foule des pétitionnaires groupés au Champ-de-Mars, tuant peut-être cinquante personnes et en blessant beaucoup d'autres. Une répression, dirigée principalement contre l'extrême gauche, s'ensuivit, mais le mouvement radical parisien sortit plutôt renforcé de ces événements. Il n'en avait pas moins échoué, sur le moment, à imposer la République à l'Assemblée et au pays. Les feuillants, qui se séparèrent à cette occasion des jacobins, moins modérés, ne réussirent à gagner ni les patriotes des provinces ni la confiance du roi ou de l'Assemblée. Leur œuvre de révision constitutionnelle y échoua.

Les nouveaux députés de la Législative, entrée en fonction le 1er octobre et qui allait commencer la guerre avec l'Europe sept mois plus tard, étaient des administrateurs locaux, indépendants des factions, mais désireux de trouver une solution aux problèmes posés par la contre-révolution, à l'intérieur et à l'extérieur. Un quart, à peine, des citoyens actifs les avaient élus et 10 % seulement à Paris : ils représentaient donc la minorité politiquement active de la nation, modérée mais attachée aux résultats acquis en 1789. Le second de ces sentiments l'emporta bientôt sur le premier, de même que, dans les provinces, les autorités renforçaient la répression contre les réfractaires. Elles les signalaient en état latent d'insurrection et constituant un danger pour la sécurité du peuple ou des citoyens honnêtes. Ces affirmations, qui plaçaient la défense de la Révolution au-dessus de la loi, préfiguraient la mentalité terroriste. Elles furent entendues par certains, comme en Ille-et-Vilaine, où des patriotes fermèrent des églises et pillèrent les maisons de leurs adversaires ; des bagarres analogues eurent lieu dans le Nord, en Ardèche, dans la Sarthe ; elles opposaient aux villageois, partisans de leurs prêtres traditionnels, les gardes nationaux, seul appui de l'Église du régime. La violence populaire à son égard s'en accrut, ainsi que la répression de ces menées par les autorités. Tandis que ces pressions citadines pour imposer un pasteur étranger étaient tenues pour un crime par les populations des campagnes, les patriotes des villes traitaient celles-ci d'ignorantes et superstitieuses.

Ils eurent tôt fait, également, d'associer au problème religieux celui des émigrés. Leur rassemblement armé, autour de Coblence, n'était guère dangereux, mais la désertion de plus de 6000 officiers, après Varennes, effraya. On attribuait aussi à d'autres émigrés des projets de vengeance que leurs conspirations s'employaient, parfois, à mettre au point, dans l'espoir d'une prochaine guerre victorieuse. Elles étaient particulièrement avancées dans le Sud-Est et dans l'Ouest. A Pillnitz, d'autre part, l'empereur et le roi de Prusse avaient annoncé, le 27 août, leur appui éventuel au rétablissement, par la force, des droits de Louis XVI. Même si cela ne signifiait pas le lancement d'une croisade antirévolutionnaire, les patriotes de Paris se crurent sous la menace d'un conflit. D'où l'idée d'une guerre préventive afin de résoudre, en répondant à ce défi, les problèmes nationaux. La France eut constamment peur d'un conflit, depuis Varennes, et de plus en plus de Français commencèrent à y voir un avantage. Ainsi Brissot pensait, d'après l'exemple américain, qu'un peuple libre vaincrait toujours des despotes. L'occasion offerte par les rassemblements d'émigrés que les princes allemands refusaient de disperser permettrait de moraliser et de purifier les Français par les

> vertus de la lutte armée. Cette notion romantique de croisade révolutionnaire, chère également à Mme Roland, fut répandue de manière extravagante par leurs amis, députés ou journalistes démagogues.
>
> On marcha ainsi vers la guerre en raison des erreurs de jugement dues à la diplomatie traditionnelle ou aux discours libérateurs. Léopold II, jusqu'à sa mort, en mars 1792, freina le mouvement, mais certaines de ses démarches furent mal interprétées. En France, le couple royal, les amis de La Fayette et d'autres politiciens souhaitaient une guerre pour des raisons d'ailleurs contradictoires. Leur pression entraîna un déclin définitif de l'influence des feuillants. Louis XVI, s'opposant aux lois votées contre les émigrés et les réfractaires, fut accusé de miner les intérêts de la Révolution, mais n'empêcha pas près de cinquante départements, dès le printemps 1792, de contraindre à l'exil ou à la détention, par mesure de salut public, leurs prêtres insermentés. Le mouvement radical parisien se réactiva au milieu de cette crise politique. Il dénonça les réfractaires et leurs complices comme des agents de la contre-révolution. Le désir d'entrer en guerre en faveur de la Révolution fut donc lié, dès le début, à la défense contre ses ennemis intérieurs et à la défiance envers le roi. Des clubs ou des gardes nationaux de province le firent entendre à l'Assemblée et, si le déclenchement de la guerre fut favorisé par les intérêts financiers et commerciaux en liaison avec les brissotins, il correspondit aussi, dans le milieu révolutionnaire, à l'idée d'une croisade libératrice. Il s'agissait là, cependant, d'un conflit d'un type nouveau, destiné à transformer la situation de l'Europe. Les rares jacobins qui s'y opposèrent, tels Marat ou Robespierre, par méfiance et prudence, furent peu entendus. Leur lutte contre Brissot, néanmoins, contint en germe le futur clivage entre montagnards et girondins. Ceux-ci engagèrent avec légèreté le pays dans une guerre qui serait bientôt beaucoup moins populaire qu'ils ne le pensaient[1].

T.C.W. Blanning vient de se livrer à une étude approfondie de ses origines, qui les relie à la tradition des relations internationales dans l'Europe du XVIIIe siècle. Il remarque, en particulier, que le bellicisme de la France révolutionnaire hérita de l'austrophobie comme de l'anglophobie qui caractérisaient de nombreux responsables de l'Ancien Régime. Il rappelle, d'autre part, la profonde incompatibilité entre les habitudes diplomatiques conservées par ce dernier, hors de France, faites de secret et d'égoïsme, et le nouveau style d'une politique extérieure révolutionnaire fondée sur les principes de la souveraineté nationale et l'autodétermination. Les champions de la réaction crurent tous, au début, à la profonde impuissance où la Révolution avait jeté la France, comme l'attesta son attitude lors de la crise anglo-espagnole de 1790. Le rapprochement austro-prussien de 1791 heurta l'Assemblée législative, où le parti brissotin développa sa campagne en faveur de la guerre. Blanning observe l'enthousiasme qu'elle réussit à déclencher au début de 1792. Sachant agir à la fois sur les sentiments, les idéaux et les intérêts des députés, elle les persuada d'une victoire facile dans une atmosphère proprement pathologique où de « grandes trahisons » étaient d'avance souhaitées afin de mieux démasquer et abattre les ennemis de la Révolution. Cette guerre fut donc, pour les Français qui la déclenchèrent, un conflit idéologique et total, facilité, du côté austro-prussien, par une égale et malheureuse présomption. Elle s'étala bientôt dans le célèbre manifeste, signé par Brunswick, et qui pensait faire s'évanouir les forces révolutionnaires en les menaçant d'une destruction entière[2].

La France, au début de 1793, rompit pratiquement avec toute l'Europe dans le même climat de nationalisme exalté. Maîtres de la Belgique et menaçant les Provinces-Unies, ses dirigeants se crurent sûrs du prochain effondrement de Londres devant une insurrection générale. Ils déclarèrent aussi la guerre à l'Espagne en l'accablant de leur mépris. Brissot, qui ne voyait de paix pour la France que dans un incendie universel du reste du monde, partageait alors, avec ses amis, la carte de l'Europe, partie en acquisitions pour la France et partie en Républiques protégées par elle. Il est vrai qu'en face la Prusse avait songé à la dépouiller dès 1790 et qu'en 1793 la stratégie de la coalition contre-révolutionnaire visait à la démembrer et à la faire revenir, au moins, à ses limites d'avant Louis XIV[3].

La faiblesse présumée de la France révolutionnaire tenta donc encore plus ses adversaires qu'ils n'eurent peur de ses tentatives de subversion. L'extension de sa puissance territoriale les toucha plus, ensuite, que celle de son idéologie : la Révolution en avait fait, à nouveau, une grande puissance, à leur profonde stupéfaction. Quant aux révolutionnaires, leur croyance naïve en l'invincibilité de leur cause fut la marque d'une présomption analogue. Ces erreurs de calcul, où celles des conservateurs valurent celles des radicaux, contribuèrent, en premier lieu, au déclenchement d'un conflit qui allait ravager l'Europe pendant plus de vingt ans. Il naquit de l'illusion des révolutionnaires sur la décadence de l'ennemi et la certitude de leur victoire, comme de celle de leurs rivaux sur l'impuissance irrémédiable de la France nouvelle[4].

Engagée dans la guerre en avril 1792, la Révolution ne put plus être, à partir de ce moment, tout à fait la même. Ce conflit, qui la « révolutionna » encore plus, affecta également le sens d'un mouvement qui allait désormais se répandre sur une grande partie de l'Europe. Sa face extérieure fut, dès lors, aussi importante que l'autre, et l'une des rares faiblesses de la récente synthèse de Donald Sutherland est d'avoir sous-estimé le poids des questions internationales dans son évolution. Créatrice du monde moderne, la Révolution française le fut à la fois en elle-même et par son expansion[5].

Ses différents aspects ont été dégagés dans le livre de Jacques Godechot consacré à l'histoire de *la Grande Nation.* On y voit son enracinement dans la puissance ou l'influence que détenait la France, à la fin du XVIIIe siècle, au sein des pays de civilisation européenne. Après une première déclaration de paix au monde et une solennelle proclamation du droit des peuples à disposer d'eux-mêmes, la guerre, déclenchée si légèrement en 1792, déboucha sur l'idée plus réaliste d'acquisitions territoriales et de création de Républiques sœurs. Ce mélange d'impérialisme et d'idéologie eut, à son service, les sympathisants réfugiés en

France ou certains Français installés à l'étranger. Il utilisa la propagande de la presse et du théâtre comme les moyens fournis par l'armée et la diplomatie. L'expansion idéologique de la France révolutionnaire toucha, peu à peu, tous les pays de civilisation européenne, de l'Amérique à la Russie. Ses forces armées répandirent ses idées en même temps que leurs conquêtes. Partout sur ses frontières, de la Hollande à l'Italie, des patriotes répondirent à ceux de France. Ils firent progresser chez eux la réalisation de l'unité nationale. Leurs clubs, leurs journaux politiques, leurs constitutions, leurs gouvernements, leurs institutions administratives et aussi, malheureusement, leurs problèmes religieux reflétèrent souvent ceux de la Grande Nation. Celle-ci les accabla de contributions et de réquisitions diverses, dans son œuvre d'exploitation économique d'une Europe française, tout en leur apportant, parfois, des progrès sociaux. Ils concernèrent plus, naturellement, la bourgeoisie que les classes populaires, dans la voie des libertés et de l'égalité. A partir des légions de patriotes, une armée nationale put devenir, dans les pays occupés par la France, le symbole des aspirations nouvelles. L'expansion culturelle de la Grande Nation profita de ses succès militaires et politiques, au prix de nombreuses spoliations. Mécontentements et résistances fomentèrent du coup, contre la Révolution, autant d'insurrections à l'extérieur de ses frontières que dans son propre foyer. Car la France, à partir de 1792, eut en Europe deux visages indissolublement liés, celui de la libération et celui de l'exploitation[6].

Une société populaire française prospéra ainsi à Charleston, en Caroline du Sud, depuis le début de 1792. Elle songea à s'affilier avec les clubs jacobins de France et organisa de nombreux spectacles patriotiques destinés à combattre l'aristocratie lors de cérémonies publiques. Ses dirigeants purent s'appuyer, dès l'année suivante, sur le nouvel ambassadeur de la République aux États-Unis, le jeune girondin Genet, qui venait, depuis 1789, lors d'un séjour de trois ans en Russie, de tenter d'y promouvoir l'universelle révolution démocratique. Il fit part de cet espoir à la Convention deux jours avant l'exécution de

Louis XVI. On peut opposer à ces rêves l'isolement des révolutionnaires de Bruxelles, face à des traditionalistes appuyés par les classes populaires, ou celui des jacobins allemands, incapables, comme leurs protecteurs français, de se rallier les paysans par une réforme sociale suffisamment profonde. Ces intellectuels saluèrent, dans l'armée révolutionnaire d'occupation, l'instrument même qui empêcha la libération de leur pays. Pour un peuple au niveau de vie souvent supérieur à celui de la France, la conquête par celle-ci fut une catastrophe, puisque les pauvres durent en payer les frais, qui furent élevés, et que l'effondrement économique en résulta. Ravagée par les fonctionnaires français et indignée de leurs profanations religieuses, la Rhénanie identifia son combat national à celui pour le catholicisme. Ses dirigeants radicaux, kantiens qui croyaient au triomphe de la raison et ne pouvaient s'appuyer que sur des soldats étrangers, se réfugièrent dans la désillusion née de l'échec. S'il n'y eut pas là de soulèvement de type vendéen, comme en Calabre, le brigandage vint bientôt s'ajouter avec succès à la résistance passive et au sabotage. Les « missionnaires bottés » annoncés par Robespierre avaient ruiné l'idée de libération et discrédité celle de cosmopolitisme. Que pèse, face à ces dures réalités de l'impérialisme révolutionnaire, l'idéalisme authentique des intellectuels ralliés, tel le Suisse César-Frédéric de La Harpe, à la triste aventure des Républiques sœurs[7] ?

La guerre révolutionnaire eut sans doute pour principal résultat, malgré de nombreuses défections ou réticences devant le service militaire obligatoire, de réconcilier durablement la France avec son armée, devenue, pour la première fois, nationale. Jean-Pierre Bertaud vient de rappeler les traits essentiels de cette révolution capitale. Projetée avant 1789, elle eut à lutter contre l'opposition de militaires de carrière soucieux d'une armée de qualité, de notables « inquiets de perdre une main-d'œuvre jeune » et de paysans hostiles à cette lourde contribution. L'élan patriotique qui permit les levées de volontaires de 1791 et 1792 eut certes ses limites et il y eut toujours des déserteurs et des insoumis fomentant de graves révoltes. Mais la conscience civique et la contrainte surent y répondre efficacement. La bourgeoisie révolutionnaire récupéra ainsi certaines valeurs aristocratiques. La société qu'elle créa finit par être dominée par le thème de la gloire des armes. Les nobles, d'ailleurs, conservèrent nombre de places dans les fonctions de commandement jusqu'en 1793 et même après. Les hommes nouveaux qui les remplacèrent furent souvent d'excellents techniciens, et la hiérarchie à la tête de laquelle ils se placèrent ne fut que très peu marquée par une montée en grade des officiers d'origine populaire. La Révolution soigna particulièrement la préparation militaire et, tout en héritant de l'Ancien Régime, légua à Napoléon un excellent instrument de combat, malgré des faiblesses traditionnelles en matière de logistique et de service de santé. Ces guerres, qui coûtèrent à la France, jusqu'en 1799, un peu moins de 500 000 hommes, créèrent aux frontières une école de jacobinisme, anti-aristocratique et attachée aux principes de 1789 [8].

Cette conversion de la bourgeoisie révolutionnaire au métier des armes mit l'ancien esprit de corps au service du nouveau patriotisme et vainquit l'opposition à la réquisition. Elle entraîna une régénération militaire, sensible dès 1791, qui rendit l'armée française, à la fin de 1792, beaucoup plus forte qu'en 1789. Plus représentative de la nation, elle allait imposer une guerre de masses à l'Europe stupéfaite. Ce fut aussi une guerre idéologique, menée bientôt au service religieux de la République et de la patrie. Si elle sut utiliser l'organisation tactique léguée par l'Ancien Régime, elle la révolutionna en créant un esprit et un système d'offensive que Napoléon n'eut qu'à reprendre. 10 % des officiers d'infanterie, jusqu'en 1789, étaient des « officiers de fortune », recrutés à partir du rang, mais nullement dans les milieux les plus démunis. Masséna fut le neveu de l'un d'eux et les généraux de la Révolution eurent la même provenance bourgeoise. Leurs guerres ouvrirent une large carrière aux nouveaux talents. Leur esprit de corps, hérité de la tradition militaire, finira par les pousser à tenter d'imposer leurs vues à un gouvernement qui, en devenant conquérant, se transforma peu à peu en l'otage de son armée[9].

La mobilisation populaire de 1792-1793 favorisa-t-elle la Révolution ou la contre-révolution ?

La médiocre récolte de 1791 fut suivie de mauvaises conditions météorologiques, de l'interruption du commerce colonial, de la chute de l'assignat et de l'effondrement de l'industrie. L'importation de céréales, à Marseille, fut fortement perturbée et leur prix s'éleva aux alentours. Partout, les spéculateurs profitaient de la situation, tandis que les paysans refusaient d'échanger leurs produits contre une monnaie sans valeur, réservée aux pauvres des villes. Le système d'échanges et de production en fut détérioré. Dès l'automne, une vague d'émeutes s'ensuivit. Elle visa, dans le Nord, la taxation populaire du prix des produits et la saisie des convois de céréales. A Paris, au début de 1792, des foules de femmes imposèrent la vente du sucre à un bas prix. La rupture des mécanismes du marché affecta surtout les régions les plus pauvres et les éléments les plus marginaux de la société rurale. De la fin de l'hiver au début du printemps, leurs bandes marchèrent derrière leurs maires, de marché en marché, pour fixer les prix, arrêter les convois, chercher les vivres. Ce mouvement affecta aussi le peuple des villes. Souvent dirigé par des prêtres constitutionnels, il reprenait de vieilles idées apocalyptiques ayant trait à un bain de sang régénérateur qui précéderait la réalisation du paradis sur terre. Ses membres, plus prosaïquement, voulaient, dans les campagnes, reprendre leurs biens communaux ou assurer une juste distribution des ressources. D'où leurs revendications égalitaires, en faveur d'une augmentation des salaires et contre les riches fermiers, qui reprenaient la thèse du complot de famine.

La mobilisation populaire fut encore plus forte dans le Midi, où les jacobins furent stimulés par les préparatifs d'une contre-révolution. Ils se tournèrent vers les campagnes, fort liées aux villes agricoles dans le cadre d'une vie collective très active. Le mouvement des clubs y essaima à travers tous les villages, de l'Ardèche au Gard et de la Drôme au Var. Marseille vit quadrupler, du printemps à l'été 1792, l'assistance à ses réunions de section et ses patriotes marchèrent, dès mars, sur Arles, pour y désarmer leurs adversaires. Les citoyens s'estimant justifiés, par l'impuissance du gouvernement, à agir par eux-mêmes, la mobilisation rurale déclencha une jacquerie qui, en avril-mai, se répandit de la Provence à la Charente et la Haute-Garonne. On y démolit les demeures des contre-révolutionnaires, et en particulier des seigneurs, avec les titres qui s'y trouvaient. On y taxa aussi les prix et récupéra les biens que l'on jugeait appartenir à la communauté. Ce nouveau soulèvement, lié à la gravité du malaise économique, comprit des gardes nationaux et des officiers municipaux. Il fut dirigé non seulement contre les aristocrates et les prêtres, mais contre de riches propriétaires, même lorsqu'il s'agissait d'administrateurs locaux. Son égalitarisme était tout autant dirigé contre une Révolution qui avait très peu fait pour les paysans. Ceux-ci, dans le Midi, poursuivaient une action autonome, qui pouvait parfois correspondre à celle des élites, mais ne recoupait jamais entièrement leurs préoccupations.

Les émeutes du Nord et les soulèvements du Midi créèrent plutôt de l'embarras au niveau national. Malgré la sympathie de Robespierre pour les premières, leurs revendications furent passées sous silence par les jacobins. Ils restèrent, dans l'ensemble, hostiles à leur orientation et approuvèrent une répression dont les victimes ne furent libérées qu'en septembre. La France en guerre voyait donc ses responsables politiques se heurter à un profond mécontentement portant sur les problèmes agraires et de ravitaillement [1].

Les amis de Brissot étaient entrés au gouvernement en avril et dirigèrent une campagne qui répondit peu à leurs espoirs. On vit dans les premières défaites l'effet d'une trahison, qui alarma les sans-culottes parisiens. En réponse au renvoi des ministres girondins par Louis XVI, qui refusait de signer des lois populaires (contre les réfractaires par exemple), une manifestation armée eut lieu le 20 juin. Elle n'impressionna pas le roi et n'aboutit à rien, sinon à accroître les divisions du pays. La Fayette tenta vainement d'en profiter contre les jacobins, tandis que des gardes nationaux des provinces, hautement politisés, marchaient sur la capitale pour y défendre la Révolution. En déclarant la « patrie en danger », le 11 juillet, et en autorisant la permanence des sections le 25, l'Assemblée accrut cette mobilisation. Celle-ci refléta le rôle nouveau accordé aux pauvres pour le service de la nation armée.

Les militants provinciaux, plus touchés, dans l'Ouest en particulier, par la menace contre-révolutionnaire, contribuèrent à cette pression. Ce fut le cas des sociétés populaires de Lyon, qui traitèrent, le 19 juin, le roi de parjure ; de la municipalité de Marseille, qui se prononça peu après contre la monarchie héréditaire ; d'une pétition angevine qui demanda, le 18 juillet, la déposition de Louis. Ce mouvement en provenance des départements s'élargit, tandis que les fédérés marseillais arrivaient à Paris avec leur mentalité de lutte inexpiable. Cependant, si les sections de la capitale demandèrent, le 3 août, l'élimination de la dynastie et la convocation d'une Convention nationale, l'unanimité n'existait pas en leurs rangs, où les clivages politiques ne correspondaient pas toujours aux divisions sociales.

La rupture, survenue à ce moment, entre les girondins et le mouvement populaire fut d'autant plus déplorable pour eux qu'elle coïncida avec la publication du manifeste de Brunswick menaçant Paris d'une destruction totale en cas de résistance. Cela n'en poussa que davantage les sections les plus radicales à imposer à l'Assemblée, qui s'y refusait, la déposition du roi par une insurrection. Le comité qui la dirigea, en liaison avec les fédérés, dut faire face aux hésitations des gardes nationaux et aux défenseurs des Tuileries. Leur capitulation du 10 août entraîna une radicalisation de la Révolution, marquée, notamment, par la déportation des prêtres réfractaires. 40 % du clergé d'Ancien Régime se trouva ainsi dispersé en Europe ou en Amérique. La laïcisation de l'état civil, qui passa aux mains des communes, s'ensuivit. Populaires auprès des autorités locales, qui les avaient parfois devancées, ces mesures n'empêchèrent pas des réfractaires de conserver une activité clandestine.

L'hostilité envers la laïcisation, doublant celle dirigée contre la défense révolutionnaire, entraîna, dans l'Ouest, des soulèvements royalistes à la fin du mois d'août. Des bandes de paysans refusant le service militaire durent y être dispersées. Dans la capitale, et bientôt dans le pays, la rivalité pour le pouvoir, entre l'Assemblée et la commune, amena un nouvel élément de paralysie dans une atmosphère de défaite et d'anarchie. La peur de la trahison exaspéra le souci de répression et explique, en bonne partie, les massacres survenus à Paris au début de septembre. La croyance en un complot des prisons était un héritage psychologique de l'Ancien Régime. La mentalité révolutionnaire ajouta à cette crainte traditionnelle, analogue à celle des brigands de 1789, la hantise d'une conspiration royaliste dont les prisonniers seraient les agents en se préparant à massacrer les patriotes. Un contre-massacre se présentait donc, à beaucoup, comme un moyen de faire s'évanouir ce complot. Cette mesure préventive, fondée sur de semblables rumeurs, avait déjà été expérimentée, au cours de l'été, en province, contre des prêtres, des administrateurs suspects ou des contre-révolutionnaires. La panique devant l'invasion et ses alliés de l'intérieur accusés de s'en prendre à des civils sans défense, la paralysie des autorités et la croyance en la nécessité d'une réaction punitive expliquent un massacre, rendu pire par les encouragements officiels accordés aux meurtriers. La vengeance populaire liquida méthodiquement, dans la capitale, pendant une semaine, plus de 1 000 prisonniers, soit la moitié de l'effectif total, dont trois quarts de non-politiques. Ses acteurs se considéraient sans doute comme d'aussi bons patriotes que les vainqueurs des Tuileries ou ceux de Valmy, qui, le 20 septembre, sauvèrent la Révolution. Le lendemain, la Convention abolissait la monarchie et proclamait la République[2].

La première Révolution, qui venait de se terminer, avait-elle conduit d'une monarchie bourgeoise à la démocratie des sans-culottes ? La pensée des deux premières Assemblées comme des administrations locales était favorable au riches. Elles entendaient limiter la promotion des talents aux familles capables de financer la carrière de leurs fils. Le 10 août sembla représenter le renversement de ce pouvoir limité aux élites. Cette journée le confia à des démocrates radicaux, partisans du suffrage mâle universel et de la souveraineté directe du peuple. Malgré certaines limitations dans l'application de ce principe, la nouvelle commune de Paris, par exemple, devint composée, pour un tiers, de boutiquiers et d'artisans à côté de militants des sociétés populaires. Mais ce progrès des sans-culottes s'accompagna d'une simple radicalisation des groupes sociaux participant déjà au système politique. Les dirigeants des administrations locales, si hostiles aux réfractaires, ceux des jacobins ou de la garde nationale continuèrent à se recruter au sein de la bourgeoisie. Le radicalisme de la seconde Révolution ne correspondit donc pas à un remplacement des notables par les classes populaires. Il y eut bien une certaine démocratisation de son effectif militant sous l'effet de la guerre, comme on l'observe à Strasbourg, mais le rôle des intellectuels bourgeois y resta prépondérant. La crise politique, qui mobilisait de plus en plus de gens tant à gauche qu'à droite, ne modifia pas sensiblement l'équilibre interne du groupe révolutionnaire, toujours conduit, depuis 1789, par des légistes. Les jeunes gens qui s'engagèrent alors dans la garde nationale conservèrent des officiers originaires de la bourgeoisie; les bataillons de 1791, levés en principe parmi les citoyens actifs, furent les responsables, l'année suivante, des pétitions, des expéditions et des massacres.

La mobilisation ne fut pas générale, malgré les apparences. Il n'y eut qu'exceptionnellement plus de 50 % de votants aux élections à la Convention et, dans l'Ouest, où cette proportion tomba à 10, ce fut la cause sacrée de la contre-révolution qui mobilisa les jeunes. 1792 fut moins l'année de l'enthousiasme révolutionnaire que celle d'une profonde division nationale, due, avant tout, à la politique religieuse de la Révolution. Celle-ci ne répondit pas davantage aux revendications populaires en matière économique, car elle n'entendait pas toucher à la propriété. Les lois votées en juillet et en août et destinées à faciliter l'abolition du régime seigneurial ne montrent aucun lien, à l'Assemblée, entre les clivages politiques et une opposition de nature sociale. Fondamentalement conservatrice, la première Révolution n'avait ni allégé l'impôt ni détruit la féodalité. Elle avait, en revanche, coïncidé avec une paupérisation accrue des masses et un inutile schisme religieux. Les groupes qui allaient dominer la Convention, en y monopolisant le pouvoir, devraient faire face, à côté des exigences de la guerre, à un mécontentement découlant des insuffisances de l'œuvre accomplie depuis 1789[3]. La crise de février-mars 1793 montra l'incapacité des députés à gérer une situation aussi critique. La contre-révolution semblait pourtant, au début de cet hiver, avoir disparu en tant que menace externe ou interne. Le pays paraissait n'avoir jamais été aussi « calme » depuis deux ans et les incidents religieux, notamment, avaient considérablement diminué. Ce furent les événements liés à la guerre qui ressuscitèrent la contre-révolution et lui conférèrent un soutien inédit. Dans la perspective d'une nouvelle campagne, qui s'ouvrait, et de la généralisation du conflit, la Convention décréta, le 24 février, une levée de 300 000 hommes. Ce premier appel de la République à des sacrifices entraîna une vague de soulèvements plus importants que ceux de l'année précédente. Ils poussèrent les autorités dans la voie de la centralisation et de la répression systématique. Quelques-uns de ces troubles visèrent seulement la conscription, mais, dans les campagnes de l'Ouest, en raison du mécontentement religieux, ils englobèrent des communautés entières. On y détruisit les arbres de la liberté, brûla les registres officiels, molesta gardes nationaux et curés constitutionnels, arbora des cocardes royalistes. Des bandes armées, derrière des drapeaux blancs, marchèrent sur les villes en demandant l'abolition des districts. Elles s'emparèrent, en Bretagne, d'un certain nombre de leurs chefs-lieux et demandèrent aux nobles locaux de prendre leur tête. Si l'ordre y fut rétabli au début d'avril, au sud de la Loire, dans quatre départements qui devaient former la « Vendée militaire », où il y avait moins de troupes disponibles et des communications plus difficiles, le gouvernement s'effondra. Dès la fin de mars, les rebelles y avaient pris toutes les villes et massacré des républicains. Ils menaçaient Nantes, Angers et Saumur, et leurs chefs annonçaient la formation d'une armée catholique et royale, sous l'emblème de la croix et du Sacré Cœur, et envoyaient des émissaires demander l'aide anglaise.

Ces soulèvements coïncidèrent, sur la frontière du Nord, avec la défaite et la trahison de Dumouriez. Une armée indisciplinée et mal entretenue s'était aliéné les populations belges, déjà mécontentes de l'introduction de l'assignat et des réformes religieuses. La désorganisation des autorités civiles et militaires contribua à dilapider la victoire. Dumouriez ne réussit pas à prendre la tête de son armée vaincue pour restaurer la monarchie à Paris et s'enfuit honteusement chez l'ennemi. La crise économique, cependant, continuait. Le gouvernement était sans ressources et ne pouvait financer la guerre que par un assignat chaque jour plus déprécié. Le commerce extérieur s'effondrait comme la confiance dans le régime. Les prix continuaient à monter et les problèmes de ravitaillement devinrent aigus.

Le mouvement populaire parisien recommença à se concentrer sur les questions de subsistances. Il dénonça, en février, le principe de la liberté du commerce, si cher à la Convention, et demanda la fixation d'un prix maximum national pour les céréales. Ces revendications, qui renvoient à la mentalité d'Ancien Régime, furent proclamées par le groupe des « enragés », dirigé par Roux et Varlet. Ils poussèrent à des émeutes de pauvres, qui pillèrent les magasins. Les gardes nationaux y mirent fin, mais la commune partageait, en partie, les soucis des émeutiers. Elle souhaitait, comme de nombreux jacobins, satisfaire les pauvres pour les attacher à la Révolution.

Les patriotes attribuaient l'ensemble de leurs problèmes à de sinistres complots. Cette tendance avait toujours existé chez eux, mais la crise de 1793, par ses dimensions exceptionnelles, les poussa dans la voie de la justification de la Terreur. On attribua ainsi les émeutes dc subsistances à la contre-révolution ou à Marat, les troubles de l'Ouest à des conspirations d'émigrés. On les relia à la trahison de Dumouriez et on généralisa l'hypothèse d'une manipulation par Londres. Ces mythes influencèrent la réponse du peuple à la crise. Il crut que les difficultés économiques provenaient uniquement des spéculateurs, tandis que les politiciens attribuèrent son agitation à de dangereuses manœuvres. La théorie de la conspiration explique aussi les mesures décidées face à la défaite. L'établissement du Tribunal révolutionnaire, pris sous l'impression des revers éprouvés en Belgique, eut pour but de rendre une justice sommaire dans les affaires intéressant la sécurité de l'État. La croyance en l'omniprésence des traîtres entraîna également, en mars, la création de comités révolutionnaires dans chaque section ou commune. Il s'agissait d'abord seulement, pour eux, d'interner les étrangers ou les suspects sans papiers, mais leurs pouvoirs de police devaient s'étendre au cours de l'été. Un même sentiment de suspicion amena, en avril, la naissance du Comité de salut public, chargé de surveiller l'exécutif mais qui se transforma bien vite en un gouvernement d'exception.

La Convention, au nom de la défense de la Révolution, s'engagea de plus en plus dans la voie de l'extrémisme. Le 19 mars, en réponse aux soulèvements de l'Ouest, elle décida que les rebelles armés pourraient être exécutés sommairement dans les vingt-quatre heures. Devant l'étendue de la résistance intérieure et le peu de confiance à accorder aux généraux, elle conféra des pouvoirs accrus à des représentants en mission. Quatre-vingt-deux avaient été envoyés, au début de mars, faciliter le recrutement des 300 000 hommes. Ils reçurent, le mois suivant, les pleins pouvoirs en matière militaire et administrative. Leurs initiatives avaient d'ailleurs déjà commencé à répondre à la crise par des mesures de coordination de la répression dans les zones de guerre civile. Ces décisions extraordinaires, qui restaurèrent enfin l'autorité du gouvernement central, s'appuyèrent sur la notion de la primauté du salut public, qui n'était pas nouvelle. On s'en était déjà servi contre les réfractaires. Mais 1793 y ajouta une condamnation de la modération comme le danger suprême pour la République. La radicalisation de nombreux députés ou militants sortit de cette attribution des échecs de la Convention à la tolérance envers le mal[4].

Ce tableau, dû à Donald Sutherland, paraît confirmé par les recherches récentes portant sur les mouvements populaires de 1792 et 1793. Elles insistent sur la persistance d'une révolte agraire multiforme qui finira par se diriger, de préférence, contre la politique religieuse de la Révolution et son recrutement militaire. Le refus des jacobins par les campagnes françaises ne cessera plus dès lors de donner ses chances à la contre-révolution. La Bretagne antiseigneuriale deviendra celle des chouans, le Midi rouge un Midi blanc et les forestiers taxateurs de 1792 se transformeront, dans le Perche, en hors-la-loi royalistes. Le mécontentement paysan, profondément ignoré par le nouveau pouvoir urbain, avait mis en cause les principes de l'économie libérale et de la propriété. Ses émeutes de subsistances et ses propositions de taxation recoupèrent celles du petit peuple des villes. Les consommateurs d'Ancien Régime trouvèrent, dans l'atmosphère révolutionnaire, un porte-parole de leurs revendications en la personne de Pierre Dolivier, curé près d'Étampes et partisan du contrôle des prix des céréales pour le bien commun. Il renforça ainsi, auprès des dirigeants bourgeois, le spectre de la loi agraire[5].

Ils durent composer avec un mouvement parisien animé par les mêmes idées et responsable des journées qui les avaient amenés au pouvoir. De plus en plus égalitaires, les sections de la capitale accordèrent davantage d'attention aux soucis des sans-culottes créateurs de la République mais aussi petits producteurs et travailleurs indépendants, hostiles aux marchands et aux « gros ». Ils avaient donné la main aux massacres de Septembre, manifestation de l'angoisse des honnêtes gens face aux « malfaiteurs de tout poil » (Frédéric Bluche). Leur poids n'allait plus cesser de peser, jusqu'à l'établissement de la dictature jacobine, sur le pouvoir. Il pouvait d'ailleurs être utilisé par les modérés qui se servaient de la misère des masses pour les tourner vers la contre-révolution. Préoccupées, avant tout, de leurs subsistances, elles crurent, dans la capitale, que l'application de la démocratie directe les leur apporterait. Autour de Robespierre, certains commençaient à mettre en cause le libéralisme économique. L'anticapitalisme des militants puisait plutôt ses racines dans la mentalité d'Ancien Régime. Ce fut elle qui ébranla Paris au début de 1793;

face à elle, la Révolution dut enfin organiser un gouvernement capable de maintenir l'ordre autant que de diriger la guerre. Loin de constituer un seul bloc, le discours révolutionnaire ne fut jamais aussi confus qu'au moment où, grâce à l'appui ambigu des sans-culottes, les jacobins réussirent à imposer leur dictature. Marat détestait Jacques Roux et se méfiait des enragés. Il se préoccupera bientôt de limiter la liberté d'expression, car il savait que, « pour précipiter le retour de l'Ancien Régime », il suffirait « que quelque adroit fripon [...] présente le tarif comparé des denrées sous le despotisme et sous la République[6] ».

Les affrontements provinciaux reproduisirent ces contradictions, mais, dans le Midi, l'éloignement de la menace d'invasion défavorisa les sans-culottes face aux notables, profiteurs de la Révolution et maîtres de ses administrations. L'essor du jacobinisme ne fut ainsi nullement identique à travers les départements. S'il réussit, à Strasbourg, à imposer la domination d'une minorité activiste souvent étrangère à la ville, il eut des conséquences différentes dans le Sud-Est, où son implantation fut pourtant exceptionnelle. La radicalisation des gardes nationaux et des clubs y entraîna bien une importante vague révolutionnaire en 1792, mais elle fut beaucoup moins nette dans le Var ou dans le Gard que dans les Bouches-du-Rhône. A Marseille même, les modérés allaient, au printemps 1793, reprendre le pouvoir comme dans tout le reste du Midi. A Lyon, les sans-culottes, groupés autour de Chalier, ne l'emportèrent que pour peu de temps en mars. Les ouvriers en soie, attentifs à leur niveau de vie, n'envisageaient pas de renverser la suprématie des marchands. Leur mobilisation, depuis 1789, leur avait apporté d'importants succès et ils constituèrent le fer de lance du mouvement jacobin, hostile aux capitalistes. Mais celui-ci, obsédé par sa haine de « ceux qui ont voitures, domestiques, habits de soie et vont au spectacle », inquiéta beaucoup de pauvres en désorganisant l'économie et en accroissant le chômage[7].

Les travailleurs lyonnais, qui allaient aider l'oligarchie bourgeoise à renverser le despotisme des patriotes, participaient, à leur façon, à une formidable contre-révolution populaire. La France paysanne de l'Ouest en fut, naturellement, le théâtre privilégié. Il y a longtemps que les historiens ont remarqué les aspects *à la fois* sociaux et religieux du soulèvement vendéen, réponse trop véhémente au recrutement de 1793 pour n'avoir été causée que par lui. De nombreux travaux l'ont rattaché à une opposition fondamentale entre des campagnes qui avaient peu profité de la Révolution et des villes dominatrices, où elles situaient désormais la source de leur exploitation. Ce point de vue peut être nuancé, dans la mesure où il y eut en Bretagne des patriotes ruraux et où le malaise agraire visait autant le régime seigneurial que la domination citadine. Mais la composition sociale des armées vendéennes d'Anjou, étudiée par Claude Petitfrère, recoupe exactement celle de la population non bourgeoise de la région. Ces ruraux, pour la plupart illettrés, s'opposaient à des républicains plus riches et mieux instruits. En cette lutte de classes, comme dans l'Italie de 1799, le prolétariat se dressait contre la Révolution. Son rassemblement, vite dirigé par des gentilshommes, ne correspondait pas à leur machination. Il ne constituait pas davantage le soulèvement spontané d'une « société séraphique » en faveur de Dieu et du roi. Ce peuple en armes, des vieillards aux enfants en passant par les femmes, était celui des paysans déçus, dans leurs paroisses, par les villes patriotes. Ils protestaient à leur manière contre une Révolution inachevée et se vengèrent férocement des bourgeois, ces nouveaux seigneurs qui voulaient les envoyer se faire tuer pour eux. Le décret du 24 février exemptait les fonctionnaires du service militaire et accordait aux riches la possibilité du remplacement. D'où la colère des jeunes ruraux, qui, au May-sur-Èvre, voulaient « raser Cholet, détruire le district et couper le cou à tous les patriotes ». Accumulation de frustrations sociales, leur haine de la ville et des gouvernants s'était identifiée à celle de la Révolution[8].

Ce sentiment ne suffit pas à expliquer une insurrection qui ne fut pas isolée, car il y eut des « Vendées inachevées » (Jean-Clément Martin), dans le Midi ou ailleurs, pendant toute la période. Le heurt culturel qui la causa ne se ramène pas à des antagonismes de classes. L'enthousiasme religieux des soldats vendéens se relie à leur attachement aux prêtres réfractaires, dont ils s'estimaient solidaires au sein d'une communauté symbolisée par son clocher. La Révolution et son Église furent vues, par eux, comme violant ce nœud traditionnel et sacré. Roger Dupuy a évoqué, en Bretagne, ces assemblées de chapelle ou de lande « où se rassemblaient, de temps immémorial, les populations de plusieurs cantons limitrophes. Loin des gardes nationaux et des gendarmes, on y [...] expliquait toute une littérature contre-révolutionnaire, on y décriait l'assignat ». Elles furent interdites, par les autorités, au début de 1793. La résistance populaire à la Révolution, dans la France de l'Ouest, fut le résultat d'un clivage intervenu, lors de l'application de la Constitution civile du clergé, entre une élite urbaine cultivée et une mentalité rurale qui lui était restée étrangère. La seconde fut plongée dans l'anxiété par le renversement de ses habitudes religieuses et l'irruption de nouveaux venus. Sa révolte constitua une réaction désespérée à une profanation politique qui avait assez duré. Elle survint avant tout dans une paysannerie caractérisée par une forte présence cléricale, aux liens étroits avec la population locale. Dans ces régions, d'ailleurs, venait de grandir une bourgeoisie critique envers l'organisation de l'Église. Ce contraste aida au déclenchement d'une tragique guerre civile. La marquise de La Rochejaquelein a montré, dans ses *Mémoires*, les insurgés, lors de la prise des cités, courant aux églises et faisant sonner les cloches avant de se hâter de brûler les arbres de la liberté et les papiers des municipalités[9].

L'antagonisme entre la Gironde et la Montagne était-il irréductible ?

L'importance de la Convention ne vient pas seulement de son prestige légendaire, établi au XIXe siècle, mais du fait que ses membres gouvernèrent pratiquement la

France de 1792 à 1799. Jusqu'en 1795, ils durent affronter les plus graves crises de l'époque révolutionnaire, surent contenir la contre-révolution intérieure et, en divisant la coalition étrangère, jetèrent les bases de l'expansion française en Europe. Ces réalisations eurent leur contrepartie dans des méthodes violentes, un échec économique et financier et une rupture avec le mouvement populaire qui léguèrent tout un lot de problèmes insolubles.

Sur les 730 élus de septembre 1792, plus de 600 avaient déjà une expérience politique. Plus jeunes que les députés du tiers à la Constituante (les deux tiers, au lieu de la moitié, avaient moins de quarante-quatre ans), ils avaient la même origine urbaine, un quart provenant de villes de plus de 15 000 habitants qui ne représentaient, alors, que 10 % de la population. Ils comportaient aussi près de 50 % d'hommes de loi. Mais il ne s'agissait plus des tranquilles officiers de l'Ancien Régime. Ce monde nouveau d'activistes locaux venait toujours, pour moitié, de familles de légistes. Il y avait aussi cinquante-cinq ecclésiastiques et quelques ex-nobles, dont le duc d'Orléans et d'autres députés de gauche.

La lutte entre les girondins, héritiers des brissotins, et les montagnards, groupés autour de la députation de Paris et siégeant au sommet de l'Assemblée, domina l'histoire de la Convention jusqu'au 2 juin 1793. Il ne s'agissait pas de partis disciplinés autour d'un programme. L'esprit du temps s'y opposait, avec sa condamnation des factions et son exaltation de l'indépendance des individus. Il est donc difficile de classer les députés dans les groupes. La fluidité de la situation politique rend cette opération encore plus malaisée. Les révolutionnaires parisiens, acharnés contre les girondins, en dressèrent des listes qui varièrent sans cesse. Elles furent souvent fondées sur le vote en faveur d'un appel au peuple au sujet du destin du roi, critère peu discriminatoire. L'évolution de chaque député fut particulière, les extrémistes finissant parfois en modérés et *vice versa*, avec, d'ailleurs, des changements dans l'intervalle. Girondins et montagnards, qui ne disposaient pas de la majorité, ne formaient que deux états-majors rivalisant auprès du groupe restant, appelé Plaine. Les dirigeants n'étaient pas unis. Même chez les montagnards, plus cohérents en raison de leur domination aux Jacobins, il existait d'importantes différences d'opinion et tout le monde n'y suivait pas Robespierre ou surtout Marat. Les girondins, préférant la discussion à l'action concertée, étaient encore moins homogènes. La plupart des députés partageaient un certain nombre de convictions : une politique extérieure agressive, qui se marqua par l'extension d'une guerre destinée à détruire l'Ancien Régime en Europe ; une politique économique favorable à la propriété privée et à la liberté du commerce des grains, hostile aux émeutes de subsistances et aux troubles agraires. Aucun conventionnel, même à l'extrême gauche, ne s'identifia jamais aux aspirations populaires sur ce point.

Des conflits, précoces et violents, provinrent de profondes suspicions mutuelles. Les montagnards estimaient que les girondins favorisaient le royalisme et la contre-révolution, tandis que, pour les girondins, leurs opposants étaient prêts à organiser le massacre ou l'insurrection en vue d'établir leur dictature ou l'hégémonie de Paris sur les provinces. De nombreux débats se ramenèrent à d'étroites querelles de factions et il est malaisé d'en tirer des renseignements sur la force respective des partis. Ce fut le cas du jugement du roi, qui commença à la fin de 1792. Il y avait quasi-unanimité sur la réalité de sa trahison et la nécessité de la condamner. La proposition de quelques girondins visant à soumettre le verdict à référendum fut repoussée par peur qu'un vote populaire favorable au roi n'entraîne le chaos. Le sursis, en vue d'apaiser l'opinion étrangère, n'eut pas plus de succès. L'exécution de Louis, le 21 février 1793, qui symbolisa la rupture définitive avec l'Ancien Régime, laissa les factions irréconciliables. Elle représentait un succès pour les montagnards, qui avaient amené l'Assemblée à refuser tout compromis et acquis par là un ascendant qu'ils ne perdront plus. Ce procès avait marqué la division des girondins, qui laissèrent de plus en plus les montagnards dominer les comités de la Convention. Ils consolidèrent leur base politique à Paris et en province en y ramenant leurs adversaires à des cryptoroyalistes. Mais leur victoire n'était pas totale et dépendait d'un bloc centriste potentiellement majoritaire. Les crises ultérieures aggraveront le caractère dangereux de cette situation et entraîneront, sous la pression des radicaux de la capitale, l'expulsion des girondins[1].

Leur modération grandissante, depuis le début de l'année, affaiblit leur position. Partisans parfois de procédés d'exception, ils craignaient qu'ils ne soient appliqués par leurs ennemis. Robespierre, par exemple, demanda dès le 14 avril que Brissot soit traduit devant le Tribunal révolutionnaire. L'opposition des girondins à accorder des pouvoirs accrus aux représentants en mission venait de ce qu'il s'agissait surtout de montagnards. Cette méfiance mutuelle fit de l'établissement d'un gouvernement de salut public l'objet de la lutte des partis. Les girondins se montrèrent moins favorables que leurs adversaires à une politique de mobilisation populaire au service de la République. Ce reniement par rapport à l'année précédente contrasta avec le ralliement de leurs ennemis à des concessions économiques et sociales en vue de sauver la Révolution.

La défense de celle-ci par des moyens d'exception ne fut la propriété d'aucune faction et se déroula selon un processus complexe. Les militants parisiens obtinrent, le 5 avril, un impôt forcé sur les riches, destiné à financer le pain des pauvres. La démonétisation de l'or et de l'argent suivit le 11. Devant les difficultés de ravitaillement, la Convention établit, le 5 mai, un prix maximum pour les grains, accompagné d'autorisations de réquisition. Ce retour à des pratiques d'Ancien Régime ne pouvait guère gêner les spéculateurs; en décourageant la production, il risquait de désappointer les sans-culottes.

L'ensemble des mesures prises *dès le printemps 1793* constitua un élément essentiel de la future Terreur. Elles apparurent au milieu d'un grand désordre où chacun tenta de répondre à la crise survenue en mars. Ces décisions ne se ramenèrent donc pas à un système ; elles furent appliquées sans enthousiasme en dehors des zones de guerre civile. Mais la vision qu'on en eut en province et leur présentation par les jacobins accélérèrent le processus de désintégration auquel on voulait remédier.

L'opinion, dans les régions, avait été jusque-là plutôt neutre par rapport aux luttes de l'Assemblée. Les clubs, qui les déploraient, se consacraient surtout à la défense nationale et leurs préoccupations recoupaient rarement celles de la capitale. Le fédéralisme, comme on appela la révolte contre la législation terroriste de la Convention, dépendit des conditions politiques locales. Cette rébellion fut marquée par d'intenses rivalités et Paris y conserva toujours de nombreux points d'appui.

Le fédéralisme ne fut ni contre-révolutionnaire ni décentralisateur. Ses manifestes furent républicains et, si certains de ses dirigeants furent parfois royalistes, ils ne se comportèrent pas en agents de l'émigration. Leur programme était celui d'une monarchie constitutionnelle et non le rétablissement de l'Ancien Régime, cher au comte de Provence, qui s'était proclamé régent. Cette révolte traduit la peur des jacobins, partisans du meurtre et du pillage des riches. Ce sentiment donna toute sa force au mouvement dans les grandes villes du Midi. Le maximum y fut très mal accueilli, car on y dépendait de sources d'approvisionnement étrangères et précaires. A la différence des ruraux du Nord, souvent sans terre, ceux du Midi, où la petite propriété paysanne était plus répandue, s'opposèrent à une mesure qui réduisait un revenu déjà bien compromis. Elle y fut considérée comme un complot de la capitale. L'extrémisme méridional, enraciné dans de longues luttes antérieures, s'aliéna de nombreuses catégories sociales. Le petit peuple de Toulon sera à l'origine, en juillet, du renversement de la municipalité jacobine. Il en alla ainsi à Lyon, où la politique d'intimidation et de menaces chère aux amis de Chalier entraîna la division du mouvement populaire et donna leurs chances aux modérés, qui ressaisirent le pouvoir, par une insurrection, le 29 mai. Ils en appelèrent aussitôt à la solidarité des « gens de bien » de Bordeaux et de Marseille, où la même évolution s'était produite. Dans cette dernière ville, les difficultés économiques et l'inquiétude politique avaient d'abord causé une radicalisation dont les formes furent très maladroites. La chasse aux riches et le despotisme irresponsable des terroristes locaux, appuyés, comme à Lyon, par les représentants en mission, poussèrent, en mai, à un soulèvement général contre les « anarchistes ». La popularité du fédéralisme dépendit beaucoup de l'impopularité de ceux qu'il renversait et qui apparurent souvent comme des fanatiques, accroissant le chômage des déshérités. Il s'agissait, la plupart du temps, de patriotes rendus sans pitié par la présence de la contre-révolution. Leur tragédie annonça celle que le jacobinisme devait connaître, un an plus tard, à l'échelle nationale, lorsqu'une immense majorité du pays entendit s'en débarrasser.

Les montagnards avaient tort d'identifier leurs adversaires à la classe privilégiée. A Marseille, si les trois quarts des victimes des fédéralistes appartinrent au petit peuple, c'était aussi le cas de plus de la moitié de leurs bourreaux. Dirigé par des riches, le fédéralisme bénéficia d'un large soutien populaire. A Lyon, plus d'un tiers des officiers de son armée furent des artisans. Il entraîna en fait un réalignement de la coalition sociopolitique qui avait, jusque-là, animé la Révolution.

Cette crise causa l'épuration des girondins par l'Assemblée, mesure qui correspondait à la conviction selon laquelle ils constituaient l'ennemi intérieur, responsable de la trahison. En mars-avril, l'opinion jacobine développa la thèse du rappel des députés « appelants » ou de la mise hors d'état de nuire des conspirateurs. On espérait d'abord y réussir sans employer la force, mais la contre-attaque girondine, visant Marat puis la commune de Paris, entraîna le soulèvement des 31 mai et 2 juin, qui aboutit à l'arrestation de vingt-neuf députés et de deux ministres. Cette « journée », qui pouvait pousser à une rupture avec la province, n'était pas nécessaire puisque les montagnards dominaient la Convention, sauf lors de votes exceptionnels. Depuis janvier, et notamment sur les lois d'exception, les girondins avaient été soit minoritaires, soit d'accord. Ils payèrent leur tournant de l'été précédent lorsqu'ils se prononcèrent contre l'insurrection et critiquèrent la capitale. Leur soutien d'un référendum sur le sort du roi renforça les suspicions à leur égard. Ils devinrent victimes d'une mentalité constante depuis 1789 et consistant à expliquer les difficultés de la nation par un sinistre complot. D'où, avec les défaites, les demandes des sections visant à éliminer les girondins et établir un Tribunal révolutionnaire. L'approfondissement de la guerre civile a mené les jacobins et la commune à se joindre à ce mouvement.

Les girondins ne représentaient pas les intérêts d'une bourgeoisie conservatrice opposée à un gouvernement populaire, comme on le voit aux faibles conséquences sociales de leur élimination. Le mouvement parisien obtint seulement quelques concessions de la part des montagnards, qui les appliquèrent sans enthousiasme. On décida d'arrêter les suspects sans les définir. On vota le principe d'une armée révolutionnaire sans le mettre en pratique. On demanda aux autorités locales de vendre en petits lots les biens des émigrés, mais elles n'en firent rien. L'autorisation accordée aux villages de partager leurs biens communaux avait été discutée, sans opposition, avant la purge des girondins. Tout le monde était d'accord, dans l'intérêt de la République, avec une extension maximale de la propriété. La loi du 17 juillet, qui abolit définitivement la féodalité, se contenta de légitimer une pratique existante. Pour les jacobins, les paysans et les sans-culottes passaient après la rébellion fédéraliste [2].

De nombreuses administrations départementales exprimaient depuis longtemps leur méfiance envers Paris. Elles avaient pris l'habitude d'actions indépendantes et de mesures d'exception. Les futurs fédéralistes du Calvados avaient approuvé celles prises par la Convention. La fronde à l'égard des montagnards précéda la chute des girondins, qui lui donna des dimensions nationales imprévues. Si soixante départements protestèrent contre elle, leur mouvement ne fut jamais cohérent et se désintégra fréquemment sur place devant l'hostilité ou l'indifférence. Ce fut le cas, en juillet, de celui de Caen et, en août, de celui du Jura. Les dirigeants fédéralistes de l'Ouest ne bénéficiaient pas d'un soutien véritable. Leur attitude partisane déplut à l'opinion. Leur incompétence permit à la Convention de reprendre l'initiative grâce à une Constitution, publiée en juin en vue de désarmer ses adversaires. L'Assemblée les intimida aussi en leur demandant de se rendre et en procédant à une pacification raisonnable. La rébellion continua à Lyon, Marseille et Toulon, où il y eut des exécutions et des négociations avec l'ennemi. Accélérées par la crise de subsistances, celles-ci entraînèrent l'entrée des Anglo-Espagnols, à Toulon, à la fin d'août. La situation était d'ailleurs marquée par une

> détérioration militaire générale. Les Vendéens avaient remporté des victoires impressionnantes face à un état-major républicain âprement déchiré. Un soulèvement royaliste eut lieu dans l'Ariège, à la fin d'août ; un autre s'était produit en Lozère, en mai. Des défaites sur toutes les frontières coïncidèrent avec eux. L'expulsion des girondins n'avait pas amélioré l'effort de guerre. Il devait être accru et c'est ce que signifia l'entrée de Robespierre au Comité de salut public le 27 juillet. Il apportait avec lui un programme d'énergie nationale, d'hostilité aux « bourgeois » et de répression décidée. Il serait difficile de l'appliquer dans l'état de division où se trouvait le pays. Des mesures de police n'étaient plus suffisantes pour lutter contre les fédéralistes et les Vendéens. Les jacobins étaient maintenant convaincus que « le peuple » seul pouvait sauver la Révolution face aux « riches ». Ainsi se noua leur alliance avec les sans-culottes. Mais beaucoup d'éléments des classes populaires avaient déjà rallié la contre-révolution. Le meurtre de Marat, le 13 juillet, ne fit que confirmer l'omniprésence de la trahison, l'hostilité à la modération et la valeur patriotique du soupçon généralisé [3].

Ces analyses de Donald Sutherland nuancent la traduction de l'opposition entre girondins et montagnards en termes d'abord sociaux. Les premiers, en ce « divorce des bourgeoisies » (Marc Bouloiseau), incarneraient le libéralisme des possédants, tandis que les seconds représenteraient le soutien, apporté par des démocrates conséquents, à l'interventionnisme économique cher aux classes populaires. On en est moins sûr depuis le développement des recherches récentes. Jacqueline Chaumié a montré la vigueur des conceptions « républicaines » des girondins. Alison Patrick, dès 1969, a fait beaucoup progresser notre connaissance des débuts de la Convention, où trois blocs s'équilibraient à peu près : un peu moins de 200 députés assez proches de la Gironde, un peu plus de 300 plus ou moins ralliés à la Montagne, et une Plaine, elle-même partagée en une moitié participant au régime jacobin et une autre plus attentiste, dont l'heure de gloire viendra après le 9 Thermidor. Alison Patrick a indiqué la cohérence des montagnards face à l'incertitude des autres groupes, girondins compris, au milieu d'un abstentionnisme grandissant. Rassemblant plus de 40 % des députés, la Montagne, sans disposer de la majorité, pesa très vite d'un poids particulièrement fort sur l'Assemblée[4].

La Gironde fut desservie, en 1793, par son opposition grandissante à des mesures révolutionnaires dont elle ne contestait pas la nécessité, mais dont elle craignait l'utilisation par ses adversaires. Cette position devint de plus en plus intenable à mesure que la crise s'approfondissait. On a contesté ce point de vue, qui réduit l'importance des journées des 31 mai et 2 juin, en remarquant que les députés subirent la pression du mouvement populaire. Mais celle-ci avait déjà entraîné une importante radicalisation de la bourgeoisie dirigeante et, après ce coup d'État, l'opposition entre enragés et montagnards ne fit que s'accentuer. La Convention eut sa logique propre, née de rapports complexes entre des hommes parfois incertains ou des groupes souvent divisés ; le centre du pouvoir ne quitta jamais la salle de ses délibérations dominées par l'affrontement entre Révolution et contre-révolution[5].

Patrice Higonnet vient de replacer l'opposition entre montagnards et girondins dans le cadre des discontinuités propres à l'histoire de la Révolution jusqu'à la Terreur. Il note l'unité profonde des conventionnels et explique leurs déchirements par l'état de « schizophrénie » d'une bourgeoisie française parvenue au pouvoir brutalement et sans y être préparée par un mouvement général de l'évolution. Moment de gestation de nouvelles catégories et d'ambiguïté dans les rapports entre elles, la Révolution eut des dirigeants instables, coincés entre la noblesse et le peuple, oscillant entre l'apologie et la condamnation du capitalisme ou de la violence. La majorité de l'Assemblée n'était composée, à l'écart des états-majors, que de révolutionnaires moyens, condamnés au malentendu parce qu'ils comprenaient mal les sources de la dérive politique et idéologique survenue depuis 1789 et qu'ils cherchaient désespérément les moyens de s'en préserver. Leur haine partisane, née de l'indignation morale devant une situation imprévue et exceptionnellement périlleuse, les poussa à des déchirements irrémédiables que certains regrettèrent sur le moment et que beaucoup s'empressèrent, par la suite, d'oublier. Ces vues semblent confirmées par une étude récente du Cercle social, initiative girondine la plus connue pour s'adresser à la nation et dont les origines radicales sont incontestables. Bonneville et Fauchet y commencèrent leur carrière comme agitateurs au service des sections de la capitale, avant de se transformer en intellectuels modérés, en compagnie de Brissot et de ses amis. C'était partager les contradictions de l'époque entre l'individualisme bourgeois et le rêve d'une République communautaire. Les tensions nées de la pression populaire et de celle de la contre-révolution y amenèrent de plus en plus la conquête et l'exercice du pouvoir à ressembler à une fuite en avant, où l'on songeait autant à lutter contre ses proches que contre ses ennemis[6].

Les problèmes liés à la révolte fédéraliste montrent les complexités de la situation de l'été 1793. Tandis que le mouvement parisien persistait à y affronter un gouvernement révolutionnaire en gestation, la contestation paysanne poursuivait son entreprise égalitaire. D'autres ruraux s'étaient dressés, dans l'Ouest, contre la République. Le même contraste s'observait dans une ville comme Lyon, où les travailleurs du textile se partagèrent entre partisans et adversaires de l'insurrection bourgeoise. Plus qu'une volonté décentralisatrice, le fédéralisme exprima les réalités d'une indépendance locale qui était au cœur, depuis quatre ans, de la Révolution. Les rebelles de Rennes, par exemple, se considéraient, face aux royalistes, comme d'aussi bons républicains que les montagnards qu'ils combattaient. Au milieu d'une grande confusion, due à l'incohérence du mouvement et au caractère variable de son soutien populaire, il prolongeait la vieille recherche de l'autorité légitime amorcée depuis 1789. Trois noyaux durs persistèrent à contester celle de la Convention, à Marseille jusqu'en août, à Lyon jusqu'en octobre et à Toulon jusqu'en décembre. Ils n'eurent rien à voir avec une action de la haute bourgeoisie ou une conspiration de la contre-révolution. Cette révolte traduisit un mécontentement provincial qui explosa là où des autorités modérées ne furent plus capables de le contenir. La violence des affrontements sociaux permit d'y exploiter la haine et la peur de nombreuses parties de la population contre une dictature jacobine appuyée par les montagnards. Il y eut donc un fédéralisme populaire spontané, différent de la réaction ou du particularisme. La chute des girondins lui offrit une justification *a posteriori* et sa virulence confirma une profonde instabilité politique. Seuls y échappaient les départements capables de prolonger la sûre voie de l'attentisme[7].

7

Une logique de la Terreur ?

Il est difficile d'attribuer le régime de 1793 au seul poids des circonstances extérieures ou au pur développement du discours révolutionnaire. Pour Augustin Cochin, la logique de l'individualisme bourgeois aurait inévitablement conduit au règne égalitaire d'une Vertu imposée par des dénonciations, des procès truqués et l'institutionnalisation de l'envie. Ce sociologue expliquait par là un système d'exclusion progressive, où les purs auraient sans cesse purgé les impurs, et qui radicalisa des modérés, devenus, par morale, des terroristes. Leur barbarie sortirait des Lumières.

Patrice Higonnet conteste cette présentation habituelle de la démocratie totalitaire. Il préfère attribuer à l'instabilité idéologique de la bourgeoisie dirigeante, due à sa situation politique et à ses rapports avec le mouvement populaire, une fuite en avant observée depuis 1791. La Terreur, dans ce système, voulut unifier la bourgeoisie et le peuple autour de la Révolution. Elle fut l'œuvre non de personnalités exceptionnelles, mais de légistes ordinaires. Elle entendit fusionner les aspirations à la fois individualistes et communautaires présentes dans l'héritage des Lumières et mal dominées par une classe qui faisait son apprentissage politique. La bourgeoisie française, à la fois particulariste et universelle, ne retrouva son libéralisme foncier qu'après une expérience terroriste qui l'avait momentanément trahi. Elle y fut conduite en raison du fossé entre l'immensité de ses objectifs et la pauvreté de ses moyens, et y apprit que la liberté des Anciens n'avait rien à voir avec le monde moderne [1].

On ne peut négliger l'étendue de la crise qui bouleversa la France du temps. Ses habitants ne furent pas des machines à prononcer des discours. Leurs préoccupations étaient plus terre à terre. Le jacobinisme créa la violence idéologique contemporaine, comme John Talmon l'a remarqué, dans le cadre d'une « improvisation ». L'observation de ces tâtonnements est d'autant plus nécessaire que les sans-culottes et les montagnards qui y procédèrent en commun n'avaient pas la même conception du « complot aristocratique » ou des solutions à adopter pour y faire face[2].

Qui furent les terroristes, quel fut leur programme et comment fut-il appliqué?

> Les sans-culottes, parmi lesquels se recruta une partie importante du personnel terroriste, croyaient plus à la pratique directe de la souveraineté populaire qu'à la valeur des institutions représentatives. Les militants des sections leur avaient opposé les principes de l'initiative populaire, du référendum, du rappel des députés et du droit de porter les armes. Leurs pétitions et leurs manifestations avaient pour but d'imposer leurs vœux à leurs mandataires, et leur conception de la justice populaire, et des châtiments qui lui étaient propres, ne répondait qu'à la seule nécessité. Leur expérience avait appris aux sans-culottes à se défier de tous leurs chefs et à employer l'insurrection contre les traîtres. Ils savaient qu'on pouvait les duper et connaissaient la nécessité de l'instruction. Leur anticléricalisme provenait de la conviction selon laquelle les prêtres, pendant des siècles, avaient distribué un enseignement d'obéissance aux aristocrates et aux riches. Leur lutte contre l'oppression provenait de la conscience de leurs droits et de leur volonté de les exercer. Leur idée de la Révolution était d'abord morale. Mais leur égalitarisme était celui d'hommes attachés à une société de petits propriétaires. Ils combattaient la dépendance économique et aspi-

raient à une vie décente. Cet idéal pouvait entraîner les réquisitions forcées de vivres à destination des villes, des taxes révolutionnaires sur les riches, l'organisation d'un système d'assistance publique, la diminution des inégalités et l'institution d'un système de sécurité sociale. Tout cela ne pourrait se réaliser que dans le cadre d'une lutte permanente.

Cette orientation n'émanait pas toujours des travailleurs manuels. Les rédacteurs d'un manifeste sans-culotte lyonnais, considéré comme typique par Albert Soboul, étaient surtout des intellectuels, hommes de loi, ex-ecclésiastiques ou administrateurs. S'il s'agissait en majorité d'artisans, comme à Toulouse, on avait avant tout affaire à des petits patrons. Ces propriétaires étaient parfois, comme les trois quarts des dirigeants jacobins locaux, des gens à leur aise. Les terroristes de Montbrison appartinrent aux classes moyennes et furent commandés par les plus riches d'entre eux. Les jacobins d'après 1792 continuèrent à être plus imposés que le reste de la population et cette proportion augmentait à mesure que l'on s'élevait dans leur hiérarchie. Si les sans-culottes furent souvent des travailleurs urbains, comme à Paris, où ils composaient les deux tiers des comités révolutionnaires, leur mouvement fut socialement divers et fréquemment bourgeois. Leur taux d'alphabétisation était plus élevé que celui de la moyenne de la population. Ce groupe hétérogène constituait une élite, dans les quartiers ou les professions. Elle continua, même à Paris, à se recruter parmi les citoyens actifs de 1791. La province amplifia ce double phénomène d'un recrutement plus plébéien mais d'une direction toujours confiée à des gens bien établis. Les terroristes de l'an II y furent des politiciens actifs depuis plusieurs années.

Cette minorité se distribuait très inégalement entre les communes, à raison d'un club, à peu près, pour dix d'entre elles. Il y en avait beaucoup plus, dans le Sud-Est, dans les plaines et sur les côtes que dans les régions montagneuses ou dévotes. On comptait rarement en leur sein, même dans les grandes villes, plus de 100 membres par club. Plus des trois quarts des Parisiens ne se déplacèrent pas pour approuver la Constitution de 1793 ; en juin, 9000 seulement d'entre eux, contre 6 000 opposants, confirmèrent la situation du révolutionnaire Henriot à la tête de la garde nationale. L'élimination des modérés diminua encore une participation à la vie des sections, qui dépassa rarement les 10 %.

Les militants consacraient une bonne partie de leur temps à tenter de mobiliser les autres. Leurs insurrections dépendirent d'une poignée de dirigeants, recrutés, comme dans le faubourg Saint-Antoine, dans le milieu des maîtres artisans de fortune moyenne, d'âge mûr, établis dans la capitale depuis longtemps et y entretenant d'étroites relations avec les autres travailleurs du quartier. Leur haine viscérale des « gros » était liée à des idées égalitaires qui se bornaient à la limitation de la richesse « excessive » et à des actions contre les spéculateurs. Leur horizon politique était aussi étroit que leurs perspectives sociales. Leur pouvoir, dû aux hiérarchies traditionnelles du voisinage professionnel, se limitait au cadre de leur section. Il n'apporta pas d'appui de masse à Jacques Roux. Les sans-culottes parisiens ne disposaient d'aucun organe de coordination en dehors de la commune, et la Convention conserva toujours son autorité sur eux[3].

On doit à Richard Cobb et à ses élèves cet utile correctif aux idées d'Albert Soboul. Ils ont insisté sur le caractère minoritaire du mouvement populaire et l'ont rattaché à une attitude morale parfois dangereuse pour la Révolution. En s'opposant à une application intégrale du programme des sans-culottes, la bourgeoisie dirigeante, gérante d'un pays rural et en guerre, obéit à la nécessité. La mentalité du terroriste « moyen », selon Richard Cobb, est caractérisée par un faible sens de l'humour et une immense crédulité politique, née d'une grande ignorance des réalités. Faisant de la dénonciation la première des vertus civiques, les sans-culottes ont divinisé la répression par souci de régénération nationale. Ces patriotes, assoiffés d'unité et volontiers xénophobes, étaient d'abord fiers d'être français. Ils s'attendaient toujours, naïvement, à la conversion à la Révolution des peuples esclaves, de Madrid à Saint-Pétersbourg, et la disparition de ce rêve entraînera souvent, chez eux, lassitude et indifférence. Ces artisans qui adoraient la petite propriété identifièrent leur idéologie révolutionnaire à un enthousiasme très « nationaliste ». Leur tempérament généreux, né dans le cadre d'une atmosphère de lutte et de crise, avait besoin, pour durer, du maintien de cette tension. Il disparut avec elle. Leur militantisme, momentané et exceptionnel, ne résista pas à l'usure et retomba dans la banalité[4].

Richard Cobb a repris ce tableau, en 1970, à propos de la protestation populaire à l'époque de la Révolution. Si elle donna naissance au triomphe terroriste de l'esprit d'orthodoxie et d'inquisition, elle exprima surtout, au service d'une minorité dont l'arrivée au pouvoir fut purement accidentelle, la violence désespérée d'un petit peuple urbain en proie à la menace de l'invasion et à celle, encore plus proche, du manque de « pain à la maison ». Sa stratégie et ses institutions furent dominées par le problème des subsistances et la « peur du lendemain » qu'il entraînait. La conjoncture de l'an II résulta de la rencontre entre cette hantise traditionnelle de la disette, les ravages, déjà anciens mais aggravés, de la guerre civile, et les besoins soudains nés de la mobilisation d'un million d'hommes. L'exigence d'égalité et le mythe du complot de famine en furent accrus. Ce fut aussi le cas du fossé entre villes et campagnes, auquel la déchristianisation vint s'ajouter et qui transforma les réquisitions de vivres et le ravitaillement de l'armée en un assaut direct contre le monde rural. Son immobilisme et son absence de sans-culottes réduisirent la Terreur aux dimensions d'un fantasme urbain. C'était celui d'une austérité née du rationnement, et son horizon se limitait aux perspectives de l'approvisionnement quotidien. Cette tyrannie psychologique du problème des subsistances s'insérait dans un ensemble de peurs et de remèdes hérité de l'Ancien Régime[5].

Telle fut la toile de fond de l'activité des militants jacobins. Peu, comme l'a noté Marie-Thérèse Lagasquié à propos du cas toulousain, se soucièrent des « classes vraiment déshéritées de la société », dont la lutte contre la faim les avait pourtant portés au pouvoir. 55 des 293

« buveurs de sang » répertoriés à Toulouse étaient de grands bourgeois, dont 21 négociants. 133 artisans, sans doute, les entouraient, mais il n'y avait aucun pauvre parmi eux. Ces terroristes méridionaux avaient été dirigés par de riches notables, souvent préoccupés de s'enrichir encore au moyen de la Révolution. Le militantisme des uns et des autres s'était borné, dans cette ancienne ville de parlement, à une mentalité de règlement de comptes qui aboutira à plus de 80 exécutions (à Toulouse ou à Paris) et 800 arrestations. Martyn Lyons, cherchant à cette répression un fil conducteur dans la personnalité de ses acteurs, l'a trouvé dans un désir d'ascension sociale, de la part d'hommes souvent étrangers à la ville devenue le lieu de leurs exploits. Le bouleversement politique améliora leur situation matérielle. Ils purent ainsi se venger d'humiliations remontant parfois à l'Ancien Régime. La Terreur trouve son explication, sur le plan local, dans la vengeance de groupes ou d'individus autrefois exclus, soldats à Lille, domestiques à Versailles, commerçants à Bordeaux.

Partout, ces militants raisonnaient et agissaient en bourgeois, anciens ou futurs, grands ou petits, non en prolétaires. A Lyon, les maîtres ouvriers en soie, petits patrons en voie de prolétarisation, avaient beaucoup espéré de la reprise de la ville par le gouvernement révolutionnaire. N'avaient-ils pas fourni une bonne part des victimes du soulèvement fédéraliste ? Ils furent amèrement déçus par le nouveau régime, dont les représentants se méfièrent de leurs aspirations à l'autonomie ; ils les traitèrent, avec mépris, en colonisés et refusèrent d'appliquer leur programme de confiscation des biens des riches et d'aide aux pauvres. Les jacobins lyonnais, exceptionnellement peuplés d'artisans, tentèrent de trouver un emploi dans l'administration révolutionnaire. Mais celle-ci ne put mettre au point un plan pour faire revivre l'industrie de la soie. Un des chefs du mouvement ouvrier lyonnais fut d'ailleurs exécuté sous la Terreur. Frappés par la répression autant qu'ils en bénéficiaient, toujours victimes du chômage, ces sans-culottes durent se rabattre sur les travaux de démolition de la cité déchue ou le gardiennage des maisons des suspects. Leur participation à la gestion de la Terreur ne leur apporta qu'une odieuse réputation. Victimes de la crise économique, ils n'avaient pas trouvé de solution à leurs problèmes dans les soubresauts de la Révolution[6].

Ce malentendu se retrouve dans l'application de l'économie dirigée, qui correspondit mal aux souhaits des militants et dut ses limites au caractère fondamentalement rural de la société. Bien que le premier maximum ait été une mesure temporaire, les circonstances entraînèrent la Convention dans la voie du contrôle économique. Cette loi avait été mal appliquée, en dressant les départements l'un contre l'autre et en mécontentant les campagnes, dont tout dépendait. La guerre civile, survenue là-dessus, n'arrangea rien. Des mesures furent enfin prises, officiellement, contre les spéculateurs, le 26 juillet, en établissant des « commissaires aux accaparements ». Mais elles se révélèrent, dans l'immédiat, inapplicables et même désastreuses, en accroissant la pénurie. Les villes commencèrent avant l'État, comme à Toulouse dès août 1792, à combler ce vide en créant des « bureaux de subsistance » pour répondre aux besoins les plus pressants. Il en alla ainsi à Bordeaux, où fédéralistes puis montagnards établirent réquisitions et contrôles. Partout, comme à Marseille, des municipalités affolées accueillirent avec faveur le maximum de septembre 1793, qui mettait fin à leurs difficultés d'approvisionnement.
Cette décision émana d'une profonde hostilité populaire à la logique du marché, au nom de l'égalité et de la République. Outre les consommateurs urbains, les plus pauvres des ruraux pensaient de même, contre les intérêts des fermiers. Mais il s'ensuivait un fédéralisme économique aussi dangereux que le politique. La pression des rues parisiennes poussa également le gouvernement dans la voie du contrôle. Une campagne de manifestations culmina dans la présentation par Roux, le 25 juin, à la Convention, de revendications contre les accapareurs. Les difficultés de ravitaillement et l'inflation dont souffrait la capitale y entraînaient des troubles. Si Roux fut désavoué par la plupart des dirigeants révolutionnaires, le problème qu'il avait posé demeu-

rait. On commença à distribuer des cartes de rationnement d'autant plus que la récolte ne s'annonçait pas bonne. Les militants des sections et des clubs multiplièrent les propositions de contrôle des prix et de réquisition. Il s'agissait là d'une réponse concrète à une revendication présentée, on le sait, depuis au moins 1790. La Convention n'y céda que contrainte et forcée. Les représentants du mouvement populaire insistaient plus sur la lutte contre la spéculation que sur le maximum. Ce furent les nécessités de la guerre qui causèrent l'étatisation de l'économie. La multiplication des défaites amena une nouvelle radicalisation au milieu de l'été : mesures contre les girondins et les fédéralistes, les Vendéens et les royalistes. L'Assemblée, au demeurant, n'accéda pas à toutes les demandes qui lui étaient faites contre les députés de droite, les nobles, les prêtres ou les riches. Elle accueillit, en revanche, la fameuse mesure de la levée en masse, toujours populaire chez les sans-culottes. Réclamée par les sections parisiennes, le 16 août, sous la forme d'une extermination générale des ennemis, elle fut canalisée par le Comité de salut public dans le moule, aussi énergique mais plus militaire, d'une « guerre des masses » ; Carnot, devenu responsable des opérations le 14, en fit voter le principe le 23. Cette mobilisation universelle décupla l'autorité du gouvernement chargé de la mettre en œuvre et le condamna à l'établissement du maximum. Les représentants en mission se plaignaient, en effet, des difficultés d'approvisionnement causées par les réticences paysannes devant le contrôle des prix et les réquisitions. Le retour à un marché libre, au milieu d'une inflation galopante, aurait irrémédiablement compromis la Révolution si elle voulait nourrir les villes et les armées. On préféra accroître les contrôles pour éviter la banqueroute et gagner la guerre tout en satisfaisant les sans-culottes. Ce fut la logique d'une Convention qui aboutit au maximum général du 29 septembre. Cette limitation autoritaire du prix de trente-neuf produits essentiels s'accompagnait d'une mesure analogue pour les salaires, qui ne sera d'ailleurs appliquée, dans la capitale, que dix mois plus tard.

Cette entreprise de réduction du coût de la vie dépendit moins des pressions de la base que des nécessités militaires. Il s'agissait d'une opération extrêmement ambitieuse dans une économie très décentralisée et en l'absence de tout moyen administratif adéquat. Une multitude d'autorités eurent à y participer, ce qui rendait les conflits inévitables. La Commission des subsistances, créée le 22 octobre et dotée d'une bureaucratie de plus de 500 personnes, les apaisa en coordonnant la distribution, enquêtant sur la production et stimulant la productivité. Ce perfectionnement des méthodes de l'Ancien Régime eut d'abord des buts militaires. Tout le monde s'en plaignit, mais il fonctionna assez bien malgré une certaine détérioration de la qualité des produits et beaucoup de fraudes qui mécontentèrent le peuple. Cela entraîna un accroissement du contrôle par crainte de la pénurie. La plupart des villes introduisirent rationnement et boulangeries publiques. Les militants accompagnaient ces mesures de menaces envers les spéculateurs. Les populations urbaines, cependant, furent nourries.

Les campagnes en payèrent le prix, même en dehors des zones de guerre. Les prix agricoles avaient été fixés en dessous du prix de production et le papier-monnaie recommença à perdre de sa valeur en janvier. Cela vicia l'application du maximum par des fournisseurs mal payés. Les levées militaires avaient diminué la main-d'œuvre rurale, ce qui faisait souvent monter ses salaires, en dépit de la loi. Il s'agissait là, pour les représentants en mission, d'un nouveau crime économique, vainement poursuivi par le gouvernement. Il dut réviser les prix à la hausse, en faveur des producteurs, en février. Les sans-culottes auraient préféré de « grandes mesures » contre les campagnes, mais il était impossible de les pratiquer. La structure de la société française mettait les autorités à la discrétion des riches paysans, maîtres des récoltes et indispensables à la survie du régime. Ils fournissaient souvent des conseillers municipaux, des percepteurs, des contrôleurs ou des distributeurs, associés à sa mécanique. Le fonctionnement même de leur politique égalitaire amena les dirigeants de la Terreur, qui ne voulaient pas s'en prendre à la propriété privée, à transiger avec les ruraux les plus opulents. Cette forme concrète de « pouvoir paysan » reflétait la primauté du problème de la pénurie aux yeux du petit peuple des villes[7].

Ce ne fut pourtant pas la question des subsistances mais la campagne de déchristianisation qui amena le premier conflit entre les politiciens et le mouvement populaire. Ce phénomène complexe est difficile à expliquer. Il commença au plus bas niveau par dépouiller, sur le plan matériel et économique, les églises au bénéfice de la machine de guerre. Ce processus, inauguré en 1792, réapparut avec force à l'automne de 1793. Il se compliqua, cette fois, d'iconoclasme et d'anticléricalisme. Si les églises furent transformées en casernes ou en arsenaux, la destruction, en cérémonie, des objets du culte dépassa les préoccupations militaires. L'apogée du mouvement vint avec la démission, contrainte ou non, du prêtre, son abjuration éventuelle ou son mariage. Cette suppression de l'ancien ordre religieux s'accompagna d'efforts pour en créer un nouveau, sous forme de différents cultes révolutionnaires et d'une désacralisation radicale de la vie quotidienne. Les noms des rues et des villes, les prénoms, le calendrier perdirent toute référence au passé chrétien. Les dimanches ou jours de fête furent remplacés par les décadis, qui enlevèrent un ou deux jours de repos par mois.

Comment une telle situation fut-elle possible, trois ans seulement après une association des plus étroites entre l'Église et le nouveau régime ? La Constitution civile du clergé ainsi que diverses messes patriotiques l'avaient symbolisée. Une ancienne tradition catholique relie la déchristianisation aux Lumières, mais celles-ci n'envisageaient pas un processus aussi destructeur. On a vu qu'aucune « déchristianisation » préalable ne constitua, sous l'Ancien Régime, un prélude à celle de l'an II. Un certain progrès de l'indifférentisme n'effaçait pas l'empreinte de la religiosité catholique présente dans les cultes révolutionnaires. Les auteurs, matériellement à leur aise, de testaments laïcisés n'ont rien à voir avec les bons pratiquants des classes populaires qui se transformèrent, sous la Révolution, en déchristianisateurs. Il est seulement probable que leur misogynie puisa ses racines dans un vieux ressentiment mâle contre l'influence des prêtres sur les femmes. Il est certain, d'autre part, que la Révolution présenta dès ses débuts d'abondantes caractéristiques religieuses, dans son vocabulaire mystique, ses symboles, le zèle de ses missionnaires. Tout cela restait compatible avec l'Église constitutionnelle. Jusqu'en 1793, la fréquenter demeura une preuve de ses sentiments révolutionnaires. Or elle restait chrétienne et catholique malgré son opposition au pape. La déchristianisation, qui rompit avec elle, provint d'abord de son échec. Associée au régime, elle devait le servir, ce que beaucoup de curés firent avec enthousiasme. Les autorités les appuyèrent dans leur lutte face à la contre-révolution populaire. Mais celle-ci, semblant sur le point de triompher, particulièrement dans l'Ouest, au cours de l'été 1793, condamna par ses succès l'Église constitutionnelle. Joseph Fouché, déchristianisateur en chef, avait parlé, en 1792, de la « nécessité » des sentiments religieux. Sa mission à Nantes, en mars suivant, contre les Vendéens l'amena à dénoncer l'ensemble du clergé, prédicateur d'ignorance et de fanatisme pour mieux aider la lutte de l'aristocratie contre les villes ; le député de la Loire-Inférieure parlait maintenant de développer les enseignements de l'esprit révolutionnaire qui dissiperait « l'odieuse influence de la religion ». Le rousseauiste Couthon, malgré son déisme anticlérical, ne devint déchristianisateur qu'après avoir observé la participation de nombreux prêtres constitutionnels à la rébellion lyonnaise. L'attribution à la religion de la manipulation de la crédulité populaire par les aristocrates condamnait à la déchristianisation. Facteur de troubles contre-révolutionnaires, le catholicisme, *sous toutes ses formes*, devait être anéanti. La déchristianisation prit en cela le relais, dans la stratégie politique, de la persécution et de la déportation des réfractaires.

Elle fut aussi associée à l'égalitarisme. Fouché, par exemple, appliqua, dans la Nièvre et l'Allier, les principes de l'une et de l'autre. D'autres députés firent de même, sans aller, naturellement, jusqu'à la loi agraire. Mais ils associaient leur entreprise de déchristianisation à la construction d'un nouvel homme républicain, débarrassé de ses vices et parfaitement vertueux. Ces représentants en mission entraînèrent le mouvement, qui fut beaucoup moins appuyé, après leur départ, par les autorités locales. Mais les différents secteurs de la coalition révolutionnaire furent impliqués, souvent de façon très diverse, dans la déchristianisation. Lorsque le signal eut été donné de Paris au début de novembre, les activistes, autour des députés, amenèrent de nombreux prêtres à démissionner. Certains d'entre eux devinrent subitement de violents adversaires de l'Église qu'ils avaient longtemps servie. Après avoir cru que la religion et la Révolution étaient inséparables, ils transférèrent leur enthousiasme de la première à la seconde, qu'ils servirent parfois en bons bureaucrates. L'armée révolutionnaire de Paris prit aussi une grande part, sur la route de Lyon, à la destruction des églises. Il en alla de même d'autres armées départementales, des conscrits de la levée en masse ou, en Vendée, des soldats de l'armée régulière. La présence des clubs et l'organisation, à ce propos, de fêtes civiques attestent, enfin, la popularité de la déchristianisation. Si Paris ne l'inaugura pas et dut y être poussé, les sections surent l'y animer. L'évêque Gobel y démissionna le 7 novembre et, trois jours plus tard, Notre-Dame, transformée en un temple de la Raison, vit une chanteuse d'opéra officier en personnification de la Liberté. L'enthousiasme entourait certainement cette renonciation générale au catholicisme et la déchristianisation fut le fait de la plupart des terroristes. Elle encouragea, dans certains villages, les athées à se dévoiler. Elle permit à des activistes plus ou moins excentriques de spectaculaires expéditions. Les abdications de prêtres eurent surtout lieu dans les zones de guerre civile où des représentants en mission les favorisaient. Ce fut le cas dans les départements entourant Lyon ou en Normandie au lendemain de l'invasion vendéenne. La déchristianisation fut donc très représentative de la Terreur et dépendit, comme elle, de la peur de la contre-révolution[8].

La déchristianisation a toujours constitué, en France, un secteur privilégié de la recherche historique et les travaux récents semblent confirmer ces conclusions de Donald Sutherland. Ils insistent sur l'étendue de la participation des militants révolutionnaires (élite bourgeoise et classes populaires confondues) au mouvement. Dans le Puy-de-

Dôme et le district de Compiègne, le patriotisme s'affirma très tôt par opposition à l'Église et même au christianisme. Les départements de l'Ouest envoyèrent 375 adresses déchristianisatrices à la Convention, de septembre 1793 à prairial an II. Occupés à la chasse aux prêtres, les jacobins toulousains déclenchèrent de véritables dragonnades dans les villages voisins. Les curés rouges procédèrent à des abdications enthousiastes que Michel Vovelle estime à 10 % du total. On les rencontra à tous les échelons des administrations départementales, parfaitement intégrés au sein des sociétés populaires et poussant à la persécution contre leurs frères[9].

> Cette déchristianisation fut pourtant, en même temps, un phénomène superficiel. Les cultes de remplacement qu'elle créa et les pratiques qu'elle entraîna ne durèrent guère, malgré quelques succès momentanés. Elle causa surtout la ruine de l'Église constitutionnelle. Si l'immense majorité des abdications y furent contraintes, un dixième de ses prêtres se marièrent à partir de la fin de 1792. Les trois quarts d'entre eux ne le redevinrent jamais, la tourmente passée. Les réfractaires furent, au contraire, sauvés par l'émigration ou la vie clandestine, et la déchristianisation obtint ainsi des résultats exactement contraires à ses buts. Elle contribua à un déclin certain du clergé français, parfois dramatique sur le plan numérique. Depuis 1791, et pendant souvent plus de quinze ans, de nombreuses régions du pays vécurent sans prêtres.
>
> Mais la déchristianisation rencontra aussi des résistances qui élargirent la lutte contre la Constitution civile. Dans les campagnes de la région parisienne, des femmes et des hommes s'opposèrent au départ des cloches ou réclamèrent la réouverture des églises, selon les termes de la loi du 16 décembre 1793, qui demeura d'ailleurs lettre morte. Cette attitude du peuple rural se rencontra dans la Nièvre, épicentre de la déchristianisation et futur berceau d'une chouannerie. On la retrouve dans le Val de Loire, dans la Manche, où des assemblées nocturnes de fidèles participaient, en juin 1794, à des messes miraculeuses, en Bretagne, où de merveilleuses apparitions annonçaient, à ce moment, la fin du

monde et la vengeance de Dieu. On marchait longtemps pour se rendre aux sanctuaires locaux ; on réclamait, comme dans l'Hérault, en mai, la religion d'autrefois. Des laïcs, parfois, faisaient fonction de prêtres, y compris dans des régions peu dévotes. Cette source de troubles s'accompagnait du maintien, en pleine Terreur, de l'activité des réfractaires, dont certains connurent le martyre.

La masse des Français fut surtout affectée, en ce temps, par la déchristianisation. Beaucoup, en effet, ne connurent ni les effets de la répression, ni ceux du contrôle économique, ni même ceux de la conscription. Mais tous rencontrèrent la déchristianisation et beaucoup en souffrirent. La religion populaire avait pour but la manipulation d'un monde surnaturel omniprésent et dangereux, et sa disparition constituait un péril. Des paysans bourguignons attribuèrent le désastre survenu à leurs vignes à la disparition de leurs prêtres et des statues de leurs saints[10].

Ces remarques de Donald Sutherland font écho au débat actuel, entre historiens français, sur la déchristianisation révolutionnaire. Il s'insère dans la discussion, toujours difficile, d'un concept ambigu, qui traduit moins un état qu'un mouvement et se relie plus à un ensemble de mentalités qu'à une série de comportements. La faillite de l'Église d'abord protégée par l'État révolutionnaire s'est déroulée dans un climat de violence et de passion persécutrices, émanant de la base, qui ne peut se relier seulement aux menaces émanant de la contre-révolution. Ses animateurs entendaient substituer, à l'ancienne religion, une nouvelle conception de la société et de la culture. Gérard Cholvy a cependant noté que les narrateurs de leurs exploits en ont exagéré le sens par sous-estimation de l'attachement populaire à la foi traditionnelle. Il a relevé de nombreux signes de cette résistance au milieu de la tourmente déclenchée par la Terreur. Ces témoignages émanant de simples fidèles valent bien celui des prêtres abdicataires. Ils s'opposent également à la thèse d'une déchristianisation continue depuis les Lumières. On a vu, au contraire, la profonde solidité de la France religieuse à la fin du XVIIIe siècle. La Révolution s'y attaqua de manière conjoncturelle et pour des motifs politiques. Sa déchristianisation constitua une opération hasardeuse, menée par une partie des militants à l'encontre des intentions du gouvernement. Elle mérite les qualificatifs d'« inégale » et de « fragile » que lui attribua Richard Cobb en 1964[11].

Ses malheureux animateurs ressemblèrent partout à ce Pierre Vastey, agent national en Seine-Inférieure sous l'an II, que vient d'étudier Philippe Goujard. Prétendant agir et parler au nom des masses, ils étaient en réalité coupés d'elles. Leur mépris culturel du petit peuple rural causa leur perte[12].

> Elle contribua, comme l'économie dirigée, à affaiblir le régime terroriste, qui ne put sortir de cette crise que par l'accroissement de la répression. Celle-ci, loin de les causer, fut précédée par les victoires militaires. Le fédéralisme fut liquidé en premier lieu, dès l'été de 1793, à l'exception, pour peu de temps, de Lyon et Toulon. La frontière du Nord fut dégagée en septembre-octobre et celle de l'Est à la fin de l'année. Les Vendéens, échouant à Granville à la mi-novembre, se désintégrèrent à Savenay le 23 décembre. La Terreur, qui commença alors à se développer pleinement, n'avait rien de nouveau dans l'histoire de la Révolution, puisque les réflexes de peur et de volonté punitive, face à ses adversaires, l'avaient toujours accompagnée. Leurs suites persistèrent d'ailleurs, de manière plus ou moins épisodique, jusqu'au début du Consulat. Il s'agissait de juridictions exceptionnelles, régularisant la répression spontanée. Les tribunaux révolutionnaires de l'an II furent assez proches, en leur fonctionnement, des cours régulières jusqu'au 10 juin 1794. Les commissions militaires ou civiles confièrent seulement à leurs juges le rôle de jurés selon la procédure d'Ancien Régime. Quant à la plupart des exécutions, celles notamment de milliers de Vendéens, elles furent entraînées par la loi du 19 mars 1793 visant les contre-révolutionnaires rassemblés et armés, et qui avait été proposée par le girondin Lanjuinais, dont Louis XVIII fit plus tard un pair de France.
>
> Les pouvoirs légaux des tribunaux révolutionnaires ne

suffisent naturellement pas à définir leur activité. Ils avaient pour but de terroriser l'ennemi et furent au service d'une justice politique chargée d'impressionner l'opinion en faveur du pouvoir. Célèbres ou non, toutes ses victimes étaient donc désignées à l'avance. Ses magistrats, en leur interprétation de lois d'exception, s'y souciaient peu des preuves. Il y eut des exceptions, même dans des zones de guerre civile comme dans la Loire ou à Marseille, où des juges professionnels freinèrent le mouvement. Cela explique sans doute pourquoi treize départements seulement furent responsables de 90 % des condamnations à mort. Ils se situaient dans l'Ouest, dans le Midi et à Paris. Les deux premières de ces régions connurent aussi les plus grandes atrocités de la répression officielle, telles la marche des « colonnes infernales » de Turreau à travers la Vendée et les exécutions sans jugement près d'Angers ou à Toulon. L'examen du cas lyonnais ou nantais confirme, enfin, que la Terreur de l'an II s'inséra dans un cycle continu de répression et de contre-répression. La période du gouvernement révolutionnaire ne fit que lui donner une ampleur nouvelle.
Deux tribunaux spéciaux condamnèrent à mort, à Lyon, plus de 200 personnes, avant le 1er décembre. Les dirigeants parisiens exigeaient davantage contre ce foyer de la contre-révolution qui devait être en partie détruit et changer de nom. Collot d'Herbois et Fouché, envoyés sur place, procédèrent d'abord à une cérémonie de déchristianisation empreinte d'une mise en scène blasphématoire. Puis, au nom du pouvoir du peuple, une « commission temporaire », exclusivement composée de non-Lyonnais, procéda, pendant cent trente jours, à la mise à mort de près de 2 000 personnes. Cette justice révolutionnaire, accompagnée de mesures sociales peu efficaces, créa surtout un intense foyer de contre-révolution sans rien apporter aux militants locaux. Telle fut l'une des nombreuses désillusions que la dictature jacobine devait entraîner, un peu partout, pour les sans-culottes. A Nantes, on attribue au représentant Carrier les noyades organisées où périrent 2 000 personnes, à côté de fusillades encore plus meurtrières. Ce député semble avoir identifié les premières à l'exécution de prisonniers vendéens déjà condamnés, mais

ses auxiliaires y mêlèrent d'autres détenus, prêtres ou criminels de droit commun. Leur cité était sous le coup des atrocités vendéennes et les prisons remplies de soldats prisonniers dont on avait peur. La menace de Charette ou des Anglais existait toujours. La crainte du complot, qui avait expliqué les massacres de 1792 à Paris, jouait toujours ici. Carrier fut rappelé, en février 1794, parce que les extrémistes locaux le trouvaient trop mou et les jacobins de la capitale l'accueillirent en héros.

Les terroristes furent ainsi souvent dépassés par leurs propres institutions. Le gouvernement lui-même, au cours de l'hiver, parut perdre le contrôle de la répression. Il parlait de la Terreur comme si elle était chargée de purifier la société, alors qu'elle était d'abord dirigée contre la contre-révolution. Si elle frappa, proportionnellement, davantage les membres du clergé et de la noblesse, une étude régionale de sa répartition montre qu'en Vendée, par exemple, ses victimes correspondirent exactement à la composition sociale de la rébellion. La Terreur ne fut donc pas une guerre de classes, mais une opération dirigée contre des individus. Dans l'Ouest, elle marque l'apogée d'une lutte permanente des débuts de la Révolution à 1832. A Lyon, tandis que la moitié des victimes de la répression appartient aux anciens groupes dirigeants de la ville, les travailleurs étrangers à l'industrie de la soie en fournirent aussi un bon lot, à l'opposé des ouvriers de cette branche. Cette sélectivité de la Terreur lyonnaise en fait un simple élargissement d'un combat social très particulier, commencé depuis le milieu du XVIIIe siècle.

Si le rôle des représentants en mission et des tribunaux d'exception a été surtout retenu, il n'aurait pas été possible sans l'œuvre plus modeste des comités et des armées révolutionnaires. Les premiers furent de loin les plus efficaces. Organisés au printemps de 1793, ils retombèrent en torpeur au cours de l'été. Ce fut la loi des suspects, votée le 17 septembre, qui leur redonna de l'activité. Elle stipulait que les partisans de la tyrannie ou du fédéralisme et les ennemis de la liberté devaient être emprisonnés ou détenus sous la surveillance des comités. Ce terrible pouvoir leur insuffla une nouvelle vie, sous l'impulsion de représentants en mission énergiques. Les comités s'occupèrent aussi d'épurer l'administration, de collecter les fonds, de rechercher les déserteurs, de censurer le courrier, de délivrer les passeports, d'appliquer le maximum, de délivrer les « certificats de civisme » indispensables pour occuper un poste officiel, de fermer les églises et d'imposer le respect du décadi, d'appliquer les règlements de police locaux. Ils suppléèrent les organes réguliers du gouvernement ou se substituèrent à eux. Leurs relations avec les clubs les remplirent de militants zélés, indispensables au fonctionnement du système. Ces comités furent cependant relativement peu nombreux, à l'exception de quelques centres plus ou moins importants. Ils furent peu actifs dans les campagnes et très inégalement selon les villes. Leur zèle dépendit beaucoup de celui des différents représentants en mission, et les nombreuses libérations de suspects, pendant toute la période, rendent très difficile l'évaluation de leur nombre. L'estimation la plus probable est de l'ordre de 70 000 personnes, soit moins de 0,5 % de la population.

L'arbitraire des comités et le manque de recours contre lui furent les causes principales de leur efficacité. Elle s'étendit parfois sur 85 % des communes d'un district, à partir du chef-lieu. Instrument privilégié de la dictature jacobine et du contrôle urbain sur les campagnes, les comités déchristianisèrent et appliquèrent le maximum. Ils représentèrent ainsi, comme la garde nationale auparavant, une solution au problème difficile de la surveillance des paysans. Mais leurs préoccupations demeurèrent surtout locales. Certains ne s'avisèrent-ils pas de demander un confesseur pour des soldats ou de solliciter l'expulsion des juifs ? Ils songèrent d'abord à arrêter les représentants *locaux* de la contre-révolution. Les suspects, en provenance du clergé et de la noblesse, furent surreprésentés à Toulouse ou à Dijon. Dans l'Ouest, ce furent plutôt des artisans ou des paysans. Loin des zones de guerre civile, la complicité avec les réfractaires fut une cause essentielle de suspicion. Les comités furent donc moins les instruments d'une guerre de classes que des institutions prolongeant la lutte locale face à la contre-révolution. A cet égard, les ennemis de la Constitution civile du clergé demeurèrent, pendant toute la Révolution, une cible privilégiée.

> Il existait, aux yeux des sans-culottes, une image légendaire des armées révolutionnaires, quintessence de leurs aspirations les plus pures. La réalité fut très différente, au sein de cette soixantaine de petites formations qui attirèrent, par intérêt, beaucoup de jeunes conscrits. La plupart de leurs membres, citadins d'humble origine, étaient loin d'être des militants zélés. Ils se contentèrent de seconder les autorités locales dans les menues besognes de la chasse aux suspects. L'armée de Paris s'occupa d'assurer l'approvisionnement de la capitale en agissant, dans sa région, contre les intérêts et les aspirations de nombreux révoltés ruraux de 1792. Les commissaires civils de ces armées, d'origine rarement plébéienne, ne diffusèrent pas davantage un authentique égalitarisme. Quant à la plupart de leurs officiers, ils ne virent, dans cet épisode, qu'une étape de leur carrière militaire [13].

De récents travaux, d'origine souvent anglo-saxonne, ont permis de préciser la diversité régionale de la répression terroriste. Si ses effets les plus sanglants ont épargné la plus grande partie de la France, elle n'en a pas moins constitué, partout, une des armes essentielles du gouvernement révolutionnaire. Ses artisans, de haut en bas, ont à la fois voulu répondre à la contre-révolution et préparer l'avènement du règne de la Vertu. Fallait-il pour cela diviniser la guillotine et généraliser la procédure sommaire de la mise hors la loi ? Michel Pertué a montré que celle-ci, en dépit de précédents apparents sous l'Ancien Régime, correspondait bien, sous la Révolution, à une situation d'exception : avec les tribunaux ou les colonnes infernales, elle permettait de parvenir au grand but, « tuer [...] tous les ennemis ». L'application de ce rêve d'unité les retranchait de la République moderne, comme ils l'avaient été, en de pareilles circonstances, de la cité antique, ce grand modèle de la dictature jacobine. Notre temps est peut-être moins sensible à cette noble ambition qu'au sort individuel de ses malheureuses victimes : à côté de comploteurs ou de spéculateurs, on y rencontrait des paysans catholiques, de saintes nonnes ou de simples opposants, broyés par un mécanisme plus absurde que rationnel. S'il sauva la Révolution, ce qui reste à démontrer, on peut douter qu'il lui ait gagné beaucoup d'adeptes[14].

Pourquoi la Terreur se bureaucratisa-t-elle?

Les relations entre dirigeants jacobins et sans-culottes furent constamment conflictuelles, car les premiers, pour gouverner, devaient conclure des compromis avec d'autres groupes sociaux aux intérêts opposés à ceux des seconds. Les journées des 4 et 5 septembre 1793, qui mirent la Terreur à l'ordre du jour, illustrent cette divergence au sein des forces révolutionnaires. Les manifestants y reflétèrent une anxiété déjà ancienne à Paris. Elle était causée par le retard dans la mise sur pied de la justice révolutionnaire, la lenteur de l'application de la lutte anti-aristocratique, le problème des subsistances et la demande de création d'une armée révolutionnaire. L'annonce de la chute de Toulon, après celle de Mayence, stimula ce zèle. L'initiative vint des jacobins, dont beaucoup partageaient ces sentiments. Ils demandèrent aux sections d'adhérer à leur mouvement, ce que vingt-neuf d'entre elles firent, d'après la pétition collective du 5. La commune donna à cette journée un appui de dernière heure. Le 4, en effet, des manifestants réclamant du pain et une hausse des salaires envahirent l'Hôtel de Ville. Ils y furent orientés, pour le lendemain, vers la Convention. Cela permit de grossir le flot des partisans de la pétition jacobine. Elle amena la proclamation, par la Convention, d'une armée révolutionnaire, de l'arrestation des suspects et de la Terreur.

Celle-ci fut donc lancée sous la pression d'une manifestation pacifique préparée depuis longtemps. Mais elle était due à l'initiative des jacobins et non du mouvement populaire. Si les premiers partageaient les inquiétudes et les revendications du second, ils n'avaient pas l'intention d'être gouvernés par lui. Billaud-Varenne et Collot d'Herbois furent, à cette occasion, cooptés au Comité de salut public, mais il ne fut pas décidé, comme on le demandait, d'arrêter tous les nobles ou de les éliminer de l'armée. La tâche de l'armée révolutionnaire fut bornée à la question des subsistances, alors que les militants l'envisageaient comme une cohorte terrorisant les accapareurs des campagnes et exerçant une justice sommaire sur les ennemis de l'intérieur. Les comités révolutionnaires restaient, d'autre part, sous le contrôle des autorités, au lieu d'être la pure émanation des sections. Ce fut là un point de départ pour la bureaucratisation du mouvement populaire. Avant la fin de l'année, par exemple, les comités furent entièrement assujettis au Comité de sûreté générale de la Convention. Il ne semble pas, d'ailleurs, que les députés aient été surpris par une manifestation dont on parlait depuis plus de deux semaines. Danton profita de cette canalisation nécessaire de l'énergie révolutionnaire pour faire limiter les réunions de section à deux par semaine, tout en indemnisant ceux qui y participeraient. C'était tenter de noyer l'influence des militants au milieu des plus pauvres. Barère dénonça, à cette occasion, les contre-révolutionnaires qui poussaient les femmes à manifester sur la question des subsistances, et Jacques Roux fut arrêté le soir même. Varlet le suivit quinze jours plus tard, et Leclerc, sentant le vent, disparut. Cette journée marqua donc le début de la fin pour un mouvement populaire qui, en se choisissant les jacobins et la commune pour porte-parole, s'était donné des maîtres. Le flot commun de la rhétorique révolutionnaire cachait mal le fossé profond entre la volonté de contrôle de la Convention et les conceptions des sans-culottes, favorables à la démocratie directe. On s'en aperçut à propos de la campagne de déchristianisation, et cette division ajouta un problème supplémentaire aux dirigeants[1].

Ils pouvaient considérer, à la fin de l'année, qu'ils avaient sauvé la République, même si la guerre, la contre-révolution ou les difficultés économiques n'étaient pas terminées. Certains songèrent, du coup, à un relâchement de la Terreur. Comme il s'agissait souvent de personnages douteux, le débat qui s'ensuivit ne contribua qu'au renforcement de la dictature. Celui-ci résulta, également, de la nécessité de rationaliser un régime qui s'éparpillait en une multitude d'initiatives locales. Elles étaient combattues par un processus bureaucratique présent, dans le mouvement révolutionnaire, depuis la levée en masse. Cette tendance avait enlevé aux comités de surveillance le contrôle de la police. Elle fut accrue par les résistances opposées à la politique du gouvernement. La Terreur, en devenant plus systématique, risquait de se faire plus répressive, ce qui ne pouvait qu'augmenter les divisions entre montagnards.

Il fut relativement aisé, à la fin de l'hiver 1794, de réformer l'économie dirigée en assouplissant le contrôle des prix et en tentant d'associer davantage les intérêts privés à ceux de l'État. Cette concession aux producteurs et aux vendeurs aux dépens des consommateurs, si elle mécontenta beaucoup de gens à Paris, ne souleva guère de problèmes à la Convention. Le traitement de l'affaire de la déchristianisation fut plus difficile. Il se relia à des dénonciations mutuelles d'amis de Danton, relatives à des pratiques de corruption à propos de la liquidation de la Compagnie des Indes. Des révolutionnaires cosmopolites et le contre-révolutionnaire baron de Batz y furent mêlés, pour donner naissance au complot de l'étranger, vaste conspiration internationale destinée à abattre la Révolution. Mélange de fiction et de réalité, il offrit à Robespierre un nouveau moyen de combattre l'extrémisme, puisque de nombreux déchristianisateurs étaient dénoncés comme conspirateurs. Robespierre s'opposait à l'athéisme de ce mouvement, où il voyait un danger à la fois social, moral et politique. Le complot de l'étranger lui fournit l'occasion de le braver, dès le 21 novembre, en attribuant la déchristianisation à une entreprise contre-révolutionnaire. La confirmation, par la Convention, de la liberté religieuse, le 8 décembre, ne défit pas tout ce que la campagne anticatholique avait déjà accompli ; elle ne l'arrêta d'ailleurs pas. Ce fut une arme en faveur du gouvernement, mais sans signification pour les fidèles. Il tenait, au reste, à une religion civique de remplacement, de type théiste, comme le montra la Fête de l'Être suprême du 8 juin suivant, cérémonie qui devait en inaugurer une série d'autres, en l'honneur de la Raison et de la Vertu. La première eut assez de succès, au moins à Paris, mais non auprès des députés, qui y virent une preuve des aspirations de Robespierre à la dictature personnelle.

Cette suspicion découlait aussi du double débat qui venait d'avoir lieu sur la répression et la corruption. Il est difficile de tirer au clair le second, et la moralité douteuse de Danton, par exemple, n'enlève rien à la cohérence de sa demande de relâchement de la Terreur, à l'automne 1793. Elle n'avait jamais été pour lui, en effet, qu'un expédient. Mais la discussion sur la question de savoir s'il fallait ou non poursuivre un combat impitoyable jusqu'à la disparition du dernier ennemi de la Révolution fut compliquée par l'habituelle intervention des capitalistes privés dans le financement de la guerre, et ses conséquences corruptrices, également classiques, dans le milieu politique. Des députés, en particulier au Comité de sûreté générale, y furent impliqués ; on les poursuivit et Robespierre fut mis au courant. Comme ses collègues, il hésita longtemps à agir, notamment en raison du risque qu'il y avait à poursuivre un homme comme Hébert, si influent chez les sans-culottes. En attendant, l'ensemble de ces accusations empoisonnait davantage une atmosphère toujours dominée, chez les montagnards, par une tendance à la défiance généralisée.

Les indulgents hâtèrent le dénouement en lançant, dès le 10 novembre, une campagne contre la tyrannie des comités et l'incompétence des généraux sans-culottes. L'extrémisme était ainsi sur la sellette et, le 15 décembre, Desmoulins, dans son *Vieux Cordelier*, compara l'état présent à la terreur des empereurs romains. Ses adversaires, autour de Collot et Hébert, firent front et, le 25, Robespierre tenta de s'élever au-dessus des factions en identifiant la lutte du gouvernement révolutionnaire à celle de la Vertu contre le Vice, ce que, manifestement, ses initiateurs n'avaient pas prévu. Ce discours n'empêcha pas l'agitation interne de se poursuivre, et les hébertistes, avides de revanche, appelèrent à l'insurrection. Les difficultés économiques de la capitale et la mentalité de ses militants rendaient cette situation dangereuse. Le Comité de salut public dut agir contre des « conspirateurs » d'ailleurs sans appui militaire. Leurs déclarations imprudentes permirent de les accuser d'un affreux complot qui amena leur exécution le 24 mars. Cette chute des hébertistes entraîna aussitôt celle des dantonistes, qui continuaient leurs attaques contre le gouvernement. Si leur chef restait silencieux, le Comité voyait en lui un point de ralliement pour les indulgents. Il fut exécuté avec ses amis, après une parodie de jugement, le 5 avril.

Il demeurait cependant de nombreux politiciens plus ou moins associés aux factions disparues. Leur existence continua à constituer un motif d'hostilité à la dictature des comités. Ces procès, surtout, eurent un effet décisif sur le mouvement populaire. Les hébertistes avaient eu tort d'accuser de modération un gouvernement révolutionnaire toujours préoccupé, à l'image de Carnot, par la direction quotidienne de la guerre. Ce souci d'organisation bureaucratique s'était manifesté par la loi du 4 décembre 1793, qui marqua un changement fondamental en subordonnant l'ensemble des activités locales à la Convention. La souveraineté nationale était ainsi ramenée, pour toujours, au centre du pouvoir. Toutes les autres autorités voyaient leur liberté d'action étroitement limitée. Cette bureaucratisation de la Terreur se transforma en dictature des comités avec les lois de ventôse (février-mars 1794). Cette proposition de mise sous séquestre des biens des suspects, destinés à indemniser les patriotes pauvres, a été interprétée comme une manœuvre en direction des sans-culottes, lors de la lutte contre les hébertistes, ou comme un essai, assez maladroit, de résoudre les problèmes sociaux à la campagne. Les discours de Saint-Just, qui défendit le projet, montrent qu'il visait d'abord l'ennemi intérieur. Il fut d'ailleurs appliqué, dans le Puy-de-Dôme par exemple, dans un esprit de politique partisane et non de justice économique. Ces lois eurent surtout pour résultat de transformer un gouvernement d'exception en une dictature permanente. Si le premier avait été déclaré, le 10 octobre précédent, révolutionnaire jusqu'à la paix, l'expropriation et le bannissement perpétuel des suspects lui accordaient, maintenant, une tout autre signification. Il ne s'agissait plus, désormais d'un régime de transition mais de l'introduction d'un système administratif de détentions et de châtiments. Le Comité de sûreté générale, chargé de la révision des listes de suspects, avait déjà reçu, au début du mois de mai, des dossiers concernant la moitié d'entre eux, ce qui prouve l'efficacité à laquelle était parvenue la bureaucratie terroriste.

La dictature jacobine, à partir d'en haut, élimina peu à peu toute résistance et le mouvement populaire fut sa principale victime. La force des sections en fut progressivement affaiblie. La levée en masse absorba 23 000 Parisiens, tandis que beaucoup de militants, plus âgés, entrèrent dans la nouvelle bureaucratie, de plus en plus pléthorique. Les comités révolutionnaires eux-mêmes s'intégrèrent à la bureaucratie policière. Le sans-culottisme s'inséra au sein de la bureaucratie jacobine ou perdit toute vitalité. Les sociétés populaires, qui animaient les sections, avaient été regardées avec méfiance par le gouvernement depuis la dénonciation du complot de l'étranger. Il s'ensuivit une série d'épurations qui dressèrent les militants les uns contre les autres et les séparèrent encore plus du peuple. Ils s'en étaient d'ailleurs peu à peu détachés, puisque la commune de Paris, par exemple, cooptait maintenant ses membres ou ne remplissait plus les sièges vacants. Elle s'arrogea également le droit de contrôler les effectifs des comités des sections. Les réunions de celles-ci eurent de moins en moins d'intérêt et se limitèrent à des activités paramilitaires. Avant même la chute des hébertistes, la vie politique, à la base, avait donc perdu de sa spontanéité, et de nombreux militants s'étaient transformés en simples agents de l'autorité, la commune dépendant du gouvernement et les comités révolutionnaires du Comité de sûreté générale. Cette situation explique, sans doute, l'échec du projet d'insurrection « hébertiste ». La liquidation des factions accrut la confusion des militants et leur méfiance envers les politiciens populaires, même s'ils conservèrent leur confiance envers la Convention. Le gouvernement en profita, à Paris et en province, pour s'en prendre au prestige de la sans-culotterie. La chute des hébertistes marqua la première occasion, depuis 1791, d'un recul de l'extrémisme. A ce renforcement de l'assiette gouvernementale s'ajoutèrent la dissolution de l'armée révolutionnaire dans la capitale, la suppression des commissaires aux accaparements, le démantèlement du ministère de la Guerre, peuplé de sans-culottes, leur dispersion à travers l'administration et la nomination de jacobins loyalistes à la tête de la commune. Sous cette pression, les sociétés populaires commencèrent à procéder à leur dissolution : largement avancée dès la fin du mois de mai, elle signifiait la mort du mouvement sans-culotte en tant que force autonome[2].

Après Michelet, Albert Mathiez ou Daniel Guérin, Albert Soboul a admirablement démonté les mécanismes de cette lutte inégale entre la dictature bureaucratique des comités et la spontanéité des militants. Ce point intéresse aujourd'hui plus que les méandres de la corruption parlementaire au sein d'une Montagne où, manifestement, et en dépit des apparences, les accusations morales étaient moins importantes que l'affrontement entre les partisans du gouvernement révolutionnaire et ses opposants. Dès l'été de 1793, en revanche, Robespierre, Marat et leurs amis avaient tout fait pour ruiner l'influence de Jacques Roux au sein du petit peuple parisien ; ce fut la calomnie qui l'accabla et conduisit à la mort cet apôtre des pauvres et ce défenseur des masses, théologien d'une Révolution dont les dirigeants le firent périr. Jean Varlet et Théophile Leclerc furent, à ses côtés, les avocats de cette conception de la démocratie directe dont se méfiaient les « hommes d'État », artisans de la dictature jacobine. On vient de relever la différence entre ces deux types de discours qui se manifesta, en particulier, lors de la mise de la Terreur à l'ordre du jour pendant les journées de septembre. Là où les sans-culottes se préoccupaient de leur levée en masse et de l'arrestation de tous les suspects, au nom du quotidien de leur révolution symbolisé par leur revendication d'une armée révolutionnaire, les montagnards surent imposer une institutionnalisation juridique de la poussée populaire « dans la continuité des lois » et au seul service du souci de salut public[3].

Toute la fin de 1793 fut consacrée, par le gouvernement révolutionnaire, à mater l'esprit d'indépendance et d'autonomie des sociétés populaires provinciales, qui avaient pourtant contribué à le sauver lors de la crise fédéraliste de l'été. Les dirigeants terroristes parisiens se méfiaient en effet, par principe, de la spontanéité démocratique des sans-culottes locaux et lui préféraient leur hiérarchie bureaucratique d'agents nationaux, sans doute enracinés régionalement mais peu représentatifs de la dynamique de la Révolution populaire[4].

L'apogée de cette évolution se situa, au printemps suivant, dans la capitale, où, en moins de deux mois, 77 % des sociétés populaires furent liquidées par les comités de salut public et de sûreté générale[5].

Pourquoi la dictature jacobine s'est-elle suicidée le 9 Thermidor ?

Ce ne fut pas son divorce avec les sans-culottes qui entraîna la chute de Robespierre. La dictature jacobine était devenue largement indépendante du mouvement populaire qui avait contribué à son établissement. La Commission des subsistances dispensait des armées révolutionnaires ; les agents nationaux, représentants du gouvernement dans les départements, dispensaient des comités révolutionnaires, etc. Le processus de bureaucratisation, encore inachevé, aurait pu devenir avec le temps plus solide. Si cette évolution ne se produisit pas, cela ne vient pas de la désaffection populaire, mais des querelles internes des montagnards. Le Comité de salut public avait imposé ses solutions à la Convention, mais il n'y existait pas de consensus. Beaucoup d'indulgents avaient un héros à venger et quelques députés extrémistes des raisons particulières d'avoir peur. Carrier, qui s'était compromis avec les hébertistes, avait été critiqué par un agent de Robespierre pour avoir opprimé les « patriotes », c'est-à-dire les meurtriers de Nantes et du Morbihan. De nombreux jacobins lyonnais dénonçaient toujours, à Paris, les abus de pouvoir de Fouché. Barras et Fréron en avaient également commis dans le Midi, où ils avaient trouvé, comme Collot le disait des ouvriers lyonnais, les travailleurs du port de Toulon aussi contre-révolutionnaires que les marchands. Ces représentants s'étaient de même mis à dos les jacobins marseillais, jugés par eux trop modérés. Il ne s'agissait d'ailleurs pas d'une lutte entre un Comité désireux de relâcher la Terreur et des députés qui y étaient opposés, mais plutôt, comme à Lyon, d'un conflit entre ceux-ci et des jacobins locaux, farouchement autonomistes mais soutenus par Robespierre. Son agent Jullien reprocha à Tallien, à Bordeaux, de ne pas poursuivre une politique assez égalitaire. Le rappel de ces représentants multiplia, à Paris, des disputes mortelles sur les dimensions et l'orientation de la Terreur, mais non sur ses principes.

On s'en convainc en examinant la politique vendéenne du Comité. Il approuva le plan de destruction générale que Turreau commença à exécuter en janvier 1794. Il envoya des députés coordonner ces mesures d'extermination. Il décida, en février, qu'après l'évacuation des patriotes de la région on pourrait y tuer tous les habitants qui y demeureraient. Turreau ne fut relevé de son commandement, en mai, que parce que la sauvagerie de ses troupes, bien connue du gouvernement, poussait plutôt les populations à la résistance. Quelques-uns de ses subordonnés n'en continuèrent pas moins, sans contrôle ni réprimande, ses expéditions de pillage. Jullien les dénonçait d'ailleurs à Robespierre comme royalistes, parce qu'ils n'étaient pas capables de gagner la guerre. Cette phase destructrice de la répression en Vendée ne connut un terme que parce qu'il fallut y prélever des troupes pour la campagne d'été. Le Comité n'en offrit pas pour cela une amnistie et continua à déférer les rebelles non armés devant les commissions militaires. Cette stupide politique de réduction de l'ennemi intérieur avait exterminé, parfois, un tiers de la population des communes et constitué, pour la région, une véritable catastrophe économique.

Le gouvernement se souciait surtout du contrôle de l'appareil de répression, qu'il préférait souvent confier à des extrémistes locaux plutôt qu'à des représentants. Cela ne s'identifiait naturellement pas à une politique de modération. Le 8 mai, les tribunaux révolutionnaires provinciaux furent supprimés en faveur de celui de

Paris. Le 10 juin, la loi du 22 prairial priva les accusés de tout moyen de défense et permit au jury de se prononcer sur de seules preuves morales. A côté de la création de cette machine à tuer, il était envisagé d'adresser une bonne part des accusés aux six commissions spéciales chargées, par les lois de ventôse, d'examiner les dossiers des suspects. Ceux-ci risquaient maintenant, de plus en plus, la mort en cet univers de répression administrative. Ce fut le cas, en juin et juillet, des victimes, à Paris, de complots imaginaires. La loi qui les immolait était due à des tentatives d'assassinat sur Robespierre et Collot. Le choix d'une telle réplique, préférée, par exemple, au renforcement de la protection des membres du Comité, est significatif de l'atmosphère politique du temps. Elle interdisait à tout député de se sentir en sécurité, surtout depuis la mort de Danton. Beaucoup de conventionnels commencèrent à s'armer et à changer d'adresse.

Ce mécontentement parlementaire aurait pu être maîtrisé si le gouvernement ne s'était pas divisé. Le Comité de sûreté générale considéra comme une usurpation la création, par celui de salut public, d'un bureau de police placé, disait-on, sous le contrôle de Robespierre. Les dirigeants du même Comité virent dans la Fête de l'Être suprême la préfiguration d'un apaisement envers les catholiques. Appuyés par les déchristianisateurs et les anticléricaux du Midi et de l'Ouest, ils rapprochèrent Robespierre de la religion, donc de la contre-révolution. L'entente ne régnait pas davantage au sein de l'autre Comité. Les administratifs, Lindet, Carnot et Prieur de la Côte-d'Or, y souffraient de moins en moins les idéologues, Robespierre, Couthon et Saint-Just. Billaud et Collot étaient de plus en plus proches du Comité de sûreté générale. Robespierre comme Saint-Just ressentaient vivement cette situation.

Leur position fut minée par la victoire de Fleurus, le 26 juin, qui rendait la Terreur moins indispensable comme moyen gouvernemental d'exception. Mais Robespierre, le 5 février, avait assigné à la République un objectif de régénération morale qui allait bien au-delà des buts militaires de la législation du printemps 1793. Lui-même cessa d'assister aux travaux de ses collègues à partir de la mi-juin, parce qu'il ne s'entendait plus avec eux. Comme il continuait à examiner des dossiers chez lui, cela ne fit qu'accroître les soupçons à son endroit. Il songeait certainement à épurer quelques députés, dont Fouché, qu'il fit chasser des Jacobins et qui commença à conspirer contre lui. Un retour à l'entente, au sein du gouvernement, demeura pourtant possible jusqu'au bout, et, les 4 et 5 thermidor (22-23 juillet), les deux Comités s'accordèrent pour réduire les pouvoirs du bureau de police tout en accélérant l'examen des listes de suspects. Robespierre brisa cette trêve, parce qu'il ne croyait pas à la sincérité de ses collègues. Il les menaça, le 8, dans un long discours qui attaquait les indulgents, dénonçait une « coalition criminelle » au sein de la Convention et demandait l'épuration du gouvernement. Billaud et Collot furent chassés, le soir, des Jacobins, aux cris de « A la guillotine ». Le lendemain, Billaud attaqua Robespierre à la Convention, qui l'empêcha de parler et l'arrêta avec ses amis.

La commune prit leur défense mais ne fut guère appuyée par les sections. On l'explique par sa proclamation du maximum sur les salaires, intervenue quatre jours plus tôt. Cette mesure était certainement impopulaire et s'accompagnait, depuis avril, d'une répression officielle des grèves. Mais les sans-culottes n'étaient pas des salariés. Ceux qui appliquèrent cette politique sociale, et qui soutinrent Robespierre, étaient des artisans, des petits patrons, des fonctionnaires et des intellectuels. Le sort de cette journée ne dépendit pas de considérations économiques, mais de la capacité de direction et d'organisation. La Convention agit rapidement en avertissant les sections, dont dix-neuf, pas spécialement modérées, refusèrent de suivre la commune. Celle-ci, à l'instigation du Comité de sûreté générale, ne fut pas davantage appuyée par les comités révolutionnaires. Les forces de police restèrent donc loyales envers le pouvoir, et ce fut aussi le cas, par leur intermédiaire, de la majorité des sans-culottes. Quatre des six commandants de la garde nationale en usèrent de même. Avec d'aussi faibles moyens, et dans une crise aussi inopinée, la commune fut incapable d'agir efficacement et rapidement. Ce fut également le cas des jacobins. Beaucoup de militants, dans les sections,

> comprirent mal ce qui se passait ou se divisèrent. La libération des députés prisonniers entraîna leur mise hors la loi, par la Convention, avec celle de la commune. Cette mesure, autrefois réclamée par Saint-Just contre des girondins, poussa les forces armées rassemblées devant l'Hôtel de Ville à se dissiper. La Convention avait triomphé parce que son prestige collectif demeurait, comme toujours, plus fort que celui de tel ou tel de ses membres. Ce prestige s'exerçait, désormais, par le biais d'une hiérarchie d'institutions contrôlant le mouvement populaire bien plus sûrement que ne pouvaient le faire les jacobins ou la commune. En ce sens, le 9 Thermidor, tout en brisant certains de ses militants les plus déterminés, fut une victoire du pouvoir révolutionnaire. Ce furent des compagnies des sections qui liquidèrent la pitoyable tentative d'insurrection robespierriste, avant que ses chefs ne soient exécutés, le 10, dans l'après-midi. Et personne ne se doutait encore que leur mort marquait la fin de la Terreur[1].

Martyn Lyons a justement remarqué que la chute de Robespierre et de ses amis était due, avant tout, aux membres du Comité de sûreté générale, qui avaient joué jusque-là un rôle essentiel dans la machine policière du gouvernement. Leur action, dans cette journée, eut des motifs politiques autant que personnels et ils n'estimèrent pas sans raison y avoir combattu pour le service de la Révolution. Leur coup d'État fut une opération à la fois bureaucratique et parlementaire, à l'image de ce qu'était devenu le régime montagnard. Comme l'a vu Albert Mathiez, il demeurait suspendu dans le vide, entre l'apathie ou le sourd mécontentement des masses et l'unanimité de façade de la Convention. Les succès militaires, cependant, rendaient la dictature de moins en moins nécessaire, alors que les robespierristes semblaient la recommander. Beaucoup de députés avaient peur d'eux, et cette tension précéda et prépara le 9 Thermidor. Elle explique les machinations secrètes ou les mesures de précaution et de surveillance qui se tramaient, en coulisse, chez les dirigeants de la Terreur, à leur tour terrorisés. La crise éclata, enfin, pour dissiper une atmosphère intolérable où la menace de mort semblait planer sur tant de têtes. La haine et l'autodéfense de parlementaires aux abois sont donc, *du côté de la Montagne*, la première cause du 9 Thermidor. Ils interprétaient, en effet, la loi du 22 prairial comme une tentative pour justifier leur future élimination. Ces rumeurs de proscription n'étaient d'ailleurs pas sans fondement, en particulier en ce qui concerne d'anciens représentants en mission.

Aussi ceux-ci figurèrent-ils parmi les artisans de la chute de Robespierre, mais seulement à côté des dantonistes et surtout de membres des deux Comités de gouvernement. A l'exclusion du centre et de la droite de l'Assemblée, il s'agissait donc là d'un mélange de *députés de gauche*, indulgents ou extrémistes. Chez les seconds, on rencontrait surtout, en dehors des membres des Comités, des victimes de la centralisation de la Terreur et des déchristianisateurs. Il y avait là, pour Robespierre, deux motifs de les haïr, mais ils furent, en revanche, protégés par les dirigeants du Comité de sûreté générale. Derrière Vadier, Amar et Voulland, ceux-ci s'opposèrent de plus en plus, dans l'exercice du pouvoir commun, aux robespierristes. Ils leur reprochaient la tendance du Comité de salut public à accaparer la dictature policière. Ils virent dans l'établissement d'un bureau particulier dépendant d'un agent de Robespierre un instrument d'influence personnelle et un geste de défiance. Le contrôle du réseau d'informateurs au service du gouvernement était, notamment, au centre de ces disputes. Elles se doublèrent de l'opposition de la majorité du Comité de sûreté générale, violemment anticléricale, à la politique religieuse de Robespierre, qu'elle suspectait de favoriser le catholicisme. Vadier réussit, sur ce plan, à ridiculiser gravement l'Incorruptible en le mêlant, à propos de l'affaire Catherine Théot, à des complots contre-révolutionnaires. De nombreux montagnards voyaient avec lui en Robespierre un ami de la superstition et du fanatisme.

On sait enfin qu'au sein du Comité de salut public lui-même Billaud, Collot et Carnot se détachèrent de plus en plus des robespierristes. Leur chef déclencha cependant la lutte finale en rompant un compromis qu'on croyait encore solide le 8 thermidor. Le discours prononcé, ce jour-là, par Robespierre signifiait clairement la mise en accusation du gouvernement révolutionnaire par une partie de ses membres. Il dressa du coup contre lui la quasi-totalité de la gauche de la Convention. Le 9 Thermidor fut sa victoire, celle des terroristes les plus extrémistes, contre un groupe taxé, à tort, de modérantisme. Ils n'imaginaient pas que la Plaine leur demanderait, en échange de son appui, la fin de la politique de répression. Leur erreur d'appréciation se doublait d'une sous-estimation des conséquences de la bureaucratisation de la Révolution, à laquelle ils avaient eux-mêmes participé. Mais ils furent acculés à l'action par les menaces de Robespierre et crurent sincèrement chacun à sa façon qu'en l'immolant ils sauvaient la République [2].

Étranger à tout débat sur l'orientation sociale du pouvoir comme au souci de relâcher la Terreur, ce coup d'État résulta d'abord des divisions intervenues au sein de l'équipe dirigeante. Cette lutte politique opposa, par exemple, Carnot aux robespierristes, dont il organisa la chute avec autant d'art qu'il préparait les victoires. Sa *Soirée du camp*, journal à destination des armées dont le premier numéro parut le 2 thermidor, leur annonça tour à tour l'imminence de l'événement et sa signification. Les historiens sont également revenus sur la loi du 22 prairial qu'Henri Calvet, en 1949, avait déjà inscrite « dans l'évolution logique de la Terreur ». Georges Lefebvre la rattachait davantage aux circonstances extérieures qui firent perdre alors leur sang-froid aux membres des comités. Michel Eude vient de remarquer que cette aggravation de la répression se situait dans le droit-fil de l'action du gouvernement révolutionnaire. Si ce texte, présenté par Couthon et défendu par Robespierre, n'avait pas été élaboré en collaboration avec le Comité de sûreté générale, ses dirigeants en approuvaient certainement l'esprit. La rivalité entre ces terroristes ne portait donc pas sur le principe de la Terreur. Responsables, à différents titres, de la police politique du régime, ils savaient qu'elle en était l'âme, et l'organisation bureaucratique de cette machine à tuer, réalisée méthodiquement depuis septembre 1793, était à la fois leur plus beau titre de gloire et leur œuvre commune. Le conflit fondamental qui finit par les opposer ne résulta pas de divergences administratives mais du clivage intervenu, au sein de l'ensemble du gouvernement, entre les robespierristes et les autres. On peut seulement se demander si Michel Eude a raison de l'attribuer surtout, à la différence de Martyn Lyons, à des incompatibilités personnelles. On peut également douter du caractère inévitable de la disparition d'une Terreur que les deux camps, affrontés le 9 thermidor, voulaient pareillement intensifier. Est-il sûr que la tension sanglante imposée par un régime de fer ne se serait pas prolongée si celui-ci ne s'était pas suicidé[3] ?

Vadier, qui fut un de ses plus farouches défenseurs en même temps qu'un responsable capital de la chute de Robespierre, nous est maintenant mieux connu en ses vengeances sauvages contre ses vieux rivaux de l'Ariège, qu'il expédia à la guillotine pour fanatisme et contre-révolution. C'était dans ce département, et depuis longtemps, un grand propriétaire et un notable influent qui profita de son nouveau pouvoir révolutionnaire pour liquider ses ennemis intimes. Martyn Lyons s'est attaché à ce curieux spécimen de la mentalité jacobine, qui avait déjà cinquante-trois ans en 1789. Plus voltairien que rousseauiste, il provenait d'une région caractérisée par la violence et, à ses yeux, le « fanatisme ». Lui-même avait réagi contre le cléricalisme ambiant, qui avait assuré, pourtant, l'ascension de sa famille et sa propre formation. On regardait, dans son milieu, ce bourgeois bien pourvu et prétendant à la seigneurie comme un parvenu ; il n'oublia pas ces insultes, qui envoyèrent leurs auteurs à la guillotine. Devenu magistrat provincial, il profita de la Révolution pour se venger de ses frustrations et régler ses comptes politiques locaux. Cette préoccupation dicta sa conduite à l'époque de la Constituante, où il fut soucieux de s'opposer sur place à ses rivaux. Une vendetta familiale marqua ainsi la vie ariégeoise jusqu'au temps du Directoire. Vadier s'y servit, en opportuniste, de son mandat de député et de son orientation jacobine. Elle lui permit de traiter d'« aristocrates » ses adversaires traditionnels. Enracinés dans ces préoccupations, son anticléricalisme et son radicalisme n'en furent pas moins sincères, et le second connut des hésitations. Pleinement gagné à la Montagne et devenu une importante personnalité du gouvernement, Vadier n'en omit pas pour cela le règlement de ses querelles personnelles et la liquidation de ses rivaux. Il utilisa à cette fin ses responsabilités au sein du Comité de sûreté générale. La vengeance privée était au cœur de la conduite publique de cet artisan de la Terreur, de même qu'il privilégiait, dans son action politique, les méthodes du clientélisme et du clan familial. Ce fut aussi par haine personnelle qu'il s'opposa à Danton et, en partie, à Robespierre. Mais il reprochait surtout à ce dernier, on l'a vu, ses conceptions religieuses. Malgré la réaction thermidorienne, dont il eut à souffrir, Vadier ne regretta jamais d'avoir éliminé l'Incorruptible. Il resta, jusqu'à la fin de sa vie, en 1828, jacobin, républicain et terroriste. Comme beaucoup de dirigeants révolutionnaires, il était passé de la violence verbale du provincial frustré à l'utilisation personnelle du pouvoir bureaucratique et policier. Sa vieille hostilité envers les nobles et l'Église constitua la seule mais puissante justification idéologique de son attitude[4].

Il n'est plus possible, en vérité, d'étudier la Terreur en dehors de cette tentation de la puissance permanente chez ses manipulateurs. On en a fait trop longtemps, avec Albert Mathiez, et sous prétexte de répondre à une légende noire, des saints dignes de la légende dorée. Ils furent certainement, comme l'a dit Georges Lefebvre à propos de Robespierre, les hommes de la résistance révolutionnaire, et ce dernier, à cet égard, ne fut jamais aussi grand que dans la seconde moitié de 1793. Mais ces idéalistes, souvent mal armés pour comprendre leur temps sur le plan économique ou scientifique, furent incapables de s'arracher au rêve utopique et sanglant de la résurrection moderne d'une République à l'antique. Originale et pénétrante, la biographie de Robespierre due à Norman Hampson le montre, en ses derniers mois, tel que Michelet l'a toujours vu : *à la fois* tragique et ridicule, pathétique et grotesque. Empêtré dans les fils de sa paranoïa, il était de plus en plus obsédé par la mort, la sienne et celle des autres. Sa disparition fut, pour tous, une délivrance. Un lyrisme absurde a trop souvent transfiguré en êtres surhumains ces politiciens incapables de dominer une situation qu'ils avaient en grande partie contribué à créer. Saint-Just, par exemple, a été transformé par beaucoup en une sorte d'archange de la guillotine, alors que sa personnalité fut mal affermie, ses idées peu originales et son action prosaïquement machiavélique[5].

L'auréole sacrée qui entoure ces apôtres de la Terreur provient elle-même des sources religieuses évidentes de ce concept par lequel la Révolution politisa d'anciennes angoisses existentielles ou métaphysiques. Il marquait l'arbitraire despotique aux yeux des libéraux d'Ancien Régime ; son retournement apologétique, par les dirigeants jacobins, au nom de la légitime violence de la vengeance populaire, ne les arrachait pas à l'univers fascinant dont ils voulaient se séparer. Comme leur vocabulaire religieux, leur politique de la mort renvoie à l'idéologie et à la pratique du passé absolutiste. Leur alliance esthétique avec l'impossible, justement notée par Tocqueville et Quinet, les amena à rationaliser et discipliner les réactions révolutionnaires à la contagion morale de la peur. Mais, ce faisant, ils enfermaient leur action dans une logique délirante où la Terreur, ne pouvant cesser qu'avec la disparition du dernier ennemi, était condamnée non seulement à la permanence, mais à un constant accroissement. Quatre jours avant la chute de Robespierre, Carnot parlait encore de « livrer au glaive vengeur » les « brigands » et les « monstres » de la Vendée ; il suppliait les représentants d'y faire reprendre « son cours » à la « justice révolutionnaire ». Il ne verra, deux mois plus tard, de solution à cette guerre civile que dans la destruction du bocage. Les historiens s'accordent aujourd'hui à chiffrer le bilan de ces folies à 150 000 victimes, outre une ruine économique totale de la région. Sans entrer à ce sujet dans des querelles excessives, on est obligé de constater que ce désastre provient en premier lieu de la paranoïa terroriste qui régna sans partage, à Paris et en province, de 1793 à 1794[6].

8

Une dictature inévitable ?

Beaucoup d'historiens, depuis Michelet, ont arrêté le récit de la Révolution à la chute de Robespierre, comme si elle en marquait le terme. La période qui s'écoule entre le 9 Thermidor et le 18 Brumaire pose en fait une série de questions capitales sur le sens de l'événement survenu en 1789. La réaction thermidorienne, tout d'abord, représente-t-elle la fin de la Révolution ou s'inscrit-elle dans sa continuité ? Pourquoi, d'autre part, le régime qu'elle créa fut-il incapable de s'enraciner ? Était-il, enfin, fatal que cette première République « bourgeoise » se suicidât[1] ?

La réaction thermidorienne marque-t-elle la fin de la Révolution ?

La tradition historiographique, incarnée par Albert Mathiez et Georges Lefebvre, voyait volontiers dans l'époque thermidorienne l'inauguration d'un système de réaction bourgeoise qui déboucha logiquement sur l'aventure de Bonaparte. La succession de catastrophes qui accabla la France entre 1794 et 1801 ne puise pas, cependant, toutes ses racines dans l'abandon d'un système dont la plupart des montagnards, eux-mêmes, ne voulaient plus. La disparition de sa dictature fut saluée par un enthousiasme général qui ne fut remplacé qu'au bout de six mois par l'instauration d'un règlement de compte contre les militants qui l'avaient appuyée. Les nouveaux responsables de la Convention, privés des moyens d'action de leurs prédécesseurs, devaient faire face aux problèmes légués par la Terreur et à des circonstances nouvelles qui les aggravaient. Les sacrifices demandés pour vaincre la contre-révolution étaient jugés trop lourds. Le mécontentement et les ressentiments furent exploités par une opposition royaliste qui n'avait pas désarmé. Pour la vaincre entièrement, il aurait fallu éviter la prolongation de la guerre, l'effondrement économique et la débâcle financière. Le nouveau gouvernement en fut incapable, parce qu'il disposa d'un appui politique insuffisant. La paralysie de l'autorité et de l'administration en résulta.

Les terroristes renégats, les indulgents ou les modérés qui remplacèrent Robespierre et ses amis voulaient avant tout empêcher le retour de son despotisme. Le démantèlement des comités et de l'appareil révolutionnaire qui s'ensuivit ne toucha d'ailleurs pas à la plupart des bases légales de la répression. Il s'agissait simplement d'une restauration de la collégialité gouvernementale au sein de la Convention. Mais elle s'accompagna d'une disparition soudaine des effets les plus sanglants de la Terreur et d'une libération progressive des suspects. Les comités révolutionnaires subsistant y furent acculés par l'opinion. Leurs anciennes victimes constituèrent un puissant groupe de pression contre les terroristes, tandis que la résistance s'accroissait, dans les campagnes, face à la déchristianisation. Les suites du 9 Thermidor marquèrent une recrudescence certaine de la contre-révolution populaire, dont la base religieuse était l'essentiel.

Ce facteur d'opposition fut aggravé par la politique économique de la Convention. L'héritage du gouvernement révolutionnaire, en la matière, était relativement sain, mais il fut compromis par la mauvaise récolte de 1794. Ses effets furent aggravés, sur le plan des transports et de l'approvisionnement, par un hiver extrêmement froid. L'économie dirigée ne supporta pas ces pressions, auxquelles se mêlait l'habituelle répugnance des paysans à effectuer leurs livraisons. La spéculation reprenait et les marchés se vidaient. La Convention abolit le contrôle des prix, le 24 décembre, en croyant, fort légèrement, que la suppression de la bureaucratie économique arrangerait les affaires. Elle ne fit que précipiter l'effondrement de l'assignat, la hausse des prix et la pénurie. La misère n'avait jamais été aussi grande depuis le début de la Révolution et le nombre des morts doubla dans certaines villes comme Rouen. Cette disparition anormale des personnes âgées, des jeunes ou des ouvriers signalait le retour de la France à une situation qu'elle n'avait pas connue depuis le début du siècle. L'accroissement de la criminalité, due à des bandes de vagabonds circulant dans les campagnes, l'accompagna. Devant l'inflation galopante, la misère et l'impunité des brigands, le gouvernement était au bord de la faillite[2].

La contre-révolution s'en renforça, en particulier dans les campagnes, où les mesures de réquisition et le rationnement dressèrent l'ensemble des communautés contre les autorités. Dans le Gers, le mécontentement rural, déjà manifeste sous la Terreur, fut aggravé par l'appui apporté par la Convention aux intérêts des propriétaires. Cette région ne s'en montra que plus favorable à la cause des réfractaires, des déserteurs et, bientôt, des royalistes. Ces métayers du Midi étaient cependant équilibrés par de nombreux petits propriétaires, plus favorables au nouveau régime. Dans l'Ouest, au contraire, la plupart des paysans, mécontents de l'apport d'une Révolution dont ils n'admettaient pas la légitimité, fournirent un support de choix au mouvement insurrectionnel des chouans. Cette expression armée de la communauté rurale traduisit sa révolte devant les bouleversements survenus depuis 1790 et sa nostalgie d'un Ancien Régime plus favorable que le nouveau à l'autonomie locale. Le peuple des campagnes, depuis la Constitution civile, rêvait d'un retour à cet ordre de choses traditionnel et du renversement d'une République illégitime. Il accepta pour cette raison de se rallier aux émigrés mais dut se borner à une tactique de guérilla et d'embuscades. Elle contraignit le gouvernement, à partir de septembre 1794, à se tenir sur la défensive dans une dizaine de départements au nord de la Loire. La politique terroriste à l'égard de la

Vendée y avait déjà, on l'a vu, ranimé la résistance. Pris à la gorge, les thermidoriens n'eurent d'autre ressource que d'accorder l'amnistie, puis la liberté religieuse, le 21 février 1795. Pour provisoire qu'elle ait été, la pacification qui s'ensuivit permit au moins un début de restauration de l'autorité qui fut compromis, cependant, par les divisions qui ravagèrent la Convention.
Celle-ci n'avait pas voulu, d'abord, se pencher sur le passé terroriste. L'exécution de Carrier, le 16 décembre 1794, marqua un changement de cap dans la mesure où ce personnage en était venu à symboliser l'ensemble de la période précédente. De nombreux démocrates, comme Babeuf, exigèrent sa condamnation. Les ennemis des jacobins en profitèrent pour éliminer les clubs de la vie politique. En proie à la passion des récriminations rétrospectives, notamment sur le coup du 31 mai, l'Assemblée vota, avant la fin de l'année, la mise en accusation de Barère, Billaud, Collot et Vadier. Elle devait rappeler, le 8 mars 1795, l'ensemble des députés girondins survivants. Ce retour des proscrits altéra définitivement l'équilibre des forces au sein de la Convention : sans être assoiffés de vengeance, ils allaient montrer, à Paris et en province, l'étendue de leur antiterrorisme. Les soulèvements de la capitale au cours du printemps leur en donnèrent l'occasion. Ils ne furent d'ailleurs qu'un épisode du plus important mouvement de troubles populaires enregistré depuis trois ans, en particulier dans le Nord-Ouest, en raison de la disette de céréales. Des femmes, surtout, y protestèrent contre les difficultés de ravitaillement. Les slogans politiques qu'elles proféraient, royalistes ou républicains, visaient à mécontenter les autorités. A Paris, où la direction des sections était passée aux modérés, les sans-culottes avaient perdu le contrôle de la rue au profit des bandes de la jeunesse dorée, remplies de petits fonctionnaires ou de déserteurs. Depuis l'automne précédent, leur pression antijacobine se faisait sentir sur la Convention ou dans les lieux publics. Les journées de germinal et prairial an III (1er avril et 20 mai 1795) ne furent pourtant pas dirigées contre elles et révélèrent une profonde dépolitisation du peuple de la capitale. Il demandait d'abord du pain, ne s'occupait plus des spéculateurs, avait autant la nostalgie du roi

que celle de la guillotine et ne réclamait, parfois, la Constitution de 1793 que par un désir de démocratie directe et d'autonomie municipale. La manifestation pacifique de germinal, analogue à celle de septembre 1793, ne dégénéra qu'en raison de l'invasion confuse de la Convention par plus de 10 000 personnes. Elle permit à la majorité d'éliminer de nombreux montagnards, de déclarer Paris en état de siège et de commencer à désarmer les terroristes.
La journée de prairial, inaugurée par des ménagères des quartiers orientaux, fut en premier lieu une émeute de la faim. Elle se compliqua d'une réelle tentative de subversion armée et de coup de force politique, analogue à ceux du 10 août ou du 2 juin. Un député fut mis à mort au cours de l'assaut de la Convention, qui siégea à nouveau, pendant des heures, dans le tumulte, avant d'être dégagée par des gardes nationaux loyalistes. Une autre démonstration menaçante, le lendemain, fut suivie d'une dispersion. La contre-offensive gouvernementale permit, avec l'aide de l'armée régulière, la reddition du faubourg Saint-Antoine, définitivement désarmé. Il y eut de nombreuses arrestations et condamnations, y compris chez les députés (quarante montagnards arrêtés, dont six condamnés à mort). C'était la fin du mouvement sans-culotte, dont les militants se borneront, désormais, à une carrière de conspirateurs, toujours étroitement surveillée par la police. La répression thermidorienne mettait ainsi fin au cycle d'insurrections parisiennes qui avait ouvert la Révolution. Il se terminait dans la faiblesse et la désorganisation de l'action populaire. Mais le régime dépendait, plus que jamais, de la force armée. La détérioration des conditions économiques, qui devait encore s'accentuer par la suite, n'amena plus de nouveau soulèvement, parce que l'espoir des masses était mort[3].
Les militants provinciaux souffrirent de nombreuses vexations à partir d'avril 1795. Outre leur désarmement, les régions autrefois ravagées par la Terreur antifédéraliste connurent une répression sévère, souvent animée par les représentants en mission. Ce fut le cas, en particulier, dans le Midi. Des massacres de prisonniers jacobins s'y produisirent, ainsi que dans la

région lyonnaise, conformément au schéma antérieur de 1792-1793. Incités au meurtre et bénéficiant de nombreuses complicités ou facilités, les agents de cette « Terreur blanche » jouirent pratiquement de l'impunité pour se venger de leurs anciens bourreaux en les massacrant. Les réflexes de peur et de réaction punitive jouèrent également, tout en se limitant, comme à Lyon par exemple, en mai, à une centaine d'assassinats. Il y en eut trente à Marseille, tandis que les patriotes de Toulon marchaient sur la ville. Repoussés, cinquante-deux d'entre eux furent condamnés à mort. Une centaine de Jacobins furent encore liquidés à Marseille, en juin, ainsi que vingt-trois à Tarascon. La violence populaire antiterroriste, qui avait précédé ces massacres plus ou moins organisés, continua, d'autre part, à les accompagner ou les prolonger. Elle visa, dans le Midi en particulier, les anciens membres des tribunaux révolutionnaires. Les représentants en mission favorisèrent souvent ces bandes meurtrières composées de jeunes désireux d'échapper à l'armée et profitant de la faiblesse des autorités locales. On reprochait aux jacobins d'avoir ébranlé l'ordre traditionnel en tentant de confier des responsabilités à des gens qui ne devaient pas les avoir. Si la motivation royaliste de ces assassinats est douteuse, leur préméditation l'est beaucoup moins. L'accomplissement tranquille de ces atrocités anonymes témoigne, à Lyon par exemple, de la faillite complète de l'administration municipale. Les escortes officielles ne garantissaient pas des meurtres, et les coupables, quoique parfaitement connus, ne risquaient rien de témoins terrorisés. Ils affichaient plutôt, avec fierté, leurs assassinats et se recrutaient dans le milieu social mêlé qui avait appuyé le fédéralisme en 1793. Les artisans n'y manquaient pas mais aussi les riches, les déserteurs et les anciens suspects. Leurs victimes, à côté des terroristes, pouvaient être des travailleurs, des prêtres constitutionnels, des protestants ou des juifs. Ces bandes opéraient encore, au début de l'automne, dans une trentaine de villes de dix départements du Sud-Est. Elles y avaient causé beaucoup moins de morts que la Terreur de l'an II mais réussi à y paralyser le gouvernement.

Cet essor du « royalisme » et la destruction du jacobinisme militant offraient la base d'un compromis politique au sein des élites. Il aurait pu prendre la forme d'une monarchie constitutionnelle restaurée et regroupant monarchiens, fayettistes et thermidoriens conservateurs. Mais cette solution, qui exigeait aussi la fin de la violence contre-révolutionnaire, fut empêchée par la mort du fils de Louis XVI, en juin. Par sa stupide déclaration de Vérone, le comte de Provence, devenu « Louis XVIII », annonça un retour à l'Ancien Régime, totalement éloigné des réalités. Il renforça la position de la Convention et contraignit les royalistes à la guerre civile tout en ruinant l'idée d'une alliance conservatrice. Il est vrai que beaucoup pensaient que la République, victorieuse à l'extérieur, se trouvait à la veille d'un effondrement interne. Les Anglais tentèrent de le faciliter en ouvrant un nouveau front en Bretagne. Il n'aboutit qu'au désastre de Quiberon, en juillet, à l'issue duquel plus de 600 émigrés débarqués furent fusillés. La chouannerie, étrangère à leur esprit aristocratique, n'en fut pas détruite pour autant. Elle continua ses assassinats et ses embuscades qui opposaient, dans la France de l'Ouest, les campagnes aux villes et la transformaient, du point de vue de Paris, en un pays occupé.

Enfin tranquillisés, les politiciens purent se consacrer à la rédaction de la Constitution de l'an III. Cette révision de celle de 1793 aboutit à un projet entièrement nouveau. Tout en créant plus de citoyens actifs qu'en 1791, il limitait le corps électoral possible des députés à 30 000 personnes. C'était en exclure les groupes sociaux qui avaient dirigé la Révolution depuis le début et en confier les destinées aux secteurs les plus riches de la bourgeoisie, de la paysannerie et de l'ancienne noblesse, qui demeurait éligible si elle n'avait pas émigré. Il s'agissait là, en majorité, d'hommes opposés à la République, comme on le verra sous le Directoire. Ce régime eut un autre élément d'instabilité dans sa structure interne compliquée, provenant de la peur thermidorienne de la dictature. Elle sépara les pouvoirs, divisa le législatif en deux chambres, confia l'exécutif à un Directoire de cinq membres, muni d'importants pouvoirs et maître du gouvernement et de l'administration. Ses commissaires, en particulier, poursuivirent l'œuvre de centralisation aux dépens des autorités élues dans les départements et les cantons. Comme il s'agissait souvent d'anciens jacobins, le principe de la cooptation des patriotes se prolongea. Le Directoire, ainsi armé, aurait pu survivre à un système d'élections fréquentes en se construisant une clientèle nationale. Sans argent et sans moyens d'influencer l'opinion, il risquait de se heurter à un législatif peuplé d'opposants et impatient vis-à-vis d'un exécutif beaucoup plus lentement renouvelé que lui.

Se sachant impopulaire, la Convention décida, en août, que les deux tiers des nouveaux députés seraient choisis en son sein. Cette mesure, également soumise au référendum, fut approuvée par beaucoup moins de voix. L'énormité des abstentions et la domination de nombreuses assemblées primaires par des contre-révolutionnaires étaient de mauvais augure pour l'avenir d'un gouvernement représentatif en France. L'électorat, qui souhaitait le retour à la paix, à l'ordre et à la prospérité, vota massivement pour des modérés, anciens conventionnels ou hommes nouveaux, par dégoût de la politique antérieure. La protestation contre le décret des deux tiers entraîna, d'autre part, l'insurrection parisienne du 13 vendémiaire an IV (5 octobre 1795). Ce curieux mouvement, œuvre de monarchistes constitutionnels, adopta le discours de la souveraineté populaire, et le gros de ses troupes fut composé d'artisans. Né des conditions malsaines dans lesquelles s'était effectué le référendum à Paris et du refus de reconnaître son résultat dans le pays, il fut lié à l'agitation persistante entretenue par la jeunesse dorée et la presse antiterroriste. Sept sections se prononcèrent, le 3 octobre, pour la dissolution de la Convention, qui décida de réarmer les terroristes. Les forces qu'elle confia finalement à Barras réussirent à disperser celles des sections. La répression fut très légère et visa surtout des employés et des déserteurs. Elle permit de placer la garde nationale sous le contrôle du nouveau général de l'armée de l'intérieur, Bonaparte.

L'offensive royaliste de l'an III se terminait ainsi par un échec. Elle avait montré, cependant, l'illusion des thermidoriens au sujet d'une réconciliation nationale sur le dos des terroristes. Les défenseurs de l'œuvre de

> la Constituante avaient dû faire face aux soulèvements de l'Ouest, aux massacres du Midi et au réveil catholique. Ils y voyaient la main d'un prétendant qui promettait la mort aux régicides et le retour de l'Ancien Régime. Aussi la Convention termina-t-elle sa carrière en renouvelant les dispositions contre les réfractaires et les émigrés. Majoritaires dans la nouvelle législature, ses membres choisirent, à titre de garantie, cinq directeurs régicides. La Première République demeurerait donc, malgré le 9 Thermidor et l'application d'une nouvelle Constitution, un régime révolutionnaire, puisque la contre-révolution n'avait pas désarmé[4].

Ces analyses de Donald Sutherland nuancent l'habituelle interprétation de la période thermidorienne comme une réaction bourgeoise. Elle vit bien davantage l'affirmation d'une menace contre-révolutionnaire qui empêcha la Révolution de se terminer vraiment. Les aspects populaires intérieurs de ce danger furent les plus importants. Face à eux, l'étude personnelle, psychologique ou anecdotique des membres de la Convention compte peu. François Gendron vient de renouveler celle de la jeunesse dorée, bande de 2000 à 3000 petits bourgeois qui domina les rues de la capitale et sa vie politique de Thermidor à Vendémiaire. Elle aida le pouvoir des républicains modérés à écraser, en germinal et prairial, les émeutes de la faim avant de se retourner vainement contre lui, en octobre 1795. On ne peut, cependant, transformer ce qui fut d'abord une simple milice officieuse du régime en une cause capitale du « dynamisme réactionnaire » et du « phénomène thermidorien ». Ils eurent bien d'autres sources, si l'on songe que Babeuf commença par les appuyer, avant d'être incarcéré comme Varlet. Quant au monarchiste La Harpe, il n'hésita pas, à l'extrême fin de la Convention, à transformer ses dirigeants en héritiers de Robespierre[5].

La complexité des thermidoriens avait son équivalent chez leurs adversaires, les derniers montagnards. Françoise Brunel les évalue à une centaine de députés, qui se rassembleront, au début de 1795, lorsqu'ils auront pris conscience de l'étendue de la « réaction » succédant, à leurs yeux, à la Révolution. Contre ce retour en arrière, ils prônent la valeur globale d'un héritage révolutionnaire qu'ils assimilent à la proclamation de l'égalité. Mais ils mirent du temps, on le voit, à se rendre compte de la stratégie et de la tactique thermidoriennes, d'ailleurs lentement mises au point. Elles résultèrent d'une alliance encore fragile entre une fraction de la bourgeoisie révolutionnaire et les honnêtes gens de l'élite des notables. La technique politique mise au service de ce nouveau pouvoir se révéla fort habile dans la reprise en main des cadres et la manipulation de l'opinion. Elle aboutit, au-delà d'une simple réaction, à la création d'un ordre censitaire, en voie de stabilisation. Il marquait une rupture abrupte avec l'idéologie morale et austère inspirée, jusque-là, par Rousseau. En proclamant la nécessité des inégalités, il ouvrait enfin la voie au capitalisme de l'avenir. Ce libéralisme, tout en conservant certaines aspirations de l'époque précédente, fait de l'an III une date décisive de notre histoire politique. En se séparant du jacobinisme et de ses aspirations au « bonheur de tous », les amis de Daunou faisaient de la « société nationale » une simple « entreprise de commerce », sur le modèle marchand proposé par Adam Smith. A la sacralisation du politique qui avait marqué les années antérieures, ils substituaient celle de l'économie. Elle ramenait à son statut de pure utopie le rêve de la formation officielle d'un homme nouveau et lui opposait la primauté de la compétence. Avec Sieyès, la Convention thermidorienne annonçait que la République ne serait pas une « Ré-totale », c'est-à-dire à la fois despotique et niveleuse, comme toutes celles qui s'inspireraient, désormais, de l'expérience de l'an II[6].

Clive Church a préféré situer l'effort des constituants de l'an III par rapport à l'épineux problème d'une bureaucratie pléthorique créée par la Révolution, dont ils se méfiaient mais ne purent se débarrasser. D'où leur volonté de diluer les pouvoirs de l'appareil d'État. Elle rassembla, un moment, républicains modérés et royalistes, mais ce « bloc » eut de la peine à tenir un équilibre instable entre la menace de la subversion sociale et celle d'un retour de l'Ancien Régime. Celle-ci s'exprima au moyen d'une presse de droite faite d'hommes devenus contre-révolutionnaires dans la mesure où ils avaient été déçus par la Révolution. Ces journalistes et leurs lecteurs avaient, à peu près, la même composition sociale que ceux de l'autre camp, ce qui montre la difficulté d'établir un rapport étroit entre appartenance de classe et comportement politique. Les thermidoriens, d'autre part, se trompaient en pensant qu'un électorat censitaire soutiendrait nécessairement leur œuvre. Ils ne visèrent pas plus juste, à la fin de leur mandat, en identifiant la bureaucratie dont ils avaient hérité à la contre-révolution qu'ils craignaient. La première, en vérité, comme le montre Clive Church après Max Weber, s'affirma, pendant toute la période révolutionnaire, comme une force supérieure à des péripéties qui n'entamèrent pas son essor. La nouvelle administration, renforcée par le gouvernement révolutionnaire, fit peur à ses successeurs, qui abolirent pour cette raison le maximum mais ne parvinrent pas à créer la République sans commis de leurs rêves. Vainqueurs de l'économie dirigée, ils ne purent contrôler la bureaucratie qu'ils critiquaient et durent se contenter de tenter de l'épurer pour des motifs d'ailleurs imaginaires. Blanchie du soupçon d'avoir fomenté le coup de Vendémiaire, cette administration née de la Révolution était plutôt favorable à la République. Son essor ne tenait pas à la politique mais aux nécessités inédites du fonctionnement de l'État. Il faisait alors travailler, à Paris, près de 12 000 personnes au service du gouvernement, tandis que, dans les seuls ministères centraux, le personnel était passé, entre 1788 et 1795, de 420 à 5 000. On voit qu'en dépit de Tocqueville la centralisation révolutionnaire marquait un changement de dimensions par rapport à celle de la monarchie. Les bénéficiaires de cette expansion s'étaient pliés aux soubresauts du nouveau régime et transformés en un simple groupe d'intérêts professionnels [7].

Le peuple, pendant ce temps, mourait de faim. Richard Cobb a insisté sur les suites de cette disette qui accentuait, au contraire, les tendances à la décentralisation : par ce temps de misère, où l'on se disputait le ravitaillement, les égoïsmes locaux et sociaux régnèrent en maîtres. Ce fut aussi un temps de vengeance contre les anciens terroristes, isolés, en tant que bureaucrates révolutionnaires. On craignit longtemps le retour au pouvoir de ces satrapes. Après cinq années de bouleversements, au milieu de la crise agricole et de la ruine des hospices, l'inégalité alimentaire vint aggraver les épidémies. La France, plus que jamais, se partagea entre ceux qui mangeaient, ou non, à leur faim. Il s'ensuivit une surmortalité, qui dura plus de deux ans et accabla les pauvres des villes et des campagnes. L'an III et l'an IV furent d'abord, pour la majorité des Français, une période de pénurie, où les ouvriers parcouraient la campagne, de ferme en ferme, et où les filles, affluant à Paris, finissaient fréquemment dans la prostitution. Les femmes s'y donnaient pour du pain ou du jambon, tandis que les suicides se multipliaient. Apathique et découragé, le petit peuple fut autant brisé par la famine et la honte que par la répression. Les « buveurs de sang » furent traités, dans le Midi, où la chasse à l'homme régna, comme des « bêtes fauves ». Les sans-culottes villageois se virent souvent lynchés sur la grand-place, avec leur famille, en présence de toute la population. La Terreur blanche, à la campagne, permit de régler des querelles personnelles où la férocité féminine se donna libre cours. La légalité thermidorienne fut donc marquée par la violence ou l'anarchie, dans l'impuissance des autorités. Ce fut le temps des passions particulières et de la misère commune. Fin de l'utopie révolutionnaire, 1795 révéla l'égoïsme de la République bourgeoise[8].

L'opposition au nouveau régime ne fit que grandir, en même temps que l'effectif de ses militants disparaissait au milieu de la radicalisation des affrontements tribaux et de la politisation du meurtre. Il ne resta plus au petit peuple qu'à tenter de ne pas mourir de faim, par la prostitution, la mendicité ou les migrations. L'omniprésence des problèmes de ravitaillement pesa ainsi sur une Révolution qui n'apporta aucune innovation par rapport aux pratiques ou aux mentalités d'Ancien Régime : irrégularité de la production et de la consommation, contradictions de la politique gouvernementale, inquiétudes et crédulité populaires, inégalités sociales, antagonismes régionaux, opposition entre villes et campagnes[9].

La dissolution du maximum s'inséra dans ce contexte, qu'elle aggrava de façon inconsidérée. Cette restauration de l'économie libérale déchaîna des forces défavorables à un approvisionnement normal. L'inflation, la paupérisation et les émeutes de cherté et de pénurie résultèrent de cette levée imprudente de contrôles nécessaires. Ce fut le cas dans le Nord, où la détérioration du niveau de vie, par rapport à 1790, fut catastrophique. La Convention thermidorienne multiplia des indigents qui n'étaient plus assistés par l'ancien paternalisme ou le récent égalitarisme. Sa politique de désengagement marqua un recul certain par rapport à la situation d'avant 1789[10].

La réaction politique qui accompagna cette régression sociale fut moins importante qu'elle. Ses formes les plus sanglantes épargnèrent d'ailleurs, comme la Terreur dont elle combattait le souvenir, la plus grande partie du pays. Si Toulouse connut, comme Paris et d'autres départements, chasse aux jacobins et offensive royaliste, Michèle Schlumberger a noté que ces soubresauts n'affectèrent qu'une infime minorité et que, sous l'an III comme sous l'an II, la masse des gens ne s'intéressa vraiment qu'à deux choses : manger à sa faim et retrouver ses prêtres. Pour le reste, l'apathie et l'indifférence dominaient la vie de la République, avec 75 % d'abstention à la fin de la période. On fut plus violent dans d'autres régions où les haines locales étaient plus enracinées. Colin Lucas a proposé, au sujet du Forez, une explication de cette violence. Les meurtres politiques seront, dans cette zone, à partir du printemps 1795, une caractéristique de la réaction. Les égorgeurs et les assommeurs y sont des jeunes gens de la bonne bourgeoisie, de riches propriétaires dont les familles ont souffert de la Terreur. Ils se vengent de leurs malheurs passés en bandes à l'organisation paramilitaire. Elles reflètent la persistance d'éléments de la société traditionnelle. Ces groupes de jeunes en armes étaient un trait de la sociabilité méridionale d'Ancien Régime. Ils reprennent, en leurs défilés quasi rituels, leurs ratissages et leurs visites domiciliaires, les anciennes formes des expéditions bravades de leurs prédécesseurs. Leur solidarité de déserteurs les amenait à concevoir l'adhésion au groupe comme une sorte d'initiation et ses activités comme une forme de régulation de la communauté. Les humiliations qu'il infligeait aux jacobins avaient lieu en vertu de règles tacites, visant des comportements précis. On reprochait, avant tout, aux terroristes d'avoir innové, et leur assassinat correspondait à un rite d'exclusion. On haïssait d'abord, parmi eux, le dénonciateur. Due à une jeunesse bientôt municipalisée, la violence thermidorienne exprime, en premier lieu, la rancune d'un milieu traditionnel contre ceux qui l'avaient perturbé [11].

L'expérience libérale du Directoire était-elle viable ?

> Elle eut pour origine la conviction de ses fondateurs selon laquelle la prépondérance sociale se traduirait nécessairement sur le terrain politique. Le régime aurait l'appui de l'ensemble des propriétaires et ne serait pas contesté par les autres. En fait, il eut très peu de partisans chez les notables et beaucoup d'opposants dans la masse du peuple. Pour fonctionner, il aurait dû bénéficier d'une participation et d'un appui de l'électorat qui n'existèrent pas. Le gouvernement de la France donna alors l'impression d'une clique dirigeante dont le coup d'État était la seule arme. Ses succès contre les Vendéens ou les Autrichiens eurent peu d'écho parce qu'ils n'étaient pas définitifs. Le chaos financier persistant menaçait, d'autre part, les bases de la domination des riches. Il ne resta plus au Directoire qu'à s'aliéner la plus grande partie de la classe politique, y compris l'armée, pour ouvrir la voie à Bonaparte.
> Ce pessimisme exprimé récemment par Donald Sutherland semble justifié par une impuissance due, en bonne partie, à l'héritage religieux de la Convention. Elle

avait, on l'a vu, accordé la liberté de conscience mais limité celle de l'expression religieuse. La faiblesse financière de l'Église s'accompagnait de nombreuses restrictions à la pratique du culte, qui provenaient des traditions iconoclastes de l'an II. Une bonne partie de l'activité confessionnelle resta donc clandestine tout en bénéficiant de l'appui populaire. Les laïcs continuèrent, à ce sujet, à défier la loi, notamment dans les zones isolées et montagneuses où le gouvernement était faible. Ce fut le cas dans de nombreuses régions du Massif central, où les partisans des réfractaires ignoraient l'appareil d'État et méprisaient le clergé constitutionnel. Les cérémonies interdites y avaient beaucoup plus de succès que les cultes officiels. Dans le Languedoc ou l'Alsace, processions antijacobines ou ardentes demandes de messe défiaient les autorités. Dans le Nord, des paysans armés protégeaient les activités de missionnaires belges. Un peu partout, de simples fidèles, et notamment des femmes, suppléaient, dans le service, les prêtres qui manquaient. Il existait dans le peuple un désir de sacré qui est à la base de ce qu'on appelle le « réveil » religieux sous le Directoire. Les femmes y jouèrent un rôle essentiel en faisant rouvrir les églises, évader les réfractaires ou reculer les gendarmes. La restauration du pouvoir du prêtre allait de pair, pour elles, avec celle de leur autorité morale en tant que mères de famille. Le phénomène marque, d'autre part, une grande continuité géographique par rapport à l'opposition à la Constitution civile apparue en 1791. Aussi aggrava-t-il le déclin de l'Église constitutionnelle.

Contraint à se réfugier, dans l'Ouest, dans les villes, son clergé n'y avait pratiquement plus, comme dans le Nord et le Centre, d'existence paroissiale. Ailleurs même, la démoralisation le gagnait devant l'indifférence ou l'hostilité des fidèles. Malgré les efforts de Grégoire pour l'organiser, il y aura vingt-huit sièges épiscopaux vacants en 1801, alors que trente-deux seulement des évêques élus dix ans plus tôt étaient encore en place. Cet échec provenait du honteux abandon de l'Église constitutionnelle par une Révolution qui l'avait d'abord utilisée. Après Thermidor, de nombreux curés firent, au contraire, la paix avec le clergé réfractaire, responsable du réveil religieux de la période et reconstruisant lentement, avec la collaboration des dévots, son organisation paroissiale. Des vicaires généraux envoyés par des évêques émigrés s'en chargèrent dans de nombreux diocèses. Cette activité des réfractaires, à la différence de celle d'autres catholiques parisiens, était d'orientation entièrement royaliste. La République, en effet, était pour eux illégitime et il leur arrivait de conseiller les insurgés monarchistes de l'Ouest ou du Midi. Mais leur œuvre pastorale était encore plus subversive puisque souvent dirigée contre les impies qui avaient aboli les droits seigneuriaux et la propriété ecclésiastique. On accusait les réfractaires, en Bretagne, de promettre le ciel à ceux qui tueraient les patriotes ; ailleurs, de recommander le refus de l'impôt et du service militaire ou de fuir, comme la peste, le contact des républicains. L'entente paraissait impossible entre ces hommes et un État sans Dieu.

La République était, de plus, sans contrôle réel sur le pays, ce qui ajoutait à son manque d'appui dans la population. La guerre diminuait les forces armées qu'elle pouvait utiliser à la répression des bandes royalistes. Les départements, abandonnés à eux-mêmes, se reposaient pour cela sur la garde nationale ou les gendarmes. La première était de moins en moins sûre ou fiable. Les seconds n'étaient ni plus nombreux ni plus efficaces que l'ancienne maréchaussée. Les moyens financiers dont ils disposaient étaient dérisoires et ne les poussaient guère au zèle. Les commissaires du Directoire avaient de la peine à remplir les rangs de l'administration. Il fallait parfois des mois pour y parvenir. L'apathie était devenue, en fait, le maître mot de la France républicaine. La déception ou les désillusions éprouvées devant la politique l'expliquaient en grande partie, et s'en dégager paraissait constituer le grand souci des citoyens. Le pouvoir local tombait aux mains des mous ou des hostiles qui désobéissaient ou encourageaient les ennemis de l'État. Le réveil religieux dans les campagnes en fut grandement facilité comme l'impunité des assassins, l'évasion fiscale ou les manœuvres des émigrés.

Une des conséquences de cet effondrement administratif fut l'essor du brigandage. Celui de la Révolution ressembla à son prédécesseur d'Ancien Régime : né de la misère, il fut seulement aggravé par la terrible crise économique de 1795-1796. Elle désespéra les chômeurs et les affamés, privés de tout et qui avaient déjà participé aux émeutes de subsistances : ouvriers agricoles et artisans paupérisés alimentèrent ces bandes de « chauffeurs » qui ravagèrent les campagnes entre Rouen et Gand. Les villageois les appuyaient souvent, comme les prêtres réfractaires, contre les agents de la répression. Ce « royalisme » populaire transformait en acte d'opposition le pillage pur et simple des biens du gouvernement transportés par diligence. Les chouans avaient fait école, contre les marchands républicains ou les possesseurs de biens nationaux, jusque dans la lointaine Provence, où des brigands dormaient en sécurité parce qu'ils se croyaient protégés par le Christ. Une bonne partie du brigandage de l'époque appartint ainsi à la contre-révolution et fut dirigée, dans le Midi rural, contre les jacobins, les protestants, l'Église constitutionnelle et les anciens terroristes. Ses actions exprimaient la révolte de la communauté traditionnelle contre ceux qui avaient troublé son ordre immémorial par la force nue ou des mesures illégitimes venues de la ville.

Le royalisme populaire du Midi fut donc largement appuyé par la masse des habitants, hostiles aux arbres de la liberté ou humiliant les jacobins locaux et regrettant, les femmes en particulier, l'état ancien et idéalisé détruit par la Révolution. Ces villageois pensaient, en somme, que le bonheur, en France, était une vieille idée. En leur nom, les jeunes, au lieu d'aller servir la République aux armées, persécutèrent ou tuèrent sur place ses défenseurs. Les « brigands royaux » se nourrirent d'une proportion considérable de déserteurs, contre lesquels le régime était aussi impuissant que face aux réfractaires. Il n'avait le choix qu'entre laisser faire ou déclencher une insurrection. D'où l'impunité longtemps accordée aux meurtrières bandes basques. Leur idéologie sanctifiait leurs pillages aux yeux des populations. Des émigrés eurent tôt fait d'en grossir leurs réseaux et de nombreuses régions du Languedoc virent se prolonger, sous le Directoire, une ancienne tendance à la guérilla antirévolutionnaire. Elle s'était appuyée sur le schisme religieux et dura parfois jusqu'en 1801.

L'activité conspiratrice de ces bandes clandestines est difficile à connaître, de même que les soutiens qui pouvaient lui être apportés. Mais elle s'étendit de la vallée du Rhône aux Pyrénées et aux Alpes-Maritimes. Leur composition sociale, à l'exception de quelques émigrés, ne différait guère de celle des comités révolutionnaires de l'an II. Les tribunaux spéciaux du Sud-Est condamnèrent surtout, à ce sujet, des paysans et des artisans. Les brigands royaux y correspondaient à l'ensemble de la population et ce mouvement était seulement dirigé par des prêtres ou des nobles. A la différence des bandes du Nord, nées de la misère, celles du Midi étaient fortement enracinées dans les régions où elles opéraient et nettement liées au refus de la conscription. Le Directoire s'en occupa peu parce qu'elle ne le gênaient pas militairement. L'Ouest était plus dangereux, en raison de la proximité de l'Angleterre, qui pouvait y armer les paysans. Aussi le gouvernement le plaça-t-il, dès la fin de 1795, sous le contrôle du général Hoche, bientôt à la tête de 100 000 hommes. Sa tactique de contre-guérilla réussit pleinement contre Stofflet et Charette. Les chouans ne surent profiter de cet engagement vendéen et leurs chefs se rendirent à leur tour. Mais cette pacification n'était que partielle puisque non accompagnée de satisfactions religieuses ou économiques. Les troupes républicaines, d'autre part, n'étaient pas encore complètement disciplinées et devaient toujours se fournir sur le pays [1].

La victoire de Hoche stabilisait pourtant la République, qui avait aussi besoin de succès contre l'Autriche et l'Angleterre. On sait que les premiers lui furent apportés, en Italie, par Bonaparte, qui ne disposait que de 30 000 hommes très pauvrement équipés et ressemblant plus à une horde de pillards qu'à une armée régulière. Elle réussit à s'emparer, pour se satisfaire, de la riche Lombardie, puis de l'Italie centrale, qui se révéla extrêmement lucrative pour le gouvernement comme pour les généraux. Victorieusement terminée en 1797, cette campagne fonda la légende de Bonaparte, qu'il aida lui-même à forger. Il donnait l'impression d'être enfin ce héros républicain qui mettrait un terme à la guerre. Sa victoire faisait aussi de lui un partenaire capital du jeu politique français.

La volonté stabilisatrice du Directoire le condamnait à s'opposer à la reconstruction progressive du mouvement jacobin. Il y parvint aisément grâce à l'affaire de la « conspiration des égaux », de Babeuf, qui lui permit de frapper toute l'opposition de gauche. Ce révolutionnaire marginal avait été un agitateur rural avant de devenir, en 1795, un adversaire du principe de la propriété privée. Cet ennemi des monopoles en était venu à proposer d'éliminer le marché et de lui substituer, en une génération, un système communiste de production et de distribution qui ferait disparaître la misère. Ce démocrate sincère s'accommodait ainsi d'une utopie autoritariste et bureaucratique. Mais sa tactique politique, en évoluant, lui fit adopter la doctrine du rôle dirigeant d'une minorité révolutionnaire d'avant-garde. Cela provint, en bonne partie, de l'attitude du Directoire envers les clubs. Leur rapprochement d'après Vendémiaire dura peu, car le premier avait besoin de montrer aux honnêtes gens qu'il s'opposait au désordre. Il interpréta en ce sens les tendances démocratiques d'un mouvement néo-jacobin pourtant loyaliste à son égard. Le gouvernement, au début de 1796, fit fermer des clubs, à Paris et en province, et épurer l'administration. Babeuf prépara alors une insurrection, aux objectifs très composites, et qui n'aboutit qu'à son arrestation le 10 mai. Cette affaire permit au Directoire d'emprisonner des centaines de jacobins en vue d'impressionner l'opinion. La répression n'entraîna d'ailleurs que l'exécution de Babeuf et d'un comparse, un an plus tard. Elle renforça plutôt, en déchaînant l'indignation d'une partie de la presse, le courant qu'elle voulait frapper.

La misère ouvrière explique en partie ce soutien au mouvement démocratique. Elle fut aggravée par une politique monétaire désastreuse et qui s'aliéna les riches comme les pauvres. L'héritage financier reçu par le Directoire était sans doute déplorable, en raison de l'effondrement de l'assignat et de la hausse des prix. Cette situation multiplia la paupérisation des masses et une mortalité qui doubla presque, dans les grandes villes, entre 1793 et 1796, par rapport à la situation d'avant la Révolution. Celle-ci eut donc pour principal résultat, en milieu urbain, la dépopulation. Le gouvernement tenta de remédier à cette catastrophe par un emprunt forcé sur les riches, qui dut être abandonné dès l'été 1796, et la substitution, aux assignats, de mandats territoriaux, qui se dévaluèrent encore plus vite qu'eux. Leur démonétisation intervint dès le début de 1797. Le Directoire, aux abois, semblait constituer une proie pour la contre-révolution.

Aussi s'orienta-t-elle de plus en plus vers une stratégie de subversion interne, dirigée, depuis 1794, à partir de Berne, par l'espion anglais Wickham. Elle n'avait d'abord abouti qu'au financement des bandes meurtrières de la Terreur blanche ou à l'achat, à l'automne 1795, de la conscience du timide général Pichegru, démis de son commandement six mois plus tard. Ces efforts furent réorientés vers l'obtention d'une victoire royaliste aux prochaines élections législatives. Les monarchistes modérés des instituts philanthropiques, qui possédaient, dans le Sud-Ouest, une organisation militaire clandestine et pouvaient entrer en contact avec les brigands royaux, les réfractaires et l'opinion populaire, reçurent de Wickham plus d'argent que le Directoire n'en disposa pour la campagne électorale. Ils finirent par être représentés dans une soixantaine de départements. Les députés conservateurs du club de Clichy comprenaient à la fois des républicains et toute une gamme, fort variée, de monarchistes. Il fut difficile de les accorder, en raison, notamment, de l'obstination réactionnaire du prétendant. D'où le caractère vague de la campagne de la droite, surtout servie par la faiblesse du Directoire.

L'électorat rejeta, en effet, les conventionnels sortants, en 1797 comme en 1795. Il n'y en eut que 11 de réélus sur 216, et la législature, après ces élections de mars, ne comprit plus qu'à peine un cinquième de régicides. Les royalistes gagnèrent la majorité des sièges et devinrent assez forts pour dominer les Conseils. Leur succès ne résulta nullement d'un large courant, puisqu'il y eut énormément d'abstentions : l'opinion des riches, seule à s'exprimer, était surtout hostile aux politiciens révolutionnaires éprouvés et préférait choisir de nouveaux venus. Le Nord et, en général, les régions les plus peuplées et développées votèrent le plus à droite. Elles avaient été les plus progressistes en 1789, ce qui signifiait que le régime avait perdu l'appui des élites. Il pouvait cependant encore combattre des adversaires divisés, même après que Barthélemy, nouvel élu, et Carnot eurent formé, au Directoire, une minorité conservatrice. Les royalistes des Conseils, dans l'attente de 1798, firent prendre des mesures en faveur des émigrés et des réfractaires et pratiquèrent l'obstruction en matière financière. Devant l'étendue de la subversion interne, Barras, Reubell et La Révellière (qui vont rester maîtres du pouvoir jusqu'au printemps 1799) se décidèrent à agir contre leurs collègues et les députés. Ils firent venir des troupes à Paris en violation de la Constitution et modifièrent le ministère à leur convenance. Leurs adversaires avaient maladroitement attaqué les armées et leurs généraux (qui devinrent un rempart de la République) sans s'entendre sur les précautions à prendre pour leur sécurité.

Le coup d'État du 18 Fructidor (4 septembre 1797) fut la rançon de leurs divisions et inaugura un tournant à gauche qui dura six mois. Les troupes loyales permirent d'épurer 2 directeurs, de déporter 53 députés, d'annuler les élections dans 49 départements, d'arrêter 32 journalistes et d'interdire 42 journaux. La purge s'étendit à l'administration provinciale, qui s'était révélée impuissante à empêcher les manifestations contre-révolutionnaires. Cette épuration fut beaucoup plus systématique qu'en l'an II. La Terreur de l'an VI ramena souvent aux affaires locales des jacobins munis d'une longue expérience politique. C'était, de la part du Directoire, un essai de bureaucratisation des autorités locales qui sera poursuivi par Bonaparte. Le nouveau régime visa aussi les émigrés et les réfractaires, mais une loi privant les ex-nobles de leur citoyenneté ne fut pratiquement pas appliquée. S'il n'y eut, en tout, que quelques centaines d'exécutions, une administration revigorée put davantage pacifier le pays. Cette restauration de l'ordre, face aux « brigands », fut naturellement relative, dans le Midi et l'Ouest en particulier. Mais le gouvernement en profita pour consolider ses finances aux dépens des rentiers. Il organisa, en 1798, la conscription par tirage au sort. La guerre, cependant, se poursuivait avec

> l'Angleterre, tandis qu'elle risquait de se ranimer sur le continent, malgré le traité de Campoformio, signé avec l'Autriche en octobre 1797. Comment un régime aussi privé d'appui dans la nation pourrait-il lui demander de nouveaux sacrifices ? Ce vide, à la fois social et politique, du Directoire fut la principale cause de sa chute [2].

Ce jugement de Donald Sutherland reprend une tradition historiographique toujours combattue par des efforts pour réhabiliter une République constitutionnelle destinée à une lamentable faillite. On a voulu, en effet, rendre justice à un Directoire calomnié par Bonaparte, dont il avait en partie préparé l'œuvre. Mais au moment où ce régime ne survivait que grâce à des illégalités, avant de disparaître peu glorieusement, les États-Unis créaient, au sortir de leur Révolution, une République appelée à se prolonger sans coupure jusqu'à aujourd'hui. Or ils ne manquèrent pas, au cours des années 1790, d'affrontements violents ou de luttes acharnées, et de graves décisions, en particulier lors d'élections nationales, y furent prises à une majorité fort étroite. Jacques Godechot a expliqué ce contraste par le poids des circonstances et, notamment, de la guerre extérieure. On verra aussi que des historiens anglo-saxons insistent sur l'incapacité française à institutionnaliser un régime de partis, nécessaire à la vie démocratique mais condamné par les mythes d'unité toujours dominants depuis 1789. On peut d'ailleurs se demander, avec Jean-René Suratteau, si l'expérience du Directoire n'échoua pas, tout simplement, parce que la majorité des Français demeurait, surtout pour des raisons religieuses, attachée à la monarchie. Donald Sutherland ne dit pas autre chose. L'apport essentiel de la Première République, selon Clive Church, se situe sur le terrain administratif. Il n'avait pas connu de réformes réelles jusqu'en 1792, malgré les efforts de Necker et parce que les débuts de la Révolution, tout en accroissant le personnel et en supprimant la vénalité des offices, n'avaient créé ni uniformisation des carrières, ni régularisation des traitements, ni contrôle parlementaire des employés de l'État. Le gouvernement révolutionnaire rompit avec cet état de choses en multipliant la bureaucratie ou le contrôle du pouvoir central et en esquissant une première définition des carrières. Le Directoire renforça ces tendances en rationalisant et rendant plus formel et professionnel, mieux hiérarchisé, organisé et rattaché au service de l'État, un travail administratif plus efficacement contrôlé. La grande nouveauté politique de la Première République réside dans la naissance de cette bureaucratisation de l'appareil dirigeant ; invention de régimes d'exception, elle leur survécut, malgré l'opposition de nombreux secteurs de la société, comme une partie constitutive de la nouvelle élite[3].

Le Directoire n'en parvint pas, pour cela, à stabiliser le pays dans le cadre d'un régime constitutionnel. Proclamant le nouveau règne de la loi et de l'ordre, il s'en déclarait le garant et le protecteur face aux groupes qui se partageaient l'opinion. Mais il lui fut difficile de concilier, en la matière, libéralisme et efficacité. Héritier d'une époque de troubles et de violences, il ne réussit pas à les faire disparaître. Les campagnes, pleines de réfractaires et de déserteurs, échappaient à son contrôle. Le gouvernement, par manque de moyens et d'agents sûrs, n'y était ni écouté ni obéi. L'impuissance de son administration locale paralysa un premier Directoire affronté à des paysans royalistes insurgés contre des villes jacobines. La France révolutionnaire offrait le curieux spectacle d'un État en train de conquérir une partie de l'Europe tout en ne parvenant pas, chez lui, à enrayer l'anarchie et l'opposition. La majorité du pays ne souhaitait le retour ni des émigrés ni des terroristes. Elle voulait simplement celui de l'ordre et de la tranquillité. Le Directoire ne put les lui apporter, parce qu'il exprimait, comme les régimes précédents, le seul point de vue de la nation politique, étranger à la masse du peuple. Ce point de vue était, de plus, fragmenté en une infinité de situations locales que le gouvernement ne parvint pas à dominer. Son incapacité à imposer une conscience des intérêts communs décida de son sort malgré les progrès administratifs réalisés après Fructidor. Il n'appartint qu'à Bonaparte de prouver qu'il était à la fois issu de la Révolution et supérieur à elle[4].

Les résistances qu'elle rencontra dans l'Ouest se rattachèrent encore plus à une civilisation rurale, demeurée étrangère à l'esprit des Lumières. Les victoires de Hoche y transformèrent la République en une puissance occupante et coloniale, tenue, par la population locale, comme responsable de ses malheurs. Les paysans n'en désiraient pas, pour cela, le retour de la monarchie, au grand désespoir des émigrés qui ne les comprenaient pas mieux que les révolutionnaires et les trouvaient aussi égalitaires que les jacobins. Leur insurrection spontanée avait été celle d'un peuple hostile à l'ensemble des élites. Ils refusaient, dans la Révolution, un processus urbain et bureaucratique de modernisation et de centralisation. Elle était, pour eux, la cause angoissante de l'invasion de l'anormal dans la vie traditionnelle de leurs communautés. D'où leur renvoi aux enfers du prêtre constitutionnel, cet intrus, et leur attachement, dans le bocage, à des curés, inséparables de leur conception de l'ordre et du réel[5].

On voit la profondeur des origines sociales d'un mouvement qui entraînait, alors, tant de Français à se révolter contre la République. Le réveil religieux enregistré sous le Directoire en fut la traduction culturelle. Elle se situe beaucoup moins au niveau d'un clergé souvent dépassé qu'à celui d'un peuple catholique animant la résistance à la déchristianisation. Les femmes étaient à sa tête, avides de sacrements et défendant les rites ancestraux. En l'absence de prêtres, le culte redevint familial et les baptêmes clandestins furent parfois célébrés par des laïcs. Les messes se disaient dans les grottes et les caves, tandis que les pèlerins continuaient à fréquenter les chapelles. La lutte ouverte recommença à faire fleurir les croix, en même temps qu'elle appuyait l'action des réfractaires. Pendant tout le Directoire, une immense pression populaire, de Marseille à Lille, assiège les autorités en vue de rétablir le culte public. Rurales ou urbaines, de vastes processions s'adressent, de l'Ouest à l'Est, à une Vierge que la Révolution n'avait pas détrônée. Les fidèles maintenaient leur foi malgré les persécutions officielles. Ils pressaient les curés de rentrer ou fondaient des congrégations. Une fontaine miraculeuse pouvait, en Moselle, les attirer par milliers. En beaucoup de régions, la Révolution laissera surtout à la mémoire collective le souvenir des martyrs qu'elle avait causés. On s'était d'ailleurs persuadé, dès cette époque, de la punition surnaturelle des déchristianisateurs les plus coupables. L'aspiration religieuse des masses fut peut-être, sous le Directoire, le plus fort des sentiments nationaux[6].

Le jeu politique officiel ne se déroulait ainsi qu'à la surface des choses. La presse le reflétait, en sa clientèle étroite et son idéologie abstraite, même lorsqu'elle visait les militaires. Elle exprima aussi ce qui restait du militantisme républicain, *d'abord anticlérical.* Isser Woloch a évoqué cette persistance, sous le Directoire, du mouvement jacobin dans le milieu patriote de la petite bourgeoisie urbaine. Il a suivi l'action de propagande de ses clubs, et surtout de ses journaux, qui ne parvinrent pas à infléchir le régime dans un sens démocratique. Ils avaient sans doute peu de chose à voir avec Babeuf et représentaient l'attitude politique d'une minorité, fermement antiroyaliste. Ses inutiles succès électoraux de 1798 et 1799 montrent qu'elle bénéficia d'un certain écho au sein de l'opinion. Ce n'avait pas été le cas de la conjuration des égaux, transformée depuis en une préfiguration du communisme du XXe siècle. Richard Andrews a montré son enracinement dans le Paris des débuts du Directoire, où policiers et conspirateurs étaient les héritiers communs de l'époque terroriste. Le souvenir de cette sourde complicité passée pesa sur l'élaboration et la répression d'un mouvement clandestin, issu d'une bureaucratie jacobine appelée, on l'a vu, à se perpétuer au pouvoir par d'autres moyens et au nom d'un autre esprit. Les babouvistes reflétèrent moins l'aspiration à un monde nouveau que le rétrécissement du militantisme révolutionnaire parisien après les déceptions de l'an III. Ils ne parvinrent pas, notamment, à attirer les anciens potentats révolutionnaires du faubourg Saint-Antoine, maintenant pleinement retirés des affaires politiques. Leurs exigences de survie ne comprenaient plus, après le temps de la lutte et de la gloire, cet appel à une épopée inutile. La conjuration, privée de bases sociales et minée par le quadrillage policier, tomba comme un fruit mûr dans ses filatures. Elle fut l'objet, de sa part, d'un amalgame habituel entre anarchie, royalisme et trahison. Œuvre de déracinés dont l'idéologie n'était plus qu'une survivance insolite, elle n'eut rien à voir avec le socialisme de l'avenir. Née du désespoir devant la faillite de la Révolution, elle en eut toute l'impuissance, comme le reconnut, en 1797, Buonarroti, avant de transfigurer, trente ans plus tard, cet événement en un mythe fondateur[7].

Le coup d'État de Brumaire était-il fatal ?

La République ne put survivre qu'en violant sa Constitution. Après Fructidor, les institutions représentatives ne pouvaient fonctionner normalement, puisque les électeurs s'étaient montrés favorables à la contre-révolution. Il restait donc au Directoire à résoudre seul les problèmes de la nation, ce à quoi il parvint en partie, on l'a vu, sur le plan de l'ordre intérieur et de la paix extérieure. Mais il ne réussit ni à se stabiliser ni à s'entendre avec l'opinion. Elle se détourna de plus en plus du régime, qui fut contraint, en 1799, devant la reprise de la guerre, à demander de nouveaux sacrifices au pays. Il les refusa, tandis que la subversion et l'instabilité réapparaissaient. Maître de son administration, le gouvernement ne le fut pas de son armée, qui, après avoir sauvé les thermidoriens à plusieurs reprises, contribua à la chute d'un régime que personne ne défendait.

Ces difficultés étaient apparues dès les élections de 1798, qui, en raison de l'épuration effectuée en fructidor, portèrent sur plus de 400 députés. Un nouveau succès royaliste étant à craindre, il fut décidé que les législateurs sortants valideraient les nouveaux. Le spectre d'une victoire jacobine vint compliquer la situation, malgré les efforts du Directoire pour s'assurer de bonnes élections. Il mit vainement en garde les électeurs contre le double danger de droite et de gauche, supprima onze journaux jacobins, ferma une trentaine de clubs et plaça en état de siège plusieurs villes ou départements. Cette répression fut incomplète et les jacobins conservèrent souvent un important rôle local. A Paris, leurs journaux continuèrent à demander une démocratisation du régime, tandis qu'en province leurs clubs se méfiaient de la contre-révolution. Dans cette entreprise de défense républicaine, ils différaient du Directoire, auquel ils reprochaient ses tendances oligarchiques. La composition sociale de ces jacobins rappelait celle des anciennes sociétés fraternelles et de leur milieu artisanal. Ils abritaient des vétérans de l'ensemble du mouvement révolutionnaire.

Les élections furent marquées par de très nombreuses abstentions et la fréquente scission des assemblées électorales en groupes antagonistes. Les jacobins, malgré leur poussée, ne réussirent pas à rassembler plus du tiers des députés. Le Directoire, de plus, annula l'élection de ceux qui, parmi les contestés, lui semblaient défavorables. Il exagéra l'importance du nombre des terroristes élus pour annuler une centaine de résultats. Cette curieuse application du système parlementaire avait pour unique but de consolider le pouvoir. Le gouvernement considérait de son devoir d'interdire à l'opposition toute possibilité de succès. L'opinion interpréta cette manœuvre comme une incitation au relâchement de l'anticléricalisme institué en fructidor. Mais le Directoire était résolu à frapper l'ensemble de ses adversaires, jacobins ou conservateurs. Il encouragea les cérémonies de son culte décadaire, avatar de la déchristianisation, comme un antidote au catholicisme. Ses succès furent limités, et sa base sociale demeura étroite.

Le régime commit l'erreur de céder à la tentation de l'exploitation de ses conquêtes, à laquelle le poussaient les fournisseurs, si influents dans les cercles officiels. Elle entraîna une désastreuse reprise de la guerre et, avec elle, un retour à l'instabilité et une paralysie institutionnelle. Commencé, on l'a vu, de façon fort légère, le conflit entre la France révolutionnaire et l'Europe se révéla interminable. Campoformio n'y mit pas fin, parce que le Directoire, comme ses prédéces-

seurs, voulait exiger des peuples « libérés » contributions et réquisitions, pour l'entretien, notamment, de l'armée d'occupation. Probablement inévitable, cette politique s'accompagnait d'un effort pour établir l'hégémonie économique française. Elle s'étendit avec les victoires militaires et l'expansion territoriale. La Hollande, la Belgique, la Rhénanie en furent ruinées et l'Italie transformée en marché protégé. Ce pillage, peu fraternel, créa de nombreuses rébellions, car le Directoire était incapable de contrôler son propre personnel. L'occupation de la Suisse et de Rome, dans la première moitié de 1798, illustra ce mélange de stratégie et d'avidité. Il s'agissait, dans le premier cas, de faire pression sur les Autrichiens et de s'emparer d'importants trésors. Des troupes allèrent, en conséquence, appuyer des insurrections de patriotes helvétiques. Il s'ensuivit un soulèvement des cantons catholiques et une exploitation généralisée dans le cadre des contributions de guerre. De semblables phénomènes se produisirent lors de la proclamation de la République romaine. Bonaparte alla, pendant ce temps, combattre l'Angleterre en Égypte, où la destruction de sa flotte l'enferma avec son armée. La deuxième coalition en résulta et, avec elle, la ruine du Directoire. Après la Turquie et les Napolitains qui prirent Rome en novembre, la Russie déclara la guerre à la France en décembre. Les hostilités reprirent avec l'Autriche au début de 1799. Le Directoire en profita d'abord pour reprendre Rome puis fonder une nouvelle République à Naples. Le Piémont fut à son tour occupé (et annexé), avant la Toscane, tandis que le pape, fait prisonnier, allait mourir en France. Il devint, dans ces conditions, de plus en plus difficile au gouvernement de contrôler ses généraux et ses financiers. Ses commissaires, qui le tentèrent, se heurtèrent à une armée qui voulait profiter de la guerre et dont les chefs entrèrent en conflit avec le Directoire dans le contrôle des Républiques sœurs[1].
Ces luttes interdirent à Paris de s'appuyer sur des généraux au moment où la crise nationale s'aggravait. Jacobins et réactionnaires plus ou moins camouflés constituaient une opposition puissante. Le Directoire ne pouvait pas compter sur une majorité automatique au sein d'une législature composée de fonctionnaires

qui avaient surtout peur du retour de l'Ancien Régime. Ils déploraient de mauvaises nominations ou l'étendue de la corruption, recommandaient la justice fiscale. Les élections du printemps 1799, moins marquées par l'intervention gouvernementale, le furent encore plus que d'habitude par l'abstention. Elles continuèrent à rejeter les candidats officiels ou les politiciens éprouvés et signifièrent, surtout, le refus du régime. Sieyès y remplaça Reubell, tandis que les questions se pressaient sur les mécanismes financiers du Directoire. Son nouveau membre était partisan, comme d'autres, de la révision de la Constitution et du renforcement de l'exécutif. L'influence qu'il acquit, avec ses amis, prouve simplement la perte de prestige du gouvernement.

Elle fut accrue par les échecs militaires en Italie, où un soulèvement éclata dans le Nord. Le Dauphiné et la Provence se trouvaient menacés par une campagne dont les moyens n'avaient pas correspondu aux objectifs et où les généraux s'étaient conduits sans discipline. Les querelles entre Alliés sauvèrent la France, tandis que la lutte des factions se déployait à Paris. Les défaites y accrurent la condamnation de la corruption officielle, à laquelle on les attribua, comme d'habitude. Cette offensive jacobine, dans les Conseils et la presse, aboutit à l'épuration partielle du Directoire avec l'appui des amis de Sieyès. Elle correspondit à une influence grandissante de l'armée sur la politique intérieure. Les jacobins obtinrent, en juillet, le vote d'une loi des otages par laquelle des parents de suspects pourraient être déportés ou tenus pour financièrement responsables en cas de troubles dans certains départements. Cette mesure avait été précédée d'un emprunt forcé sur les riches, destiné à financer l'appel simultané de cinq classes de conscrits. Il y eut, en fait, près de 40 % de déserteurs, ce qui renforça les bandes de brigands, encouragées par les royalistes. Cette résistance des jeunes fut facilitée par la complicité ou l'impuissance des autorités locales. Une semblable situation annula les effets de la loi des otages et de l'emprunt forcé, qui n'aboutirent qu'à accroître l'impopularité du gouvernement. Comme de 1791 à 1793, ses mesures de répression entraînèrent, dans les départements de l'Ouest les plus touchés, une sanglante riposte. Les adversaires parisiens des jacobins leur imposèrent silence, dès août, en fermant leur club et en repoussant leur mise en accusation des directeurs. Ceux-ci ne s'en relevèrent pas, pour autant, dans l'opinion.

Le danger contre-révolutionnaire risquait de donner une nouvelle chance à l'offensive jacobine. Il se présenta, en 1799, sous sa forme habituelle de la combinaison entre la subversion interne et l'invasion étrangère. Les instituts philanthropiques s'étaient réorganisés, l'année précédente, sous une direction lyonnaise, mais ils étaient très étroitement surveillés. Le vaste mouvement royaliste, à travers le Midi, était incontrôlable en ses bandes nourries par la désertion. Ses dirigeants avaient de la peine à assurer leur liaison, leur armement et leur coordination. Le soulèvement qui intervint dans la région de Toulouse, au cours de l'été, fut prématuré. Il impliqua plus de 30 000 rebelles mais échoua devant la contre-attaque républicaine, qui en tua 4 000. Il s'agissait souvent de petits paysans de la vallée de la Garonne, hostiles au protestantisme et frustrés par une Révolution bourgeoise.

L'avance alliée leur avait donné beaucoup d'espoir, mais les Austro-Russes furent battus, près de Zurich, le 25 septembre, tandis que le débarquement anglo-russe en Hollande se terminait par une piteuse retraite. Malgré ces succès, la vie politique française continua à se détériorer. Pendant que le Directoire s'en prenait aux journaux d'opposition, les jacobins proposèrent vainement de faire déclarer la patrie en danger comme en 1792. Leur échec ne les empêcha pas de rester menaçants. Ils célébrèrent le retour personnel de Bonaparte, le 9 octobre, comme celui d'un héros républicain. Les modérés le glorifiaient aussi et l'on ne pensait pas qu'il allait intervenir ouvertement dans le jeu politique. Son prestige, au titre de chef victorieux, était immense et il incarnait la popularité encore attachée, dans certains secteurs de l'opinion, à l'expansion, par la force armée, des idées de la Révolution. Il était naturellement aimé des militaires, qui se considéraient comme le dernier bastion de la démocratie et le garant de la régénération nationale. Mais Bonaparte avait beaucoup de contacts avec l'élite politique et intellectuelle. Ses collègues de l'Institut, en particulier, rêvaient d'un gouvernement à la fois éclairé et efficace. Le général établit, par eux et ses frères, des liens avec la faction de Sieyès. Cette coalition s'appuyait sur des députés modérés ou nouveaux venus contre les jacobins. Elle était animée par la volonté de réviser la Constitution dans un sens favorable au pouvoir exécutif et pensait pouvoir le faire dans une quasi-légalité. Le Conseil des Anciens fut averti, le 18 brumaire (9 novembre), d'un horrible complot jacobin, et des premières mesures, indispensables au coup qui se préparait, furent prises. Mais, le lendemain, à Saint-Cloud où les députés avaient été convoqués, l'autre Conseil s'avisa de vouloir défendre la Constitution et traita Bonaparte de tyran. Heureusement pour lui, son frère Lucien, qui présidait, demanda à la garde de disperser les députés sous la « protection » des soldats de Murat. Un Parlement croupion nomma, dans la nuit, un Consulat provisoire de trois membres, dont Bonaparte et Sieyès, et deux commissions législatives chargées d'établir une nouvelle Constitution.

Celle de l'an III s'écroulait, selon Donald Sutherland, parce que le groupe dirigeant qu'elle avait favorisé, et qui l'avait créée, ne fut jamais accepté par le pays. Il était composé de conventionnels qui s'étaient toujours refusés à abandonner le pouvoir, depuis 1792, même lorsque les électeurs voulaient les en chasser. Leur conception du salut de la Révolution avait constamment été, à leurs yeux, supérieure aux considérations de légalité. Cette élite politique ne disposait d'aucun appui dans le pays légal, qui ne laissa plus en place, en 1799, que 12 % des conventionnels et 5 % des régicides. Composé des plus riches Français, il refusait en eux des gouvernants trop portés aux aventures et aux exigences. L'abstentionnisme des électeurs résultait de leur dégoût des manœuvres politiciennes. Cela était apparu dès l'an III et s'aggrava régulièrement par la suite. Les jeunes préféraient la désertion devant l'armée au service civique. Les nouveaux élus, en revanche, étaient vraiment, sur le plan national, des hommes nouveaux, émanant de la politique locale mais indépendants du gouvernement. S'ils remplacèrent les conventionnels, ils appartenaient au même milieu social et partageaient

> leurs convictions. Leur expérience administrative, qui remontait souvent à 1790, les avait amenés à suivre tous les tournants de la Révolution, sauf peut-être celui de l'an II. Anciens militants du tiers état ou premiers responsables des départements, ils finiront par servir Bonaparte, qui répondra à ce qui avait justifié leur carrière, à savoir l'aspiration à un gouvernement d'ordre mais respectant les principes de 1789. Leur refus provisoire d'une monarchie constitutionnelle tenait aux liens conservés entre l'idée royaliste et celle de contre-révolution. Mais ils se méfiaient tout autant d'un jacobinisme agressif et hostile aux riches. D'où leur choix, en brumaire [2].

Les travaux récents relatifs aux origines de ce coup d'État tournent autour de trois thèmes : son environnement extérieur, l'importance du danger contre-révolutionnaire et les contradictions du jeu politique officiel.

Sur le premier point, T.C.W. Blanning a rattaché la reprise de la guerre, en 1798, aux insuffisances de Campo-formio, considéré, à Paris ou à Vienne, comme une simple trêve. L'expansionnisme français le confirma et ébranla, plus que tout, une paix fragile. Le Directoire répéta, à cet égard, les erreurs des brissotins et l'expédition d'Égypte entra dans ce cadre. La Russie finit par se sentir menacée et entra vraiment, pour la première fois, dans la guerre contre la Révolution. Cet appui détermina la rentrée de l'Autriche dans le conflit. La République devait le soutenir après avoir, à plaisir, multiplié ses ennemis et dispersé ses forces. Mais la guerre était devenue, pour elle, une condition normale de son existence. Le Directoire en avait besoin pour occuper ou entretenir son armée et justifier sa survie. Reubell se félicitait, au début de 1799, d'être à la tête d'une nation martiale dont les conflits étaient l'élément. Il fut donc normal qu'elle se donnât, avant la fin de l'année, à un général. L'expansionnisme révolutionnaire restait ainsi, au bout de dix ans, le principal facteur d'instabilité politique en Europe. Il poussait les successeurs des girondins à vouloir aller jusqu'en Inde ou en Russie. Ce réveil de la puissance française était, à l'extérieur, le principal résultat de la Révolution. Elle avait conféré à ses défenseurs un sens de leur invincibilité qui tenait à leur conviction en la supériorité absolue de leurs principes. Ce vertige les amena souvent à sous-estimer leurs adversaires[3].

La stratégie militaire du Directoire au cours de la campagne de 1799 accumula d'abord les erreurs en recommandant à ses généraux des attaques simultanées, le long d'un front immense, et contre des ennemis supérieurs en nombre. De graves défaites en résultèrent. Ce désastre, qui menaçait la France d'une invasion, ne put être immédiatement compensé en raison de fautes tactiques des généraux. Une victoire décisive fut seulement remportée, contre la coalition, au début de l'automne, lorsque les plans de contre-offensive du nouveau ministre de la Guerre, Bernadotte, furent convenablement appliqués par Masséna en Suisse et Brune en Hollande. Ce renversement de situation, même tardif, témoigne, de la part du Directoire, d'une compétence stratégique qu'on ne lui reconnaît pas toujours[4].

Jacques Godechot avait peint, dès 1961, ce « grand assaut contre-révolutionnaire » de 1799. Il vient d'en reprendre l'étude de l'élément toulousain, où une insurrection royaliste, exploitant l'existence de nombreux « maquis » de déserteurs, faillit s'emparer de la ville au début d'août. Ce ne fut pas, cette année-là, le seul soulèvement populaire qu'ait eu à affronter la République. Des îles Ioniennes à la Bretagne, des paysans se levèrent alors en masse contre la Révolution. En Calabre, leur hostilité à la bourgeoisie napolitaine, portée au pouvoir par une armée étrangère, naquit de celle qu'ils nourrissaient envers une féodalité que le nouveau régime n'abolissait pas assez vite. Leur mécontentement fut attisé par l'habile cardinal Ruffo, qui leur promit des terres et le pillage des biens des jacobins. Ce mouvement sanfédiste fut donc dirigé, au nom de la contre-révolution, contre les riches, comme on le vit lors de sa prise de Naples en juin. Il entraîna, pendant de nombreuses années, une véritable anarchie agraire et le début d'un brigandage séculaire. Il se propagea aussi en Italie centrale, où les paysans se soulevèrent en mai et brûlèrent des juifs à Sienne en juin. Leurs frères des îles Ioniennes allaient causer des massacres analogues, en octobre, pour aider les Russes et les Turcs à chasser les Français. Des insurrections reprirent également, en Suisse, contre leurs troupes, notamment dans les Grisons et le Valais; elles furent brutalement réprimées. La Rhénanie et la Hollande s'agitaient aussi. En France même, à côté de l'insurrection du Sud-Ouest, l'Ouest bougea encore plus gravement. Les chouans, en octobre, prirent un moment Le Mans, Nantes, Saint-Brieuc[5].

On voit l'étendue d'une révolte qui, sur le territoire national, signifiait le refus du régime républicain par de nombreuses régions d'obédience catholique. En Italie, terre d'élection de la contre-révolution populaire, le mouvement sanfédiste, selon John Davis, fut peut-être moins une guerre sociale qu'une guerre civile, où d'innombrables rivalités entre communautés, catégories, régions ou factions furent ravivées par l'intervention française et le mouvement révolutionnaire qu'elle avait déclenché. Des oppositions d'intérêts, liées à toute l'évolution précédente, y éclatèrent violemment à cette occasion. Elles inscrivent la contre-révolution napolitaine dans l'ensemble de la crise séculaire du Mezzogiorno. Dans les campagnes françaises, même là où, comme dans le pays de Caux, il n'y eut pas de soulèvement antirépublicain, Guy Lemarchand a noté le profond incivisme des paysans à l'égard de la défense nationale ou de l'idéologie officielle. Ils se détournaient massivement du régime, comme le montrent leur abstentionnisme électoral, leur indifférence politique et leur attachement au catholicisme. Alan Forrest a généralisé, dans l'Ouest, cette hostilité du monde rural, éclatante à propos des jeunes insoumis ou des prêtres réfractaires, envers un État centralisateur et interventionniste qui dérangeait les habitudes des villageois et heurtait leurs sensibilités. Leur esprit d'autarcie se méfiait d'un pouvoir étranger à leurs traditions et à leur mentalité[6].

L'échec de la République libérale surimposée par la bourgeoisie révolutionnaire à cette France profonde n'a sans doute pas d'autre cause. Lynn Hunt, en compagnie de

David Lansky et Paul Hamson, s'est attachée à le préciser en tentant d'éclaircir la signification du 18 Brumaire. Ces auteurs ont remarqué que Bonaparte ne s'y empara du pouvoir que lorsque la majorité des députés eurent renoncé au gouvernement parlementaire. Sa dictature, par la suite, utilisa une bonne partie des structures bureaucratiques et du personnel administratif dont elle héritait. Loin de s'instituer dans un vide politique, elle fut provoquée par une incitation à intervenir en provenance de révisionnistes qui préféraient les incertitudes de l'autoritarisme aux ambiguïtés du régime. Celui-ci ne sécréta aucune riposte à cette entreprise. Elle a été classiquement expliquée par la peur sociale des notables devant la recrudescence du jacobinisme. Mais celui-ci, on l'a vu, avait été battu avant Brumaire. L'apathie politique, d'autre part, n'aurait-elle pu permettre, justement, une prolongation sans histoire de la République ? Lynn Hunt et ses collaborateurs relient plutôt sa chute à la contradiction fondamentale de son fonctionnement. Ce système représentatif, en effet, associé à des élections fréquentes, refusa d'admettre l'existence de partis organisés indispensables à sa survie. Les républicains qui le dirigeaient s'opposèrent, par là, au principe même du libéralisme politique. Hostiles à la reconnaissance d'une opposition organisée, ils ne furent pas capables de mettre sur pied un parti à la fois anti-aristocratique et antipopulaire qui les servirait. Ils en restaient au mythe révolutionnaire originel d'une communauté civique fraternelle, étrangère aux factions. Cette idéologie s'était perpétuée, depuis 1789, en dépit de l'existence de partis auxquels on ne reconnaissait pas le droit de cité. Ils étaient censés s'opposer aux intérêts supérieurs de la nation, en tant que facteurs égoïstes de mobilisation de telle ou telle classe. Pourtant, sous le Directoire, une gauche, un centre et une droite existèrent bel et bien à propos des problèmes qui se posaient. Mais ils ne réussirent jamais à s'organiser de manière claire et légalement reconnue. La Constitution de l'an III semblait l'interdire. L'étude des députés du Directoire conduit à préciser les contours de ces regroupements. Ils manquaient certainement de cohérence interne et d'appui au sein de la nation. Les jacobins de 1799 commençaient, cependant, à se présenter devant l'opinion en tant que parti organisé. Ils proposaient une République admettant la légitimité des divisions officiellement reconnues et la légalité d'une opposition loyaliste. Leurs ennemis, qui l'emportèrent en brumaire, se refusaient à un pareil système, qu'ils identifiaient à un esprit de faction. Le Directoire s'écroula ainsi non parce qu'il était trop faible, trop isolé ou trop divisé, mais parce que ses dirigeants finirent par préférer l'établissement d'une dictature autoritaire à la création, comme aux États-Unis, d'un système de partis. Ses manipulations électorales et parlementaires, nées de ce souci, minèrent le régime en propageant l'indifférence et l'abstention. Elles favorisèrent l'arrivée au pouvoir d'administrateurs locaux, révolutionnaires convaincus mais peu dévoués aux principes républicains et qui se satisferont volontiers, comme l'ensemble de l'élite française, de l'orientation technocratique et apolitique due à Bonaparte[7].

Pendant ce temps, les derniers sans-culottes parisiens, artisans ou commerçants, continuaient une lutte sans espoir. Raymonde Monnier a étudié leur résistance démocratique à la République bourgeoise malgré la lassitude et la répression de l'an III. Ces militants révolutionnaires soutinrent, au début du Directoire, l'agitation babouviste, puis réussirent à maintenir un esprit de conspiration tout en se renouvelant quelque peu. Après Fructidor, ils appuyèrent la réorganisation néo-jacobine, qui servit d'épouvantail aux modérés. Contraint à la clandestinité sous le Consulat, ce petit groupe symbolise le rétrécissement d'un grand mouvement, désormais isolé du milieu populaire lui-même[8].

III

Des changements décisifs ?

9

Un nouvel État ?

La Révolution, au lieu du régime libéral rêvé par ses initiateurs, aboutit à l'instauration de la dictature de Bonaparte. Les historiens ont cherché à doser, dans ce résultat décevant, la part des responsabilités, qu'il s'agisse de la mentalité des brumairiens et de leur peur sociale, du poids des circonstances et des oppositions ou de celui de l'ambition propre au futur Napoléon Ier. Ils sont d'accord pour noter le renforcement qu'il apporta à la centralisation administrative dont il héritait, mais se divisent sur la continuité plus ou moins grande qui la rattache à l'Ancien Régime. Quant au nouveau, réussit-il enfin, comme le souhaitaient les auteurs de Brumaire, à mettre un terme aux diverses oppositions qui s'affrontaient au sein de la nation ?

Pourquoi la Révolution française a-t-elle abouti à l'établissement d'une dictature personnelle ?

Louis Bergeron, dans sa présentation de l'œuvre politique intérieure de Bonaparte, en a signalé l'ambiguïté fondamentale : dernier des despotes éclairés, il fut en même temps le fondateur du système rationnel et unifié qui nous gouverne toujours. Du point de vue national, il apporta à la France l'ordre et la stabilité qui lui manquaient depuis 1789. La souveraineté, du coup, se transféra entièrement sur lui et le prix à payer pour la fin de l'anarchie fut celle des libertés. Son régime méprisa les avis de l'opinion éclairée et leur préféra l'action omniprésente de sa police. Sans fonder une dictature militaire ni une monarchie classique, il établit un type nouveau de pouvoir concentrant l'autorité dans les mains d'un homme attaché à la modernisation de l'État et de la société. Ce fruit imprévu de la Révolution s'entoure d'un très grand nombre de collaborations indispensables, dues à des administrateurs compétents. Mais cet exécutif n'a ni sens ni valeur en dehors du maître. Son élévation à la monarchie, due à la nécessité de vaincre le danger royaliste en lui empruntant ses séductions, ne changea rien d'essentiel à un système dont les formes artificielles reposaient d'abord sur l'assentiment des élites [1].

Donald Sutherland vient de reprendre le problème des origines de cette construction politique ambiguë en la rattachant aux conditions dans lesquelles elle apparut. Les brumairiens, qui annonçaient leur volonté de créer un gouvernement fort, restèrent en fait longtemps à la tête d'un État faible. Leur restauration d'un ordre intérieur dépendit toujours d'une victoire militaire. Ils eurent aussi besoin d'un compromis avec la contre-révolution populaire représentée par l'Église catholique. D'où la transformation d'un pouvoir, voulu d'abord, par les auteurs du coup d'État, indépendant des députés ou de la nation et maître absolu de l'administration et de la justice, en une dictature personnelle. L'ambition propre à Bonaparte aurait donc joué un rôle secondaire dans ce processus. Elle visait plus la postérité que le trône. Ce fut, pendant toute son existence, un opportuniste consommé et un manipulateur-né des sentiments des autres. Ce sceptique se servit de la religion, et cet homme des Lumières réintroduisit l'arbitraire, parce qu'il en eut besoin. Il ne se servit jamais de la violence qu'en raison de son utilité. Son mépris pour l'humanité vint autant de son art à l'utiliser que de sa conscience de l'immensité de ses propres dons.

Il souhaita asseoir l'autorité de son gouvernement par opposition aux factions. La première visée fut celle des jacobins, dont les mesures furent annulées, tandis que Bonaparte promettait aux banquiers l'ordre et la paix sociale. Il empêcha Sieyès de faire déporter trop d'hommes de gauche et commença à adoucir le sort des parents d'émigrés. Cette volonté conciliatrice s'accompagna d'un très fort autoritarisme, que la Constitution de l'an VIII refléta. Si elle garda, des idées de Sieyès, la diminution du rôle des élections, elle s'opposa à toute paralysie de l'exécutif. Bonaparte, nouveau Premier Consul nommé pour dix ans, en devint le maître absolu, délivré de tout contrôle et aidé des experts administratifs du Conseil d'État. L'accueil réservé de la nation à ce projet, qui fut soumis à son approbation, montra l'étendue de la dépolitisation survenue depuis 1793 : il y eut 400 000 abstentions de plus qu'à ce moment et 20 % seulement d'électeurs à Paris ou Toulouse. Le régime, pour le cacher, falsifia les résultats en doublant frauduleusement les votes positifs.

Il commença, néanmoins, par organiser des rapports harmonieux entre exécutif et législatif. Les politiciens désiraient coopérer à l'effort de reconstruction et sentaient le besoin d'union né des dangers toujours courus par la République. Mais le désir de stabilité et d'autorité pouvait facilement faire naître l'accusation d'arbitraire à l'égard d'un gouvernement qui se voulait fort. Après avoir laissé passer les commissions militaires antiroyalistes et la déportation sans jugement des jacobins, l'opposition se manifesta, au début de 1801, à l'occasion de la loi établissant des tribunaux spéciaux contre le brigandage. Bonaparte, qui se considérait comme le seul représentant de la nation, ne vit que de la subversion dans les discours critiques des membres du Tribunat. Il n'attribuait leur attitude qu'aux survivances partisanes de l'esprit de faction et réduisit, en conséquence, le nombre des journaux autorisés. Comme beaucoup de ses contemporains, il était incapable d'imaginer les conditions de fonctionnement d'un régime libéral ou de concevoir la politique comme l'élaboration d'un compromis permanent. Après les montagnards ou les directeurs, il n'avait de solution aux problèmes de son temps que l'élimination de ses adversaires au nom de l'unité. Il guettait d'abord, de la part des législateurs appelés à se prononcer sur ses propositions ou son œuvre, des applaudissements et non des objections.

A défaut du Concordat avec l'Église, la crise se rouvrit, à la fin de l'année, sur des allusions à l'absolutisme ou le rejet de dispositions du Code civil. Le renouvellement de la législature offrit bientôt à Bonaparte la possibilité d'en chasser ses principaux opposants. Cela lui permit, en 1802, de faire passer le Concordat, l'amnistie aux émigrés (toujours surveillés), la Légion d'honneur et bientôt le Consulat à vie, approuvé sans plus de liberté mais avec peut-être plus d'enthousiasme que la Constitution. Les électeurs payaient en effet maintenant moins d'impôts et fournissaient surtout moins de conscrits que sous le Directoire. Ils disposaient désormais de la liberté religieuse, qui était celle à laquelle la majorité des Français étaient le plus attachés. Pour beaucoup d'entre eux, en particulier dans l'Ouest, l'établissement de la dictature signifia plutôt la diminution des pressions gouvernementales.

La Constitution de l'an X, qui organisa les nouveaux pouvoirs de Bonaparte, lui confia le choix de son successeur comme le contrôle absolu des législateurs ou des collèges électoraux. La participation de la nation ou de ses représentants à la vie politique et à ses décisions achevait de constituer une illusion. Le Sénat fut assez doté pour que ses membres, nouveaux « féodaux », restent dociles. Bonaparte tenait tout texte constitutionnel pour un chiffon de papier. Il estimait que la Révolution avait montré la soumission des lois aux hommes ou aux circonstances, et leur subordination au gouvernement et aux moyens de force dont il disposait. Sa dictature n'en fut pas pour cela un régime militaire. Si elle dépendit, à l'intérieur ou à l'extérieur, des succès de l'armée, ce ne fut jamais celle-ci qui y exerça le pouvoir. Son personnel ne fut pas intégré aux institutions civiles et ses chefs conservèrent longtemps une hostilité de type jacobin à la « tyrannie ». Bonaparte affirmait à juste titre qu'il ne gouvernait pas la France en général mais en homme d'État.

S'il avait disposé d'une certaine popularité dans une

nation lasse du désordre, son pouvoir ne reposa pas sur le plébiscite. Il fut plutôt lié à l'apathie politique du peuple, dont l'indifférence, de plus en plus marquée depuis l'an II, interdisait à tous les secteurs de l'opinion d'influencer la marche des affaires. Le retour des prêtres eut le même effet chez les catholiques et les royalistes. Le double principe de la répression et de la cooptation se substitua, du coup, aux anciennes formes de l'intervention et de l'action populaires. Il donna, pour la première fois depuis le début de la Révolution, de l'efficacité à un gouvernement.

Celui-ci eut fort peu besoin d'utiliser son droit constitutionnel d'intervention sur le pouvoir législatif. L'épuration de 1802 avait suffi à y supprimer les manifestations d'opposition. Bonaparte ne fut pas un usurpateur et sa puissance lui fut conférée par une étroite classe politique qui, à proprement parler, ne représentait personne, puisqu'elle s'était nommée elle-même. Comme le Directoire, et tous les dirigeants de la Révolution depuis 1792, les brumairiens se méfiaient d'abord du système électoral et du régime parlementaire. Thibaudeau fut seul, au Conseil d'État, à le défendre. Ce fut le cas, au Sénat, de Lanjuinais. Cambacérès estimait que toute assemblée était, en soi, un empêchement à l'administration. Cette attitude provenait d'une prise de conscience de la fragilité des résultats obtenus par le Consulat. Il n'avait pas encore enraciné ses institutions et les contemporains se rendaient compte à quel point tout y dépendait surtout de Bonaparte. Dans un pays qui venait seulement d'être pacifié, il pouvait paraître nécessaire d'abandonner tous les pouvoirs à un homme dont on connaissait les capacités et, éventuellement, la brutalité. Le Conseil d'État exprima ce sentiment, lors de la proclamation du Consulat à vie, en vantant les avantages de la stabilité[2].

Ces analyses ont peut-être le tort de négliger les dimensions personnelles de l'aventure de Bonaparte. Elles ont été dégagées par Harold Parker dans un essai consacré à la formation psychologique du futur dictateur. Son milieu familial, qui commença à la déterminer, fut favorable, chez le jeune Napoléon, au développement d'une grande agressivité destinée à le valoriser auprès de sa mère. Son père, habile intrigant pro-français, l'initia aux manœuvres politiques. L'expérience du collège de Brienne, au milieu des ennemis et des conquérants de son pays, l'amena à se replier sur lui et à développer des mécanismes de défense qui lui seront utiles par la suite. Il y apprit à contrôler ses pulsions et s'y fortifia dans son identité corse. Ses réussites scolaires réduisirent son anxiété et il se vit déjà le libérateur de sa nation. Les consolations de la religion et de la sexualité ne l'attirèrent pas. Son agressivité était désormais tournée vers le travail, le rêve et le projet. Il continua à être ainsi à l'École militaire de Paris. De 1785 à 1793, il mena une double vie. Officier français ponctuel, bien noté et même agréable, il était en même temps, en imagination, le rédacteur rousseauiste de mirifiques plans de libération de la Corse. Il y était retourné au bout de huit ans, en 1786, puis commença à la révolutionner trois ans plus tard. Mais il s'y opposa au chef nationaliste Paoli, jusque-là l'objet de son admiration. Son égoïsme et son ambition l'amenèrent à se retourner de plus en plus vers la France révolutionnaire. La mort de son rêve d'adolescent le délivra des préjugés et des sentiments qui s'opposaient au développement de sa personnalité.

Sa réussite fut d'abord militaire. Aidé par Barras, il épousa aussi sa maîtresse, l'immorale Joséphine, pour laquelle il entendit conquérir l'Italie mais qui ne l'aimait pas et avait peur de lui. Sa désillusion acheva de le détourner vers un accomplissement dans la toute-puissance. La campagne d'Italie en avait été l'occasion, comme celle de révéler sa nouvelle manière, impériale, de commander. Il la fit connaître aux généraux français et aux patriotes italiens. Elle était adaptée à une tradition familiale et politique autoritaire et il s'en servit pour s'imposer aux autres. Elle acheva de le transformer et l'homme public dévora l'homme privé. La politique envahit de plus en plus son existence et fit de lui un être de pur calcul. Il se révéla, en ce domaine, un improvisateur de génie et un maître dans la stratégie de manipulation des personnes et des groupes. Son expérience italienne fit de lui, en France, un héros national et lui suggéra l'idée de la dominer. Les individus ne furent plus pour lui, désormais, que les moyens de cette ambition. Mme de Staël s'étonna alors de voir en lui à la fois moins et plus qu'un homme. Il avait perdu tout sens de l'humanité et s'était transformé en un simple joueur d'échecs qui l'utilisait. Il ne voyait plus en elle que la proie de son appétit de pouvoir. Son désir de réussite, enraciné dans sa petite enfance mais exaspéré par les difficultés, ne serait en fait jamais satisfait. La formation de sa personnalité avait été, de plus, déterminée par les circonstances de la Révolution. Elles l'amenèrent à rejeter, après les douloureuses expériences de l'enfance puis de l'adolescence, le rêve corse comme celui de l'intimité sexuelle. Il ne lui resta plus que la poursuite énergique d'une carrière dans le mépris de tous les autres êtres. Il y fut servi par sa confiance fondamentale en lui, fixée depuis longtemps et confirmée par la suite. Incapable de relations sincères avec autrui ou d'en être aimé, il se vengea par la domination dans le travail et la politique. La sienne ne se comprend pas en dehors de cette psychologie pour laquelle le pouvoir et les satisfactions qu'il procure étaient devenus une nécessité[3].

La centralisation administrative développée par la Révolution et Napoléon s'inscrit-elle dans la continuité de l'Ancien Régime ?

Louis Bergeron, qui a noté la mise sous tutelle administrative de la France par Bonaparte, l'a rattachée, plus nettement que son œuvre politique, à l'héritage, monarchique ou républicain, d'une centralisation souvent servie par les mêmes hommes. A leur tête, les préfets, dépendant étroitement du tout-puissant ministère de l'Intérieur. Ces agents d'exécution incarnent l'autorité dans les départements. Ils y font régner l'ordre, appliquer les mesures du pouvoir, désigner ceux appelés à le servir. Ils ont aussi un rôle d'encouragement économique et de surveillance des subsistances qui touchait de près les problèmes de sécurité. Leur correspondance avec Paris renseignait utilement le gouvernement sur l'état du pays. Mais ils comptaient peu face à l'administration centrale. Créés en 1803, les auditeurs au Conseil d'État représenteront une pépinière pour leur formation.

La société était, d'autre part, contrôlée par une justice réorganisée sur la base révolutionnaire mais en y développant l'appareil répressif : la reconstitution d'une corporation enseignante au service de l'État alla dans le même sens, au moyen d'une Université au statut de monopole. L'Église concordataire devait également servir au rétablissement de la cohésion nationale, ce qu'elle fit de manière fort équivoque. Le domaine des finances, enfin, fut celui de la création d'un bon instrument administratif dans le cadre de l'héritage fiscal révolutionnaire. Bonaparte s'y appliqua surtout à multiplier les impôts indirects de consommation. Hostile à l'emprunt, il s'en tint avec obstination à un système monétaire métallique. Mais il dut résoudre les problèmes de crédit, dont il héritait, en pratiquant une politique déguisée d'émission de papier-monnaie. Sa rigueur administrative dans la gestion financière la bureaucratisa sans en élargir la conception d'ensemble[1].

Après Jean Tulard, qui a rappelé ce caractère relativement « réactionnaire » des institutions consulaires, Michel Bruguière vient de l'analyser en profondeur à propos du problème financier. Les imprudences de la Constituante avaient d'abord démantelé, en ce domaine, les structures de l'Ancien Régime, en même temps que se retiraient un grand nombre de ses agents. Mais une douzaine de commis survécurent aux réformes et s'adaptèrent aux nouveautés. La permanence de ces spécialistes assura celle de leur tradition administrative à travers tous les régimes. Leur tâche fut extrêmement difficile mais favorisée par la création de bureaux inédits. La gestion du « nuage de papier » déchaîné par la Révolution la justifiait et servit de berceau à de futures dynasties bourgeoises. Ce fut surtout, à l'été 1791, l'institution de la Trésorerie nationale qui donna naissance à un « cœur méconnu du pouvoir ». Par elle, l'osmose entre les intérêts de l'État et ceux de la spéculation privée reprit de plus belle. Si les responsables de la Trésorerie furent mêlés de près aux luttes politiques, leurs collaborateurs continuèrent à y travailler comme sous l'Ancien Régime. Elle ressemblait, à cet égard, « comme une sœur au Trésor de Loménie de Brienne » et fonda une tradition administrative qui se poursuivit jusqu'à la Restauration. La Révolution, révolte des contribuables, n'avait touché qu'aux impôts. Elle transmit, à part cela, à la République des sans-culottes, et dans leur intégralité, l'esprit et les hommes de l'ancien système financier[2].

Contrairement à une légende chère aux historiens du jacobinisme, qu'ils lui aient été ou non favorables, les activités financières de la Convention ont témoigné d'un très vif intérêt, dû à la nécessité, pour la banque et le négoce. Joseph Cambon, député de l'Hérault et maître des finances de la République, était l'homme du textile montpelliérain. Le contrôle de l'économie par l'État, auquel il présida, n'était nullement hostile à la propriété privée, dont il était un bon représentant. Comme Clavière ou Ramel, autres spécialistes de l'indiennage, il incarna la présence de cette industrie de pointe au cœur de la Révolution. Celle-ci ne mit pas fin au pouvoir des bureaux. Ils dépendirent, à partir de 1794, d'une Commission des revenus nationaux, dont les responsables provenaient des services de l'Ancien Régime. Dûment pourvus de certificats de civisme, ces administrateurs traditionnels participèrent aux temps nouveaux avec leurs esprit d'autrefois. A côté d'eux, des spécialistes issus des institutions supprimées l'emporteront, de loin, sur les patriotes. Ces agents chevronnés sauront se maintenir en place sous le Directoire. La translation complexe de fortunes, instaurée par la Révolution, fut donc assurée, sous la République, par des experts bourgeois, familiers du négoce colonial ou anciens collaborateurs des intendants de Louis XVI. Symbole de cette situation, ce fut un Barrême, illustration d'une tradition héréditaire, qui fut chargé d'établir l'actif des émigrés. Cette gestion des biens nationaux était, de plus, souvent confiée à des hommes du Nord, clé du conflit extérieur depuis 1792, zone de règlement des achats de blé ou de bois et champ offert, par la conquête de la Belgique, à la spéculation. Celle-ci ne cessa d'accompagner, de ses affairismes divers, la Révolution dirigiste. La Commission des subsistances, par exemple, fut aux mains d'hommes étroitement associés au gros négoce. Il fut également le maître, par ses représentants qualifiés, du commerce extérieur. L'ancien caissier d'un grand traitant de Louis XV se retrouva investi de toute la confiance du Comité de sûreté générale, tant il y avait de similitude entre la logique de la politique économique de l'Ancien Régime, en période de pénurie, et celle du maximum institué par les montagnards[3].

Ceux-ci sous-traitèrent à une minorité de gros spéculateurs afin de mieux briser les calculs éparpillés des autres. Quant à la Trésorerie nationale, elle continua imperturbablement à travailler *selon les pouvoirs reçus de Louis XVI*, du 10 Août au 18 Brumaire. Elle bénéficia, sous la Convention, de l'aide décisive de Cambon, qui lui laissa carte blanche pour fournir les armées et les populations. Lorsque Robespierre, en sa paranoïa vertueuse, se déchaîna, le 8 thermidor, contre ces opérations, il était, comme le remarque Michel Bruguière, « trop tôt ou trop tard ». Le succès de la Révolution venait en effet d'être assuré par la collaboration étroite entre une administration indépendante des aléas politiques et des fournisseurs qui avaient pu dissimuler leurs comptes sous le manteau du salut public.

Les secrets de l'une et des autres restèrent en famille et ne sont pas passés à la postérité. La Terreur eut ainsi, pour contrôleur de la Caisse générale, un homme mêlé, depuis 1785, aux opérations du Trésor royal. Peu d'individus nouveaux apparurent alors à la Trésorerie, où les souvenirs de l'aristocratie furent plus importants que les changements apportés par la démocratie. La masse des nouveaux commis qu'elle engagea se contenta de couvrir de scabreuses opérations de négoce et de fournitures. Car la plupart des affairistes échappèrent, bien sûr, à la guillotine en bénéficiant de l'indulgence des bureaucrates. En la profondeur de leur domaine, ceux-ci prolongèrent, sous la République, la tradition administrative de la monarchie. Ces spécialistes d'Ancien Régime survécurent sans peine, depuis les fenêtres de leurs bureaux, aux soubresauts de la Terreur. Ils avaient découvert la grande loi du service public dans la France contemporaine : associer, en ne se souciant pas trop d'idéologie, « le bien d'un État qui ne meurt pas au souci de leur propre sécurité[4] ».

De Saint-Just à Sébastien Mercier, nombreux furent les observateurs de cette toute-puissance d'une bureaucratie pléthorique, invulnérable au milieu des bouleversements. Ils y virent volontiers le principal résultat de 1789. C'était en fait, comme le note Michel Bruguière, celui d'une guerre sans merci, qui faisait naturellement retrouver au système administratif, en les amplifiant, les habitudes de l'Ancien Régime. Après avoir cru au dépérissement de l'État, la France, face à une Europe hostile, dut le renforcer pour mieux asseoir ses finances. La Révolution, en cela, a achevé l'œuvre de la monarchie. La Convention légua seulement au Directoire l'angoissante question de la place à réserver à la fortune privée au sein de ce système. Mais la royauté, avant la République, avait déjà eu à négocier un semblable compromis avec les manieurs d'argent. La Révolution avait uniquement créé, par les spéculations qu'elle avait fait naître, un nouveau type de profiteurs, appelés à entrer dans le partage traditionnel de la puissance économique entre les détenteurs de la richesse et ceux du pouvoir politique.

Celui-ci, sous le Directoire, eut beaucoup de peine à administrer ses finances. Son ministre Ramel, aussi bien vu des capitalistes que des thermidoriens, provenait d'une importante famille drapière du Languedoc et s'était initié aux intérêts du commerce maritime et de la banque étrangère. Il tenta de concentrer ses services, toujours peuplés du même personnel, et constitua un secrétariat général appelé à représenter une vraie cellule de documentation technique et de commandement. Au milieu de collaborateurs divers, on notait un spécialiste expérimenté dont les états de service remontaient à Louis XV. La dérive monétaire et la crise de trésorerie furent combattues grâce à la collaboration des banquiers étrangers et au pillage des conquêtes. Des fournisseurs millionnaires devinrent, dans ce marasme, les fermiers du Trésor public, tandis que des politiques prenaient le pas, à la Trésorerie, sur les techniciens traditionnels. Mais ceux-ci, revenants de l'Ancien Régime, contrôlèrent toujours la réorganisation fiscale, également marquée par le retour à des procédés brutaux de perception et le rétablissement des contributions indirectes. Ils furent complétés par une vraie banqueroute et le recours constant aux fournisseurs militaires. Ceux-ci, de 1798 à 1806, seront les maîtres des finances publiques et notamment des sources de la solde des fonctionnaires. Les banquiers des établissements de crédit étaient, de même, étroitement associés au secteur étatique. Ces spéculateurs en faisaient percevoir les revenus par leurs correspondants locaux et s'assuraient soigneusement de l'amnistie des comptes passés. Il y eut, à cet égard, une parfaite continuité entre les fournisseurs de l'an II et les traitants du Directoire[5].

Elle s'observe encore entre celui-ci et le Consulat, du point de vue administratif et financier. Bonaparte y apporta, de plus, un mélange entre fortune personnelle et fonds publics qui resta sa règle jusqu'à la fin de l'Empire. La nomination de Gaudin au ministère incarna à la fois le retour en force des hommes de l'Ancien Régime et le compromis nécessaire avec banquiers et fournisseurs. Les nouvelles institutions, en ce qui concerne le Trésor ou la fiscalité, répondront à cette double influence. Cette restauration fit retourner la France à de nombreuses pratiques de la monarchie tout en intégrant et conservant les meilleurs spécialistes des années révolutionnaires. Il s'agissait d'un compromis, plus politique que technique, entre les serviteurs de la royauté et ceux de la République. Car le Consulat prolongea les procédés financiers acrobatiques dont il avait hérité. Il réorganisa en revanche, en la centralisant, la perception des contributions directes tout en amorçant le retour aux impôts indirects d'Ancien

Régime. Les Français, après la Révolution, jouiront donc d'une fiscalité accrue de 20 %, placée sous les mêmes directeurs administratifs, inamovibles mais flanqués, désormais, d'effectifs trente fois plus nombreux que ne l'avait prévu la Constituante. La paralysie des vérifications comptables se poursuivit et, s'il y eut un domaine où l'application des principes de 1789 fut vraiment un vain mot, ce fut bien celui des finances publiques[6].

Elles étaient restées, pendant la tourmente, aux mains des mêmes hommes et des mêmes groupes, qui s'adaptèrent sans cesse aux changements des institutions et aux tournants politiques. La bureaucratie placée à la tête de ce système se préoccupa moins, désormais, de triomphes mondains que de se perpétuer dans son être par l'accord avec le pouvoir. Elle apprit de la Révolution et de ses soubresauts cette dure leçon de réalisme qui veut qu'en politique la sagesse soit muette et le silence complice le facteur des permanences les plus sûres. Celles de l'administration financière française unirent le temps de Louis XV à celui de Napoléon au prix des compromis les plus fructueux pour ceux qui surent les souscrire. L'impérialisme de l'appareil d'État acheva par là sa mainmise sur la nation, commencée sous l'Ancien Régime. Avec sa chute, le despotisme des bureaux se trouva délivré de tout contrôle. Il sut adapter son langage aux conditions nouvelles de la vie politique mais retrouva avec joie, dès 1799, les principes, singulièrement durcis, de la centralisation royale. Délivrés de l'obstacle de la monarchie ou des cours souveraines, les fonctionnaires étaient enfin devenus, en France, une force autonome. L'arrivée au pouvoir de Bonaparte signifiera le début de leur âge d'or, celui de la gestion anonyme par les agents de la nation, qui cacheront encore plus qu'auparavant le secret de leurs opérations. La Révolution créa, en cela, un autoritarisme administratif incroyablement plus fort que l'ancien, en même temps, d'ailleurs, que « la plupart des vices déplorés avant 1789 demeuraient présents ». Mollien y remédia en partie, en 1808, par l'institution du compte courant réciproque entre le Trésor et les receveurs généraux des départements, création géniale qui, intervenue plus tôt, eût sans doute évité au gouvernement de Louis XVI la crise de trésorerie dans laquelle il sombra. Si ces inventions techniques sauvegardèrent les apparences d'une régularité nouvelle, l'échec financier de la Révolution n'en était pas moins complet. Il avait ouvert la voie à la solution de l'avenir, marquée par la toute-puissance automatique de l'administration. La France avait accompli cette lente marche vers l'efficacité et la cohérence avec un grand retard sur de nombreux États contemporains. Elle n'avait pu le faire sans liens étroits avec les pratiques du capitalisme international. La Révolution se ramena, en fin de compte, à une réconciliation des propriétaires, où les affairistes, qu'elle encouragea, n'eurent garde d'oublier leur part. Michel Bruguière a salué l'union réalisée alors, autour d'eux, entre gestionnaires et profiteurs, au service de l'État immobile, c'est-à-dire de l'unité de la nation et de la cohésion sociale[7].

Les historiens anglo-saxons ont été moins sensibles à ces phénomènes de continuité avec l'Ancien Régime. Ils ont davantage relevé la créativité administrative due à la Révolution. Harold Parker et Clive Church, notamment, se sont attachés à l'époque du Directoire, qui constitua un tournant décisif dans ce processus. L'étude de deux bureaux du ministère de l'Intérieur a permis au premier de doser la part héritée et celle due aux nouveautés dans la définition d'une politique économique officielle. Il a poursuivi ses recherches dans ce domaine où science, industrie et administration s'interpénétrèrent diversement de 1780 à 1800. Clive Church a étudié avec prédilection le mariage, au temps des thermidoriens, entre les institutions de l'Ancien Régime et celles de la Terreur ; il y voit, à juste titre, le moment où se préparèrent les structures napoléoniennes. Sa sociologie du personnel bureaucratique du Directoire y montre des fonctionnaires expérimentés, dont près du tiers avaient déjà travaillé sous l'Ancien Régime et qui avaient vécu la Révolution, pour la plupart, au sein des administrations. Leur niveau social respectable les aurait déjà fait accepter par l'État avant 1789 et leur rang correspondit toujours à leur naissance. La nouvelle classe dirigeante ne favorisa, à cet égard, pas plus que l'ancienne, un mouvement d'ascension à travers les échelons de la bureaucratie. Celle-ci, stabilisée au sommet, fut extrêmement mobile au niveau subalterne. Mais il était très rare qu'un fonctionnaire, quittant une administration, ne rentre pas dans une autre. La bureaucratisation apportée par la Révolution ne fut pas un point d'arrivée mais un point de départ. Elle créa l'organisation nationale et formelle d'un corps professionnel jusque-là sans équivalent. Les besoins de la guerre et de la Terreur entraînèrent cette transformation fondamentale qui acheva de se définir sous le Directoire, époque de naissance, en France, d'une fonction publique vraiment régulière et contrôlée, hiérarchique et qualifiée, salariée et impersonnelle. Bonaparte se servit avec soin de cette arme absolue dans l'intérêt de son État dépolitisé. Loin du paternalisme de l'Ancien Régime, une administration moderne, grâce à l'impulsion de la Révolution, s'était consolidée avec sa stratégie propre. Il ne manquait même pas à ce processus l'apparition d'un des mythes nationaux les plus chers, à savoir les relations psychologiques mêlées, faites d'amour et de haine, entre les Français et leur bureaucratie [8].

Edward Whitcomb vient de reprendre l'examen de l'institution préfectorale et de son personnel au temps de Napoléon. Cette création administrative capitale devait s'améliorer régulièrement. 30 % de ses membres provinrent d'une assemblée révolutionnaire et la proportion avait été, au début, de près de la moitié. Le nombre des nobles, d'abord égal au quart de l'effectif, dépassa, par la suite, les 40 %. La fusion sociale bonapartiste fut ici particulièrement réussie. Mais les préfets furent surtout issus, professionnellement parlant, du monde de l'administration, puis de celui des hommes de loi. Cette dernière origine, après avoir longtemps représenté près du tiers du total, passa à 20 %, après 1810, au moment où la première était déjà deux fois plus représentée, ce qui signifiait une professionnalisation du corps. Ces hommes dans la force de l'âge avaient choisi là une carrière qui fut un refuge pour de nombreux anciens politiciens. La détérioration progressive de son rendement n'est qu'un mythe, selon Edward Whitcomb, qui la voit au contraire répondre aux critères définissant, d'après Max Weber, l'excellence bureaucratique, à savoir l'expérience, la stabilité, la hiérarchisation, la promotion interne et la formation spécifique, qui y furent sans cesse grandissantes. Les préfets de Napoléon, élément essentiel de l'héritage administratif de la Révolution, confirment l'importance de son apport à la modernisation et la rationalisation institutionnelles[9].

Donald Sutherland a combiné, dans sa présentation du phénomène, les deux types d'interprétation. Il a relié l'effort de centralisation du gouvernement consulaire à son souci de mieux contrôler les autorités locales. La multiplication des troubles et des difficultés dans l'application des lois l'y poussa aussi. La création des préfets, en 1800, se substitua à la participation des citoyens, rêvée en 1790. Elle fut complétée par la mise en tutelle des conseils municipaux et la mise en sommeil des élections, remplacées par la consultation de notables cooptés. Il s'agissait là d'un système radicalement nouveau par rapport à toute l'expérience révolutionnaire. Le retour de nombreux nobles aux responsabilités administratives, comme à celles du service diplomatique, acheva de le confirmer. L'ensemble de ces mesures indiquait à quel point Bonaparte privilégiait la double notion de compétence et de supériorité sociale. On a vu son application dans le domaine fiscal, où, sous l'autorité de Gaudin, la bureaucratie moderne s'accommoda de nombreux traits hérités de l'Ancien Régime. Cela n'empêcha pas le système de fonctionner pour la première fois correctement depuis le début de la Révolution. L'organisation de la Banque de France, en 1800, mélangea de même intérêts privés et service public. En dépit des mesures officielles, d'ailleurs, les Français moyens continuèrent longtemps à ignorer le système monétaire qui leur était proposé. Mais le nouveau régime avait réussi, sur le plan du personnel administratif, son mélange entre les hommes qui s'étaient combattus depuis 1789. Ils se retrouvèrent, toutes querelles oubliées, au sein du Conseil d'État, où, comme pour les préfets, on préféra de plus en plus, aux politiciens éprouvés, des bureaucrates qui avaient démontré leur talent sous la royauté ou la République. Ce fut surtout dans le milieu des législateurs consulaires que se réfugièrent les vainqueurs de Brumaire. Là encore, pourtant, le talent reconnu ou le prestige social se révélèrent une recommandation supérieure au passé politique, surtout s'il était jacobin [10].

Le régime napoléonien a-t-il mis fin à l'existence des oppositions ?

Louis Bergeron a rappelé leur permanence au milieu de l'apparente extinction de la vie politique. Il les a situées, d'abord, au cœur même des institutions, puisque des libéraux siégeaient dans les Assemblées et que le Tribunat exploita, à cet égard, tous les terrains de lutte. Or ces « idéologues » étaient liés aux intellectuels de l'Institut, aux rédacteurs de la *Décade* et à certains sénateurs. Cette conspiration en puissance exprimait un authentique courant de pensée philosophique, qui annonçait l'avenir en même temps qu'il héritait des Lumières. Ces maîtres de l'organisation de la culture ont été seulement incapables de régler à leur avantage les problèmes d'organisation politique légués par la Révolution. Partisans du progrès et de l'établissement, à terme, du bonheur public par la diffusion de la propriété, ils avaient vu dans la dictature terroriste l'image même de la contre-révolution et s'étaient ralliés à l'idée d'une République conservatrice. Bonaparte utilisa leurs aspirations imprudentes à un État fort et personne ne se soucia de leur nostalgie d'un régime représentatif. Mais le dictateur dut éliminer ces réfractaires, qui conservèrent, dans leur retraite, toute leur influence intellectuelle. Elle rejoignit celle de Benjamin Constant et de Mme de Staël, plus éloignés des philosophes du XVIIIe siècle et plus sensibles à l'accord entre religion et liberté. Ces éducateurs politiques et sociaux de la nation et de l'opinion ont opposé au pouvoir personnel, et à son autoritarisme, l'éloge du système parlementaire et de la liberté morale. Ils choisirent résolument l'exil, à l'extérieur ou à l'intérieur.

A côté d'eux, il y eut, contre Napoléon, toute la gamme des comploteurs et des conspirateurs. L'absence de participation militaire sérieuse à leurs tentatives leur ôta une réelle signification. Des républicains et des royalistes, ce furent les seconds qui allèrent le plus loin dans les projets d'attentats. Ils tiraient là le bénéfice de dix ans de luttes contre-révolutionnaires. Si leurs organisations furent bientôt démantelées, l'Ouest ne fut jamais sûr jusque vers 1810. L'apathie des masses, cependant, continua à servir le pouvoir et marqua bien la fin de la Révolution. Elle n'empêcha pas, au-delà de l'indifférence, le retour à des formes de protestation populaire nées de difficultés économiques. En 1801 comme en 1811, la réapparition de troubles de subsistances entraîna immédiatement des affrontements sociaux. Les villes, mieux ravitaillées grâce à une reprise de la politique de l'an II, les connurent moins que les campagnes, toujours en proie aux armées de vagabonds. La crise, en particulier dans le Nord-Ouest, déborda alors la surveillance des bandes de chômeurs. Elles continuaient à alimenter un désordre endémique ou chronique, où le banditisme s'en prenait maintenant de préférence à la conscription. Dans certaines régions, comme le Var étudié par Maurice Agulhon, Bonaparte hérita d'un pays où l'insécurité, entraînée par le brigandage, dominait les campagnes. Ces révoltes villageoises furent relayées par la désobéissance militaire, tandis que la fiscalité indirecte accroissait l'impopularité d'un régime oppressif et répressif. Il s'appuya surtout sur l'attentisme de l'opinion et le ralliement des possédants, tous deux liés au désir d'en finir avec la Révolution. Mais il ne s'enracina pas dans la nation et ne bénéficia jamais d'un pouvoir sûr. Sa décomposition finale due à la guerre était déjà inscrite dans ce refus latent du corps social[1].

Donald Sutherland, qui a reproché à ce tableau de faire la part trop belle à l'opposition, insiste pourtant, lui aussi, sur la profonde désintégration de la France à l'avènement du Consulat. Celui-ci connut tous les débuts d'un régime fragile, avec le refus d'obéissance des administrations locales et la continuation du sabotage et du brigandage politiques, dans le Sud-Est et l'Ouest en particulier. Les auteurs du 18 Brumaire s'emparèrent d'un pays où l'autorité et l'ordre n'étaient que des mots. Bonaparte les rétablit très vite contre les chouans, qui s'étaient soulevés, on l'a vu, en octobre 1799. Il s'appliqua ensuite à désarmer le royalisme populaire en accordant des concessions religieuses. Mais il lui fallut un an pour rétablir la situation. Ses premières mesures de réconciliation auraient pu n'avoir pas plus de succès que celles de l'an III. Les campagnes les accueillirent avec joie comme la manifestation d'un proche retour du catholicisme, donc de la destruction de la République. Dans beaucoup de régions, le peuple rural y aspirait, groupé autour de ses prêtres réfractaires. Quant aux émigrés, leur rentrée en masse constituait un risque politique[2].

La coalition victorieuse du Directoire était faite elle-même de factions divergentes unies par la nécessaire liquidation de la subversion interne et externe. Constamment sensible aux liens existant entre elles, Bonaparte, avant de reprendre la guerre en 1800, s'attaqua d'abord au rétablissement de la sécurité dans le Midi et l'Ouest. L'application, dans cette dernière zone, de la loi martiale mit rapidement fin aux bandes de chouans et, avec elles, à près de huit ans de contre-révolution populaire. Les victoires contre l'Autriche, suivies de la paix avec elle, eurent d'immenses conséquences dans le domaine intérieur, où elles firent cesser les intrigues parisiennes contre Bonaparte et renforcèrent son prestige. Les troupes et les gendarmes purent, de plus, achever la répression avec l'aide du nouveau système administratif. Dispersés ou arrêtés, les brigands furent jugés par des commissions spéciales qui en condamnèrent à mort plusieurs centaines. Cet étalage de la force, en collaboration avec les populations, aida au rétablissement de l'ordre dans le Midi.

Ce succès de la répression obligea les adversaires du gouvernement à la conspiration et les organisations royalistes faillirent tuer Bonaparte. Cette tentative d'assassinat renforça l'évolution du régime vers la dictature en accroissant l'autorité de son chef contre les opposants. Ses associés se rallièrent à lui en appliquant aux jacobins innocents des mesures parfaitement illégales. Le retour de la paix générale, en 1802, acheva de consolider le prestige de Bonaparte, déjà restaurateur du catholicisme par le Concordat. Il n'hésita pas, l'année suivante, à reprendre la guerre avec l'Angleterre, ce qui l'amena à se transformer en monarque. Il pouvait s'appuyer, dans ce conflit, sur l'opinion comme sur le discrédit où il jeta de nouveaux conspirateurs, arrêtés au début de 1804. Leur échec entraîna l'assassinat juridique du duc d'Enghien, parmi d'autres procédés d'intimidation propres au régime. Si les Anglais firent, dès lors, de la restauration des Bourbons et de la suppression des conquêtes françaises leurs principaux buts de guerre, Bonaparte en profita pour se faire proclamer Empereur au milieu de l'assentiment général de son entourage, déjà habitué à tant de violations des principes de la Révolution. Carnot fut l'unique exception. Le gouvernement se trouva, du coup, encore renforcé dans son arbitraire. Donald Sutherland n'a pas tort d'opposer cette conclusion peu reluisante de la période révolutionnaire aux espoirs qui l'avaient inaugurée. Elle créa, en effet, un despotisme incomparablement plus fort que celui de la monarchie. Toute l'élite politique et intellectuelle du pays conspira à cette perversion dans l'intérêt de la stabilité nationale. Elle prenait, par là, le plus grave des risques en confiant, en pleine guerre, un pouvoir illimité à un dictateur irresponsable[3].

Son régime, établi par la force, ne se reposa pas sur elle pour gouverner. Le problème délicat de la conscription, par exemple, fut réglé, à côté de l'intimidation, par d'autres procédés. Il s'agissait d'une question capitale, puisque la résistance au service militaire avait puissamment uni, pendant toute la Révolution, royalisme populaire, brigandage et simple désobéissance. Le Consulat commença par employer les mesures de contrainte habituelle pour contrôler les déserteurs. Mais il leur associa efficacement le système de la responsabilité des communes et la diversification des demandes selon les régions. Celles de l'Ouest furent très favorisées par rapport à l'Est. Les progrès de la centralisation et de la coordination assurèrent aussi ceux de l'obéissance, en compagnie de l'application du Concordat. Bonaparte, surtout, exigea moins d'hommes que ses prédécesseurs. Ses victoires le lui permirent, et l'accord entre l'État et la nation, qui avait tant manqué à la Révolution, en profita. La conscription n'en suscita pas, pour cela, l'enthousiasme, mais elle ne toucha, sous Napoléon, que 7 % de la population, soit trois fois moins que lors de la Première Guerre mondiale. La conscription resta un problème, pour l'Empire, dans les régions montagneuses, mais le Midi et l'Ouest s'y plièrent bien mieux qu'avant 1799, au moins jusqu'aux défaites finales. Le nouveau pouvoir dut ce succès à sa pratique de l'inégalité, géographique et sociale. 5 à 10 % des conscrits se firent ainsi remplacer, à un prix fort élevé. Cette politique de discrimination se retrouva dans une fiscalité frappant de préférence les consommateurs et les pauvres. L'Empire aggrava, en cela, les pratiques du Directoire favorables aux impôts indirects. Cela lui valut l'impopularité mais les faveurs des propriétaires, sinon la réussite économique. Pour le reste, Napoléon savait pouvoir réprimer les soulèvements grâce à ses gendarmes, ses préfets et ses prêtres[4].

Son gouvernement eut donc pour principe la répression, à côté de la fusion des élites, de la bureaucratisation de l'administration, des faveurs accordées aux amis ou aux riches, de la hiérarchisation des institutions et de la militarisation de la jeunesse. L'accroissement des demandes résultant de la guerre rendit en effet le régime plus dictatorial. Il ne conserva plus rien de représentatif et supprima tout moyen d'expression à l'opposition. La manipulation de l'opinion fut complétée par l'internement sans jugement. Les 640 détenus de 1814, dont la moitié de politiques, étaient beaucoup plus nombreux que les victimes, en 1789, d'une lettre de cachet. Donald Sutherland, qui le signale, ne pense pas que l'opposition à Napoléon, catholique, royaliste, populaire ou militaire, se soit beaucoup accrue sous son règne. Il supporta par exemple fort bien sa rupture avec le pape, intervenue à partir de 1809. Les catholiques français restèrent, en gros, loyalistes, par peur ou par gratitude. Les royalistes, qui n'avaient jamais disparu, mirent au point de nouvelles organisations clandestines, assez peu dangereuses pour le régime. Les membres de la Petite Église, réfractaire au Concordat, ne le furent pas davantage, malgré le courage des dissidents religieux qui la dirigeaient. Ils furent souvent soutenus par le sentiment populaire et son goût pour la prophétie, mais ce rassemblement éparpillé, quoique enraciné, de pauvres et de femmes ne constituait pas une menace. Il ne restait donc, pour en tenir lieu, que les militaires, qui fournirent avec Malet en 1812 la plus célèbre des conspirations contre Napoléon. Elle illustre à la fois l'inconsistance idéologique de l'opposition et la profonde fragilité du régime. Même chez ses bureaucrates, la dictature n'avait pu développer, en fait d'intelligence politique, que des habitudes de crédulité et d'obéissance passive[5].

10

Une nouvelle société ?

Le mythe marxiste assimilant la Révolution de 1789 à une étape décisive dans le développement de l'économie capitaliste et de la société industrielle est facilement démenti par la stagnation d'ensemble de l'économie française pendant la période révolutionnaire et au-delà, comme par la reconstitution, sous Bonaparte, d'une hiérarchie sociale fondée sur la puissance foncière des notables. Si ces caractéristiques font à peu près l'unanimité, il n'en est pas de même, entre historiens, pour l'appréciation des coups portés à l'économie française par la Révolution. A ceux qui parlent, à ce sujet, de « catastrophe nationale », s'opposent des jugements plus nuancés, sinon plus positifs.

La Révolution a-t-elle ruiné l'économie française ?

Sans aller jusque-là, la plupart des analyses conviennent, avec Alfred Cobban[1], du déclin entraîné dans ce domaine par les événements révolutionnaires. Les économistes ne sont pas lcs derniers à le dire. Florin Aftalion, parmi eux, vient de nous mettre en garde contre le « cycle destructeur » conduisant de la crise à la Terreur par l'intermédiaire de l'inflation et des nationalisations. Il verrait volontiers dans ce processus, expérimenté en 1789, le modèle des régimes totalitaires[2]. Quant à René Sédillot, son bilan récent des différents secteurs de l'économie française tels que les a affectés la Révolution insiste, tour à tour, sur le blocage du progrès agricole, la fragilité de l'industrialisation, la ruine du commerce extérieur et une infériorité d'ensemble vis-à-vis de l'Angleterre [3]. On doit à François Crouzet la présentation la plus approfondie de ce point de vue [4].

Il a commenté, dès 1962, le mémorandum établi en 1802 par le Genevois émigré à Londres Francis d'Ivernois sur les conséquences économiques de la Révolution étudiées dans une perspective contre-révolutionnaire. Cet observateur avait déjà dressé, à ce sujet, un tableau négatif des suites des événements de 1789. Attentatoires à la grande propriété foncière, ils ont causé l'appauvrissement du pays et la ruine, notamment, de son agriculture. La crise de l'industrie, également facilitée par l'inflation et les confiscations, en avait résulté. C'était donc d'une France épuisée, condamnée au marasme et au déficit, qu'avait hérité Bonaparte. D'Ivernois ne comprit rien, on le voit, au redressement financier réalisé sous le Consulat. Il n'exagéra, en revanche, que partiellement les indications relatives à la stagnation industrielle, tout en sous-estimant, dans ce domaine, les possibilités de relèvement. L'augmentation des prix de revient et la pénurie de capitaux constituaient d'importants obstacles au développement, de même que la perte de nombreux marchés extérieurs. Mais la capacité productrice du pays restait inentamée et plutôt inemployée. Loin d'être un facteur de modernisation, la Révolution, en désorganisant les conditions d'activité, avait bloqué la croissance pour une génération [5].

François Crouzet a montré, au cours de ses études ultérieures, que ce fut au contraire l'Angleterre en guerre avec la France et maîtresse de la mer et du commerce mondial qui développa alors, de façon décisive, sa supériorité industrielle sur le continent. Ses hommes d'État, plus perspicaces que leurs rivaux, avaient mieux compris les intérêts de leur pays. Le fait fut d'autant plus remarquable que la croissance française, à la veille de la Révolution, était devenue comparable à celle de l'Angleterre. Ce furent les catastrophes économiques inaugurées en 1789 qui rendirent irrémédiable le décalage de la France par rapport à son adversaire. Ce jugement paraît confirmé par l'idéologie anti-industrielle de nombreux contre-révolutionnaires revenus au pouvoir après la tourmente. Ils combattaient le machinisme autant que la centralisation bureaucratique de l'État moderne[6].

Cette faillite économique de la Révolution semble étrange si l'on songe à l'engouement pour les publications d'économie politique apparu subitement à partir des années 1750. Elle trouve un élément d'explication dans les nombreux obstacles qui s'opposaient depuis longtemps, en France, au développement agricole. Emmanuel Le Roy Ladurie a rappelé que deux modèles contrastés s'offraient pour elle, à ce sujet, en 1789. Contre une solution à l'anglaise, marquée par l'alliance des grands propriétaires et des fermiers au détriment des exploitations parcellaires et familiales, la Révolution lui fit choisir l'alliance, au moins momentanée, des paysans parcellaires et des fermiers contre le régime seigneurial ou ses survivances. Le moins que l'on puisse dire est que cette solution ne fut guère favorable au progrès de l'économie rurale[7].

Le secteur de pointe de l'économie française était alors celui, épidermique et marginal, du grand commerce maritime. Clé du commerce extérieur et ne manquant pas de retombées à l'intérieur, notamment dans les zones industrielles, il restait étroitement lié à une traite négrière et à un système colonial qui furent mis à rude épreuve par la Révolution et les guerres qu'elle entraîna. Typique de l'Ancien Régime, cette activité des ports de l'océan Atlantique, qui atteignit son apogée à la veille de 1792, fit sentir son influence dans les délibérations économiques de l'Assemblée constituante. Le libéralisme à l'anglaise de celle-ci fut, d'autre part, mis à l'épreuve par son incapacité à résoudre le problème de la pauvreté[8].

Ces différentes considérations amènent à estimer, avec Jean-Claude Perrot, que l'histoire économique de la période reste à écrire. Elle fut marquée, en effet, par une chronologie contrastée et des stratégies contradictoires. Les espaces géographiques y révélèrent autant de dispersion et de variété. Les transferts de capitaux et de revenus témoignent d'un renouveau de l'archaïsme et d'une faiblesse des échanges. Le déplacement des richesses par le processus inflationniste éloigne la France de la croissance capitaliste, affaiblit la concurrence et renforce le poids de la fiscalité. Sur le plan de la division du travail, en revanche, modernisation et individualisme économiques progressent. La compétition en est favorisée, avant d'être rudement frappée par les événements nés de la guerre. Sur le plan de la civilisation du travail, la Révolution échouera, en dehors des rares promoteurs d'une pensée technicienne. Par souci d'efficacité administrative, elle introduira, cependant, le pays dans l'ère de la connaissance statistique[9].

Loin de ces vues originales, Albert Soboul a maintenu une vision classique de son développement économique où le libéralisme de la Constituante, unificateur du marché national et destructeur de la féodalité, a favorisé l'individualisme agraire tout en déchaînant l'inflation. La guerre et ses conséquences firent passer le droit à l'existence et l'économie dirigée au-dessus du libéralisme, mais le retour en force de celui-ci, après Thermidor, a déclenché la catastrophe monétaire, la crise, le marasme et la dépression, dont on ne sortit, peu à peu, qu'au temps du Consulat. Réagissant contre ce point de vue, à peine plus optimiste que celui des « détracteurs » de la Révolution, Hubert Bonin vient d'affirmer que l'esprit d'entreprise lui avait survécu et qu'elle n'avait pas étouffé l'industrie naissante. Celle-ci fut d'abord associée au processus révolutionnaire, même s'il finit par porter atteinte aux entrepreneurs. Leur rétablissement fut très lent, sous le Directoire, et la Révolution donna l'impression d'avoir sapé l'esprit capitaliste au profit de l'enracinement terrien. Il n'en fut rien, pourtant, car la bourgeoisie d'affaires réussit à sauvegarder son pouvoir et à reconstituer ses activités. Une nouvelle strate dynamique d'enrichis vint la stimuler, dans la banque comme l'a montré Bergeron, ou la sidérurgie d'après les récents travaux de Woronoff. Ce capitalisme libéral est mieux armé qu'avant 1789 pour s'adapter aux mutations et reconversions entraînées par la guerre. Il assurera un redémarrage industriel disposant de l'énorme marché militaire et du renouveau de consommation propre aux couches élevées de la société. Dans le textile notamment, favorisé par ce luxe, dilatation de la production et reprise de l'effort de mécanisation se constatent sous le Directoire. Le symbole de cette mobilisation des énergies fut l'Exposition nationale de Paris organisée en 1798 par François de Neufchâteau, remarquable ministre de l'Intérieur.

Malgré les traumatismes, les ébranlements et les reculs entraînés par la Révolution, celle-ci n'aurait donc pas entravé durablement un décollage de l'industrie française qui la portera, en 1810, à un niveau supérieur de 50 % à celui de 1789. Les nouvelles opportunités de profit nées de la guerre et de l'aisance bourgeoise avaient stimulé le goût d'entreprendre [10].

Il reste à voir, évidemment, si les historiens de l'économie française entre 1799 et 1815 partagent cet optimisme. Louis Bergeron, en 1972, ne le faisait pas. Notant que l'abolition des ordres n'avait modifié ni l'équilibre social ni ses valeurs traditionnelles, il l'expliquait par la lenteur des transformations économiques. Le dynamisme des entrepreneurs lui paraissait freiné, outre la conjoncture, par un ensemble d'attitudes à l'égard de la consommation, de l'éducation et de la société. Peu novatrice, la France postrévolutionnaire aurait été celle de l'immobilisme agricole, d'échanges extérieurs non réparés et d'une mutation technique incomplète. Elle aurait juxtaposé, à un Ancien Régime agraire inchangé, des ports subitement asphyxiés après un siècle d'expansion et une industrie où quelques secteurs de pointe, « réussite brillante mais localisée », n'entraînaient pas l'ensemble. Ce jugement s'appuyait sur les difficultés qu'il y avait à apprécier les conséquences de la Révolution en matière d'économie rurale. L'exploitation n'en fut pas perfectionnée ni les mentalités modifiées. Elles demeurèrent marquées par la soif de propriété et l'élargissement de l'autoconsommation. Le progrès agronomique fut inexistant ou très inférieur aux exagérations officielles, et les cultures nouvelles n'ont pas transformé le système traditionnel. A côté de la destruction, incontestable, du grand commerce maritime, s'observe, sans doute, une première industrialisation. Ce succès est original dans la mesure où il est lié aux conditions inédites de la formation du marché continental. Il est marqué par la mécanisation de l'industrie cotonnière, commencée dès le Directoire et d'abord largement spontanée. Il affecte aussi l'industrie chimique sur la base, d'ailleurs, d'impulsions prérévolutionnaires. La tradition se conserve davantage dans la sidérurgie. La Révolution, au fond, a surtout bouleversé l'équilibre géographique de l'économie française. Elle l'a détournée de la mer et du modèle anglais, et fait retourner à ses lourdeurs internes et à ses frontières terrestres. Les bénéficiaires de ce changement ont été les capitalistes parisiens et bientôt ceux de Lyon ou Strasbourg. Des déséquilibres antérieurs s'accentueront par là, notamment, sur le plan industriel, entre un Nord pourvoyeur et un Midi consommateur et moins adapté à l'évolution [11].

Des études plus récentes ont peu nuancé ce tableau. Jean Tulard, comme Louis Bergeron, voit dans l'économie napoléonienne autant les éléments d'une stagnation que ceux d'un démarrage. Albert Soboul a été plus optimiste au sujet d'une reprise aidée par la réorganisation bancaire ou monétaire et le mercantilisme de guerre. Il discerne dans le mouvement postrévolutionnaire des prix et des profits les signes d'une conjoncture favorable. Tout au plus admet-il l'inégalité de cette prospérité et de cette croissance selon les secteurs, l'industrie en ayant beaucoup plus bénéficié, d'après lui, que l'agriculture ou surtout le commerce maritime. Le grand commerce continental, en revanche, avait connu un incontestable essor. Donald Sutherland vient de confirmer cette prospérité relative qui profita en particulier aux vendeurs de produits agricoles et d'abord aux grands propriétaires. Mais il a remarqué que ces progrès n'eurent rien à voir avec ceux d'une productivité toujours fort en arrière sur celle de l'Angleterre. Loin de réinvestir leurs gains, les maîtres du sol ne transformèrent pas leurs domaines, et l'abolition de la féodalité ne créa pas un capitalisme rural. L'économie de guerre et les nouveautés techniques entraînèrent même une grave crise de structure qui poussa, dans le Nord comme dans l'Ouest, à une désindustrialisation des campagnes. Dans les villes, le textile traditionnel souffrit également, tandis que l'industrie cotonnière travaillait dans des conditions artificielles et malsaines de spéculation et de sous-capitalisation. Le retour de la paix sera, pour elle, catastrophique. Les dimensions des entreprises parisiennes restaient artisanales, tandis que leur réveil était dû, en premier lieu, au soutien gouvernemental. Il en alla de même en province, et l'essor, certain, de la production retentit peu sur le sort des ouvriers. Celui des artisans ruraux et de la plupart des paysans se détériora encore plus. L'équilibre instable entre des ressources insuffisantes et une population en accroissement changea peu, dans la mesure où la Révolution, au lieu de régler le problème agraire, accéléra la tendance de l'histoire française à la conquête bourgeoise de la terre. Les citadins monopolisèrent de plus en plus les exploitations importantes aux dépens de la paysannerie parcellaire et, pour la plupart des Français, en raison notamment de la pression démographique persistante, la pauvreté était aussi grande, sinon plus, en 1815 qu'en 1789[12].

La Révolution française a-t-elle renouvelé les élites ?

Alfred Cobban, en 1964, rappela que la nouvelle classe dirigeante sortie des bouleversements révolutionnaires était avant tout constituée de grands propriétaires fonciers. Incluant l'ancienne noblesse, ce groupe n'avait rien à voir avec le mythe marxiste d'une conquête du pouvoir par la bourgeoisie industrielle. Sa prédominance, sous Napoléon, confirmait plutôt que la Révolution avait finalement bénéficié à la même élite terrienne qui l'avait déclenchée tout en se déchirant pendant son déroulement. La fusion de l'ancienne aristocratie dans la nouvelle achevait d'assigner à la France des notables un cachet de conservatisme rural qu'elle préservera pendant tout le XIXe siècle[1].

Cette vision des résultats sociaux de la Révolution a été confirmée par la recherche récente. Elle indique, comme chez les Toulousains étudiés par Jean Sentou, la prépondérance, pendant toute la période, de la fortune immobilière. Si celle de la noblesse s'est alors réduite, elle continue à dominer la société en 1799. Les différents secteurs de la bourgeoisie se sont sans doute enrichis, car ils ont massivement bénéficié de la vente des biens nationaux. Mais les nobles en ont huit fois plus profité que les classes populaires et, par leurs investissements uniquement fonciers, les groupes bourgeois ont confirmé leur attachement au mode de vie d'Ancien Régime [2].

Sous le régime napoléonien, la Révolution se donna enfin l'élite de propriétaires à laquelle elle avait toujours aspiré. Ces notables sont moins caractérisés par l'embourgeoisement de la haute société que par l'aristocratisation de la haute bourgeoisie. Celle-ci incarne le triomphe des maîtres de la terre auquel se ramène le sens social de la Révolution. La noblesse a été presque parfaitement rétablie en ses biens dans l'Ouest, le Centre ou le Midi. Dans de très nombreux départements, les anciens aristocrates dominent la liste des plus riches contribuables. Cette situation, dans la vallée du Rhône ou la région parisienne, assigne au capitalisme d'affaires une part dérisoire par rapport à l'ex-haute noblesse. Elle accapare toujours les plus grosses fortunes foncières, c'est-à-dire la richesse tout court. Le heurt social entre la « féodalité » et la bourgeoisie appartient, sous la Révolution, au domaine du mythe. Innombrables furent, pendant tout son cours, les fils de l'ancienne noblesse à entrer en masse dans les carrières civiles et militaires qui s'offraient à eux. Ils préparèrent l'intégration napoléonienne et assurèrent la consolidation des positions aristocratiques dans l'État modernisé et le futur capitalisme [3].

Il y eut, dans la France du temps, à côté de ce phénomène, une incontestable promotion bourgeoise. Mais, après la rupture initiale avec la noblesse, la bourgeoisie ne songea qu'à conserver les structures économiques professionnelles et mentales d'Ancien Régime. Son effort d'ascension continua à s'insérer dans une volonté d'identification à l'aristocratie. Le modèle qu'elle imposa au lendemain de la Révolution ressemblait à celui cher aux robins du XVIIe siècle. Maître d'une fonction publique aux échelons supérieurs réservés à l'élite, ce groupe dirigeant concevait les affaires dans une perspective d'abord immobilière. On le voit, à Marseille, glisser facilement à l'anoblissement et au genre de vie aristocratique. Les vrais vainqueurs de la Révolution ont été, parmi les bourgeois français, ceux qui en ont profité pour accroître leur emprise sur la rente foncière. Le maître mot auquel ont donné naissance les bouleversements inaugurés en 1789 est celui de « propriétaire », généralisé à de très nombreuses situations socioprofessionnelles et s'identifiant presque au statut du nouveau notable. Associé à celui de rentier et à la condition de citadin, il achève de faire de la société postrévolutionnaire celle où les maîtres de la ville le sont, en même temps, du sol exploité par les paysans. Ils réinvestissent, certes, une partie de leurs revenus dans le crédit, et la base immobilière de leur fortune ne s'identifie pas au gel de leurs capitaux. Mais, manifestement, le développement économique du pays et sa modernisation n'étaient pas leur souci principal[4].

Jean Nicolas a retrouvé, dans une Savoie un moment associée à la France, cette prépondérance de la richesse terrienne au sein de la nouvelle élite. Moins de 10 % de nobles y possédaient plus de 20 % de la valeur des biens, et la restauration matérielle et politique de leur groupe avait été particulièrement remarquable. Il occupait, dans la société issue de la Révolution, une part capitale parmi les notables qui y détenaient la prépondérance. L'aristocratie d'État voulue par Napoléon avec sa noblesse d'Empire ne changea rien à cette situation. Albert Soboul, tout en rappelant le recul de l'aristocratie féodale et le renouvellement de la bourgeoisie après 1789, a reconnu le maintien de l'ancienne noblesse à la tête de notables où les bourgeois n'étaient pas seuls à donner le ton. La structure sociale de la France, au début du XIXe siècle, n'avait donc pas beaucoup changé par rapport à celle d'avant la Révolution.

Celle-ci ajouta seulement, à l'aristocratie et à la bourgeoisie traditionnelles, de nouveaux riches, nés du négoce ou de la manufacture, qui s'intégrèrent sans peine au monde des notabilités où fusionnèrent bientôt toutes les élites. Rente foncière et fonction publique y comptèrent plus que le capitalisme marchand ou industriel[5].

La puissance de la grande propriété nobiliaire ne se reconstitua pas exactement, à la fin de la Révolution, comme elle était à ses débuts. Son pouvoir social ne cessera plus d'être contrebalancé, à la campagne, par des forces inédites. Mais on est frappé par la rapidité du rétablissement de l'aristocratie à l'issue du bouleversement révolutionnaire. Diminuée, appauvrie et partiellement déclassée, elle n'était pas ruinée et réussit à se reprendre. On la voit, en Franche-Comté, dès 1808, dominer, par son regroupement massif et sa fortune reconstituée, le monde des notables locaux. De même qu'elle n'était pas née de leur lutte, la Révolution n'a pas abouti au renversement d'une classe par une autre. Elle se termina plutôt là où elle aurait pu commencer, c'est-à-dire par l'établissement d'un compromis au sein de l'élite[6].

La Révolution française renforça les inégalités. Sébastien Mercier constatait, sous le Directoire, que la nouvelle société ne ressemblait guère aux utopies du XVIIIe siècle. Ce système était surtout fécond en nouveaux riches. Le journaliste parisien était frappé par la continuité d'un pays où le règne des privilèges avait été simplement remplacé par celui de l'argent. Les noms seuls avaient changé, mais la réalité sociale persistait à faire de la souveraineté du peuple un fantôme. La Révolution n'avait donc pas innové, du point de vue des espérances des Lumières, par rapport à l'Ancien Régime. La ségrégation durera, pendant presque tout le XIXe siècle, entre hommes ou femmes du peuple et Français de bonne compagnie[7].

Louis Trénard a évoqué un de ces notables qui survécurent à la tourmente et en sortirent plus puissants qu'avant. Le Lyonnais Pierre-Toussaint Dechazelle, dessinateur en soieries appartenant à une riche famille d'origine stéphanoise, avait connu, au milieu de la prospérité de la fabrique, la douceur de vivre propre, pour certains, à la fin de l'Ancien Régime. Il s'était intéressé à l'irrationalisme à la mode. Compromis avec les insurgés de 1793, ce grand bourgeois pourvu d'une belle propriété souffrit beaucoup de la Terreur. Ennemi de la République, il retourna, comme de Maistre, à la religion et reprit ses activités, favorisées par le renouveau économique et technique : il l'encouragea et guida la réorganisation de la fabrique en animant les talents locaux, aux confins de l'art et de l'industrie. Une précoce retraite lui permit de s'occuper de la gestion de son domaine et de rédiger ses ouvrages. Mort à quatre-vingt-deux ans, en 1833, cet homme de culture et de mysticisme, qui avait su gagner de l'argent et l'investir en biens fonciers, avait parfaitement incarné, de Louis XV à la monarchie de Juillet, les milieux dirigeants de la bourgeoisie lyonnaise. Pour lui comme pour eux, la Révolution n'avait représenté qu'une douloureuse et inutile parenthèse[8].

Le Lorrain Adrien Duquesnoy avait eu, pour sa part, trente ans en 1789. Fils d'un petit robin royal, il avait été un membre actif du tiers à la Constituante. Hostile aux abstractions rousseauistes et préoccupé d'organisation pratique, il s'était montré, quoique anticlérical convaincu, opposé à la radicalisation de la Révolution. Maire de Nancy en 1792, puis emprisonné par les jacobins, il réapparaît, sous le Directoire, dans l'entourage de François de Neufchâteau. Il continua, sous le Consulat, à collaborer avec le ministère de l'Intérieur, au temps de Chaptal. Soucieux de développement économique et d'ordre social, de statistiques et de progrès, d'utilité et de recherche pratique, cet homme d'une immense culture et d'une vaste curiosité sera apprécié par les Bonaparte. Il se retirera à Rouen, où il se suicida, en 1808, en raison des difficultés financières de sa filature. Son évolution idéologique personnelle avait été celle d'administrateurs révolutionnaires de plus en plus conscients du rôle de l'État dans la construction nationale. Information, compétence, autorité, importance de l'opinion éclairée, reflet de l'élite sociale et du concours qu'elle pouvait apporter au gouvernement, étaient devenus des concepts clés. Duquesnoy regretta, en 1802, la baisse de qualité des nouveaux conseils généraux par rapport aux assemblées provinciales de 1788. Aux yeux de ce notable et de ce technocrate, une Révolution destructrice avait abaissé le niveau de responsabilité civique de la nation. Nostalgique du regroupement de talents qui avait marqué la fin de l'Ancien Régime, il ne voyait plus d'espoir pour la France, à la différence de 1789, que dans son État. Il termina son activité politique en déplorant la coupure qui s'établissait entre celui-ci et l'élite de la société provinciale[9].

C'était le moment où Napoléon avait voulu jeter, sur le sol d'un pays pulvérisé par la Révolution, quelques « masses de granit ». Avec lui, les brumairiens étaient passés de leurs préoccupations libérales du temps de la Constituante à une primauté nouvelle de l'ordre et de la hiérarchie. Le despotisme qu'ils finirent par établir fut celui de la richesse, joint à la célébration des vertus militaires. L'édifice bureaucratique de cet absolutisme, plus arbitraire que celui de la monarchie, ne put être abattu que par l'invasion étrangère. La Révolution donna naissance à une société militarisée, comme en témoigna la Légion d'honneur de 1802, qui ressemblait plus aux ordres d'Ancien Régime qu'aux distinctions précédentes du mérite civique. La création de la noblesse impériale symbolisa cette renaissance de l'idéal aristocratique où le statut déterminait la fortune. Ce système de distribution de largesses se contenta, d'ailleurs, d'élargir l'enrichissement déjà obtenu par les généraux, de manière illicite, à la fin de la Révolution. Celle-ci avait donc abouti, grâce à l'armée, à l'ascension au sommet de l'élite sociale d'une poignée d'hommes émanant de la petite ou moyenne bourgeoisie. Le modèle militaire fut même étendu à la formation des futures générations par le système des lycées[10].

Les notables, finalement favorisés par la tourmente, se rattachaient, on l'a vu, à la propriété foncière et à l'administration plus qu'à l'industrie et au commerce. Donald Sutherland, qui vient de reprendre ces conclusions de Louis Bergeron, insiste sur la très faible ampleur du renouvellement de l'élite au cours de la période. Peu d'hommes nouveaux y apparurent et la plupart des anciens dominants ne furent pas affectés en leurs positions. On peut parler, parfois, d'un régression économique de la haute société par rapport à 1789. La riche bourgeoisie d'affaires varoise était moins nombreuse, en 1801, qu'au début de la Révolution. Dans les ports ruinés de l'Ouest, les familles marchandes se reconvertirent dans la terre. Si celle-ci put fournir l'occasion de fructueux investissements, elle continua, comme sous l'Ancien Régime, à définir économiquement l'élite française. Celle-ci persista à abriter, après comme avant la Révolution, la vieille noblesse, qui en souffrit finalement assez peu grâce à un sage attentisme, à l'image de l'immense majorité de la population. Si cette restauration sociale varia selon les régions, l'ère napoléonienne permit à l'ancienne aristocratie, en diminution régulière depuis le XVIIe siècle, de réparer ses pertes. Elle conserva pour longtemps, malgré le renforcement de ses rivaux, ses positions dominantes au sommet de l'échelle sociale. De toutes les classes, elle demeura la plus riche, après la Révolution comme avant. Si elle avait perdu ses avantages fiscaux et ses monopoles professionnels, elle garda, au sein du groupe dirigeant, une influence sans commune mesure avec son importance numérique. Ces notables, dans leur ensemble, ne gouvernèrent pas le pays comme leurs congénères anglo-saxons. L'atrophie des institutions représentatives les en empêcha. Ils servirent seulement de réservoir de talents pour l'appareil d'État. Ils ne dominèrent, en partie, la vie publique que par leurs liens, souvent fort étroits, avec les fonctionnaires. De véritables dynasties locales se constituèrent dans plusieurs régions, pour plus d'un siècle, à la faveur de la Révolution. Celle-ci créa une classe dirigeante faite de la fusion entre la plupart des anciens nobles et quelques nouvelles capacités bourgeoises. Des contre-révolutionnaires irréductibles ne s'y rallièrent pas, et l'ascension sociale permise par ce processus resta limitée à une étroite élite. La professionnalisation croissante du personnel administratif joua dans le même sens, hostile à une réelle mobilité vers le haut de la masse de la population[11].

Tous les historiens s'accordent sur ce caractère embourgeoisé, mais figé, assigné à la société par une Révolution qui fixe les Français à la terre. Le capitalisme moderne n'en sortit nullement vainqueur face aux grandes familles d'Ancien Régime ou aux propriétaires fonciers traditionnels. Ces possédants, peu dynamiques, ont parfois procédé, comme dans l'Ouest, à une véritable désindustrialisation de leurs investissements. Le pouvoir bourgeois, reconstitué, redonna sans doute confiance, avec le libéralisme économique, aux entrepreneurs, banquiers ou négociants. Pleinement réhabilités (en avaient-ils d'ailleurs besoin ?), ils assureront, à travers la parenthèse révolutionnaire, la continuité de leurs affaires. Après avoir assisté, sans y prendre part, à un bouleversement politique qui les effarouchait ou les laissait indifférents, ils sortiront d'hibernation et retrouveront leur énergie d'investir, avec leur capital intact et à côté des nouveaux enrichis. Mais ces futurs cadres de l'industrie nationale étaient encore loin de donner le ton à la classe dirigeante[12].

La Révolution française a-t-elle transformé la condition des classes populaires ?

Le monde paysan, largement majoritaire dans la France de la Révolution, fut-il profondément affecté par elle ? Ginguené, rédacteur en chef de *la Feuille villageoise,* se félicitait peut-être un peu vite, au début de 1795, de son enrichissement global. Il exprimait, en tout cas, l'idéal à la mode en formant le souhait d'une préservation de l'immobilité rurale, à l'abri des dangereuses contagions de la ville et de ses vices. Ce lieu commun était accordé à une réalité sociale extrêmement conservatrice au milieu des bouleversements politiques. Il est difficile d'affirmer que les transformations connues alors par les campagnes contribuèrent à la modernisation capitaliste du pays. Un profond enracinement paysan le caractérisait toujours, comme dans ce Vendômois de 1800 où les deux tiers des hommes exerçaient la même activité que leur père, les trois quarts se mariaient dans le même milieu que le leur, tandis que plus de neuf femmes mariées sur dix étaient nées dans l'arrondissement et que 70 % d'entre elles résidaient à dix kilomètres au plus de leur lieu de naissance. Cette stabilité s'était incarnée, en Artois, par la permanence, à travers toute la Révolution, du pouvoir villageois des fermiers, anciens officiers seigneuriaux. Les nouvelles élections le confirmèrent plus qu'elles ne l'infirmèrent, et cette fermocratie, un moment ébranlée sous la Terreur, ressaisit, pour longtemps, toute son hégémonie après Thermidor. Elle tenait à la puissance économique, familiale et relationnelle de ces gros exploitants qui dominèrent durablement les communautés, de l'Ancien Régime au XIXe siècle, sans être très affectés par la Révolution[1].

Maurice Agulhon ne lui a pas attribué une nouvelle distribution de la propriété foncière. Tandis que les paysans les plus aisés avaient réussi à participer au transfert de biens concernant les classes riches, l'accès d'autres à une micropropriété fort éloignée du statut d'indépendance n'avait fait qu'aggraver le phénomène de parcellarisation à la base du monde rural. On pouvait généraliser ce cas provençal d'une société agraire à deux étages. Les paysans pauvres, condamnés à la dépendance ou aux ressources d'appoint, s'y opposent à des cultivateurs relativement aisés parce que disposant de l'autarcie économique et n'ayant jamais besoin d'un salaire. Cette dissociation de la paysannerie fut admise par Albert Soboul : si la Révolution avait, en gros, amélioré la condition des ruraux, elle n'avait pas apporté, pour la majorité d'entre eux, de solution à la question agraire en leur fournissant le moyen de vivre de leur terre. L'aggravation des inégalités due, dans les campagnes, à la Révolution y aurait puissamment avancé la désintégration de la communauté traditionnelle. Grands ou petits exploitants et journaliers y évoluent, de plus en plus, de façon séparée. Cette analyse aboutit à une répartition de la masse paysanne en trois ensembles : petits et moyens producteurs indépendants, parcellaires en autosubsistance mais souvent endettés, prolétaires ou en voie de l'être. Le conflit d'intérêts entre eux était évident et la Révolution favorisa plutôt le premier groupe, tout en maintenant de nombreuses pratiques communautaires, mais en se refusant au partage égalitaire du sol. Dans le cadre de la prépondérance des notables ruraux, une paysannerie divisée vit ses contradictions s'accroître et, pour la majorité de ses membres, sa condition s'aggraver et son conservatisme économique se durcir. Le compromis était difficile à établir entre le nouveau principe, cher aux propriétaires, de la liberté des cultures, et la garantie, pour les pauvres, du maintien des droits collectifs[2].

La « République au village », pendant la Révolution, d'après le sud du Massif central étudié par Peter Jones, ne mit pas un terme aux affrontements hérités du passé. La politisation des campagnes n'y fut souvent que la traduction, en termes de factions modernes, de querelles anciennes. Isolés au milieu d'une masse hostile, les militants jacobins s'y identifièrent à l'intrusion d'une idéologie bureaucratique émanant d'une bourgeoisie rurale déjà dominante. Il faut y chercher, sous le vernis de la rhétorique révolutionnaire, l'âpreté des luttes privées pour le pouvoir local, sur la trace et dans la continuité des habitudes d'Ancien Régime. L'époque de la Terreur y marqua fréquemment l'apogée ou le début de la prépondérance, sur la communauté, d'hommes de loi procéduriers et rapaces. L'exploitation des biens communaux demeura dans cette région, après comme avant 1789, la grande affaire et la source principale des conflits. Ils prirent parfois la forme de vieilles querelles, très antérieures à la Révolution et avivées par elle. Au sein d'une société traditionnelle marquée par des structures de clientèle, l'idéal de citoyens choisissant librement, entre des principes différents, était une absurdité. Dans les communes divisées entre catholiques et protestants, leurs haines firent simplement de cette époque le dernier épisode des guerres de religion. Les mots de « monarchistes » et de « républicains » ne furent qu'une apparence. La réalité se situait toujours au niveau des vieux affrontements de clans que les militants transfigurèrent dans le vocabulaire du temps. Après Thermidor, leur lutte se présenta, plus franchement, comme une âpre rivalité pour le pouvoir. Les équipes qui se le disputèrent avaient moins en commun une étiquette idéologique que des habitudes enracinées dans la sociologie et la géographie. Elles confèrent aux coteries, aux cliques et aux cabales qui marquèrent les élections du Directoire dans cette zone un cachet qui n'a rien à voir avec son hypothétique modernisation politique. Jacobins et royalistes en milieu rural perpétuèrent des tensions préexistantes que la décentralisation de l'administration et de la justice exaspéra. Par le biais de minorités agissantes plus ou moins reliées à Paris, l'originalité des réactions paysannes l'emporta sur la banalité des mots d'ordre révolutionnaires [3].

Le problème de la pauvreté représentait, on le sait, la grande question sociale en France à la veille de la Révolution. Il est inévitable qu'elle l'ait accompagnée pendant toute son histoire. Le milieu des travailleurs urbains était celui où la misère était la plus facile à cerner. Daniel Roche a contesté, dans le cas du petit peuple parisien, son extension au XVIIIe siècle. Il ne semble pas que, par rapport à l'Ancien Régime, des catégories comme les apprentis ou les domestiques aient vu, après lui, leur sort s'améliorer. Plus généralement, on peut se demander ce que fit, de la pauvreté dont elle hérita, la Révolution française [4].

Olwen Hufton a décrit avec minutie, dans son étude sur Bayeux, le tiers de la population qui ne vivait que grâce à l'aumône chrétienne et souffrira durement de la crise de l'Église sous la Révolution. Il en sera la grande victime, son sort ayant empiré et son nombre grossi en même temps que sa bienfaitrice était détruite. En 1795, la foule de cette ville normande renversa le buste de Jean-Jacques installé dans la cathédrale, en criant : « A bas putain ! Quand le bon Dieu était là, nous avions du pain. » Olwen Hufton a, depuis, élargi son enquête à cette immense masse de pauvres que comptait déjà l'Ancien Régime et que 1789 et ses suites augmenteront encore. Elle a montré leur présence non point marginale, mais parfaitement intégrée à une société marquée par la peur de la pénurie et la vulnérabilité aux crises. Leurs expédients pour survivre formaient à eux seuls une branche nullement négligeable de l'économie d'alors [5].

Que devint-elle pendant la période révolutionnaire ? L'accroissement de la misère semble en avoir constitué une caractéristique majeure, en particulier dans les villes. Alan Forrest en a donné une description saisissante dans le cas bordelais. On y voit la mendicité et le vagabondage déborder les faibles moyens des bureaux de charité dans cette ville atteinte de plein fouet par les difficultés économiques. Les femmes et les travailleurs des quartiers populaires y connurent, de plus en plus, la prostitution et l'indigence sans que l'action des militants révolutionnaires ait pu les entraver. Ils firent sans doute, avec bonne conscience, en hommes des Lumières, la chasse aux mendiants. Mais, en détruisant la féodalité et l'Église, ils avaient mis fin aux seuls moyens d'assistance dont disposait la société française. La guerre diminua encore les moyens financiers pour secourir les pauvres tout en aggravant les difficultés du milieu ouvrier. La famine menaça, en 1793, à Bordeaux comme ailleurs, et elle fut loin d'y mobiliser les pauvres en faveur de la Révolution [6].

Alan Forrest vient de reprendre l'étude de l'ensemble de la politique révolutionnaire face à ce problème. Elle dépendit de l'idée d'obligation sociale chère à la pensée de l'élite du XVIIIe siècle. La lutte contre la misère devenait, par là, un devoir d'humanité et une responsabilité de l'État. Ce programme, très imparfaitement appliqué par l'Ancien Régime, fut celui qu'il légua à la Révolution. Le Comité de mendicité de la Constituante tenta de définir les moyens et les conditions d'une politique d'assistance. Elle fut marquée, après lui, par un échec complet de l'institution hospitalière, laïcisée, ruinée par les événements et vainement centralisée par les jacobins. Leurs successeurs thermidoriens aggravèrent la situation par un abandon décidé de toute aide véritable aux pauvres, concurrencés par les besoins nés de la guerre. La bienfaisance publique et l'aide à domicile ne purent freiner une indigence renforcée par le chômage et les difficultés économiques. Contrastant avec les beaux discours des députés, des dépôts punitifs et sordides voyaient s'entasser ses victimes. On tenta bien, au début de la Révolution, de créer des emplois et d'organiser des ateliers publics. Mais ces projets ambitieux ne furent jamais appliqués. Les abandons d'enfants, liés aux naissances illégitimes, continuèrent à marquer les grandes villes, tandis que les pauvres se montrèrent réticents à entrer dans une armée révolutionnaire qui ne les changerait pas, pensaient-ils, de leur misère ; ils lui préférèrent souvent, on le sait, la désertion. Ce tableau désolant, où une œuvre législative impressionnante contraste avec un désastre total dans les faits, n'est guère à l'honneur de la conscience sociale de la Révolution française. Si son ambition bureaucratique en la matière fut prématurée, les moyens qu'elle mit à son service se révélèrent dérisoires[7].

Albert Soboul a observé cette détérioration des conditions d'existence du peuple urbain après 1789 et suivi la montée de l'indigence jusqu'à l'époque napoléonienne, qui fut loin d'y mettre un terme. Les quartiers ouvriers parisiens conservaient alors, comme sous l'Ancien Régime, un tiers de leur population à la merci des secours en nature des bureaux de bienfaisance. Ce sort déplorable de nombreux salariés était accru par leur subordination et leur infériorité juridique comme par leurs très dures conditions de travail. Elles demeuraient inhumaines pour les femmes et les enfants. Précarité et fragilité demeuraient les caractéristiques de la vie matérielle de la majorité des Français, surtout dans les villes[8].

Un autre bilan de la période était sans doute inimaginable mais, selon Louis Bergeron, « le salariat est le grand perdant de la société française au début du XIXe siècle ». La répression anti-ouvrière due aux patrons et à la police, aidés de la loi, s'y accroît. L'encadrement et la surveillance des classes populaires sont plus que jamais à la base de l'ordre politique et social. Quant au mouvement ouvrier, dans ses formes d'organisation, ses méthodes de lutte, ses objectifs et ses mentalités, il ne peut, au mieux, que répéter ce qui l'avait déjà caractérisé sous l'Ancien Régime. Au sein d'une société bloquée et ploutocratique, obsédée par l'équilibre et rebelle à la mobilité et à l'ascension, les masses constituent toujours une autre France. Elle reste guettée par la pauvreté, accablée par l'inégalité et la dépendance, hostile à la modernité. Son calme apparent et durable, au sortir d'une telle tempête, est sans doute à la mesure de sa déception [9].

11

Une Révolution culturelle ?

On a longtemps opposé les ruptures politiques et sociales entraînées par la Révolution à la continuité du pays, au cours de cette période, dans le domaine culturel et religieux. Cette perspective a été, depuis peu, profondément modifiée. On s'attache plus aux transformations mentales apportées alors. Est-il sûr, pourtant, que la Révolution ait réussi à déchristianiser la France, à y ébranler les conceptions traditionnelles de la famille et de l'ordre moral ou à créer un homme nouveau[1] ?

La Révolution a-t-elle déchristianisé la France ?

Jean de Viguerie l'affirme au terme d'une pénétrante étude qui remarque l'efficacité de la persécution révolutionnaire envers l'Église. Il n'y resterait plus, en 1799, que des îlots de dévotion, refuges précaires pour la foi. Une partie notable de la population avait cessé de pratiquer régulièrement. La communion pascale s'effondra d'un tiers, par rapport à 1789, dans certaines régions du Nord-Ouest ou du Centre. Le travail du dimanche était entré dans les mœurs ; les églises, rouvertes, demeuraient souvent désertes. Lamennais affirma, en 1808, l'anéantissement de la religion. Ces témoignages autorisent-ils à « créditer » la Révolution d'une déchristianisation réussie ? Jean de Viguerie voit dans les différentes étapes de l'histoire religieuse de la Révolution l'incarnation d'une offensive séparant les fidèles des prêtres et les empêchant de recourir aux sacrements. Il y discerne un système de persécution cohérent et efficace[2].

C'est minimiser les phénomènes de résistance opposés par les catholiques à la Révolution : soulèvements contre les actions antireligieuses, œuvre de l'Église clandestine et de ses ministres, administration des sacrements. Ainsi, la proportion des enfants non baptisés sera infime. On déploya, de même, une extraordinaire ingéniosité à célébrer la messe en dépit des circonstances. Les laïcs remplacèrent souvent les ministres dans certaines fonctions et leurs initiatives montrent leur attachement à l'assemblée dominicale et un sens très vif de l'Église. La résistance des religieuses et le sacrifice des prêtres, dont plusieurs milliers furent mis à mort pour leur refus de prêter un serment contre leur conscience, complètent ce tableau. Il confirme la grandeur spirituelle d'un catholicisme français qui répond à ses bourreaux par la prière et la dévotion. Il semble injuste de ramener l'héroïsme de ses martyrs à un acte purement minoritaire, puisqu'il accompagnait le refus massif, par la majorité de la population, de la politique antireligieuse des gouvernements. Ce fut cette attitude collective qui décida du rétablissement de l'Église et du retour de la foi[3].

On fait trop d'« honneur » à la déchristianisation en lui attribuant un succès de masse qu'elle n'a jamais remporté. Cette opération bourgeoise n'eut guère d'écho populaire. L'évolution de l'image de Jésus, dans la France du XVIIIe siècle, indique la permanence d'une vision sacrée de la politique de l'Ancien Régime à la Révolution. Les chrétiens, souvent pénétrés de l'esprit des Lumières, accueillirent parfois avec faveur le bouleversement de 1789. Fauchet y trouva l'occasion de rappeler que c'était l'aristocratie qui avait crucifié le Fils de Dieu. Constitutionnels et réfractaires s'y réclamèrent constamment de la même foi et les jacobins n'oublièrent pas de se rattacher au principe de l'égalité évangélique. Chez les sans-culottes, la dévotion envers Marat n'effaça pas celle que l'on conservait pour le prophète de Nazareth. Après Thermidor, le respect pour ce législateur divin alla s'enflant jusqu'à le proposer en modèle à tous les régimes. Si Chateaubriand devait couronner ce mouvement de réconciliation, la lecture de la Bible avait déjà été, dans la société patriarcale de la fin du XVIIIe siècle décrite par Restif de La Bretonne, le grand moment de l'initiation à la vie. Il en resta quelque chose au cours d'une Révolution moins marquée par les succès de la déchristianisation que par le réveil du millénarisme et la propagation d'un enseignement moral dérivé de l'Écriture. La redécouverte du génie propre à la foi de l'Occident constitue l'une des plus grandes acquisitions de la période [4].

On ne peut le comprendre si l'on se borne à envisager l'Église sous l'angle d'un appareil idéologique d'État. Louis Trénard a montré à quel point, dans la bourgeoisie cultivée de Lyon, 1789 apparut au milieu d'un puissant accès de religiosité mystique, avide de régénération. Témoins de l'apocalypse qui suivra, Balanche et Ampère y favoriseront, après l'échec et la déception, une interprétation providentialiste des événements ; la foi révolutionnaire fut remplacée, dans ce milieu, par celle de la contre-révolution. Le catholicisme fut favorisé, en son réveil, par cette prise de conscience, et la future idéologie de la Restauration pourra se définir par la revanche de la foi contre la Raison. L'Église réfractaire l'avait incarnée en se révélant souvent plus adaptée à la modernité politique que la monarchie d'Ancien Régime. Le fer de lance de la contre-révolution ne fut pas la royauté et ses images, mais la religion chrétienne et ses vérités. Ses tenants les plus authentiques ne furent pas des partisans de la tradition, mais de l'éternité. D'où le rôle capital, chez les intellectuels français de 1800, du mouvement collectif de conversion, réponse de l'homme nouveau, et ressuscité, au déséquilibre révolutionnaire. De même que celui-ci était né d'une révolte juvénile contre le prêtre éducateur, la réaction qui y mit un terme s'identifia à un retour aux pratiques religieuses de l'enfance. Au milieu d'une immense crise de civilisation, cette aspiration à la pureté originelle signifiait le rejet du rationalisme installé et triomphant. La jeune génération sera sensible, comme dans le cas de Chateaubriand, à un prophétisme visionnaire. Il était accordé à une époque marquée par la force de la pensée religieuse. La conscience du temps en fut imprégnée. En 1802, *le Génie du christianisme,* annonciateur d'une réconciliation entre le monde moderne et la foi, ne parlera pas autrement que Hegel. La plupart des esprits éclairés, au terme d'une Révolution décevante, retournaient à une religion rénovée par le sentiment de l'irrationnel[5].

Cette atmosphère mentale confère tout son sens au rétablissement institutionnel de l'Église sous Bonaparte. Celui-ci en fit, avec bon sens, une priorité politique, tant lui importait, au-delà de la simple réouverture des églises, le règlement de la question religieuse. Il lui accorda sans doute, selon son désir, une Église fonctionnarisée, docile à l'État et principalement sociale dans sa fonction. Mais ce dernier avatar de la pensée philosophique, qui recommandait l'intégration et la soumission du clergé, permettait le maintien de l'unité catholique et la reprise de la vie pastorale. Le clergé retrouva vite une part du contrôle de l'enseignement. Il profita de sa restauration pour étendre son influence. On a vu à quel profond mouvement de renouveau elle correspondait. Malgré la détresse du corps pastoral, les conséquences néfastes de l'interruption de la vie paroissiale et d'incontestables manifestations d'impiété urbaine, l'épiscopat entreprit une opération de reconquête. Son autorité devait se voir rétablie par ces missions. Elles participaient à une puissante réaction antirationaliste. Après dix ans de Révolution, le sacré était réhabilité. Louis Bergeron y voit à tort la marque d'une conviction passionnelle et le refus d'un effort d'analyse. L'hostilité aux philosophes et l'exaltation de la foi exprimaient plutôt la naissance de la sensibilité romantique. Le sentimentalisme rousseauiste achevait sa carrière dans l'éloge de la piété chrétienne et les anciens musiciens révolutionnaires composaient maintenant des hymnes liturgiques. Il ne s'agissait pas là d'un simple opportunisme. Face aux désastres révolutionnaires, une pensée traditionaliste et autoritaire se construisait, dont la diffusion sera un des faits majeurs du XIXe siècle. Une partie de son impulsion provenait de l'hostilité aux Lumières déjà apparue avant 1789[6].

Donald Sutherland vient de préciser les contours de cette restauration du catholicisme. Facilitée par l'utilité de la foi aux yeux de Bonaparte, elle résulta surtout de l'enracinement du christianisme populaire. Malgré l'opposition des généraux jacobins, des intellectuels et des politiciens, le Consulat conclut le Concordat pour éviter de continuer, avec le clergé, une guerre désastreuse pour le maintien de l'ordre. Cet accord permit au gouvernement de contrôler l'opinion. Il domina pareillement l'Église. Sa reconstruction, qui devait se révéler très longue, fut dirigée par les anciens réfractaires. Ils bénéficièrent du discrédit des constitutionnels ou de leur disparition au fil des événements. Cette situation fit de l'application du Concordat une collaboration entre le gouvernement issu de la Révolution et les milieux populaires qui l'avaient principalement combattue. Si les prêtres les plus royalistes n'y participèrent pas toujours, les constitutionnels durent souvent se soumettre à d'humiliantes rétractations. Il y eut de nombreuses cérémonies de purification des églises qu'ils avaient souillées et de vastes re-mariages et re-baptêmes collectifs. Les fêtes et les ordres religieux revinrent aussi. Les institutions d'assistance furent rechristianisées, et l'Église, dans l'ensemble, retrouva une partie de son influence d'autrefois. Elle ne manqua pas, sans doute, de problèmes au niveau pastoral, la déchristianisation ayant décapité le clergé. Il se reconstruisit sur des bases de plus en plus rurales et, ce qui était nouveau, populaires. Certaines des tendances du catholicisme français du XIXe siècle, hostile aux villes et à leur culture, s'annonçaient par là. Les formes de la piété d'Ancien Régime furent également restaurées. Les confréries se reconstituèrent rapidement. Les sentiments religieux du peuple des campagnes persistèrent à aller de préférence, en dépit des prêtres, aux pèlerinages ou aux fêtes locales, même si on les avait supprimés. Le culte des morts, avec ses manifestations « païennes », continua à s'adresser aux âmes des marins bretons disparus. Sur ce plan, les croyants retrouvèrent, sous un régime autoritaire, une liberté d'expression qu'ils n'avaient plus connue depuis longtemps[7].

On doit à Claude Langlois et Timothy Tackett la meilleure synthèse de l'épreuve représentée pour les catholiques français par la Révolution. Ces historiens accordent une part encore trop belle, *avant elle,* à l'hypothèse d'une crise décisive pour la foi. Est-il sûr que des mutations capitales se soient alors produites dans le domaine des pratiques sociales et dans celui des mentalités collectives ? Comme le disent eux-mêmes ces auteurs, « une meilleure connaissance de l'époque permettrait sans doute de plus justes appréciations ». Elle fut autant marquée par le mysticisme que par le rationalisme, et les Lumières bourgeoises ne peuvent y faire oublier la force du catholicisme populaire. La vérité d'Angers n'est pas celle de Marseille, et la France qui allait entrer en Révolution connaissait une pluralité de modèles religieux. L'opposition majeure qui les caractérisait concernait l'antagonisme entre les élites et les masses, les villes et les campagnes et, peut-être, les hommes et les femmes. La réaction aux événements révolutionnaires dépendit de cette diversité, réfractée à travers les régions. Ils chassèrent, on le sait, près de 40 000 prêtres ou religieux qui, à leur retour, purent prêcher la réconciliation et se consacrer à la reconstruction. Au milieu des mascarades de la profanation et des dures réalités de la persécution, la célébration des fêtes persista, comme le combat pour l'observation du dimanche. En se calquant sur le programme des Lumières, la Révolution scella l'alliance entre le catholicisme et la culture populaire. Les révolutionnaires, en effet, en ramenant toute activité religieuse à la superstition, mobilisèrent et réunirent contre eux la ferveur des simples *et* des clercs. Les chapelles de pèlerinage servirent d'églises aux réfractaires, et le théâtre religieux en breton joua le rôle de liturgie de substitution. Les pratiques populaires s'émancipèrent en canonisant les martyrs de la Révolution, qui entrèrent dans le panthéon des saints guérisseurs et devinrent l'objet de cultes nouveaux. Les réfractaires en exil organisèrent, d'autre part, la continuité du gouvernement des diocèses, assurèrent bientôt la formation de missionnaires et fournirent des solutions aux problèmes posés par la pastorale d'un pays bouleversé. Les missions contribuèrent à créer une dynamique favorable au catholicisme romain. Une vie religieuse sans culte, sans pratique sacramentelle et sans clergé s'était organisée au sein des familles. Elle constitua une forme de la résistance des ruraux à la déchristianisation. Des projets de reconquête spirituelle s'élaborèrent, des mystiques de la réparation se développèrent, des fondatrices de congrégations se révélèrent à la faveur de cette crise où des femmes, face à la Révolution, sauvèrent en partie la foi. Son ébranlement aboutissait, sous Bonaparte, à la constitution d'un ministère des Cultes qui, entre les mains de Portalis, favorisera le lent rétablissement de l'Église. Si son influence sociale avait été diminuée, elle était redevenue une puissance politique[8].

Sensibles aux phénomènes de continuité avec l'Ancien Régime, des historiens anglo-saxons ont relié ce résultat à des éléments traditionnels, qui persistèrent ou réapparurent sous la Révolution. Ses cultes, notamment, possédèrent, avant 1789, des prédécesseurs cléricaux, telles les fêtes de la Vertu imaginées par des apologistes antivoltairiens. Ces « rosières » entendaient fonder la survie du catholicisme sur son utilité morale. Création du XVIIIe siècle finissant, elles couronnèrent une Vierge champêtre et rousseauiste, à la grande joie des défenseurs du christianisme. Célébration de valeurs alors communes, elles associèrent à la religion traditionnelle les nouveaux courants de pensée. Les cultes révolutionnaires se déroulèrent en bonne partie selon ce programme primitivement chrétien. Sa théologie apologétique se retrouve dans l'orthodoxie vertueuse de Robespierre, pareillement adepte d'une foi sentimentale. Comme l'a remarqué John McManners, la religion révolutionnaire ne naquit que de la rupture, intervenue seulement à partir de 1791, avec le catholicisme. Mais elle conserva l'empreinte de celui des Lumières, qui ne fut pas davantage étranger à l'entreprise de Bonaparte. Ce besoin permanent d'une liturgie de moralisation, qui traverse toute la période, paraît plus important pour la caractériser que le concept ambigu de déchristianisation[9].

La résistance des communautés rurales à la Révolution, en particulier dans les zones de bocage et d'habitat dispersé de l'Ouest et du Centre, provint en bonne partie du rôle capital qu'y tenait la paroisse traditionnelle comme facteur d'unité des populations. La position dominante conservée par l'Église se relia, dans ces régions, à cette base sociologique. 1789 n'y marqua qu'une légère crise dans un mouvement de réforme tridentine qui continua jusqu'au début du XXe siècle. La densité du réseau clérical villageois y conférait le plus solide des supports à la spiritualité populaire. La culture paysanne y rencontrait, d'autre part, dans la foi, son seul moyen possible d'intégration et d'auto-expression. Elle se dressa, autour de ses vieux cimetières, contre la suppression des paroisses, intervenue à l'époque révolutionnaire. Cette réorganisation troubla, en effet, un milieu très attaché à ses lieux de culte. Ces petites collectivités autonomes les considéraient comme le symbole de leur existence. Leur conception de la communauté était celle, psychologique et spirituelle, d'une communion entre les vivants et les morts. L'Église et son cimetière l'incarnaient pour des paysans dont l'attachement viscéral à la religion tenait à cette caractéristique. Ils respectaient, en leur curé, le symbole de leur collectivité, et les prêtres, pour se l'apaiser, devaient supporter la pratique de l'infanticide ou les attentats sexuels qui régnaient souvent dans ces campagnes. En bons paysans qu'ils étaient eux-mêmes, ils se pliaient à cette règle. La Révolution se brisa, comme les ambitions morales du catholicisme tridentin, sur cette conception de l'identité collective, exprimée par les structures internes de la paroisse[10].

La Révolution française a-t-elle désagrégé la famille traditionnelle ?

La France commence à enregistrer un déclin démographique relatif à l'époque de la Révolution. Les pertes dues aux guerres ont été pourtant compensées par une natalité vigoureuse, malgré les débuts timides de la contraception. La population continua à s'accroître, comme le taux brut de reproduction. L'an II enregistrera un nombre record de naissances (plus de 1 200 000) et la période fut favorable aux mariages, qui permettaient d'échapper à l'armée. Les naissances en profitèrent. Si la France vieillit légèrement et s'accroît moins vite que ses voisins, la Révolution n'a pas représenté, pour elle, une catastrophe démographique. Les historiens discutent la question de savoir si elle a coïncidé avec l'apparition d'une restriction de la natalité. La diminution du nombre d'enfants par famille paraît certaine, mais Jacques Dupâquier a rappelé que la Révolution, en multipliant mariages et naissances, a fait gagner à la France 1 300 000 habitants. Il ne place qu'à la fin du Directoire un tournant malthusien dû aux progrès de l'individualisme petit-bourgeois. Les dirigeants révolutionnaires avaient tous été populationnistes et partisans de la famille. Le lien entre le recul de la fécondité et les phénomènes sociaux de l'époque (ébranlement de la religion traditionnelle, proclamation du principe d'égalité, propagation de l'esprit bourgeois) n'est que probable. André Armengaud a remarqué que les difficultés économiques de la fin de l'Ancien Régime étaient nées, en partie, de la croissance rapide de la population et que les contemporains, même dans le peuple rural, avaient pu s'en apercevoir. La Révolution, qui ne favorisa pas l'urbanisation, laissa, à son terme, une démographie toujours en progrès et une population toujours jeune[1].

Donald Sutherland vient d'estimer que l'époque révolutionnaire vit l'adoption massive, chez les jeunes ruraux, de la pratique du contrôle des naissances. Ils n'avaient longtemps réagi au problème de la pauvreté qu'en reculant leur âge au mariage. Celui-ci, qui avait déjà commencé à baisser avant la Révolution, s'écroula brutalement après 1789. Au même moment se produisit une généralisation de pratiques contraceptives connues seulement, jusque-là, dans quelques régions du Nord-Ouest ou du Languedoc. Les catastrophes économiques des années 1790 et le relâchement de la morale familiale traditionnelle furent les principales causes de ce comportement, qui réduisit le nombre des naissances par femme mariée et se produisit surtout dans les régions favorables à la Constitution civile du clergé. La destruction de l'Église constitutionnelle, à partir de 1793, et les difficultés ultérieures de celle du Concordat relâchèrent la discipline religieuse et rendirent les couples plus indépendants d'elle dans leur attitude sexuelle. Cette mutation démographique résulta donc de la diminution de l'emprise catholique sur le fonctionnement des mariages. Ceux-ci cessèrent également de respecter l'ancien interdit du carême[2].

Il n'y a pas eu, de 1789 à Bonaparte, une politique cohérente de la famille, mais bien trois moments, parfaitement contradictoires et déjà signalés, il y a près de cent ans, par Philippe Sagnac. La Constituante ne s'en occupa que contrainte par ses autres réformes. La scission du clergé, notamment, l'obligea à s'intéresser à l'état civil. Elle se borna, cependant, à faire observer que le mariage n'était, au regard de la loi, qu'un contrat civil. La Législative fut amenée à laïciser l'état civil en raison du grand nombre des prêtres réfractaires. Cette loi du 20 septembre 1792 modifia les conditions du mariage et établit, pour la première fois, le divorce. Comme l'a remarqué Jacques Godechot, celui-ci ne représenta pas une arme contre le catholicisme, mais un moyen d'améliorer la morale de la société en faisant disparaître les scandales résultant de la séparation de corps. La Constituante, par ailleurs, institua des tribunaux de famille afin de régler les querelles en remplaçant le pouvoir absolu du père. La Législative enleva, de plus, aux parents, le droit de faire emprisonner, pour correction, leurs enfants mineurs, c'est-à-dire, désormais, âgés de moins de vingt et un ans. L'ensemble de ces premiers changements demeura fort timide, si l'on excepte la loi sur le divorce[3].

La Convention, au contraire, sans se prononcer en faveur de l'égalité des époux, facilita encore le divorce. Elle assimila, en 1793, les enfants naturels aux légitimes et fit adopter le principe de l'égalité successorale. Mais le

Code civil, définitivement mis au point au début du Consulat, s'il conserva l'état civil, la sécularisation du mariage et le divorce, réorganisa la famille sur la base du principe d'autorité. La femme non mariée ne fut plus considérée comme l'égale de l'homme. Mariée, elle fut placée sous l'autorité absolue de son mari. Incapable juridiquement, elle n'est qu'une pupille, une subordonnée, même si elle gagne un salaire, reçoit un traitement, tient un commerce. La proclamation de son obéissance à son mari n'avait aucun antécédent dans la période révolutionnaire. Elle doit le suivre partout, ne peut participer à l'administration des biens communs, a besoin, en tout, de son autorisation. Ces dispositions étendirent à toute la France des incapacités totalement ignorées, jusque-là, des pays de droit coutumier. Les enfants naturels furent écartés de la famille. Le divorce, qui avait failli être supprimé, le fut pour motif d'incompatibilité d'humeur. Celui par consentement mutuel fut restreint et rendu rare. Toute la législation le concernant développa le principe de l'inégalité des sexes. Il s'agissait d'empêcher la femme d'introduire un étranger dans la famille légitime. Aussi le mari put-il faire enfermer sa femme adultère, véritable esclave, dans une maison de correction. Cohabitant avec sa concubine dans la maison conjugale, il s'en tirait, en revanche, avec une simple amende. Il était excusable s'il tuait sa femme surprise en flagrant délit, tandis que, dans le cas inverse, elle était sans excuses[4].

Albert Soboul a remarqué que le Code civil, malgré ces retraits par rapport à la législation révolutionnaire, constituait un moindre mal. Ce symbole de la Révolution, qui consacrait l'organisation censitaire de la vie politique et ne s'intéressait qu'à la propriété, exprimait une conception traditionnelle de la famille légitime, envisagée sous l'angle du patrimoine et de l'autorité de l'homme sur sa femme et ses enfants. La liberté de tester fut restaurée et l'aîné put disposer de la moitié des biens. Ce Code représentait un système de contrainte, associé à une morale répressive. Sous ses dehors d'expression juridique des droits de l'homme, il admettait l'inégalité des personnes et reposait sur celle des biens. Surtout attentif aux conditions de transmission de la propriété foncière, il établissait un ensemble d'interdits qui limitaient la portée de la libération proclamée en 1789. Il conservait, de la période initiale de la Révolution, ses aspirations à l'uniformité juridique, à l'égalité de droit et à la protection de l'individu. Mais sa législation familiale, obsédée par la nécessité de défendre la propriété, renforça le caractère patriarcal de la société. Les femmes abandonnées ne purent plus, par exemple, divorcer. Bonaparte et ses rédacteurs avaient réussi à imposer, dans la famille, les mêmes subordination et hiérarchie qu'ils imposaient à la nation. Quant à la fin des lettres de cachet obtenues à la demande des familles, elle aboutit à l'organisation juridique de la correction paternelle des enfants mineurs, pour le bien de la société[5].

Les historiens se sont appliqués, depuis peu, à étudier les conséquences pratiques du divorce institué en 1792. On connaissait leur nature très limitée, sauf dans quelques villes comme Paris, et l'on savait que cette institution n'entra pas, alors, dans les mœurs des Français. Le mariage restait, pour eux, une affaire économique où les satisfactions personnelles ne constituaient pas l'essentiel. Roderick Phillips, à propos du cas rouennais, a montré l'accroissement des séparations conjugales à la veille de la Révolution. Il a noté qu'au cours de celle-ci ce furent surtout des femmes qui demandèrent le divorce. Il s'agissait de travailleuses urbaines qui n'étaient plus habituées à la structure familiale traditionnelle telle qu'elle fonctionnait à la campagne. Elles se révoltaient contre les mauvais traitements auxquels aboutissait l'application de la puissance maritale. La loi nouvelle correspondait donc à leurs besoins sociaux et matériels, même si elle était combattue par une religion à laquelle elles restaient fidèles. Ces résultats semblent confirmés par le cas d'autres cités comme Metz, Toulouse ou Lyon. Dans cette dernière ville, Dominique Dessertine retrouve les signes d'un comportement nouveau, marqué par l'aspiration féminine à la liberté et à l'égalité[6].

Avant d'être combattu par le Code civil, il n'avait guère été favorisé par la Révolution. Celle-ci fut au contraire constamment dominée, quel que soit le mode de communauté envisagé, par l'idéologie patriarcale et son corollaire, le mépris de la femme. Il se rattachait à une pensée des Lumières unanime sur ce point. Le féminisme ne put jamais y apparaître sous la forme d'une véritable et complète égalité des sexes. L'incapacité de la femme à exercer certaines fonctions essentielles y fut toujours considérée comme l'une des marques de son statut. La Révolution ne changea pas grand-chose à son infériorité légale. Les femmes en furent souvent des actrices capitales et certaines y présentèrent la revendication de leurs droits et des propositions visant à réviser leur sort. Elles ne furent pas écoutées malgré leur participation aux événements et il fut entendu, en novembre 1793, par le gouvernement révolutionnaire, qu'il leur était interdit de jouer un rôle politique. Les citoyennes ne seraient que des procréatrices. Le nouveau régime ne leur apporta, par rapport à l'ancien, que des satisfactions très limitées, et la Révolution fut surtout, pour elles, le temps des illusions perdues. Dominée par un antiféminisme qui venait de loin, elle ramena la femme aux vieilles images du mal et de l'hystérie[7].

Cet échec représenta la victoire d'un esprit de discrimination sexuelle. Il avait été exprimé par Sieyès, qui, dès juillet 1789, refusait aux femmes, comme aux enfants, d'avoir part aux affaires publiques. Le droit de vote, qu'elles exerçaient parfois sous l'Ancien Régime, leur fut enlevé. Il est vrai que l'immense majorité des Françaises acceptait la définition dominante et méprisante de la féminité. La Révolution déroula ses bouleversements sur une toile de fond immuable, faite d'un profond conservatisme, social et familial. Le Code civil, en parlant de l'infériorité et de l'obéissance naturelles de la femme par rapport à l'homme, ne faisait que reprendre l'*Émile* de Rousseau. Au terme d'une période marquée par l'affirmation du mouvement féministe et la participation des femmes à la Révolution, celle-ci débouchait sur la continuation de leur assujettissement[8].

Olwen Hufton l'a situé dans le cadre des conditions concrètes de la vie économique populaire, qui étaient celles du plus grand nombre. Les filles s'y préoccupaient d'abord d'échapper à la pauvreté par la constitution d'une nouvelle cellule familiale. Il leur fallait, pour cela, amasser un modeste capital, et la domesticité, rurale ou urbaine, souvent liée à l'industrie, y pourvoyait fréquemment. Ces « servantes » en provenance de la campagne représentaient toujours au moins 10 % de la population des villes. Elles tentaient péniblement d'y accumuler un pécule, tiré de leur travail salarié et leur permettant, au bout d'une quinzaine d'années, d'espérer pouvoir se marier. Leurs employeurs étaient modestes et leurs emplois vulnérables au chômage, qui les rejetait à la rue. Leurs conditions de vie étaient parfois déplorables, mais, à force d'énergie, de résistance ou de chance, elles pouvaient parvenir à se marier, chez elles ou en ville. Les filles nées en milieu urbain couraient moins de risques matériels et bénéficiaient d'une situation supérieure. Mais, de toute manière, pour l'immense majorité des femmes mariées travaillant en milieu rural, le mariage était d'abord une entreprise économique où elles exerçaient une part d'activité capitale. Elles n'étaient nullement des maîtresses de maison attachées aux soins domestiques, et les citadines employées à plein temps dans l'industrie confiaient leurs enfants à des nourrices rurales : trop occupées par leur travail, elles n'avaient pas le temps, en effet, de les allaiter. Nous sommes loin, ici, des bergeries rousseauistes, mais au sein d'une économie familiale où le rôle du labeur féminin était essentiel. Il représentait, dans toute la France, une incroyable somme de travail. Celui-ci était parfois source de profit, comme dans le cas des marchandes de dentelles du Velay, vrais chefs de famille par leur capacité et leur industrie, qui contrastaient avec la paresse de leurs maris. Un matriarcat de nature économique s'y esquissait, comme dans beaucoup de couples où l'homme était un travailleur saisonnier. La femme y prenait les décisions financières et familiales de survie. Veuve, elle se contentait de poursuivre cette tâche. Lorsqu'elle mourait, son mari, en revanche, abandonnait souvent leurs enfants à l'assistance. Pour la moitié des foyers français, le travail de tous leurs membres, à partir de l'âge de sept ans, était indispensable au maintien de l'équilibre économique. On voit les difficultés où pouvait les plonger une crise de l'emploi ou des subsistances. Le problème de la pauvreté était ainsi, à bien des égards, un problème familial, car le mariage créait des indigents. En ce cas, d'ailleurs, la femme était à la fois le pivot de la famille et de l'économie d'expédients qui lui permettait de survivre. Elle organisait, pour ce faire, la mendicité et le vagabondage des enfants, en collaboration avec les responsables religieux de la charité privée. La contrebande du sel ou la prostitution urbaine avaient été d'autres moyens de la survie populaire et féminine en temps de crise. Telles furent les réalités dominantes de la vie de la femme en tant que travailleuse qui continuèrent à accompagner son destin pendant la Révolution. Aussi la vécut-elle comme une nouvelle phase de ses luttes acharnées pour éviter à sa famille, si vulnérable, le désastre économique[9].

Aperçue du point de vue du peuple, la Révolution représenta surtout, pour les Françaises, un moment d'aggravation de leurs conditions d'existence familiale. Les ouvrières des villes, en particulier, dont on vient de voir l'environnement économique, avaient à cet égard beaucoup plus de responsabilités que leurs maris. Ce sont elles qui faisaient face, en premier lieu, aux données quotidiennes de la faim et du froid. Aussi les retrouva-t-on, sous la Révolution, au premier rang des émeutes populaires. Ses grandes journées furent d'abord féminines. Mais on devine les problèmes que posa à l'économie traditionnelle des familles pauvres la chute de l'Ancien Régime. Que devinrent, avec l'abolition de la gabelle, les 200 000 familles bretonnes qui vivaient de la contrebande du sel? Dans de nombreuses villes, la destruction des institutions ecclésiastiques signifia la fin de la charité publique. La crise des industries de luxe entraîna un effondrement analogue. Il fut renforcé par la faillite de la politique révolutionnaire d'assistance et il ne resta plus aux pauvres, sous la Terreur, que la disette et la maladie, la pénurie et l'inflation. Leurs femmes avaient souvent attendu beaucoup de la Révolution et de ses promesses sociales. Certaines en furent des partisanes acharnées. La désillusion, économiquement trop évidente, les transforma en adversaires déterminées du nouveau régime politique. Leurs nerfs craquèrent devant une crise majeure de subsistances qui n'attendit pas toujours la suppression du maximum. Même de son temps, ce sont les femmes du peuple qui avaient passé des heures dans des queues sans fin et souvent stériles. En 1795, la République ne put leur offrir, après une malnutrition prolongée, pour elles et leurs enfants, que de mourir de faim pendant que les riches s'empiffraient. Comment ne pas regretter un Ancien Régime qui, lui, au moins, organisait l'assistance ? Sous l'an III, dans des villes françaises où elle avait à peu près disparu, un peuple paupérisé put faire d'amères réflexions sur la « charité des philosophes ». La dernière protestation féminine, qui donna à Paris les journées de Germinal et de Prairial, fut accompagnée, à Rouen, Besançon ou Vesoul, de cris en faveur de la paix. Il n'y eut plus, après cela, que le silence de la résignation, la vague de suicides ou le réveil du catholicisme populaire. On connaît l'étendue de sa ferveur et la place qu'y tinrent les femmes, même en ville, où certaines d'entre elles avaient contribué, peu auparavant, aux fureurs de l'anticléricalisme et de la déchristianisation. Déçues par leurs résultats, elles abandonnèrent leurs clubs et retournèrent à leurs prêtres et à leurs églises. Au lendemain des catastrophes révolutionnaires, cette conversion eut quelque chose d'une expiation des blasphèmes auxquels on avait participé. La malheureuse Église constitutionnelle fut la destinataire préférée de ces exorcismes. Olwen Hufton remarque la force inédite d'une telle foi populaire, désormais ancrée dans des émotions rétrospectives et viscérales. Si elle transforma parfois la Terreur blanche en une manifestation d'origine divine, elle signifia, plus généralement, le souhait de retrouver un passé regretté. On n'y avait pas connu, pendant presque tout le XVIIIe siècle, les suites directes de la guerre et de la famine, que la Révolution venait d'apporter. Elles avaient atteint, en même temps que la religion, les bases économiques de la famille. L'immense majorité des Françaises était plus sensible, désormais, à cela qu'à tous les grands discours officiels sur la liberté. Et leur point de vue doit sans doute compter davantage, aux yeux de l'historien, que celui des rares intellectuelles du temps ou des profiteuses, encore plus rares et trop célèbres, du régime[10].

La Révolution française a-t-elle créé un homme nouveau ?

Ses dirigeants et ses militants en ont eu souvent le désir et, parfois, l'illusion, comme le montrent les documents témoignant de leur activité. Les historiens se penchent de plus en plus sur la volonté de régénération culturelle qui marqua cette décennie. Serge Bianchi la rattache, sous l'an II, à une entreprise populaire. Au populisme initial d'une Révolution unanimiste aurait succédé l'égalitarisme des sans-culottes et de leur pouvoir. Il aurait créé les conditions d'une véritable table rase, symbolisée par la déchristianisation et garnie par la pédagogie politique et l'art révolutionnaire. De nouvelles façons de vivre et de penser auraient accompagné, dans l'ensemble de la France, ces transformations momentanées mais profondes. Leur échec serait provenu, avant comme après Thermidor, d'une réaction bourgeoise qui mit bientôt fin à toute influence des sans-culottes. Cette étude d'une quotidienneté révolutionnaire empreinte de la notion de rupture reconnaît qu'elle ne fut voulue que par une mince minorité d'activistes. Peut-on traiter de populaire un pareil mouvement[1] ?

Il correspondait à une puissante aspiration à reconstruire la société française en niant son passé : on abolirait le temps et on reprendrait l'histoire depuis zéro, comme le symbolise le calendrier adopté en 1793. Ces aspirations dominent le discours tenu par la Révolution sur elle-même. Il s'agit là non du domaine, tristement prosaïque, des réalités politiques (lutte pour le pouvoir, exploitation d'une situation de domination, emploi de la violence), mais de celui d'un imaginaire social visant à les déguiser et les transfigurer. Ce sera là le rôle de l'esthétique révolutionnaire. Le verbe et l'image demeurèrent surtout un vêtement et un alibi pour l'affrontement des intérêts, un moyen de justifier les équipes en place, un refuge, aussi, dans un rêve faisant oublier une réalité assez sordide. La haine des classes et des partis s'y exprima, en fait, autant que l'amour de l'humanité ou de la nation[2].

Lynn Hunt présente la Révolution sous l'angle d'une culture politique nouvelle. La poétique du pouvoir s'y serait exprimée à travers une rhétorique dont, assurément, l'époque n'a pas manqué. Les acteurs de ce drame s'y virent constamment sur un théâtre obsédé par la notion de complot. Mais ont-ils vraiment contribué, par cette assez mauvaise pièce, à créer une authentique communauté ? Leur langage fut doublé par les représentations symboliques de leur pratique politique. Ces formes proliférèrent, dès le début, de la cocarde aux arbres de la liberté en passant par le bonnet phrygien et les autels patriotiques. Largement diffusées dans le cadre des fêtes révolutionnaires, elles prétendirent remplacer celles de la religion populaire. Il n'est pas certain que cette pédagogie ait parfaitement réussi. Les Toulousains, au printemps 1799, semblaient lui préférer le retour de la Vierge noire, protectrice de leur cité. Les signes officiels de reconnaissance patriotique, dans le costume par exemple, ne changèrent guère les habitudes, même s'ils créèrent une future tradition républicaine. Celle-ci se forgea aussi à travers les emblèmes et les devises de la Révolution. Après avoir songé, parmi les premiers, à une représentation masculine et herculéenne de la liberté, on lui préféra, au temps de l'apaisement thermidorien, l'image allégorique d'une femme assise, à laquelle, d'ailleurs, celle de Bonaparte se substitua bientôt. Si la Révolution se révéla féconde sur le plan de la culture politique, on voit, à son terme, les faiblesses et la fragilité de ses créations en ce domaine. Marianne, péniblement apparue, disparut beaucoup plus vite et mit longtemps à revenir[3].

Robert Darnton a remarqué que la Révolution devient,

aux yeux de certains historiens en proie à l'obsession de ses discours, une sorte de rite de passage de la modernité, dominé par une succession de crises de représentation. Ce culte des abstractions du langage, ou de l'imagerie des formes révolutionnaires, en oublie presque le jeu des acteurs du drame politique et les conditions concrètes de leur expérience. Elles furent pourtant des plus contraignantes et résistèrent aux exorcismes du verbe ou de l'art. Comme le montre le destin de Marat, accordé, avant et après sa mort, aux phases successives du mouvement révolutionnaire, de l'apogée à l'égout, la Révolution ne fut point d'abord une série de discours ou un langage culturel, mais une réalité politique et sociale chaotique, plutôt triste et décevante, difficile à vivre ou à dominer. Marcel David, à propos de son exaltation de la fraternité, a noté l'épreuve que lui infligea l'époque de la violence terroriste. Rien n'est plus étranger aux *réalités* de la Révolution que les mythes puissants qui la portèrent, la nourrirent et l'excusèrent. Elle parla beaucoup d'amour et vécut surtout de haine. La guillotine fut, à cet égard, un symbole significatif de son imaginaire. Cette nouvelle machine, adaptée à l'esprit du temps et bientôt sacralisée par la démocratie révolutionnaire, correspondait à l'image d'anonymat et d'efficacité que son gouvernement voulait se donner. Elle offrit aussi aux contemporains un de leurs plus beaux spectacles politiques, aux figurants constamment renouvelés. On finit seulement par s'en lasser[4].

La représentation révolutionnaire s'acheva, en effet, par la déception de son public. Si la « faux réformatrice » changea les noms de rues et de lieux, ce délire idéologique, linguistique et pédagogique est moins significatif que la rapidité de son extinction. Les saints revinrent, en masse, dès 1802. Les slogans révolutionnaires disparurent complètement quatre ans plus tard. Le désir de terminer une Révolution, même sur le plan sémantique, est aussi important que celui de la fomenter. Les triomphateurs de 1793 avaient eu, entre autres idées, celle d'épurer le contenu royaliste du théâtre classique. On corrigea ainsi Racine, comme on détruisit une partie de l'héritage artistique médiéval, taxé de féodalisme et de fanatisme. On songea, sous l'an II, à faire porter par tous les Français le même costume, preuve évidente de patriotisme. David fut chargé, en mai 1794, de présenter ses suggestions sur ce point. Le vêtement moderne, contraire à la raison et au bon goût, devait être changé, sur le modèle antique et afin de distinguer les Français des autres peuples, demeurés esclaves. Les artistes révolutionnaires travaillèrent un moment avec enthousiasme à ce projet d'uniformisation, conforme à toutes les vues de la propagande officielle[5].

S'il fut abandonné après la chute de Robespierre, l'ambitieux programme des fêtes révolutionnaires, auquel il était associé, offre l'occasion d'analyser les nouveautés culturelles et idéologiques dues à la transformation politique du temps. Jean Starobinski a montré l'enracinement de la fête révolutionnaire dans la pensée des Lumières. Cérémonie iconoclaste de régénération communautaire, elle reniera les agréments du spectacle d'Ancien Régime et créera des formes adaptées à la transparence des cœurs rêvée par Rousseau. Mais ce ne fut que pour imiter un passé embelli, reconstitué par la fiction. Un pareil idéal néo-classique ne pouvait être revécu, et les artistes qui le mirent en scène se contentèrent de transfigurer par l'imaginaire une réalité qui n'avait plus rien à voir avec ces défroques antiques. Les fêtes auxquelles ils présidèrent ne suscitèrent guère de passion. Devenues pédagogiques, elles se sclérosèrent en se ritualisant. Y découvrir un renouvellement mental collectif paraît difficile, et tout cet appareil, selon Quinet rappelé par Mona Ozouf, n'est pas parvenu à déplacer un seul saint de village. Songe de la raison ou concession à la faiblesse humaine, il ne réussit pas à vaincre l'indifférence, ce plus puissant des sentiments des masses au temps de la Révolution. Lorsque Sébastien Mercier exprima, sous le Directoire, son « refus radical et physique » de ces « aspects festifs » (Michel Vovelle), il n'était sans doute pas seul de son avis. Ce sentiment explique leur rapide disparition. Mona Ozouf, à qui l'on doit la meilleure étude de la fête révolutionnaire, a noté la contradiction qui s'y étala souvent entre organisateurs et célébrants. Contrairement à ce que rêvaient les premiers, elle ne rassembla pas la communauté, tourna en parodie et s'acheva en solitude. Un malicieux pamphlet de 1807 vit dans la journée du 18 Brumaire la plus réussie de ces fêtes, puisqu'elle abolit, en douceur, la Révolution et ses fêtes. Cette représentation de l'utopie échoua peut-être parce qu'elle lui ressemblait trop, dans l'ennui et le dégoût qu'elle inspira peu à peu. Laborieuse organisation d'une première impulsion plus sauvage, la fête du 14 juillet 1790 provoqua elle-même une assez grande déception ; ce ne fut d'ailleurs pas la fête de tous les Français[6].

Celles qui la suivirent reflétèrent l'approfondissement des antagonismes. L'influence plus nette des Lumières, *à partir de 1794,* tenta seulement d'ordonner un premier désordre. Mais le symbolisme spatial ou temporel de ces cortèges, appelés à consacrer la régénération sociale ou à commémorer la chronologie d'une Révolution si riche en événements contradictoires et interminables, constitua une école d'instruction civique bien rudimentaire. La force de ses images et de ses mots se révéla impuissante face à l'« exubérance tenace des usages » de la vie populaire. Les dirigeants révolutionnaires considérèrent celle-ci avec étonnement, crainte ou mépris. Ils eurent beaucoup de peine à faire disparaître, comme ils le souhaitaient, les croix ou les cloches. Cette ambition antipopulaire dressa dans tout le territoire, contre la Révolution, la rébellion paysanne, attachée à ses vraies fêtes, qui étaient celles de la tradition. Elles servaient, contre l'utopie rationnelle chère au nouveau pouvoir, la résistance de ses ennemis. Il échoua d'abord en raison de l'acharnement du peuple catholique à maintenir la célébration du dimanche et de ses saints patrons. Le symbolisme révolutionnaire ne pactisa avec la tradition paysanne que dans la plantation des arbres de la liberté, héritiers du mai du folklore. Encore doit-on noter le soin mis par les insurgés vendéens, ruraux d'un autre type et d'un autre temps que ceux du Périgord, à les arracher en 1793. Ils refusaient par là un transfert de sacralité que les dirigeants de la Première République ne parvinrent pas à imposer à la France. Les habitants de ses campagnes, notamment, conservèrent leurs espérances religieuses et n'adoptèrent pas une liturgie de substitution, faite d'emprunts ou de retranchements. Elle imaginait recréer le monde sur le modèle passéiste de l'âge d'or égalitaire des républiques antiques. Cette entreprise ne réussit pas, *dans l'immédiat,* à produire l'homme dont elle rêvait[7].

Les architectes de l'époque révolutionnaire ne réalisèrent pas davantage leurs projets, à la fois monumentaux et civiques, et au service d'une refonte totale de la société. L'iconoclasme naturel aux Lumières par rapport au passé, et qui poussait Condorcet à réclamer à la Législative la destruction des archives, fit place, sous la République, à un souci inédit de conservation du patrimoine. La Révolution développa des initiatives muséologiques, bientôt facilitées par le pillage de l'Europe conquise. L'ère révolutionnaire, sur le plan culturel, paraît donc autant placée sous le signe de la continuité que sous celui de la rupture. Elle accomplit le XVIIIe siècle comme elle le nia et mit en cause les valeurs de rationalité et de progrès après celles de tradition et d'ordre. L'effondrement temporaire du vieux monde n'avait apporté ni liberté ni bonheur. L'inquiétude et l'insatisfaction, le malaise et la nostalgie dominent la génération apparue après 1800 parce qu'elle connaît mieux que ses prédécesseurs les limites de la politique et la puissance du mal. L'ombre de Sade, négateur lucide du lien entre nature et vertu, vrai et bien, pèse sur elle. *L'Émigré* de Sénac de Meilhan, publié en 1797, entend s'émanciper des mythes prérévolutionnaires. Ce roman de la chute des masques et de la perte des illusions a compris que les idéaux des Lumières n'avaient été qu'une ruse de l'histoire pour faire apparaître la réalité de la violence. Leur optimisme béat avait fait son temps, puisqu'une Révolution démocratique, construite sur le modèle antique, n'avait abouti qu'au règne de l'oppression, de l'anarchie et d'une nouvelle inégalité. L'expérience de la Première République avait appris à cet aristocrate le rejet de toutes les utopies[8].

Cette critique était utile pour dégoûter du message

rationnel et social des philosophes du XVIIIe siècle. La Révolution n'avait pas beaucoup changé les termes d'un débat toujours partagé entre l'héritage des Lumières et la nouvelle conception de la nature. Les attitudes devant la mort, telles qu'elles ressortent de la vaste enquête de John McManners, illustrent cette continuité mentale. La dissolution des sociétés savantes, en août 1793, n'entraîna pas une subversion culturelle. Cette démocratisation de la vie académique ne changea rien à la primauté du modèle scientifique. Avec la création de l'Institut, la Révolution se termina, à cet égard, par une opération de réconciliation. Elle avait simplement procédé, dans le premier fracas de la contestation égalitaire, à une indispensable réorganisation de la recherche qui rattacha toujours plus le savant à l'État. Dans ce domaine, comme dans tant d'autres, la phase révolutionnaire servit seulement de transition entre Colbert et Napoléon[9].

Le monde de l'art ne fut pas davantage bouleversé en profondeur. Le triomphe de l'esthétique néo-classique, amorcé avant 1789, se poursuivit sous la Révolution, mais David fut avec autant d'aisance le favori de Napoléon ou celui de Robespierre, l'apologiste de la dictature militaire ou celui de Marat expirant. Ses aspirations utopiques avaient su s'adapter aux réalités les plus sordides du pouvoir, terroriste ou impérial. Ronald Paulson a soutenu que, dans l'Europe du temps, David et ses disciples se montrèrent plutôt conservateurs sur le plan esthétique, tandis que l'esprit révolutionnaire rencontrait un véritable écho dans l'Angleterre de Blake ou l'Espagne de Goya. Cet historien traite de réactionnaire un iconoclasme français qui, face au catholicisme, ne put que changer de liturgie ; il trouve les caricatures contre-révolutionnaires de Gillray plus subversives que les peintures respectueuses de David[10].

Le choix culturel le plus important qu'eurent à faire les révolutionnaires consista dans l'adoption ou le rejet du mythe républicain de la liberté à l'antique. L'enseignement de Rousseau le symbolisait et il était caractérisé par une profonde hostilité au développement économique. Cette ignorance des lois du capitalisme se reliait, comme chez Saint-Just ou Billaud-Varenne, à une insistance morale et pédagogique sur des institutions garantissant la formation d'une « conscience publique ». Ce rêve jacobin fut mis en cause, après Thermidor, par des hommes comme Hassenfratz, professeur à l'École polytechnique et prophète de la future industrialisation. Il observait avec bon sens que ce n'était « pas avec des fêtes que les Anglais » étaient « parvenus à acquérir une grande prépondérance sur la balance politique de l'Europe » ou que « les États-Unis de l'Amérique » étaient en train de devenir un « peuple florissant ». D'autres auteurs s'en prirent, pendant toute la Révolution, au primitivisme rousseauiste qui avait vu, dans l'appropriation privée des moyens de production, un crime, alors qu'elle était le moteur de la prospérité. Les idéologues, étudiés par Sergio Moravia et Marc Regaldo, développèrent ces thèses, qui ne voyaient pas, dans la Révolution, un processus de régénération totale, en rupture avec la tradition précédente. Ils n'attribuaient cette ambition robespierriste qu'à un fanatisme verbal et abstrait, opposé aux réalités contemporaines. Ces héritiers des Lumières eurent de la peine à imposer un projet politique confiant le pouvoir aux représentants des intérêts sans qu'ils se transforment en une élite égoïste. Conscients de l'inégalité inévitable des talents comme de la souhaitable « égalité du bonheur », ils aspiraient à un régime conciliant les nécessités de l'ordre et celles du progrès. Comme les jacobins, mais dans un autre sens, ils faisaient d'abord confiance, pour cela, à l'éducation. Elle serait, cependant, scientifique et économique, ou ne serait pas. Au temps des thermidoriens, les idéologues, malgré leur influence dans toutes les institutions de la République, échouèrent dans l'application de ce programme, qui aurait fait de la Révolution française une victoire d'Adam Smith. Les habitudes de l'esprit classique et de la culture littéraire le leur interdirent ; elles prirent prétexte, dans ce combat, du matérialisme athée que l'on reprochait aux défenseurs de l'économie politique. Des disciplines traditionnelles telles que l'histoire et la géographie jouèrent leur rôle dans cette défaite des sciences sociales. Leurs partisans avaient eu conscience de la nécessité de fonder la moralité publique sur le dernier état de la connaissance scientifique. Ce projet risquait de se heurter au conservatisme religieux fortifié par les déceptions de la décennie. Sous Napoléon, le rôle dominant de la science, favorisée par le pouvoir, fut combattu par la fondation d'une Université fidèle à la pensée d'Ancien Régime. Cette création était conforme aux aspirations d'une société qui préférait, après la Révolution, la sécurité à la production et le repos à l'audace[11].

Maurice Agulhon a noté, dans le Var de 1800, la persistance de la vie folklorique comme la renaissance des confréries. La continuité des jeux populaires y prolongeait ceux des anciens jours de fêtes patronales. Dans toute la Provence, le cadre festif traditionnel résista à la Révolution, qui réutilisa plutôt les schémas carnavalesques. Albert Soboul a relevé, dans les campagnes françaises, ce faible degré d'évolution des mœurs et des coutumes entraîné par le choc révolutionnaire. Les mentalités traditionnelles continuèrent à y faire de la veillée et du cabaret les deux éléments essentiels de la sociabilité villageoise. Les divertissements paysans, danse comprise, tenaient toujours à la fois aux croyances religieuses et aux travaux des champs. Les foires de l'Ouest persistaient à rassembler les habitants du bocage, tandis que le peuple des campagnes demeurait attaché à ses fêtes traditionnelles. Il résista, sur ce plan, à l'offensive du Directoire et y répondit par une véritable explosion des fêtes religieuses. On revint ainsi très vite, et presque partout, aux loisirs d'avant la Révolution. Le peuple des villes, quant à lui, répondit surtout à la tension politique par l'ouverture, après Thermidor, d'innombrables bals publics, revanche sur l'austérité jacobine. Les ouvriers parisiens n'avaient d'ailleurs jamais perdu, même sous l'an II, leur goût prononcé pour le cabaret et les joyeuses beuveries. Après les interdits ou les tentatives révolutionnaires, réapparurent, dans toutes les villes de France, les coutumes traditionnelles : tribunaux de jeunesse, chevauchées de l'âne, charivaris, grandes fêtes un moment oubliées, confréries d'archers. Le folklore, si méprisé des Lumières, avait vaincu la Révolution. Les dirigeants de la Convention avaient pu prendre conscience de son emprise linguistique sur une France sauvage et rurale où l'on parlait le patois plus que le français. La médecine savante y était moins en faveur que le « charlatanisme » traditionnel[12].

L'échec culturel le plus grave de la Révolution concerna l'éducation. L'alphabétisation progressa globalement, durant la période, malgré la destruction de l'ancien système scolaire et sans doute parce qu'elle était due à d'autres moyens pédagogiques que lui. La Révolution n'entraîna pas de rupture dans les principes ou les formes de l'enseignement. Elle héritait d'un système, primaire ou secondaire, certainement médiocre, mais qu'elle n'améliora guère malgré ses proclamations théoriques. Une importante fraction du personnel enseignant continua à être attachée à l'instruction d'Ancien Régime ; la plupart des écoles particulières, très fréquentées, restèrent tenues par des prêtres ou des religieuses auxquels les parents voulaient confier leurs enfants. Les écoles publiques pâtissaient de l'obligation qui y était faite aux instituteurs de conduire leurs élèves aux fêtes décadaires. De nombreux ecclésiastiques qui avaient enseigné sous l'Ancien Régime continuèrent à remplir les fonctions d'instituteurs malgré leur antipathie connue pour la République. Elle avait de la peine à recruter son personnel enseignant tant la condition qu'elle lui faisait était peu brillante. L'inertie des autorités locales, à partir de 1792, fut le principal obstacle à la naissance des écoles publiques. La Révolution ne créa pas un enseignement populaire efficace et, à son terme, on revient exactement au système scolaire d'Ancien Régime. Le cas du Vendômois confirme cette situation ; l'école primaire républicaine y apparut tardivement, connut d'énormes difficultés d'existence et se termina sur un bilan d'échec. L'équipement minimal ne fut pas assuré, la fréquentation scolaire demeura très peu importante et la Révolution n'améliora en rien, ici, l'alphabétisation. Les difficultés matérielles l'expliquent encore plus que le refus idéologique des populations. L'école républicaine échoua d'abord en tant qu'école, comme celle d'Ancien Régime, à laquelle elle ressemblait tant. Institution étrangère au monde rural, véhiculant une culture urbaine, elle laissa indifférents des paysans que l'écrit n'acculturait pas. Ils ne comprenaient sans doute rien, par exemple, aux textes constitutionnels inscrits au programme et trouvaient déracinant un système métrique que l'on voulait substituer à une ancestrale complexité où ils se retrouvaient fort bien. Le nouveau calendrier révolutionnaire, qui s'attaquait à des rites multiséculaires en faisant disparaître les fêtes traditionnelles, ne les séduisit pas davantage. Vue dans cette perspective, l'école républicaine des années 1790 ne constitue qu'une étape supplémentaire, et d'ailleurs manquée, pour introduire les valeurs de l'élite dans les campagnes[13].

L'enseignement secondaire n'offre pas un tableau plus réconfortant. Dans le Nord, par exemple, on y observe le maintien de l'activité des établissements privés, qui avaient l'avantage, aux yeux des parents, d'assurer la permanence de structures d'accueil et d'un modèle éducatif hérités de l'Ancien Régime. Les écoles centrales, création du nouveau, étaient en plein désarroi et vivement critiquées. Cette institution, décidée en 1795, fut d'application variable selon les départements. 15 000 élèves, au maximum, les fréquentèrent annuellement ; ils venaient surtout de la bourgeoisie urbaine des familles de fonctionnaires ou de profession libérale ; très peu d'entre eux y suivirent une scolarité digne de ce nom et ces établissements apparurent, à la plupart, « comme des lieux de spécialisation privilégiés ». La République ne réussit pas, sur le plan culturel, à s'imposer au pays. Ses réalisations furent moins cohérentes que son langage[14].

D'où l'impression de déception laissée par les destinées individuelles de « révolutionnaires moyens ». Benoît Lacombe, négociant bordelais étudié par Joël Cornette, avait été d'abord, à Gaillac, un « Danton du vignoble », gros acheteur de biens nationaux et apologiste de la guillotine. On l'accusa bien vite d'utiliser la Révolution à son profit et, avec d'autres, il se retira presque complètement à partir de 1794 de la vie publique. Il lui restera de cette péripétie politique le souvenir mélancolique d'un échec et d'une désillusion. Cet homme qui avait aspiré, sous l'Ancien Régime, à l'aristocratie s'était sans doute enrichi grâce à la tourmente. Mais il y avait acquis l'expérience irrémédiable de la haine et de la trahison. Acteur modeste de l'histoire révolutionnaire, il en avait été surtout, comme tant de Français, une victime sur le plan de l'existence privée. Ce fut aussi le cas dans la famille des Gounon, notables toulousains qui avaient accédé à la noblesse, au XVIIIe siècle, par l'achat d'une seigneurie. Leur attitude face au remodelage révolutionnaire évolua d'un réformisme raisonnable à l'opposition envers une République qui entraînait l'effondrement de leur équilibre de vie. Ils s'y adaptèrent, cependant, en donnant des gages pour obtenir la réputation de patriotisme. Ils se firent voir au temple de la Raison et dans les fêtes populaires. Leur double vie juxtaposait désormais un rituel de sécurité et une circulation souterraine de survie, faite des solidarités éprouvées. Ces suspects-nés tremblaient encore de peur en 1797. Si leur stratégie d'effacement et de retrait se révéla payante, la Révolution était loin d'avoir apporté une réponse satisfaisante à leurs espérances d'avant 1789. Un moment même, sa nouvelle redistribution des pouvoirs et des libertés avait paru risquer d'effacer les frontières de leur vie privée [15].

12

Un héritage idéologique ?

Toute appréciation de la Révolution française est liée à ses suites idéologiques qui ne sont pas terminées. En ce sens, elle n'est pas finie et éveille encore des passions. C'est le cas en France, où son influence sur la vie politique contemporaine fut considérable. Le régime républicain y est sorti peu à peu d'un long travail de réflexion sur l'héritage révolutionnaire. Toujours discuté, ce remodelage permanent de notre mythe fondateur transforme aisément sa commémoration en débat générateur d'affrontements. Ses symboles d'unité s'acceptent mieux dans l'oubli ou l'ignorance des conditions exactes de l'événement diviseur qui leur a donné naissance. Son adoption ou son expansion à l'étranger ont été plus propices à l'unanimité et à l'enthousiasme. Mais, depuis 1917, la forme léniniste de son adaptation socialiste a créé des mouvements révolutionnaires qui aggravent encore la contradiction originelle entre 1789 et 1793, les droits de l'homme et la Terreur.

L'ombre de la Révolution pèse-t-elle sur la politique française contemporaine ?

René Rémond a insisté sur la fécondité posthume de la période révolutionnaire, qui donna l'occasion à l'opinion de faire l'apprentissage de la vie politique. Celle de la

France contemporaine naquit alors, à la place de l'ancienne, parcellaire et marquée par la précarité des libertés ou la réduction des moyens d'expression. Les précédents accumulés pendant la crise prérévolutionnaire créeront des usages et un esprit public habitué « à chercher dans le passé la réponse aux difficultés présentes ». Le premier héritage de la Révolution sera un attachement aux souvenirs historiques, qui fait renaître périodiquement un programme de « convocation des états généraux ». La politique devient pour la première fois, en 1789, la chose de tous et reçoit pour mission la reconstruction totale de l'édifice social. Ce changement décisif de principe et d'orientation élargit le champ d'action politique et y fait entrer de nouvelles forces. Elles empêcheront, on l'a vu, la stabilisation de la régénération pacifique entrevue. La Révolution légua à l'avenir une aspiration insatisfaite à l'unanimité nationale. Elle connaîtra une contradiction analogue en pratiquant le culte de la loi et en la violant à répétition par des coups d'État successifs. Toute notre histoire contemporaine restera marquée par cette instabilité et cette insécurité. La Révolution avait été, pour la France, une maîtresse de violence. Le peuple y fit son éducation politique dans une période de changements permanents accomplis sous la pression de la force. La nation y gagna une accoutumance durable à l'illégalité, à la contestation des règles et à la pratique de l'insurrection[1].

Elle y apprit aussi à s'habituer au jeu électoral. La Révolution fut, à ce sujet, un banc d'essai pour la politique de l'avenir. Ses anticipations concernèrent les différents points d'application de la vie démocratique : consultation de l'opinion, désignation de ses représentants, relations entre les pouvoirs, activité des groupements officieux, exercice des libertés. En France et ailleurs, l'histoire ultérieure dépendra des diverses solutions adoptées alors et qui créeront des traditions durables. Le principe de souveraineté nationale entraîne, à partir de 1789, la pratique des consultations électorales. La Révolution l'étendra même, en sa première phase, à la désignation des juges, des officiers de la garde nationale et des curés. Elle procéda à un renouvellement général des pouvoirs qui intervint dans tout le pays même s'il ne toucha qu'une minorité. Les Assemblées législatives, situées au carrefour de la vie politique, constituèrent, par rapport à l'Ancien Régime, une innovation décisive appelée à un grand avenir, car elle fixa, là encore, une tradition toujours vivante aujourd'hui. Le cadre de leurs délibérations vit naître, matériellement, les notions de droite et de gauche et le pouvoir, spectaculaire, de l'éloquence. Il fallut tout inventer pour les conditions du travail parlementaire ou l'organisation des débats et pourvoir empiriquement aux rapports entre les pouvoirs. Ces initiatives eurent une portée incalculable en matière de procédure, de pensée et d'action politiques. Mais, à côté d'elles, la Révolution innova également en instituant la démocratie militante et spontanée qui permit aux citoyens d'intervenir en dehors de l'exercice de leur droit de suffrage. Ce reflet de l'opinion influença les pouvoirs et fut souvent en concurrence avec eux. Il servit aussi d'exemple aux révolutionnaires de l'avenir comme modèle « des possibilités d'action des forces populaires ». Les sociétés, qui les incarnèrent, seront une école de formation et l'ébauche des futurs partis, dont elles jouèrent déjà le rôle au sein de l'État : instrument d'encadrement, elles donnèrent au mouvement révolutionnaire efficacité et continuité. Œuvre de minorités agissantes, elles ressembleront en cela au goût français pour une très faible participation aux formations politiques. Leur idéologie égalitaire, tout à fait étrangère aux réalités de la société moderne, influencera la tradition républicaine des XIXe et XXe siècles[2].

La Révolution, d'autre part, proclama les libertés essentielles qui garantissent la participation des citoyens à la vie politique. Le principe de la liberté d'opinion n'en fut pas moins violé et sacrifié à la raison d'État. Les libertés d'expression, ignorées de l'Ancien Régime, furent instituées, puis, de même, supprimées. L'avenir n'oubliera pas cette association entre la proclamation d'un principe et la réduction de son exercice. Mais la puissance de la presse, ainsi que la liaison entre sa liberté, au moins relative, et l'existence d'un gouvernement d'opinion, étaient apparues au cours de la période révolutionnaire. Celle-ci, qui autorisa la liberté de réunion, fut, en revanche, très hostile à celle d'association. Elle créa un véritable délit de congrégation, se méfia des pressions des groupes politiques et même, par passion de l'unité, s'opposa à la reconnaissance officielle des partis. Les sociétés populaires n'échappèrent pas à cette méfiance, qui devait se révéler durable. La liberté de pétitionner suivit la même courbe et ne survivra guère à la phase révolutionnaire. Celle-ci a, en somme, posé en même temps le principe des libertés et inventé les moyens d'en restreindre l'usage. Les gouvernements démocratiques ultérieurs retiendront cette double leçon [3].

Ils eurent également à tenir compte d'une expérience terroriste qui avait placé la justice, contrairement aux espérances de 1789, au service d'une politique. Ce procédé est apparu longtemps comme inséparable de la pratique révolutionnaire. Il était associé à une volonté de changer l'homme, qui fait du jacobinisme une doctrine d'ordre moral, hostile au luxe corrupteur et identifiant la démocratie à la simplicité des mœurs. La Révolution légua ainsi une conception liturgique de la vie politique, célébrée par des fêtes pédagogiques. René Rémond, au terme de ce tableau, estimait imposant un héritage qui avait fixé à la société contemporaine ses principaux postulats, déterminé les centres de son action en en posant les règles et en créant les usages. L'œuvre de la période révolutionnaire, d'autre part, se trouvait à la fois à la source de la tradition de la démocratie parlementaire et à celle de sa variante socialiste. Événement fondateur, elle modela les mentalités et les sensibilités politiques. Rupture radicale et violente avec le passé, elle donna aux Français le goût du changement brusque et total. Les mutations soudaines de notre histoire contemporaine, ses fréquents changements de régime, la multiplicité des expériences constitutionnelles et des crises, une instabilité permanente en sortirent. Le précédent révolutionnaire joua en faveur de l'adoption de voies irrégulières dans la conduite des affaires publiques ; la conjonction des oppositions et la paralysie des pouvoirs en résultèrent souvent. Il n'y eut pas de vie politique normale, parce que, sans se reposer sur le temps, on choisit le risque d'un changement complet. L'idéalisme, hérité de la Révolution, fit toujours préférer, par les intellectuels français, et souvent par l'opinion, la rupture à l'adaptation. Le refus des règles et la primauté de la lutte devinrent des caractéristiques de notre société conflictuelle. On s'y fit gloire d'être attiré par les extrêmes, de mépriser la légalité, de pratiquer la politique du pire et d'attendre l'insurrection. Le jeu des factions révolutionnaires se prolongea, en France, par la remise en question permanente des fondements mêmes du régime où l'on se trouvait[4].

René Rémond jugeait, à la veille de 1968, que la Révolution restait « vivante parmi nous ». Il notait que, si la droite et la gauche lui devaient, pareillement, une partie de leur comportement, le débat, à son sujet, continuait à les opposer. Mère de nos désaccords, la Révolution, après avoir mis la vie politique sous le signe de la division, fournit elle-même un principe de dissentiments par l'acceptation ou le rejet de son œuvre. Tout le XIXe siècle en discuta et se classa par rapport à ce problème. Aujourd'hui, comme il y a vingt ans, si les acquis de la Révolution sont devenus irréversibles, l'aversion qu'elle inspire à certains demeure insurmontable. Elle est toujours, pour eux, la source de tous nos maux. Parler d'une acceptation unanime et globale est impossible. Cette histoire ancienne de la République, encore présente à la mémoire de nombreux citoyens, leur fournit les images contrastées de 1789 et 1793. Elles ont continué à nourrir l'action des générations de la Résistance. Quant aux souvenirs de la contre-révolution, ils ne meurent pas plus que celui de son ennemie, comme l'a montré, récemment, Jean-Clément Martin à propos de la Vendée. Si Napoléon, un moment, parut anéantir la plus grande partie de l'héritage révolutionnaire, la progressive restauration des libertés, des élections et des Assemblées devait lui restituer toute son importance dans la France contemporaine[5].

Sa complexité s'aperçoit bien, par exemple, à l'examen

du problème de la décentralisation, puisque la démocratisation de l'administration locale, instituée en 1789, fut totalement supprimée à la fin de la Révolution, où l'on retourna, sur ce plan, à la pratique et à l'esprit de l'Ancien Régime. Ce reniement du libéralisme originel avait déjà été accompli sous la phase jacobine, en raison des circonstances extraordinaires dues à la guerre civile et étrangère. L'héritage révolutionnaire ne pourra jamais être simple, puisqu'il s'identifie à la fois à une espérance et à sa trahison, à un idéal et à son abandon. L'histoire individuelle confirme ce refus des simplifications. Daniel Encontre, calviniste et sympathisant du Réveil, mais rallié à la Restauration, où il fut doyen de la faculté de théologie de Montauban avec une réputation justifiée d'orthodoxe et de traditionaliste, avait été, au printemps 1794, un partisan sincère de Robespierre, de sa vertu et de ses lumières. Les libéraux français demeurèrent révolutionnaires jusqu'en 1830 et, depuis, ils ne peuvent que continuer à se réclamer, au moins en partie, de la Révolution. Charles de Rémusat, au début du Second Empire, notait qu'ils n'étaient pas en mesure de la combattre, comme l'Anglais Burke en 1790, au nom d'une tradition politique libérale inexistante, en France, avant 1789. L'Ancien Régime ne nous a laissé, à cet égard, que l'absolutisme et ses impasses. Paul-Louis Courier ou Stendhal en furent, sous la Restauration, des ennemis irréductibles et des admirateurs décidés de la Révolution, celle de la liberté, qui n'était ni celle des jacobins ni celle de Bonaparte[6].

Les années 1840 virent réapparaître le souvenir de la Terreur. Raymond Huard vient d'en montrer tout le poids dans un département du Gard chargé de ses traditions. Les démocrates populaires s'y rattachaient, en 1848, à leurs pères les sans-culottes, tandis que des femmes, plus prosaïques, s'y rappelaient que la République signifiait d'abord le manque de liberté et le rationnement alimentaire. La Révolution était ici présente, en premier lieu, comme un héritage familial et culturel à propos duquel on se partageait déjà violemment entre l'admiration pour 1789 et celle pour 1793. Mots et images, chansons et célébrations continuèrent à répéter l'époque héroïque. On cria « Vive la guillotine ! » à Bagnols, le 21 janvier 1850, pendant que l'on vénérait, à Nîmes, le buste de Robespierre, objet d'une popularité considérable. On saluait en lui celui qui avait montré le meilleur moyen « d'anéantir les aristos ». Ces républicains terroristes appelaient toujours du sang pour arroser leurs fêtes ; ils y tremperaient avec plaisir leurs mains et estimaient « doux de voir tomber des têtes ». Le vertige de l'échafaud demeurait, dans ce Midi rouge, l'un des plus sûrs legs de la Révolution. La mentalité de gauche y concevait la victoire comme l'anéantissement physique de l'ennemi. La démocratie directe, par disparition complète de l'État, et l'affirmation du droit au travail figuraient également dans cette panoplie. La primauté des considérations morales comme l'ignorance des réalités économiques achevaient de la relier aux songes rousseauistes[7].

Albert Soboul avait insisté, à l'occasion du centenaire de la Commune de Paris, sur la continuité de cette tradition révolutionnaire, attachée à un mouvement de masse et à la notion de souveraineté populaire, par opposition au centralisme hiérarchisé typique de la bourgeoisie jacobine. Sensible aux concepts d'unité, d'unanimité et de fraternité, la première contrastait avec un second qui privilégiait la technique et la pratique révolutionnaires. Robespierre et Marat furent sans cesse l'objet, dans ce milieu, d'appréciations contradictoires qui provenaient de ce dualisme, lui-même inhérent aux réalités de la Révolution, passée et future, déchirée entre son désir d'incarner les masses et son souci d'efficacité. Il pouvait la pousser, en effet, à confier à une élite autoritaire le soin de faire le bonheur du peuple malgré lui. Ç'avait été l'ultime message des babouvistes, qui devaient le transmettre, à travers tout le XIXe siècle et Blanqui, à l'État fondé par Lénine[8].

Buonarroti estimait, en 1830, que la seule justification de 1793 résidait dans sa volonté d'une régénération totale. Ce rêve n'avait pas abandonné les Français de la Libération, puisque Jean Cassou jugeait, en 1947, que la Révolution n'était « pas faite » et qu'il y avait « dans l'histoire de notre pays, depuis 1794, un suspens et une attente ». Il se désolait de nous voir toujours sous la botte des thermidoriens et appelait de ses vœux « une autre révolution pour, dans des conditions différentes, reprendre le départ du même rêve et le mener à sa réalisation ». Au moment où la Révolution russe proclamait sa dette envers la française, il attendait « un prochain acte du peuple français » pour « ramener Saint-Just parmi nous » et affirmait : « Nous voici mieux placés qu'aucune génération pour voir enfin Saint-Just et la Terreur dans leur simplicité et leur lumière. » Apologiste de l'engagement, il se disait animé, « contre les indulgents de notre temps », par « une farouche volonté d'épuration et de justice ». Ce délire idéologique, moins individuel que collectif, qui croit à « une doctrine des révolutions [...], particulièrement éclairée par le marxisme », et qui sait « que le peuple » est « l'élément fondamental du progrès et des révolutions », se terminait par une déclamation lyrique, selon laquelle « la haine des ennemis est un sentiment sacré », et par cette étonnante apostrophe : « O Saint-Just, nous avons besoin de toi [...] Nous t'appelons [...] éclaire notre confusion ! [...] Ta bataille continue pour nous et nous presse. [...] communique ta torche à ceux dont les victoires, dans les plis de l'avenir, frémissent de courir s'aligner auprès des tiennes. Grave dans les cœurs dignes de te succéder l'exemple de tes implacables vertus[9]. »

Toute une partie de la France contemporaine a partagé ces aspirations. Le précédent révolutionnaire n'y est pas vu seulement sous l'angle de la fraternité et la Terreur n'est jamais très loin de leur horizon. La saine violence populaire y est justifiée par la fureur des vaincus. Les massacres patriotiques semblent y constituer un accompagnement nécessaire du progrès historique. C'est cette perspective que l'apaisement récent des luttes politiques et les désillusions causées par l'expérience communiste ont fait abandonner. La plupart des Français, sans lui être fondamentalement hostiles, sont beaucoup plus sensibles aujourd'hui aux imperfections et aux contradictions de la Révolution. Ils en répudient, notamment, l'inutile violence et ne pensent pas qu'elle ait réussi à appliquer un modèle valable de démocratie. Déformation d'un idéal plutôt que réalisation d'une utopie, ils commencent à la juger comme un événement sans doute formidable, mais en ses détails banal, prosaïque, finalement décevant, bref analogue aux autres. Interrogés au cours de l'été 1983 sur leur sympathie pour ses acteurs, ils plaçaient à leur tête La Fayette, suivi de Bonaparte. Mais le champion initial de la Révolution n'avait que 6 % de témoignages d'antipathie contre 21 % pour son liquidateur. Tous deux caracolaient loin devant Louis XVI ou Danton, Marat ou Robespierre. Ce dernier, dont il arrive à Georges Marchais de se proclamer l'héritier, n'est apprécié, en effet, que par 8 % de l'opinion, soit cinq fois moins que La Fayette ou Bonaparte. A l'image tumultueuse et militante d'une Révolution fondatrice d'un progrès ininterrompu et réalisé par la violence, les Français préfèrent manifestement celle de l'institutrice modeste d'un ordre libéral acceptable[10].

La République française tire-t-elle ses origines de la Révolution ?

Claude Nicolet vient de restituer toute leur importance aux développements de l'idée républicaine en France. Si leur apogée coïncide avec l'adoption définitive de ce régime à la fin du XIXe siècle, la Révolution occupe une place essentielle dans leur origine et leur succès. L'esprit républicain a pour critère et difficulté essentiels de se situer à l'intérieur de cette phase historique et de ses contradictions. L'événement révolutionnaire inauguré en 1789 constitue, pour lui, un point zéro absolu, analogue à l'incarnation pour le christianisme. On y revient toujours parce qu'il est au commencement des choses. C'est à travers lui, par exemple, qu'on rattache, plus ou moins bien, les Lumières à la République. La conscience de cet héritage collectif finira par transformer les philosophes du XVIIIe siècle en Pères de l'Église républicaine. Mais celle-ci n'a vraiment commencé qu'avec la Révolution, dont les républicains sont les fils. Ils l'ont considérée comme un phénomène religieux dont les symboles sont au cœur de leur doctrine et dont les principes ont commandé leur action. Ils ont même eu tendance à faire de cette période tumultueuse et diverse, contre l'évidence, un seul bloc idéologique. C'était transformer, ce qui fut fait jusqu'à nos jours, l'historiographie officielle de la Révolution en une opération unanimiste dont les grands prêtres veillaient avec soin sur la conservation du mythe et son éventuel enrichissement. Il s'est toujours agi là d'une science républicaine de la Révolution. Elle a sacralisé l'événement en le métamorphosant en un commencement absolu du Bien et en la fin du Mal. Elle l'a également transfiguré dans l'imaginaire en le transformant en épopée [1].

Les idéologues du Directoire ont fourni à la future République une source intellectuelle capitale. L'esprit républicain dut cependant survivre au long exil intérieur des deux premiers tiers du XIXe siècle avant de s'imposer à la France. Il y parvint en instituant, à partir des années 1870, une nouvelle légitimité qui sut créer, à la fois, un type de gouvernement et les principes d'un régime appelé à devenir définitif. Le culte de la Révolution en constituait, comme chez Littré et ses amis positivistes, une pièce essentielle, qui s'identifiait à l'affirmation d'une République idéale que la politique officielle avait le devoir d'incarner dans la société. A cet égard, cette héritière de la Révolution se trouvait dans l'obligation, pour triompher, d'être en même temps conservatrice et libérale. Elle le fut avec netteté chez ses fondateurs opportunistes, encore plus attachés au renforcement de l'État qu'à la réalisation de la justice. Il s'agissait seulement, pour eux, de confirmer l'acceptation par la nation de l'ordre civil issu de la Révolution. Leur œuvre pédagogique fut au service de cette idéologie. Elle plaçait au premier plan une conception de la science, de l'histoire et de la morale, obsédée par le caractère intangible, à titre de source fondatrice, des principes de 1789. Ils définissent en effet, dans la République, les cadres du lien social et politique, et la fidélité à la

Révolution, en son essence, y est de ce point de vue la première des vertus. La nécessité inévitable d'enrichir cet héritage se révéla, dans cette perspective, à l'origine de nombreuses difficultés[2].

Claude Nicolet a noté à quel point la structure mentale, ou plutôt mythique, ainsi créée par notre histoire contemporaine souffre la comparaison avec celle régnant sous l'Ancien Régime. Dans les deux cas, un dogme et un État se sont trouvés associés, à la fois inextricablement mêlés et radicalement séparés, leur double sacralisation ne simplifiant d'ailleurs rien. La hantise de l'unité s'explique aisément au rappel de cette diversité. On y travailla, avec succès, par un rapprochement entre la notion de nation et celle de République. On s'attacha aussi à définir celle-ci, dans la ligne d'une certaine tradition héritée de la Révolution, par la suprématie du pouvoir législatif. Les abus du système représentatif et parlementaire amenèrent, cependant, une certaine déperdition du sens de l'État. Celui-ci eut également de la peine à imposer, par le biais de la laïcité, « l'unité spirituelle nécessaire à la République ». « État de droit non totalitaire », celle-ci est, en même temps, un « État unitaire et centralisé ». Cette contradiction, héritée de la Révolution, n'est pas toujours très facile à vivre. Elle se double d'une autre, qui tient au fait que l'événement de 1789 n'a nullement été, *pour l'Europe et le monde*, l'acte de naissance de la modernité. Celle-ci n'a pas été créée par la proclamation des droits de l'homme mais par les développements liés aux progrès du capitalisme industriel. La France révolutionnaire les a très peu connus. Elle leur a préféré le modèle antique d'une République athénienne qui se prolonge de Rousseau à Mendès France en passant par les jacobins et Gambetta. Notre conception de la démocratie demeure une production de l'esprit philosophique, non un résultat de l'évolution historique. Fille de la Révolution, notre République l'est aussi de ses aspects utopiques, de même qu'elle a hérité de ses ennemis originels. Elle n'est jamais parvenue, depuis Saint-Just, à séparer vraiment morale et politique, comme elle a toujours eu tendance à sacraliser celle-ci. On peut seulement se demander si les formes et surtout l'esprit nouveau introduits depuis 1958 n'ont pas fini par altérer profondément cette tradition révolutionnaire [3].

Celle-ci ne fut d'ailleurs jamais simple, ainsi que le montre, au milieu des années 1860, le débat entraîné par la publication de l'ouvrage où Quinet condamnait la Terreur. Applaudi par Ferry, il fut combattu par les défenseurs de Robespierre. Le symbolisme dont se nourrit ce lieu de mémoire qu'est devenu aujourd'hui la République se caractérise par une ambiguïté analogue. La Révolution y est plutôt le mystère des origines que la clarté d'un commencement. Elle nous a légué, pourtant, l'emblème de la légitimité nationale, source d'un culte moderne de l'armée et preuve de l'achèvement républicain de l'histoire de France. Ce mythe de fondation constitue un dérèglement du souvenir. Moins durable, le calendrier révolutionnaire, qui devait décréter l'éternité en se soumettant le temps, n'a pas survécu plus de douze années aux résistances qu'il a rencontrées. La vanité de ses promesses eut tôt fait de le transformer en une institution moribonde. *La Marseillaise* eut plus de succès, puisque ce chant de guerre exaltant la liberté est devenu un hymne national et même international. Ses origines révolutionnaires ne l'ont jamais empêché de servir à tous les usages des diverses formes du patriotisme [4].

Le Panthéon incarne, sous la Révolution, le vœu collectif d'un siècle assoiffé de célébration. Mais la République n'eut pas de chance avec les hommes qu'elle se chargea de commémorer. Avant 1799 déjà, Mirabeau ou Marat furent exclus du Panthéon. Ce lieu de rassemblement national est devenu celui de la rupture entre les Français. On l'a bien vu en 1981. Nous ne croyons plus à la conception des grands hommes propre au XVIIIe siècle ou à celle d'un art « propagandiste et éducateur ». La devise républicaine de nos mairies s'est révélée plus solide que ce creux monument, parce qu'elle est liée au triomphe posthume des principes de 1789. Maurice Agulhon remarque que c'est *au cours des cent dernières années seulement* que la popularisation progressive de la démocratie locale a métamorphosé le

« vocabulaire symbolique de la culture française ». On ne doit ce succès à la Révolution que dans la mesure où la Troisième République a été sa fille. Cette filiation décisive est la principale source de l'importance de 1789 dans l'histoire de France. Ernest Lavisse le consacra par un manuel d'instruction primaire dominé par la finalité révolutionnaire de notre histoire nationale. La Révolution y fut de plus en plus magnifiée ou excusée, et l'Ancien Régime accablé au nom de l'intérêt bien compris de la France. Ce dernier s'identifiait aussi au passage du despotisme de la monarchie à la liberté républicaine. Légitimation d'un nouveau régime, en vertu de l'unité nationale, il s'agissait là, comme l'a noté Pierre Nora, d'une transposition laïque des justifications de la royauté d'autrefois[5].

Les années 1870 et 1880 furent marquées par la célébration des centenaires de Voltaire, de Rousseau et de la Révolution, comme par la fixation de la fête nationale à l'anniversaire du 14 Juillet. Les deux grands philosophes du XVIIIe siècle furent avant tout envisagés, à l'aube de la Troisième République, sous l'angle d'une Révolution dont ils étaient le symbole et dans le cadre d'une filiation évidente entre les Lumières et le nouveau régime. Ce processus de sacralisation transfigurait le passé intellectuel de la France en une annonce messianique de l'avenir républicain. Ce fut deux ans plus tard, en 1880, que le 14 Juillet fut adopté comme fête nationale. La Révolution n'était pas encore devenue ce qu'elle est aujourd'hui pour 70 % des Français, c'est-à-dire un mythe fondateur largement majoritaire et qui, du coup, ne suscite plus que des passions rétrospectives. Le choix du 14 Juillet signifiait, au contraire, que le nouveau régime se réclamait du symbole de la liberté et de la notion de rupture. La confusion avec le 14 juillet 1790 permettait d'y ajouter l'évocation d'une ambiance de fête fraternelle. Un rituel officiel et populaire s'enracina peu à peu et contribua à fonder la République dans les consciences. Si elle fait partie, désormais, du patrimoine national, le détail de l'histoire dont elle se réclame n'a pas fini de partager les esprits[6].

Il le faisait encore plus naturellement, en 1889, centenaire d'un héritage dont se réclamaient les hommes alors au pouvoir. Ils mirent au point, face à la critique conservatrice, une interprétation républicaine de l'histoire nationale. Ils diffusèrent une imagerie édifiante de la Révolution et organisèrent, en son honneur, de vastes cérémonies. Le musée commémoratif de la Révolution fut au cœur de l'Exposition inaugurée cette année-là. La célébration mythique de la Révolution allait de pair avec l'orientation modérée de la République opportuniste. C'est ce que Pascal Ory appelle joliment la preuve par 89. On peut se demander si, cent ans plus tard, sous la houlette d'Edgar Faure, elle ne va pas à nouveau servir. Il est vrai que les temps ont changé. La République comme la Révolution sont aujourd'hui beaucoup plus fortes d'un assentiment national. Si leur image a pu s'affaiblir, au bénéfice d'autres formes du projet français, Pierre Nora a raison de diagnostiquer dans notre conscience contemporaine, et à côté du « retour du national », « le repli sur les vieilles valeurs minimales de la République ». A ce titre, et même si elle est définitivement terminée, la Révolution n'a pas fini d'être utile[7].

Des historiens lui ont attribué le mérite d'une sacralisation inédite des valeurs politiques et sociales. Il est certain que le nœud « moderne, laïc et libéral » opéré alors entre « les droits, la liberté et la patrie » ne s'est plus dénoué depuis, créant ainsi « une nouvelle légitimité et un patrimoine désormais intouchable ». En ce sens, pour des républicains qui s'en félicitent toujours, la Révolution française fut bien « un commencement des temps ». Lynn Hunt a cru pouvoir lire dans la géographie politique des élections de la Première République un signe précurseur de nos futures divisions. Sa cartographie apparaît moins démonstrative, à cet égard, que celle fondée sur les réactions à la Constitution civile du clergé. Cette historienne se trouve sur un terrain plus solide lorsqu'elle constate l'émergence, pendant la Révolution, d'une nouvelle classe politique aux contours sociologiques facilement discernables. Ces commerçants et ces artisans incarnèrent une démocratisation de la vie publique qui fut brutalement interrompue par Brumaire, mais qui anticipait l'évolution du XIXe siècle jusqu'à Gambetta. Lynn Hunt voit dans cette ascension culturelle de la petite et moyenne bourgeoisie urbaine la preuve de la modernisation apportée par la Révolution. Grâce à elle et au nouveau type de pouvoir, plus égalitaire, qu'elle créa, la France commença son apprentissage de la République[8].

Aussi bien avons-nous de la peine à cesser de la vivre en contemporains. Autour de 1968, la figure de Marat le disputa à celle de Sade dans le panthéon imaginaire des intellectuels révolutionnaires. Alain Jouffroy apprit bientôt à ses lecteurs que « l'idée de Révolution est la sauvegarde la meilleure et la plus efficace de l'individu ». Claude Roy, peu auparavant, avait polémiqué avec Jean Massin sur la meilleure façon de célébrer l'incomparable Marat, prototype du gauchiste à la mode. Ariane Mnouchkine imposa, à la Cartoucherie de Vincennes, une vision théâtrale de la Révolution inspirée par la mythologie de Michelet et dominée, également, par le prophétisme populaire attribué à Marat. Même un historien aussi lucide que Michel Pertué, lorsqu'il se représente la composition de la Convention, ne résiste pas au plaisir de la lire, par désir de rationalité, comme celle d'une quelconque Assemblée nationale d'aujourd'hui : de l'extrême droite réactionnaire à l'extrême gauche exagérée, en passant par le centre droit conservateur et le centre gauche démocrate fait d'opportunistes et de radicaux, tout notre arc-en-ciel politique est utilisé. On s'y croirait. Pour beaucoup, depuis 1789, nous sommes toujours dans la même histoire[9].

Les révolutions contemporaines dérivent-elles de celle de 1789 ?

John Pocock, qu'on ne saurait taxer de sympathies excessives pour la Révolution française, remarque l'étendue de sa fécondité. Elle créa, chez beaucoup, une nouvelle conception de l'histoire du monde. La culture politique en vint souvent à se définir par rapport à elle, comme on le voit par l'exemple des révolutions des XIXe et XXe siècles. L'étendue de leur dette envers celle de 1789 vient de ce qu'elle inventa le concept de révolution, changement politique volontaire en même temps que total. Il y eut désormais des révolutionnaires décidés à fomenter de pareilles transformations. Ils se sont servis avec succès de l'idéologie nationaliste, associée à une Révolution qui fut celle de la patrie en armes. Ce curieux avatar des Lumières fut moins théorisé clairement que vécu, de manière anonyme, par l'ensemble d'une collectivité. Il est assez vain de se demander si le nationalisme, né de la Révolution conquérante, correspond vraiment à la mentalité de ses acteurs. Il résulta d'abord de ses actes, qui transmirent à ses successeurs une leçon. L'idée de nation était neuve, pour la France, en 1789. Elle a depuis, à son impulsion, fait le tour du monde, de l'Europe ébranlée par ses armées à l'Amérique latine, avant de se répandre dans les États nés de la décolonisation. Cette création de la culture politique révolutionnaire est, aujourd'hui, un élément essentiel du prestige français. Ce fut aussi la Révolution qui donna naissance aux concepts modernes de terreur politique et de parti d'avant-garde. Elle permit à la pensée conservatrice de se développer, comme au socialisme de commencer à s'élaborer. La conscience de l'histoire et celle de l'ordre social ne purent plus être, après 1799, comme avant 1789. Raz de marée idéologique, la Révolution française fut, à cet égard, la matrice du monde contemporain. Son influence, en ce domaine, devait se révéler plus importante que ses créations immédiates [1].

Elle fournit un aliment décisif aux philosophes allemands du début du XIXe siècle et ne fut pas étrangère, fût-ce par réaction, à côté de la tradition romantique, à la montée du nationalisme germanique. On exécuta en 1794 des jacobins hongrois, tandis que ceux de Pologne, dressés contre l'armée russe, rêvaient à une internationale révolutionnaire des démocrates européens. L'historiographie de la Révolution française fut, dans la première moitié du XIXe siècle, le bien commun de tous les intellectuels du continent; ils y trouvèrent de quoi se préparer à la répéter, tout en se séparant entre libéraux, arrêtés à 1789, et radicaux, qui ne refusaient pas l'exemple de 1793. Le jeune Hongrois Jozsef Irinyi affirmait ainsi, en 1846 : « La Révolution commencée en 1789 n'est pas encore terminée. » Son compatriote Vasvari écrira, deux ans plus tard, que « l'arbre de la liberté doit être arrosé de sang ». Comme Petöfi, cet admirateur de Robespierre et de sa Révolution, nouvel Évangile du monde et Bible de l'humanité, trouva la mort dans un combat désespéré où il avait été poussé par la contrainte morale née de son adhésion à l'idéologie inventée en 1789. Ces héros eurent des imitateurs, en 1956, lors de la révolte de Budapest contre l'ordre stalinien et soviétique[2].

L'Italie fut, de tous les pays européens, celui que la Révolution française bouleversa le plus profondément. Son mouvement d'unité nationale au milieu du XIXe siècle dut beaucoup aux expériences accumulées, à ce contact, depuis 1796. La culture de l'Italie postrévolutionnaire resta sans doute souvent l'héritière de la tradition réformatrice des Lumières. Mais les démocrates italiens se réclamèrent encore plus massivement de l'exemple de 1789. Mazzini, parmi eux, fut particulièrement significatif, puisqu'il passa, au début des années 1830, de la justification de la Terreur montagnarde à sa détestation : l'imitation de 1793 serait fatale aux intérêts du parti républicain et de la révolution italienne. Ses animateurs se placèrent pourtant constamment à l'ombre de la française. Son auréole mythique éclaira également, autour de 1870, les débuts du mouvement socialiste italien, plus sensible que le dernier Mazzini aux bienfaits de la Terreur[3].

Les auteurs les moins favorables à la Révolution française ont noté le prestige que lui vaut, à l'extérieur, la sacralisation de sa légende. Elle y contribue beaucoup plus que les souvenirs de l'Ancien Régime à la gloire de notre pays, car elle y est considérée comme une étape décisive de l'histoire de l'humanité et le moment et le lieu où les diverses nations du monde ont commencé à apprendre la leçon de la liberté. Cette allégorie s'est répandue dans toute l'Amérique latine, où de nombreuses républiques se sont créées, au début du XIXe siècle, à l'école de la française. Ce mouvement devait se répéter, en notre temps, lors de la décolonisation. Il suffit pour le comprendre d'avoir assisté, en Afrique noire, à l'une de ses innombrables révolutions, survenue, naturellement, une nuit du 4 Août ; le pouvoir à conquérir y est situé au sein d'un Comité de salut public et ses nouveaux dirigeants appellent à se méfier des ennemis de l'intérieur et de l'extérieur, à vaincre ou mourir pour la patrie et à former, dans la fièvre, des comités de défense de la Révolution. Un Hexagone fatigué ne peut plus être à l'unisson de ces passions tropicales, et il y a longtemps que le souvenir de 1789 est plus vivant à Mexico ou à Brazzaville qu'à Paris[4].

La fortune historique du marxisme explique aussi ce décalage. Ses fondateurs ont toujours accordé une importance capitale à la Révolution française, depuis les écrits du jeune Marx jusqu'à ceux de Lénine, créateur ou inspirateur, aujourd'hui encore, de nombreux États qui se réclament, en partie, de l'expérience anticipatrice de 1793. 1789 constitue bien une source du marxisme, puisque, comme l'a rappelé Hans-Peter Jaeck, cette date lui a fourni la base d'une périodisation de l'histoire mondiale où la féodalité et l'Ancien Régime s'opposent à l'avènement de la bourgeoisie ; celui-ci n'avait été possible, selon Marx et Engels, que grâce à la « communauté d'intérêt révolutionnaire au sein du tiers ». De façon plus profonde, Ferenc Fehér vient de montrer que la Révolution française avait fourni le modèle de la conception marxiste de la politique. On notera d'ailleurs que, sur ces deux points, la pensée de Marx est sans réelle originalité, puisqu'elle se rencontre avec celle de Guizot ou de Thiers. Mais les fondateurs du marxisme se sont attachés avec perspicacité à la double caractéristique de la Révolution de 1789, acte fondateur de la démocratie et, en même temps, premier miroir de ses contradictions. Le socialisme, comme le dira Jaurès, fut d'abord conçu pour les résoudre, donc pour accomplir l'héritage de la Révolution française[5].

Ce fut, entre autres, l'ambition de Lénine, sans cesse passionné par la période de la domination jacobine. Avant de terminer sa vie en lecteur de Marat, il avait accepté la comparaison faite par ses adversaires mencheviks, en 1904, entre leur lutte et celle qui avait opposé girondins et montagnards. Les bolcheviks seraient à leur tour, face à l'opportunisme, les organisateurs conscients de la Révolution. Ses animateurs, dans la Russie du début de ce siècle, lisaient leur conflit à travers l'histoire de la Convention. Leur vision de la dictature était celle de Robespierre et de Saint-Just et leur principale aspiration visait à imiter le vaste mouvement de 1789. Lénine, en 1905, évoquait avec gourmandise les perspectives d'une Terreur et de « plusieurs Vendées ». Il se réclamait ouvertement, face à une éventuelle contre-révolution, de la psychologie et de la politique jacobines. Elles lui paraissaient autoriser et justifier l'emploi de la « violence révolutionnaire ». Il assimila, en 1917, son action à l'exemple jacobin « de révolution démocratique et de riposte à la coalition des monarques contre la République ». Il fit l'éloge de l'implacabilité de la Convention, à sa grande période, et remarqua que ce souvenir, haï des bourgeois et craint des petits bourgeois, demeurait cher aux opprimés, car il leur apportait l'espérance d'un pouvoir populaire. Cette conception de l'histoire déplaçait l'accent vers une hypothétique hégémonie des masses sous l'an II. Après avoir servi l'action communiste, elle a longtemps dominé une historiographie se refusant, avec Georges Lefebvre, à imaginer, dans la dictature terroriste de la Montagne, une entreprise de répression du mouvement plébéien. Victor Daline a remarqué le ton robespierriste du Lénine de 1917 qui voulait enlever « aux capitalistes tout leur pain et toutes leurs bottes » tout en espérant qu'il ne serait pas obligé de guillotiner des gens désarmés. Il devait bientôt justifier, lui aussi, sa propre Terreur par le poids des circonstances. Toute l'histoire du bolchevisme au pouvoir s'écrivit à l'ombre de la Convention, et 1793 demeura pour lui une référence essentielle. Lénine acheva sa carrière en réfléchissant, comme ses futurs successeurs, sur les possibilités d'un Thermidor soviétique. Cette obsession rapprochait une fois de plus Russie du XXe siècle et France du XVIIIe. Lénine y fit plusieurs fois allusion dans ses discours publics ou ses notes privées. Il voyait 1921 risquer de répéter 1794, mais croyait pouvoir se rassurer en songeant à l'appui populaire dont, estimait-il, son gouvernement disposait[6].

Les révolutions communistes ultérieures n'ont pas échappé, de Pékin à La Havane, à cette mythologie. Elles le peuvent d'autant moins que leur dette envers le léninisme est immense et qu'elles lisent l'histoire du monde contemporain à travers son prisme déformant. Peut-être n'a-t-il pas tort de placer la Révolution française au centre de l'étude comparée des révolutions, puisque son image demeure au cœur des mouvements sociaux et idéologiques des XIXe et XXe siècles. On peut l'expliquer, comme Theda Skocpol, par le concept de modernisation, la révolution ayant alors, pour avantage, la mobilisation politique des masses au service du progrès économique. Mais il ne semble pas que ce schéma, valable pour la plupart des révolutions du XXe siècle, puisse s'appliquer à celle de 1789. Elle leur a plutôt servi, comme à l'ensemble de l'histoire contemporaine, d'éducatrice politique. Son importance ne tint pas seulement à sa création des classes socio-économiques de la bourgeoisie ou du prolétariat, inexistantes, en ce sens, avant elle. Elle vint aussi de son étonnante inventivité qui lui fit expérimenter, en dix ans, presque toutes les formes possibles du pouvoir moderne : monarchie constitutionnelle, république censitaire, république démocratique, république oligarchique, dictature populaire, démocratie municipale directe, dictature militaire, etc. Le monde stupéfait vit apparaître, en peu de temps, sur la scène politique française, ces diverses conceptions de la domination. Laboratoire d'une incroyable fécondité, la Révolution légua à l'avenir, sur ce plan, tous ses jeux et toutes leurs règles, après avoir créé, pour chacun d'eux, un modèle impérissable[7].

Les pays anglo-saxons sont presque seuls demeurés à l'abri de cette créativité et de son influence, dans la mesure où ils disposaient d'une tradition libérale qui leur était propre et s'est révélée, à l'usage, assez difficilement exportable. La France se dissocia également d'eux, à ce moment, par son dédain pour les formes économiques de la modernité. Elle préféra la révolution politique à l'industrielle, finit très vite par diviniser l'État et conserva les mythes ruraux d'une société traditionnelle dont lui parlaient, à la fois, l'héritage de l'Ancien Régime et les leçons des républiques antiques. On retint surtout, à travers le monde, de la Révolution française, son insistance sur la haine des classes et l'affrontement des partis, son goût pour la radicalisation idéologique et les solutions extrêmes, à travers le tumulte de la guerre civile et étrangère. On crut souvent, désormais, que les nations ou les régimes se formaient et se défaisaient nécessairement dans ce moule. La grandeur de la Révolution, et sans doute aussi sa malédiction, ce fut d'inventer la politique moderne [8].

Conclusion

Tocqueville et Taine ont vu à juste titre dans la centralisation napoléonienne le principal résultat de la Révolution. Cet achèvement d'un processus millénaire créa une classe dirigeante politiquement émasculée et encore moins favorable au développement économique que la noblesse d'Ancien Régime. Les bases fiscales et juridiques de cette domination des notables devaient se prolonger jusqu'au début du XXe siècle. Elle constituait un échec certain par rapport aux principaux idéaux de l'époque prérévolutionnaire. De nombreux Français éclairés avaient alors espéré remplacer le despotisme royal par une Constitution inspirée de l'esprit des Lumières. L'opposition d'une partie de l'aristocratie à des aspects capitaux de ce système conféra leur allure révolutionnaire aux événements de 1789. Ils ne se déroulèrent nullement dans une atmosphère d'unanimité et affectèrent surtout les villes et leur population bourgeoise ou artisanale. Même dans ce milieu, la participation au mouvement révolutionnaire ne concerna qu'une étroite minorité militante. Il faut relier à ce fait les violences dont elle fut responsable.

Elle bénéficia d'un appui encore moindre dans les campagnes et, d'une façon générale, laissa très froids les Français qui ne disposaient pas d'une propriété. La majorité des ruraux, les pauvres et les marginaux demeurèrent attentistes ou indifférents, jusqu'à ce que les difficultés religieuses les transforment souvent en opposants déterminés. Leur résistance et la répression qu'elle entraîna achevèrent de bouleverser et d'affaiblir l'économie nationale. Un tiers des départements connurent, au cours de cette période, des phénomènes de désindustrialisation, tandis que le progrès urbain se voyait stoppé. Au lendemain de leur Révolution, les Français étaient, dans leur masse, plus pauvres qu'avant, et le retard de leur pays sur l'Angleterre s'était accru. La Terreur, qui se déroula dans le cadre d'une guerre étrangère, eut des conséquences encore plus graves. L'attribution aux ennemis de l'intérieur de toutes les difficultés gouvernementales créa un cercle vicieux où le refus des sacrifices demandés renforça à la fois les éléments hostiles à la Révolution et l'effort entrepris pour les liquider. La dictature terroriste elle-même ne parvint pas à réaliser l'ensemble de son programme. Divisée sur ses propres buts, elle développa surtout autour d'elle la peur et la haine. Après Thermidor, l'émiettement des révolutionnaires et leur séparation d'avec la nation ne firent que s'étendre. La France, dans ces conditions, ne fut pratiquement plus gouvernée dans de nombreuses régions.

Cet échec des institutions représentatives explique le retour, à la fin du Directoire, à un régime autoritaire. L'essentiel, pour la clique dirigeante installée au pouvoir par la Révolution, était de ne pas accorder à l'opinion publique un rôle politique décisif. Son ralliement à Bonaparte, garant de la forme de règlement extérieur qu'elle souhaitait, provint de ce sentiment. Le nouvel État se révéla seul capable, par le Concordat, de mettre un terme aux désordres endémiques causés par la question religieuse depuis près de dix ans. En ce sens, ce fut le poids de la paysannerie traditionnelle et des concessions qui devaient lui être accordées qui amena la France au système napoléonien. De nombreux idéaux adoptés en 1789 s'en virent abandonnés ou amoindris. La faillite partielle de la Révolution tint donc au fait qu'elle ne fut que très faiblement un mouvement populaire et se heurta au contraire, de plus en plus, à l'aversion des masses[1].

Ce jugement dû à Donald Sutherland rappelle l'importance, à la source du déroulement de la Révolution, des oppositions qu'elle rencontra. Elles ne furent pas simples, comme l'a rappelé, en 1985, le colloque de Rennes, et il faut écrire au pluriel l'histoire de la contre-révolution comme celle de la Révolution. Leur essence, à l'image du pays qui les abrita, fut la diversité. Norman Hampson s'est même demandé, avec un humour tout britannique, si l'immensité du nombre des contre-révolutionnaires, parmi lesquels figuraient beaucoup d'anciens partisans de la Révolution, n'enlevait pas toute validité à leur réunion sous une seule dénomination. Loin d'être un bloc, la Révolution fut vécue de façon très différente par les groupes ou les individus. Le point de vue de la plupart des paysans n'avait rien à voir avec celui des députés, des autres politiciens ou des citadins éclairés. Les négociants furent, dans l'ensemble, peu favorables à une Révolution prétendue capitaliste, comme les gens du peuple à une Révolution prétendue populaire. Quant aux individus, pris dans un engrenage parfois absurde, leurs choix furent souvent dictés par le hasard des temps et des lieux. L'unité du mouvement révolutionnaire comme celle de son contraire sont des mythes. Ce qui les alimenta, les développa ou les appauvrit dépendit d'une lutte à mort pour le pouvoir, qui fut transfigurée, par ses acteurs, en une opposition entre le Bien et le Mal. Les historiens n'ont ni à répéter cette illusion des contemporains ni à simplifier une situation qui fut des plus complexes. Le bouleversement des habitudes ou des intérêts comme les déceptions progressives et successives pesèrent d'un poids chaque jour plus lourd sur le déroulement de la Révolution. Proclamée ou attendue par ceux qui la déclenchèrent comme une apocalypse, elle posséda surtout, pour la plupart des gens qui la vécurent, la triste banalité de l'existence[2].

Le mérite principal de l'enquête sur la Révolution due récemment aux historiens anglo-saxons consiste à l'avoir saisie, à la fois, dans sa continuité avec l'Ancien Régime et dans son irréductible diversité. Les contraintes économiques traditionnelles, les antagonismes sociaux, familiaux, locaux et personnels ne disparurent pas comme par enchantement en 1789. Ils se prolongèrent, avec les mentalités qu'ils entraînaient, ou qui les expliquaient, jusqu'en plein XIXe siècle. La Révolution ne marque, à cet égard, aucune coupure dans une longue durée historique qui relie sans rupture, *du point de vue des masses,* la France de Louis XIV à celle de 1848. On l'oublie par excès d'attention aux jeux superficiels de la politique. Mais la Révolution ne changea ni le sort des femmes, ni celui des pauvres, ni celui des enfants. Elle bouleversa très peu les hiérarchies et les équilibres fondamentaux. On a vu qu'elle ne toucha guère aux loisirs ou aux croyances populaires, qui résistèrent à ses incitations. Yves-Marie Bercé a pu comparer les soulèvements des croquants du XVIIe siècle à ceux des paysans aquitains de la période révolutionnaire. L'abolition des droits seigneuriaux donna lieu aux mêmes ambiguïtés que les remises de taille jadis accordées par le roi. Les mouvements qui suivirent, « par leurs motifs, leurs modes de prise d'armes et de propagation », s'apparentèrent directement au vieux mythe de l'impôt remis et aux émeutes qu'il engendrait. La contestation ultérieure, antifiscale ou frumentaire, constitua également une survivance de l'Ancien Régime. Au sommet de l'État, Bonaparte, qui plaçait à la tête de ses finances d'anciens collaborateurs de Calonne ou Brienne, appelait, pour gouverner la France à ses côtés, avec Lebrun, l'ancien bras droit de Maupeou : par-delà la parenthèse révolutionnaire, le nouveau despotisme tendait la main à l'ancien[3].

La Révolution fut étonnamment variée selon les régions, qui en réfractèrent le choc avec leur structure ou leurs habitudes propres. On a souvent gommé ce fait, attentatoire au mythe de l'unité nationale, par attention excessive à ce qui se passait à Paris ou au sein des Assemblées. Pour la lointaine France des îles, par exemple, le problème de l'esclavage était de loin le plus important. La Constituante, qui proclama les droits de l'homme, se garda bien de toucher à cette base du commerce colonial. Il s'ensuivit, en 1791, une formidable insurrection, qui aboutit, douze ans plus tard, à la création de la république de Haïti. Le reste des Antilles françaises devait mettre longtemps à pouvoir jouir enfin des principes de 1789. A la Réunion aussi, on connut, après le temps des espérances, celui des déceptions et du désenchantement. Les sans-culottes avaient pourtant occupé le pouvoir pendant un an, à partir du printemps 1794. Mais il s'agissait de propriétaires d'esclaves. La période révolutionnaire se termina, là encore, par le désastre économique, les tensions sociales et les divisions politiques. A l'enthousiasme des débuts avait succédé une triste agonie, au milieu de l'« indifférence générale ». La Corse, plus fraîchement annexée à la France, avait bénéficié, à la fin de l'Ancien Régime, d'une intéressante expérience de despotisme éclairé qui se préoccupa d'y rétablir l'ordre et d'y favoriser le développement. Ce pragmatisme bureaucratique, vigoureusement ennemi du privilège, représentait une originale entreprise de régénération. Ce fut peut-être pour cela que le sentiment révolutionnaire, en Corse, ne ressembla pas à celui de la France. Il fut encore plus marqué que chez elle par l'esprit de parti, traduction d'une mentalité de clan. Les chefs politiques corses utilisèrent des réseaux d'influence familiale et violèrent impunément les droits des citoyens. Ils transformèrent les élections auxquelles ils participaient en farces indignes et pratiquèrent allègrement le système des dépouilles à la satisfaction de leurs parents ou amis, car, pour le peuple corse, « la part d'attachement personnel au chef » était beaucoup plus importante « que les motivations générales et de caractère public ». Ce phénomène apparut avec une force particulière dans la vie des communautés locales au temps de la Révolution. L'élection s'y ramena souvent à une lutte armée ou à un sordide trafic et les abus de pouvoir furent légion. Les autorités administratives ne purent que montrer leur désarroi devant une telle situation qui déchaînait les rivalités. Les oppositions religieuses ou politiques et celles existant entre citadins et villageois s'ajoutèrent à ces affrontements[4].

Plus d'une région française, entre 1789 et 1799, ressembla, à cet égard, à la Corse. La Révolution y fut d'abord vécue comme la porte ouverte à une multitude de petites guerres civiles. Le recours final à l'autoritarisme et à la centralisation découla de cette tendance à un émiettement généralisé. Une grande partie de la France du Midi et presque toute celle de l'Ouest le connurent avec netteté. Le beau livre de Jean-Clément Martin consacré à la tragédie vendéenne a montré le caractère exemplaire d'une révolte régionale liée aux contradictions sociales ou idéologiques de la Révolution et à sa tendance à les résoudre par la répression. Une logique de la destruction ne généralisa sans doute pas partout, comme ici, les fruits amers de la Terreur. Mais une République minoritaire laissa fréquemment comme souvenir de sa résistance à ses ennemis la conscience d'un désastre. A côté des massacres inutiles, l'étendue des dévastations et des ruines atteste la gravité de ce traumatisme. Inférieur ailleurs, il marqua la Provence, le Lyonnais, de nombreuses zones du Languedoc et la Bretagne. Le Bassin parisien et le Nord-Ouest furent davantage affectés par une catastrophe alimentaire qui rappela les pires moments du règne de Louis XIV. Dans l'ensemble, aucune région n'échappa aux sinistres nés de l'inflation, de la persécution religieuse ou politique et des règlements de comptes, ou aux troubles produits par le refus de la conscription, le brigandage et l'insécurité. La mythologie et la légende ont associé la Révolution française à des images de fête, de gloire ou de bonheur. Dans la réalité, et notamment pour les plus humbles, elle présenta surtout le visage du malheur, avec son cortège de cicatrices matérielles et morales. Pas plus que la « vieille chanson », à qui elle prétendit succéder, elle ne réussit à atténuer le poids de la « misère humaine ». Elle ne parvint, au mieux, qu'à la bercer par des songes héroïques ou de lointaines promesses[5].

Ces songes ou ces promesses ont été souvent, par la suite, réalisés. Il existe une vérité de la Révolution française qui dépasse la reconstitution, plus ou moins décevante, de ses péripéties. Nos sociétés contemporaines lui doivent le principe de l'égalité civile, de la souveraineté nationale, des libertés publiques ou de la laïcité de l'État. A côté du socialisme autoritaire, la démocratie libérale ou le socialisme démocratique sont des héritiers directs de 1789 et de 1792. En France, par exemple, tous les partis politiques, y compris à droite, se réclament de cette filiation qui aboutit à notre République constitutionnelle.

Son succès engendra une vision mythique de ses origines, qui se mêla au culte nouveau, laïc et unitaire, de l'État national. De Thiers à Soboul, en passant par Michelet, Mathiez ou Furet et Richet, la tendance historiographique dominante s'est d'abord attachée aux débats des tribunes parisiennes ou au développement des forces révolutionnaires. Elle a prêté peu d'attention au silence des réticents, à la diversité des régions, des milieux ou des cultures, au poids des traditions populaires.

Depuis une vingtaine d'années, en particulier chez les auteurs anglo-saxons, une nouvelle vision du passé, plus respectueuse des contradictions individuelles, sociales ou idéologiques, moins fascinée par les mécanismes propres à l'évolution politique générale, s'est imposée. J'ai tenté d'en rendre compte. Elle me paraît correspondre à de nombreuses exigences de notre temps, moins admiratif de la centralisation et de ses vertus, ou de la légende héroïque des géants de l'an II, que ses prédécesseurs. Cette révision, qui interdit la répétition des anciens schémas, n'autorise pas les outrances de leurs adversaires habituels. Elle n'enlève rien à l'exceptionnelle fécondité d'un événement plus important par ses conséquences lointaines que par ses réalisations immédiates. Notre vie publique dépend toujours des principes qu'il a posés et que les générations ultérieures ont développés. En ce sens, qu'on l'aime ou non et quoi qu'on en dise, la Révolution française se situe à nos origines.

C'est pourquoi les Français d'aujourd'hui lui sont reconnaissants d'avoir existé, malgré ses fautes ou ses insuffisances. Ils savent qu'ils lui doivent la source juridique des formes de leur vie démocratique. La révision critique de l'histoire de la Révolution s'inspire de valeurs qu'elle partageait (souci des humiliés et des offensés, droit des personnes et des consciences, respect des différences), mais qu'elle n'a pas pu appliquer, laissant ce soin à ses héritiers. C'est en son nom qu'on réhabilite les légitimes oppositions (religieuses, régionales ou sociales) qu'elle rencontra. Si Jaurès fut incapable de les comprendre, ce n'est pas une raison pour reprendre l'interprétation caricaturale, parce que partielle, de Taine ou de ses émules. Limiter la portée historique de la Révolution française à sa dérive terroriste et bureaucratique constitue, quel que soit le parti pris idéologique qui la cause, une erreur de jugement.

Elle provient de l'oubli de la vérité exprimée par Bolivar lorsqu'il disait : « Pour comprendre les révolutions et ceux qui y participent, il faut à la fois les observer de très près et les juger de très loin[6]. »

Chronologie

1. Les origines de la Révolution

1748

Montesquieu : *L'Esprit des lois.* Crise céréalière. Traité d'Aix-la-Chapelle.

1749

Buffon : *Théorie de la Terre.* Édits de Machault d'Arnouville instituant l'impôt du vingtième sur tous les revenus.

1750

Rousseau : *Si le rétablissement des sciences et des arts a contribué à épurer les mœurs.* Voltaire à Potsdam, auprès de Frédéric II. « Guerre de l'impôt » : les privilégiés contre Machault.

1751

Parution des deux premiers tomes de l'*Encyclopédie.* Fondation du *Journal économique.* Édit suspendant l'application du vingtième au clergé.

1752

Affaire des « billets de confession ».

1753

« Grandes remontrances », exil puis rappel du parlement à propos de cette affaire.

1754

Rousseau : *Discours sur l'origine et les fondements de l'inégalité parmi les hommes.* Machault d'Arnouville quitte le Contrôle général des finances.

1755

Mort de Montesquieu. Rupture diplomatique franco-anglaise.

1756

Édit créant un nouveau vingtième. Agitation parlementaire. Début de la guerre de Sept Ans.

1757

Attentat de Damiens contre Louis XV. Disgrâce de Machault d'Arnouville.

1758

Quesnay : *Tableau économique.* Choiseul, secrétaire d'État aux Affaires étrangères.

1759

Voltaire : *Candide ou l'Optimisme.* Capitulation de Québec.

1760

Voltaire s'établit à Ferney. Capitulation de Montréal.

1761

Rousseau : *Julie ou la Nouvelle Héloïse.* Arrêt accordant « des encouragements à ceux qui défricheront des terres ». Turgot, intendant en Limousin. Capitulation de Pondichéry.

1762

Rousseau : *Du contrat social ou Principes du droit politique ; Émile ou De l'éducation.* Le parlement déclare les statuts de la Compagnie de Jésus contraires à l'ordre public et défend aux jésuites d'enseigner. Abolition des droits féodaux en Savoie.

1763

Voltaire : *Traité sur la tolérance.* Arrêt sur la liberté de circulation intérieure des grains. Fondation de la *Gazette du commerce.* Traité de Paris mettant fin à la guerre de Sept Ans. La France ne conserve plus que des débris de son premier empire colonial.

1764

Voltaire : *Dictionnaire philosophique.* Suppression des jésuites.

1765

Fondation des *Éphémérides du citoyen.* Troubles en Bretagne : démission du parlement de Rennes.

1766

Turgot : *Réflexions sur la formation et la distribution des richesses.* Nouvelle déclaration royale encourageant les défrichements. Rattachement de la Lorraine à la France. Conflit de la monarchie et du parlement de Paris à propos des affaires de Bretagne. Voyage de Bougainville dans les mers du Sud.

1767

D'Holbach : *Le Christianisme dévoilé.* Le Mercier de La Rivière : *L'Ordre naturel et essentiel des sociétés politiques.*

1768

Quesnay : *Physiocratie ou Constitution naturelle du gouvernement le plus avantageux au genre humain.* Maupeou, chancelier. La France acquiert la Corse.

1769

Diderot : *Le Rêve de d'Alembert.* Suppression du privilège de la Compagnie française des Indes. L'abbé Terray, contrôleur général des Finances.

1770

D'Holbach : *Système de la nature ; Essai sur les préjugés.* Raynal : *Histoire philosophique et politique des établissements et du commerce des Européens dans les deux Indes.* Abbé Galiani : *Dialogues sur le commerce des blés.* Crise économique qui frappe la majeure partie de la France. Disgrâce de Choiseul. Mariage du dauphin et de Marie-Antoinette.

1771

Lavoisier analyse la composition de l'air. Monge invente la géométrie analytique. L'abbé Terray interdit l'exportation des grains. Réforme judiciaire de Maupeou et suppression des parlements. Voyage de Kerguélen dans les mers du Sud. Abolition du servage en Savoie.

1772

Achèvement de la publication de l'*Encyclopédie.*

1773

Diderot en Russie. Formation du Grand-Orient de France. Le pape dissout l'ordre des jésuites.

1774

Mort de Louis XV. Avènement de Louis XVI. Vergennes, secrétaire d'État aux Affaires étrangères. Turgot, contrôleur général des Finances. Rétablissement des parlements. Libre circulation intérieure des grains.

1775

Stabilisation de la hausse de longue durée des prix agricoles. « Guerre des farines. »

1776

Adam Smith : *Recherches sur la nature et les causes de la richesse des nations.* Fabrication des premiers rails en France. Jouffroy fait naviguer un bateau à vapeur sur le Doubs. Suppression puis rétablissement des corporations après la disgrâce de Turgot. Franklin à Paris.

1777

Crise générale du vignoble français. Necker, directeur général des Finances. La Fayette en Amérique.

1778

Mort de Voltaire et de Rousseau. Création de la Caisse d'escompte de Paris et d'une assemblée provinciale en Berry. Traité d'alliance franco-américain et début des hostilités franco-anglaises.

1779

Gluck : *Iphigénie.* Abolition du servage dans les domaines royaux. Alliance franco-espagnole.

1780

Abolition de la torture. Rochambeau en Amérique.

1781

Publication des *Confessions* de Rousseau. Fondation de l'usine du Creusot. *Compte rendu* au roi de Necker, qui démissionne le 19 mai. Édit exigeant, pour être officier, la production de quatre quartiers de noblesse.

1782

Choderlos de Laclos : *Les Liaisons dangereuses.* Suffren aux Indes.

1783

Première représentation du *Mariage de Figaro* de Beaumarchais. David : *Andromaque.* Calonne, contrôleur général des Finances. Traité de Versailles, reconnaissant l'indépendance des États-Unis d'Amérique.

1784

Bernardin de Saint-Pierre : *Études de la nature.* Mort de Diderot. David : *Le Serment des Horaces.* Ledoux entreprend la construction des barrières de Paris.

1785

Necker : *De l'administration des finances de la France.* Cagliostro à Paris. Affaire du « collier de la reine ». Crise fourragère générale en France. Première coulée de fonte au coke au Creusot. Calonne recrée la Compagnie des Indes. Voyage de La Pérouse.

1786

Condorcet : *Vie de Turgot.* Traité de commerce franco-anglais. Projet de réforme financière de Calonne.

2. Le déroulement de la Révolution

1787

22 février : Réunion de l'Assemblée des notables.
8 avril : Renvoi de Calonne, remplacé par Loménie de Brienne.
12 mai : Renvoi de l'Assemblée des notables.
Novembre : Édit accordant l'état civil aux protestants.

1788

8 mai : Réforme judiciaire de Lamoignon.
7 juin : Émeute populaire à Grenoble en faveur de l'opposition parlementaire.
21 juillet : Les trois états du Dauphiné réclament des réformes nationales et des libertés provinciales.
8 août : Convocation des états généraux pour le 1er mai 1789.
25 août : Rappel de Necker au Contrôle général des finances.
23 septembre : Le parlement, rappelé, réclame la convocation des états dans la forme de 1614.
27 décembre : Louis XVI accorde le doublement du tiers état.

1789

24 janvier : Lettre de convocation et règlement électoral pour les états généraux.
Mars : Révoltes agraires en Provence, en Picardie, dans le Cambrésis.
27 avril : Émeute au faubourg Saint-Antoine.
5 mai : Séance d'ouverture des états généraux à Versailles.
6 mai : Le tiers prend le nom d'Assemblée des communes et demande la vérification des pouvoirs en commun.
17 juin : Les Communes se proclament Assemblée nationale.
20 juin : Serment du Jeu de paume.
23 juin : Séance royale : le tiers refuse de se séparer.
27 juin : Le roi ordonne aux députés du clergé et de la noblesse de se réunir au tiers.
9 juillet : L'Assemblée nationale se proclame constituante.
11 juillet : Renvoi de Necker.
12 juillet : Troubles à Paris.
13 juillet : Formation d'un comité permanent et d'une milice bourgeoise à Paris.
14 juillet : Prise de la Bastille.
16 juillet : Rappel de Necker.
17 juillet : Louis XVI à l'Hôtel de Ville de Paris : Bailly lui présente la cocarde tricolore. Émigration du comte d'Artois.
Seconde quinzaine de juillet : Révolte municipale et insurrection paysanne en province.
20 juillet : Début de la Grande Peur.
4 août : Abolition des privilèges et, partiellement, de la féodalité.
26 août : Vote de la Déclaration des droits de l'homme et du citoyen.

11 septembre : Adoption du veto royal suspensif par l'Assemblée constituante.
1er octobre : Banquet des gardes du corps et des officiers du régiment des Flandres.
5-6 octobre : Marche des femmes de Paris sur Versailles : le roi ramené à Paris.
12 octobre : L'Assemblée s'installe à Paris.
21 octobre : Vote de la loi martiale.
2 novembre : Les biens du clergé sont mis à la disposition de la nation.
29 novembre : Fédération des gardes nationales du Dauphiné et du Vivarais.
14 décembre : Création de l'assignat, gagé sur les biens nationaux.

1790

Janvier : Élection des nouvelles municipalités. Jacqueries en Bretagne, Périgord, Quercy.
Février : Fondation de la première société populaire.
13 février : Interdiction des vœux monastiques perpétuels.
15 mars : Décret sur le rachat des droits féodaux pesant sur la terre.
Avril : Création du Club des cordeliers.
Mai : Discussion sur le droit de paix et de guerre. Mirabeau vend ses services à la cour. Création de la Commission des poids et mesures.
21 juin : Avignon demande son rattachement à la France.
12 juillet : Vote de la Constitution civile du clergé.
14 juillet : Fête de la Fédération à Paris.
26 août : L'Assemblée constituante répudie le pacte de famille avec l'Espagne.
27 août : L'assignat devient papier-monnaie.
31 août : Massacre des soldats suisses révoltés à Nancy.
27 novembre : L'Assemblée constituante exige du clergé un serment de fidélité à la Constitution civile.

1791

2 mars : Suppression des corporations de métiers.
11 mars : Le pape condamne la Constitution civile du clergé.
2 avril : Mort de Mirabeau.
7-15 mai : Débat sur les droits politiques des hommes de couleur libres.
11 juin : Transfert des cendres de Voltaire au Panthéon.
14 juin : Vote de la loi Le Chapelier interdisant les coalitions et les grèves.
20-21 juin : Fuite du roi et son arrestation à Varennes.
6 juillet : Léopold II invite les souverains à se concerter contre la Révolution.
15 juillet : L'Assemblée constituante disculpe le roi.
16 juillet : Fondation du Club des feuillants.
17 juillet : Fusillade du Champ-de-Mars.
27 août : Révision de la loi électorale : augmentation du cens.

Déclaration de Pillnitz : mise en garde des puissances à la France révolutionnaire.
12 septembre : Rattachement d'Avignon à la France.
14 septembre : Louis XVI jure fidélité à la Constitution.
30 septembre : Séparation de l'Assemblée constituante.
1er octobre : Réunion de l'Assemblée législative.
16 octobre : Troubles d'Avignon, massacre de la Glacière.
9 novembre : Décret contre les émigrés.
16 novembre : Petion élu maire de Paris contre La Fayette.
29 novembre : Décret contre les prêtres réfractaires.
9 décembre : Formation d'un ministère feuillant.
12 décembre : Premier discours de Robespierre aux Jacobins contre la guerre.
14 décembre : Ultimatum à l'électeur de Trèves d'avoir à disperser les rassemblements d'émigrés.

1792

6 janvier : L'électeur de Trèves disperse les émigrés.
23 janvier : Troubles parisiens pour le sucre et le café.
Février-mars : Troubles agraires et taxations sur les marchés en province.
10 mars : Mise en accusation de Lessart, ministre des Affaires étrangères.
15 mars : Formation du ministère girondin.
20 avril : Déclaration de guerre au « roi de Bohême et de Hongrie ».
24 avril : Rouget de Lisle compose le *Chant de guerre pour l'armée du Rhin.*
29 avril : Premières défaites sur les frontières.
27 mai : Décret contre les prêtres réfractaires.
29 mai : Dissolution de la garde constitutionnelle du roi.
8 juin : Création d'un camp de 20 000 gardes nationaux sous Paris.
11 juin : Veto royal aux décrets contre les réfractaires et sur le camp.
13 juin : Renvoi du ministère girondin.
20 juin : Manifestation aux Tuileries. Le roi maintient son veto.
11 juillet : L'Assemblée législative déclare la patrie en danger.
17 juillet : A Paris, les fédérés demandent la suspension du roi.
20 juillet : Les girondins négocient secrètement avec la cour.
25 juillet : Manifeste de Brunswick menaçant Paris d'une subversion totale.
3 août : 47 sections parisiennes sur 48 demandent la déchéance du roi.
10 août : Prise des Tuileries par l'insurrection et renversement du trône. Convocation d'une Convention nationale.
14 août : La Fayette tente en vain d'entraîner son armée sur Paris. Il émigre le 19.
23 août : Capitulation de Longwy.
2 septembre : Capitulation de Verdun.
2-6 septembre : Massacre des prisons parisiennes.
20 septembre : Laïcisation de l'état civil, institution du divorce.

Séparation de l'Assemblée législative. Réunion de la Convention. Victoire de Valmy.
21 septembre : Abolition de la royauté.
24 septembre : Les troupes françaises entrent à Chambéry.
25 septembre : La République française est déclarée une et indivisible.
29 septembre : Les troupes françaises entrent à Nice.
1er octobre : Les troupes françaises entrent à Mayence.
6 novembre : Victoire de Jemmapes. Conquête de la Belgique.
19 novembre : Organisation de la guerre de propagande.
20 novembre : Découverte des papiers secrets du roi aux Tuileries.
22 novembre : Troubles ruraux en Beauce.
27 novembre : Annexion de la Savoie.
8 décembre : Libération entière du commerce des grains.
11 décembre : Début du procès de Louis XVI.
15 décembre : Institution de l'administration révolutionnaire dans les pays conquis.

1793

14 janvier : Mise en délibération du jugement de Louis XVI.
21 janvier : Exécution de Louis XVI.
31 janvier : Annexion de Nice.
1er février : Déclaration de guerre à l'Angleterre et à la Hollande.
21 février : Amalgame des régiments de ligne et des bataillons de volontaires.
24 février : Levée de 300 000 hommes.
25-26 février : Pillage des épiceries à Paris.
7 mars : Déclaration de guerre à l'Espagne.
9-10 mars : Tentative insurrectionnelle à Paris.
10 mars : Institution du Tribunal révolutionnaire. Début de l'insurrection vendéenne.
18 mars : Défaite de Dumouriez à Nerwinden. Évacuation de la Belgique.
21 mars : Création des comités de surveillance révolutionnaire.
28 mars : Les émigrés frappés de « mort civile » et bannis à perpétuité.
5 avril : Création du Comité de salut public. Trahison de Dumouriez, qui passe à l'ennemi.
11 avril : Cours forcé de l'assignat.
4 mai : Premier maximum des grains et des farines taxés par département.
29 mai : Insurrection antijacobine à Lyon.
31 mai-2 juin : Journées parisiennes. Arrestation de 27 députés girondins.
7 juin : Révolte fédéraliste dans le Calvados et à Bordeaux.
10 juin : Décret sur le partage des biens communaux. Fondation du Muséum d'histoire naturelle.
24 juin : Vote d'une nouvelle Déclaration des droits et de la Constitution de 1793.

25 juin : Pétition de Jacques Roux pour la taxation et la peine de mort contre les accapareurs.
26-28 juin : Troubles du savon à Paris.
10 juillet : Renouvellement du Comité de salut public : Danton éliminé.
13 juillet : Assassinat de Marat.
17 juillet : Abolition définitive des droits féodaux.
23 juillet : Capitulation de Mayence.
26 juillet : Peine de mort contre les accapareurs.
27 juillet : Robespierre entre au Comité de salut public.
1er août : Capitulation de Valenciennes. Décret instituant le système métrique.
8 août : L'armée de Kellermann investit Lyon.
23 août : Décret sur la levée en masse.
24 août : Décret instituant le Grand Livre de la dette publique.
25 août : Les troupes de la Convention entrent dans Marseille révolté.
29 août : Toulon se livre aux Anglais.
4-5 septembre : Journées populaires parisiennes. La Terreur à l'ordre du jour.
6-8 septembre : Victoire de Hondschoote sur les Anglo-Hollandais.
11 septembre : Maximum national des grains et des farines.
17 septembre : Loi des suspects.
29 septembre : Maximum général des prix et des salaires.
5 octobre : Adoption du calendrier républicain.
9 octobre (18 vendémiaire an II) : Capitulation de Lyon. Prohibition des marchandises anglaises.
10 octobre (19 vendémiaire an II) : Le gouvernement est déclaré « révolutionnaire jusqu'à la paix ».
16 octobre (25 vendémiaire an II) : Exécution de Marie-Antoinette. Victoire de Wattignies sur les Autrichiens.
31 octobre (10 brumaire an II) : Exécution des girondins.
Octobre-novembre (brumaire an II) : Mouvement de déchristianisation.
6 novembre (16 brumaire an II) : Les municipalités pourront renoncer au culte catholique.
10 novembre (20 brumaire an II) : Fête de la Raison à Notre-Dame de Paris.
13 novembre (23 brumaire an II) : Les Vendéens échouent devant Granville.
17 novembre (27 brumaire an II) : Découverte du scandale de la Compagnie des Indes.
21 novembre (1er frimaire an II) : Robespierre contre la déchristianisation.
4 décembre (14 frimaire an II) : Décret constitutif du gouvernement révolutionnaire.
5 décembre : Desmoulins lance la campagne pour l'indulgence.
8 décembre : Robespierre fait décréter la liberté des cultes.
12 décembre : Les Vendéens sont écrasés au Mans.

19 décembre : Reprise de Toulon. Décret instituant la gratuité et l'obligation de l'école primaire.
23 décembre (3 nivôse an II) : Défaite des Vendéens à Savenay.
26 décembre : Victoire de Hoche au Geisberg.

1794

4 février (16 pluviôse an II) : Abolition de l'esclavage dans les colonies.
26 février (8 ventôse an II) : Séquestre des biens des suspects.
3 mars (13 ventôse an II) : Ils serviront à indemniser les « patriotes indigents ».
6 mars : Rapport de Barère sur l'extinction de la mendicité.
7 mars : Arrestation d'André Chénier.
14 mars : Arrestation d'Hébert et des dirigeants cordeliers.
24 mars (4 germinal an II) : Exécution des hébertistes.
30 mars : Arrestation des dantonistes.
5 avril (16 germinal an II) : Exécution des dantonistes.
14 avril : Transfert des cendres de Jean-Jacques Rousseau au Panthéon.
7 mai (18 floréal an II) : Décret instituant le culte de l'Être suprême.
11 mai : Décret instituant le Grand Livre de la bienfaisance nationale.
8 juin (20 prairial an II) : Fête de l'Être suprême.
10 juin : Loi réorganisant le Tribunal révolutionnaire.
26 juin (8 messidor an II) : Victoire de Fleurus sur les Autrichiens.
8 juillet (20 messidor an II) : Entrée des troupes françaises à Bruxelles.
14 juillet : Première exécution du *Chant du départ*.
23 juillet (5 thermidor an II) : Baisse autoritaire des salaires à Paris.
26 juillet : Dernier discours de Robespierre.
27 juillet : Mise hors la loi des robespierristes.
28 juillet : Exécution des robespierristes.
24 août (7 fructidor an II) : Réorganisation du gouvernement révolutionnaire.
18 septembre (2e sans-culottide an II) : Suppression du budget du culte.
10 octobre (19 vendémiaire an III) : Fondation du Conservatoire national des arts et métiers.
30 octobre (9 brumaire an III) : Fondation de l'École normale supérieure.
19 novembre (29 brumaire an III) : Fermeture du Club des jacobins.
8 décembre (18 frimaire an III) : Réintégration dans la Convention des députés protestataires contre le 2 juin 1793.
24 décembre (4 nivôse an III) : Abolition du maximum.
27 décembre : Les Français entrent en Hollande.

1795

30 janvier (11 pluviôse an III) : Pichegru s'empare de la flotte hollandaise.
17 février (29 pluviôse an III) : Amnistie et liberté du culte accordées aux Vendéens.

21 février (3 ventôse an III) : Confirmation de la séparation de l'Église et de l'État.
8 mars (18 ventôse an III) : Rappel des députés girondins proscrits.
30 mars (10 germinal an III) : Fondation de l'École des langues orientales.
1er avril (12 germinal an III) : Tentative d'insurrection populaire parisienne.
6 avril : Traité de Bâle entre la France et la Prusse.
16 mai (27 floréal an III) : Traité de La Haye entre la France et la Hollande.
20 mai (1er prairial an III) : Insurrection populaire parisienne.
22 mai : Désarmement du faubourg Saint-Antoine.
21 juin (3 messidor an III) : Échelle mobile de dépréciation de l'assignat.
4 juillet (16 messidor an III) : Débuts des débats sur la Constitution de l'an III.
15 juillet : Débarquement des émigrés à Quiberon. Hoche les rejette à la mer.
22 juillet (4 thermidor an III) : Traité de Bâle entre la France et l'Espagne.
23 juillet : Vote de la Constitution de l'an III.
30 août (13 fructidor an III) : Décret des deux tiers.
5 octobre (13 vendémiaire an IV) : Tentative d'insurrection royaliste à Paris.
25 octobre (3 brumaire an IV) : Création des écoles centrales et de l'Institut national.
26 octobre : Séparation de la Convention.
Novembre : Installation du Directoire.
7 novembre (16 brumaire an IV) : Ouverture du Club du Panthéon.
30 novembre (9 frimaire an IV) : Publication du « Manifeste des plébéiens » dans *le Tribun du peuple* de Babeuf.

1796

19 février (30 pluviôse an IV) : Fin des émissions d'assignats.
Février-mars (pluviôse-ventôse an IV) : Répression de la chouannerie.
2 mars (12 ventôse an IV) : Bonaparte général en chef de l'armée d'Italie.
18 mars : Création du mandat territorial.
10 mai (21 floréal an IV) : Arrestation de Babeuf et de ses conjurés.
14 mai : Entrée des Français à Milan.
15 mai : Le roi de Piémont cède à la France la Savoie et Nice.
14-17 novembre (24-27 brumaire an V) : Bataille d'Arcole.
16-29 décembre : Tentative de débarquement de Hoche en Irlande.
31 décembre (11 nivôse an V) : Bonaparte fonde la République cispadane.

1797

14 janvier (25 nivôse an V) : Victoire de Bonaparte à Rivoli.
4 février (16 pluviôse an V) : Retour à la monnaie métallique.

19 février (1er ventôse an V) : Le pape reconnaît la cession d'Avignon à la France.
Mars-avril (germinal an V) : Élections aux Conseils où la droite monarchiste se renforce.
18 avril (29 germinal an V) : Préliminaires de paix de Leoben avec l'Autriche.
19 mai (30 floréal an V) : Barthélemy élu directeur.
26 mai (7 prairial an V) : Babeuf condamné à mort.
9 juillet (21 messidor an V) : Fondation de la République cisalpine.
24 août (7 fructidor an V) : Abolition des mesures répressives contre les prêtres réfractaires.
4 septembre (18 fructidor an V) : Coup d'État du Directoire contre les Conseils.
30 septembre (9 vendémiaire an VI) : Banqueroute des deux tiers.
18 octobre (27 vendémiaire an VI) : Traité de Campoformio avec l'Autriche.
12 novembre (22 brumaire an VI) : Réorganisation de l'Administration des contributions directes.
28 novembre (8 frimaire an VI) : Ouverture du congrès de Rastatt pour le règlement des affaires d'Allemagne.

1798

18 janvier (29 nivôse an VI) : Les navires neutres transportant des marchandises anglaises sont déclarés de bonne prise.
22 janvier (3 pluviôse an VI) : Organisation de la République batave.
28 janvier : Réunion de Mulhouse à la France.
5 février : Organisation de la République romaine.
8 février : Organisation de la République helvétique.
Avril (germinal an VI) : Élections aux Conseils : renforcement de l'opposition jacobine.
11 mai (22 floréal an VI) : Coup d'État du Directoire contre les Conseils.
19 mai : Départ de l'expédition d'Égypte sous le commandement de Bonaparte.
23 juillet (5 thermidor an VI) : Prise du Caire.
1er août : Destruction de la flotte française par Nelson à Aboukir.
Été : Formation de la seconde coalition contre la France.
5 septembre (19 fructidor an VI) : Loi Jourdan instituant la conscription militaire.
15 septembre : Occupation de Turin par les Français.
22 septembre-1er octobre (1-10 vendémiaire an VII) : Exposition industrielle au Champ-de-Mars.
24 novembre (4 frimaire an VII) : Création de l'impôt des portes et fenêtres.
12 décembre : Loi organisant l'Administration de l'enregistrement.

1799

25 mars (4 pluviôse an VII) : Fondation de la République parthénopéenne après la prise de Naples par Championnet.

28 avril (9 floréal an VII) : Attentat de Rastatt contre les plénipotentiaires français.
16 mai (27 floréal an VII) : Élection de Sieyès au Directoire.
17-19 juin (29 prairial-1er messidor an VII) : Macdonald battu à la Trébie par l'armée russe de Souvorov.
18 juin : Coup d'État des Conseils contre le Directoire : poussée néo-jacobine.
28 juin : Emprunt forcé sur les riches.
6 juillet (18 messidor an VII) : Ouverture du club néo-jacobin du Manège.
12 juillet : Loi des otages.
1er août (14 thermidor an VII) : Abrogation des restrictions à la liberté de la presse.
15 août : Joubert battu à Novi. Perte de l'Italie.
22 août (5 fructidor an VII) : Bonaparte abandonne son armée et quitte l'Égypte.
27 août : Débarquement anglo-russe en Hollande.
25-27 septembre (3-5 vendémiaire an VIII) : Victoire de Masséna à Zurich sur l'armée russe de Korsakov.
9 octobre (17 vendémiaire an VIII) : Bonaparte débarque à Fréjus.
16 octobre : Arrivée de Bonaparte à Paris.
18 octobre : Les troupes anglo-russes évacuent la Hollande.
23 octobre (1er brumaire an VIII) : Lucien Bonaparte président du Conseil des Cinq-Cents.
9 novembre (18 brumaire an VIII) : Les Anciens votent le transfert des Conseils à Saint-Cloud.
10 novembre : Coup d'État de Bonaparte nommé Premier Consul.

3. L'héritage immédiat de la Révolution

1799

24 novembre (3 frimaire an VIII) : Création de l'Administration des contributions directes.
27 novembre : Création de la Caisse d'amortissement.
24 décembre (3 nivôse an VIII) : Mise en application de la Constitution de l'an VIII.
26 décembre : Création du Conseil d'État.

1800

13 février (24 pluviôse an VIII) : Création de la Banque de France.
17 février : Réorganisation de l'administration locale.
28 février (9 ventôse an VIII) : Plébiscite sur la Constitution de l'an VIII.
3 mars : Clôture de la liste des émigrés.
18 mars : Réorganisation des tribunaux.
14 juin : Bataille de Marengo.
24 décembre (3 nivôse an IX) : Attentat de la rue Saint-Nicaise.
25 décembre : Armistice avec l'Autriche.

1801

5 janvier : Les « jacobins » sont déportés sans jugement.
9 février : Traité de Lunéville avec l'Autriche.
16 juillet (27 messidor an IX) : Signature du Concordat.

1802

24 janvier : Bonaparte président de la République italienne.
25 mars : Traité d'Amiens avec l'Angleterre.
1er avril (11 germinal an X) : Épuration et réorganisation du Tribunat.
8 avril : Vote du Concordat et des articles organiques.
26 avril (6 floréal an X) : Amnistie pour les émigrés.
1er mai : Création des lycées.
19 mai : Création de la Légion d'honneur.
2 août (14 thermidor an X) : Bonaparte nommé consul à vie par plébiscite.
4 août : Constitution de l'an X.
Septembre : Annexion du Piémont.
24 décembre (3 nivôse an XI) : Création des chambres de commerce.

1803

19 février : Organisation de la Confédération helvétique.
25 février : Réorganisation de l'Allemagne.
28 mars (7 germinal an XI) : Loi fixant la valeur du franc.
12 avril : Interdiction des coalitions ouvrières.
14 avril : Réorganisation de la Banque de France.
12 mai : Rupture de la paix d'Amiens.
1er décembre (9 frimaire an XII) : Institution du livret ouvrier.

1804

25 février : Création de l'Administration des droits réunis.
21 mars : Exécution du duc d'Enghien. Promulgation du Code civil.
18 mai (28 floréal an XII) : Établissement de l'Empire.
2 décembre : Couronnement de Napoléon.

1805

26 mai : Napoléon roi d'Italie.
4 juin : Annexion de Gênes.
26 août : Organisation définitive du recrutement de l'armée.
Septembre : Début de la crise financière.
13 novembre : Napoléon occupe Vienne.
2 décembre : Bataille d'Austerlitz.
27 décembre : Napoléon détrône les Bourbons de Naples. Achèvement de la route du Simplon.

1806

10 mai : Création de l'Université impériale.
1er août : Napoléon notifie la fin du Saint Empire romain germanique.

27 octobre : Napoléon occupe Berlin.
27 novembre : Napoléon occupe Varsovie.

1807

7 juillet : Alliance franco-russe.
19 août : Suppression du Tribunat.
11 septembre : Publication du Code de commerce.
13 novembre : Napoléon détrône la dynastie de Bragance au Portugal.
30 novembre : Junot occupe Lisbonne.

1808

2 février : Napoléon fait occuper Rome.
1er mars : Création de la noblesse impériale.
23 mars : Murat entre à Madrid.
24 mars : Épuration de la magistrature.
9 juin : Première conspiration du général Malet.
17 septembre : Organisation de l'Université impériale.
5 novembre : Napoléon en Espagne.

1809

10 avril : L'Autriche entre en guerre.
10 juin : Pie VII excommunie Napoléon.
6 juillet : Bataille de Wagram.
15 décembre : Divorce de Napoléon.

1810

5 février : Rétablissement de la censure.
3 mars : Rétablissement des prisons d'État.
28 avril : Réorganisation de l'Administration judiciaire. Publication du Code pénal.
9 juillet : Annexion de la Hollande.

1811

22 janvier : Annexion des côtes allemandes de la mer du Nord.
17 juin : Ouverture du concile national de Paris.
15 novembre : Renforcement du monopole de l'Université.

1812

23 février : Napoléon rompt le Concordat.
Mars : Crise des subsistances. Émeute à Caen.
8 mai : Rétablissement du maximum des grains.
14 septembre : Prise de Moscou.
23 octobre : Seconde conspiration du général Malet.
26-28 novembre : Passage de la Bérézina.

1813

25 janvier : Concordat de Fontainebleau.
16 mars : La Prusse déclare la guerre à Napoléon.
20-23 mai : Panique boursière à Paris.

12 août : L'Autriche déclare la guerre à Napoléon.
8 octobre : Wellington envahit le midi de la France.
2-4 novembre : Napoléon se retire derrière le Rhin.

1814

21 mars : Les Autrichiens prennent Lyon.
30 mars : Capitulation de Paris.
2 avril : Le Sénat proclame la déchéance de Napoléon.
6 avril : Le Sénat fait appel à Louis XVIII. Abdication de Napoléon.
30 mai : Premier traité de Paris.
4 juin : Publication de la Charte.

1815

1er mars : Retour de l'île d'Elbe.
20 mars : Napoléon à Paris.
1er juin : Acte additionnel aux Constitutions de l'Empire.
18 juin : Waterloo.
22 juin : Seconde abdication de Napoléon.
3 juillet : Capitulation de Paris.
8 juillet : Louis XVIII rentre à Paris.
14-22 août : Élection de la Chambre introuvable. Terreur blanche.
26 septembre : Sainte Alliance.
13 octobre : Exécution de Murat.
20 novembre : Second traité de Paris.
7 décembre : Exécution du maréchal Ney.

Notes

Abréviations

A.E.S.C.	*Annales (Économie Sociétés Civilisations)*
A.H.R.	*American Historical Review*
A.H.R.F.	*Annales historiques de la Révolution française*
B.S.H.M.	*Bulletin de la Société d'histoire moderne*
C.H.	*Cahiers d'histoire*
E.H.R.	*English Historical Review*
E.S.R.	*European Studies Review*
F.H.S.	*French Historical Studies*
J.M.H.	*Journal of Modern History*
P.P.	*Past and Present*
R.H.	*Revue historique*
R.H.E.F.	*Revue de l'histoire de l'Église de France*
R.H.M.C.	*Revue d'histoire moderne et contemporaine*
S.S.	*Studi storici*

Introduction

1. Georges Lefebvre, *La Révolution française,* PUF, 1951.
2. Alice Gérard, *La Révolution française. Mythes et interprétations (1789-1970),* Flammarion, 1970.
3. Alfred Cobban, *Le Sens de la Révolution française,* Julliard, 1984.
4. William Doyle, *Origins of the French Revolution,* Oxford University Press, 1980.
5. Donald M.G. Sutherland, *France 1789-1815 : Revolution and Counterrevolution,* Fontana, 1985 ; cf. Jacques Godechot, *R.H.,* 1986,

p. 197 s. Importante contribution bibliographique à ce type de renouvellement historiographique dans R.J. Caldwell, *The Era of French Revolution,* Garland Publishing, 1985.

6. Augustin Cochin, *L'Esprit du jacobinisme. Une interprétation sociologique de la Révolution française,* PUF, 1979.

7. Hippolyte Taine, *Les Origines de la France contemporaine,* 2 vol., Laffont, 1986.

8. Pierre Gaxotte, *La Révolution française,* réédition universitaire par Jean Tulard, Fayard, 1975.

9. François Furet, *Penser la Révolution française,* Gallimard, 1978.

10. Alexis de Tocqueville, *L'Ancien Régime et la Révolution,* 2 vol., Gallimard, 1952-1953.

1. Un triomphe des Lumières ?

La pensée des Lumières imprégnait-elle les mentalités françaises à la veille de la Révolution ? (p. 19-24)

1. Daniel Mornet, *Les Origines intellectuelles de la Révolution française,* A. Colin, 1933.

2. Donald M.G. Sutherland, *op. cit.,* p. 35.

3. Daniel Roche, « Négoce et culture dans la France du XVIIIe siècle », *R.H.M.C.,* 1978, p. 375-395.

4. William Doyle, *op. cit.,* p. 116-121.

5. Daniel Mornet, *La Pensée française au XVIIIe siècle,* A. Colin, p. 166-171.

6. Jean-Marie Goulemot, « Démons, merveilles et philosophie à l'âge classique », *A.E.S.C.,* 1980, p. 1223-1250. Le numéro spécial de la revue *XVIIIe Siècle* de 1986, consacré aux « Littératures populaires », montre bien l'originalité et la diversité des rapports existant alors entre les classes populaires et l'écrit.

7. George V. Taylor, « Les cahiers de 1789 : aspects révolutionnaires et non révolutionnaires », *A.E.S.C.,* 1973, p. 1495-1514 ; André Burguière, « Société et culture à Reims à la fin du XVIIIe siècle : la diffusion des “ Lumières ” analysée à travers les cahiers de doléances », *A.E.S.C.,* 1967, p. 303-339 ; Roger Chartier, « Culture, Lumières, doléances de 1789 », *R.H.M.C.,* 1981, p. 68-93.

8. François Bluche, *La Vie quotidienne au temps de Louis XVI,* Hachette, 1980, p. 150-187.

9. Michel Vovelle, *Piété baroque et Déchristianisation en Provence au XVIIIe siècle,* Le Seuil, 1978.

10. Jean de Viguerie, « Quelques aspects du catholicisme des Français au XVIIIe siècle », *R.H.,* 1981, p. 335-370.

11. Norman Hampson, *Le Siècle des Lumières,* Le Seuil, 1972, p. 218.

12. Haydn Mason, *French Writers and their Society, 1715-1800,*

Macmillan, 1982 ; Marie-Hélène Huet, « Roman libertin et réaction aristocratique », *XVIIIe Siècle,* 1974, p. 137-142.

13. Monique Cubells, « Franc-maçonnerie et société : le recrutement des loges à Aix-en-Provence dans la deuxième moitié du XVIIIe siècle », *R.H.M.C.*, 1986, p. 463-484.

14. Robert Darnton, « Sounding the Literary Market in Prerevolutionary France », *Eighteenth Century Studies,* 1984, p. 484 ; cf. Michael P. Fitzsimmons (*The Parisian Order of Barristers and the French Revolution,* Harvard University Press, 1987) qui montre que l'immense majorité des avocats parisiens se prononça contre la Révolution.

15. Dieter Gembicki, « La condition historienne à la fin de l'Ancien Régime », *XVIIIe Siècle,* 1981, p. 271-287.

16. Furio Diaz, *Filosofia e Politica nel Settecento Francese,* Einaudi, 1962, p. 638.

La pensée des Lumières avait-elle un contenu révolutionnaire ? (p. 24-31)

1. William H. Sewell Jr., « Ideologies and Social Revolutions. Reflexions on the French Case », *J.M.H.*, 1985, p. 57-85.

2. William Doyle, *op. cit.*, p. 25, 78, 84.

3. David D. Bien, « Catholic Magistrates and Protestant Marriage in the French Enlightenment », *F.H.S.*, 1962, p. 409-429.

4. William F. Church, « The Decline of the French Jurists as Political Theorists, 1660-1789 », *F.H.S.*, 1967, p. 25-40 ; Jacques F. Traer, « From Reform to Revolution : the Critical Century in the Development of the French Legal System », *J.M.H.*, 1977, p. 73-88.

5. Robert Darnton, « In Search of the Enlightenment : Recent Attempts to Create a Social History of Ideas », *J.M.H.*, 1971, p. 113-132.

6. Denis Richet, « Autour des origines idéologiques lointaines de la Révolution française : élites et despotisme », *A.E.S.C.*, 1969, p. 1-23.

7. Cf. Furio Diaz, *op. cit. ;* Paolo Alatri, « Problemi e figure del Settecento politico francese nella recenti storiografia », *S.S.*, 1964, p. 137-168, 333-379 ; Norman Hampson, *op. cit. ;* Eric Walter, « Sur l'intelligentsia des Lumières », *XVIIIe Siècle,* 1973, p. 173-201.

8. *XVIIIe Siècle,* 1974, numéro spécial : « Lumières et Révolution ».

9. Daniel Roche, *Le Siècle des Lumières en province : académie et académiciens provinciaux, 1680-1789,* 2 vol., Mouton, 1978. Confirmation due à Hervé Guénot (*XVIIIe Siècle,* 1986, p. 249-267) en ce qui concerne les « Musées et lycées parisiens (1780-1830) ».

10. Keith Michael Baker, « Enlightenment and Revolution in France : Old Problems, Revewed Approches », *J.M.H.*, 1981, p. 281-303 ; Renato Pasta, « Illuminismo e organizzazione della cultura », *S.S.*, 1981, p. 251.

11. Christian Desplat, « Le barreau béarnais et la signification des Lumières en province (1770-1789) », *XVIIIe Siècle,* 1974, p. 109-113.

12. Suzanne Turcoo-Chala, « La diffusion des Lumières dans la seconde moitié du XVIIIe siècle : Ch. J. Panckoucke, un libraire éclairé (1760-1799) », *ibid.,* p. 115-128 ; David Hume, *Of Civil Liberty, Works,* t. III, p. 159.

13. George V. Taylor, *op. cit.*

14. Henry Wyverberg, « Limits of Nonconformity in the Enlightenment : the Case of Simon-Nicolas-Henri Linguet », *F.H.S.,* 1970, p. 474-491 ; Darline Gay Levy, *The Ideas and Careers of S.N.H. Linguet. A Study in Eighteenth Century French Politics,* University of Illinois Press, 1980.

15. Frank A. Kafker, « Les encyclopédistes et la Terreur », *R.H.M.C.,* 1967, p. 284-295. Angélique, la fille de Diderot, éclairée par les épreuves familiales subies par elle sous l'an II, estima, en 1818, que « les révolutions détruisent la morale » (*XVIIIe Siècle,* 1987, p. 295).

16. Alan Charles, « The Myth of the Coterie holbachique », *F.H.S.,* 1976, p. 573-595.

17. Roland Mortier, « Les héritiers des " philosophes " devant l'expérience révolutionnaire », *XVIIIe Siècle,* 1974, p. 45-57.

18. John M. Roberts, *The Mythology of the Secret Societies,* Secker & Warburg, 1972 ; Gérard Gayot, *La Franc-Maçonnerie française. Textes et pratiques (XVIIIe-XIXe siècles),* Gallimard/Julliard, 1980 ; Maurice Agulhon, *Pénitents et Francs-Maçons de l'ancienne Provence. Essai sur la sociabilité méridionale,* Fayard, 1968 ; Jacques Brengues, « Pour une linguistique maçonnique au XVIIIe siècle », *A.H.R.F.,* 1977, p. 57-75 ; *Franc-Maçonnerie et Lumières au seuil de la Révolution française. Actes du colloque d'avril 1984,* Publications de l'Institut d'études et de recherches maçonniques, 1985 ; Jacques Lemaire, *Les Origines françaises de l'antimaçonnisme,* Éditions de l'université de Bruxelles, 1985 ; cf. aussi le numéro spécial de *XVIIIe Siècle,* 1987, consacré à « La franc-maçonnerie ». Michel Taillefer (*La Franc-Maçonnerie toulousaine, 1741-1799,* Commission d'histoire de la Révolution française, « Mémoires et documents », XLI, 1984) a décrit, dans ce cas exceptionnel, une adaptation originale des loges aux soubresauts révolutionnaires.

19. Robert Darnton, *Le Grand Massacre des chats,* Laffont, 1986, p. 246-295 ; Richard Howard Powers, « Rousseau's " Useless Science " : Dilemma or Paradox », *F.H.S.,* 1962, p. 450-468 ; Roger Barny, « Les aristocrates et Jean-Jacques Rousseau dans la Révolution », *A.H.R.F.,* 1976, p. 534-568 ; « Jean-Jacques Rousseau dans la Révolution », *XVIIIe Siècle,* 1974, p. 59-98 ; Raymond Trousson, « Quinze années d'études rousseauistes », *XVIIIe Siècle,* 1977, p. 343-386 ; Jan Marejko, *Jean-Jacques Rousseau et la Dérive totalitaire,* L'Âge d'homme, 1984 ; Roger Barny, *Prélude idéologique à la Révolution française. Le rousseauisme avant 1789,* Les Belles Lettres, 1985.

Existait-il une mentalité révolutionnaire à la veille de 1789 ? (p. 31-38)

1. William Doyle, *op. cit.*, p. 29, 93 s.
2. Robert Darnton, *Bohème littéraire et Révolution. Le monde des livres au XVIIIe siècle,* Gallimard/Le Seuil, 1983, p. 7-41.
3. *Ibid.*, p. 43-69.
4. *Ibid.*, p. 71-109.
5. *Ibid.*, p. 111-208 ; Henri-Jean Martin, « La librairie française en 1777-1778 », *XVIIIe Siècle,* 1979, p. 87-112 ; Robert Darnton, *The Business of Enlightenment : a Publishing History of the « Encyclopédie », 1775-1800,* Cambridge et Londres, 1979 ; David I. Kulstein, « The Ideas of Charles-Joseph Panckoucke, Publisher of the *Moniteur universel,* on the French Revolution », *F.H.S.*, 1966, p. 304-319.
6. Nina R. Gelbart, « " Frondeur " Journalism in the 1770s Theater Criticism and Radical Politics in the Prerevolutionary French Press », *Eighteenth Century Studies,* 1983, p. 493-514 ; Jean-Paul Marat, *Journal de la République française,* 14 janvier 1793.
7. Alexis de Tocqueville, *L'Ancien Régime et la Révolution,* t. II, *Fragments et Notes inédites sur la Révolution,* Gallimard, 1953, p. 34-47.
8. Auguste Viatte, *Les Sources occultes du romantisme. Illuminisme-théosophie, 1770-1820,* 2 vol., Vrin, 1928 ; Robert Darnton, *Mesmerism and the End of Enlightenment in France,* Cambridge, 1968 ; Guy Chaussinand-Nogaret, « Gagliostro et la chute de l'Ancien Régime », *L'Histoire,* février 1986, p. 30-36.
9. Nicole Chaquin, « Le citoyen Louis-Claude de Saint-Martin, théosophe révolutionnaire », *XVIIIe Siècle,* 1974, p. 209-224.
10. Catherine-Laurence Maire, *Les Convulsionnaires de Saint-Médard. Miracles, convulsions et prophéties à Paris au XVIIIe siècle,* Gallimard/Julliard, 1985, p. 27, 227-231, 238-240.
11. Clarke W. Garrett, *Respectable Folly. Millenarians and the French Revolution in France and England,* Baltimore et Londres, 1975.
12. Ran Halévi, « Les représentations de la démocratie maçonnique au XVIIIe siècle », *R.H.M.C.*, 1984, p. 571-596 ; Keith Michael Baker, art. cité, *J.M.H.*, juin 1981, p. 297 s.
13. Robert R. Palmer, *The Age of Democratic Revolution. A Political History of Europe and America, 1760-1800,* t. I., *The Challenge,* Princeton, 1959, p. 237-282 ; Saint-John de Crèvecœur, *Lettres d'un cultivateur américain,* 2 vol., Genève, Éditions Ressources, 1979 ; Durand Echeverria, « L'Amérique devant l'opinion française, 1734-1870. Questions de méthode et d'interprétation », *R.H.M.C.*, 1962, p. 51-62 ; Bronislaw Baczko, « The Shifting Frontiers of Utopia », *J.M.H.*, septembre 1981, p. 468-476 ; André Delaporte, *L'Idée d'égalité en France au XVIIIe siècle,* PUF, 1987.
14. Robert Favre, « Les Lumières... ou la mort ! Fécondité d'un mythe : la " dépopulation " en France au XVIIIe siècle », *C.H.*, 1977,

p. 13-35 ; Antonio Santucci, « Diderot collaboratore di Raynal », *S.S.*, 1982, p. 453-459 ; Gianluigi Goggi, « Diderot et l'*Histoire des deux Indes* : reflessioni sulla storia », *Studi Francesi*, 1982, p. 32-43.

15. John Pappas, « D'Alembert et la nouvelle aristocratie », *XVIIIe Siècle*, 1982, p. 335-343 ; Thomas E. Crow, *Painters and Public Life in Eighteenth Century Paris*, Yale, 1985.

16. Jacques-Pierre Brissot, *Correspondance et Papiers*, Paris, 1912, p. 18 ; Robert R. Palmer, *op. cit.*, p. 472.

2. Une défaite du despotisme ?

La monarchie pouvait-elle se réformer avant 1787 ? (p. 39-46)

1. François Bluche, *La Vie quotidienne au temps de Louis XVI*, Hachette, 1980, p. 46-80.

2. William Doyle, *op. cit.*, p. 53-65 ; cf. Jean-François Labourdette, « Vergennes ou la tentation du " ministériat " », *R.H.*, 1986, p. 73-107.

3. David Hudson, « In Defense of Reform : French Government Propaganda during the Maupeou Crisis », *F.H.S.*, 1973, p. 51-76.

4. William Doyle, « The Parliaments of France and the Breakdown of the Old Regime », *F.H.S.*, 1970, p. 415-458.

5. Bailey Stone, « Robe against Sword : the Parlement of Paris and the French Aristocracy, 1774-1789 », *F.H.S.*, 1975, p. 278-303 ; *The Parlement of Paris, 1774-1789*, Chapel Hill, 1981.

6. Gérald J. Cavenaugh, « Turgot : the Rejection of Enlightenment Despotism », *F.H.S.*, 1969, p. 31-58.

7. Olwen Hufton, *Europe : Privilege and Protest, 1730-1789*, Fontana, 1980, p. 299-347.

8. A. d'Anerth et J. Flammermont, *Correspondance secrète du comte de Mercy-Argenteau avec l'empereur Joseph II*, t. I, Paris, 1889, p. 223-229 ; Betty Behrens, *L'Ancien Régime*, Flammarion, 1969, p. 163-184.

9. François-Xavier Emmanuelli, *Pouvoir royal et Vie régionale en Provence au déclin de la monarchie*, 2 vol., université de Lille-III, 1974 ; Albert Mathiez, *La Vie politique de la France dans la seconde partie du XVIIIe siècle*, cours professé à la faculté des lettres de Paris, 1929-1930, Librairie classique R. Guillon, fascicule IV, p. 187 ; fascicule V, p. 204-216.

10. Régine Robin, « La natura dello stato alla fine dell' " Ancien Régime ". Formazione sociale, stato e transizione », *S.S.*, 1973, p. 642-669 ; William Doyle, *Origins of the French Revolution*, p. 43-52. James C. Riley vient de montrer (« French Finances, 1727-1768 », *J.M.H.*, 1987, p. 209-243) que les Français payaient beaucoup moins d'impôts à la fin du règne de Louis XV qu'à ses débuts.

11. William Doyle, *op. cit.*, p. 38 ; John F. Bosher, *French*

Finances, 1770-1795 : from Business to Bureaucracy, Cambridge, 1970 ; « The " premiers commis des Finances " in the Reign of Louis XVI », *F.H.S.,* 1964, p. 475-494. George V. Taylor, dès 1962 (« The Paris Bourse on the Eve of the Revolution, 1781-1789 », *A.H.R.,* p. 952-977), avait montré le pouvoir des financiers sur la monarchie et l'influence ultérieure de leur esprit de spéculation sur les développements de la politique révolutionnaire ; mais il remarquait que ces agioteurs, à la mentalité d'avant-garde, demeuraient associés à un type d'activité économique traditionnel, lié aux opérations de la cour et nullement représentatif de l'avenir capitaliste.

12. *Gestionnaires et Profiteurs de la Révolution. L'Administration des finances françaises de Louis XVI à Bonaparte,* Olivier Orban, 1986, p. 23-48.

13. Robert D. Harris, « Necker's *Compte rendu* of 1781 : a Reconsideration », *J.M.H.,* 1970, p. 161-183 ; « French Finances and the American War, 1777-1783 », *J.M.H.,* 1976, p. 233-258 ; *Necker : Reform Statesman of the Ancien Regime,* Berkeley, 1979 ; *Necker and the French Revolution,* Princeton, 1986 ; Jean Egret, *Necker, ministre de Louis XVI,* Champion, 1975.

La victoire aristocratique de 1788 fut-elle un succès des idées libérales ou des privilèges traditionnels ? (p. 46-54)

1. William Doyle, *op. cit.,* p. 35-37 ; Jean Egret, *Louis XV et l'Opposition parlementaire, 1715-1774,* PUF, 1970.

2. William Doyle, *op. cit.,* p. 66-77, 85-95 ; Keith Michael Baker, « Politique et opinion publique sous l'Ancien Régime », *A.E.S.C.,* 1987, p. 41-71 ; Sarah Muza, « Le tribunal de la nation. Les mémoires judiciaires et l'opinion publique à la fin de l'Ancien Régime », *ibid.,* p. 73-90.

3. William Doyle, *op. cit.,* p. 73-90.

4. Donald M.G. Sutherland, *op. cit.,* p. 27-33. L'exclusivisme social des parlementaires, signalé pour Aix par Monique Cubells (*La Provence des Lumières : les parlementaires d'Aix au XVIII*e *siècle,* Maloine, 1984), n'était pas général, puisque Doyle ne l'a pas rencontré à Bordeaux (cf. *J.M.H.,* 1986, p. 943) ; il ne les a pas empêchés de jouer le rôle, au cours de la seconde moitié du XVIIIe siècle, d'éducateurs politiques de l'élite éclairée.

5. Eberhard Schmitt, *Repräsentation und Revolution. Eine Untersuchung zur Genesis der kontinentalen Theorie und Praxis parlementarischer Repräsentation aus der Herrschaftspraxis der Ancien Regime in Frankreich (1760-1789),* Munich, 1969 ; Jacques Godechot, *Les Institutions de la France sous la Révolution et l'Empire,* PUF, 1968, p. 110.

6. Eugenio Di Rienzo, « Istituzioni e teorie politiche nella Francia moderna », *S.S.,* 1982, p. 329-353.

7. Keith Michael Baker, « A Script for a French Revolution : the Political Consciousness of the Abbé Mably », *Eighteenth Century Studies,* 1981, p. 235-263.

8. Dale K. Van Kley, « Church, State and the Ideological Origins of the French Revolution : the Debate over the General Assembly of the Gallican Clergy in 1765 », *J.M.H.*, 1979, p. 629-666 ; *The Damiens Affair and the Unravelling of the Ancien Regime, 1750-1770,* Princeton, 1984.

9. Keith Michael Baker, « French Political Thought at the Accession of Louis XVI », *J.M.H.*, 1978, p. 279-303 ; Marina Valensise, « Le sacre du roi : stratégie symbolique et doctrine politique de la monarchie française », *A.E.S.C.*, 1986, p. 543-577 ; Clarke W. Garrett, « The *Moniteur* of 1788 », *F.H.S.*, 1968, p. 263-273.

10. Viviane R. Gruder, « Les notables à la fin de l'Ancien Régime : l' " Avertissement " de 1787 », *XVIII*[e] *Siècle,* 1982, p. 45-55 ; « A Mutation in Elite Political Culture : the French Notables and the Defense of Property and Participation, 1787 », *J.M.H.*, 1984, p. 598-634.

11. Jean Egret, *La Prérévolution française, 1787-1788,* PUF, 1962 (cf. le compte rendu de Marcel Reinhard, *R.H.M.C.*, 1963, p. 309-310) ; William Doyle, art. cité, *F.H.S.*, 1970, p. 415-458.

La monarchie démissionna-t-elle complètement à la veille et au début de la Révolution ? (p. 55-60)

1. William Doyle, *Origins of the French Revolution,* p. 114, 139-157, 168-177.

2. *Ibid.*, p. 187-190, 204, 210-212.

3. Donald M.G. Sutherland, *op. cit.*, p. 33-48, 63-68, 82-85 ; Olwen Hufton, *Europe : Privilege and Protest, 1730-1789,* Fontana, 1980, p. 351, 353-355.

4. Pierre Goubert et Michel Denis, *1789 : les Français ont la parole,* Julliard, 1964.

3. Une victoire de la bourgeoisie ?

Une lutte de classes opposait-elle noblesse et bourgeoisie avant 1789 ? (p. 61-68)

1. Régine Robin, *La Société française en 1789 : Semur-en-Auxois,* Plon, 1970 ; Jean Sentou, *Fortunes et Groupes sociaux à Toulouse sous la Révolution (1798-1799). Essai d'histoire statistique,* Privat, 1969 ; Georges Lefebvre, « Urban Society in the Orleanais in the Late Eighteenth Century », *P.P.*, 1961, p. 46-75 ; I. Cervelli, « Sul concetto di Rivoluzione borghese », *S.S.*, 1976, p. 147-155 ; Jean Nicolas, *La Savoie au XVIII*[e] *siècle. Noblesse et bourgeoisie,* 2 vol., Maloine, 1978 ; James A. Leith, « Les origines de la Révolution française remises en question », *A.H.R.F.*, 1982, p. 632-639.

2. George V. Taylor, « Non Capitalist Wealth and the Origins of the French Revolution », *A.H.R.,* 1967, p. 469-496.
3. Colin Lucas, « Nobles, Bourgeois and the Origins of the French Revolution », *P.P.,* 1973, p. 469-496.
4. Guy Chaussinand-Nogaret, « Aux origines de la Révolution : noblesse et bourgeoisie », *A.E.S.C.,* 1975, p. 275-278.
5. William Doyle, *op. cit.,* p. 11-24, 116-127.
6. *Ibid.,* p. 128-138 ; Michel Vovelle (éd.), *Bourgeoisies de province et Révolution,* Presses universitaires de Grenoble, 1987.
7. Donald M.G. Sutherland, *op. cit.,* p. 15-21 ; Jean Meyer, « Un problème mal posé : la noblesse pauvre. L'exemple breton au XVIIIe siècle », *R.H.M.C.,* 1971, p. 161-188 ; Guy Richard, *Noblesse d'affaires au XVIIIe siècle,* A. Colin, 1974 ; Norbert Élias, *La Société de cour,* Flammarion, 1985, p. 307-316 ; Jean Bastier, *La Féodalité au siècle des Lumières dans la région de Toulouse (1730-1790),* Commission d'histoire économique et sociale de la Révolution, « Mémoires et documents », XXX, 1975 ; Guy Chaussinand-Nogaret, *La Noblesse au XVIIIe siècle. De la féodalité aux Lumières,* Hachette, 1976.
8. Philippe Goujard, « “ Féodalité ” et Lumières au XVIIIe siècle. L'exemple de la noblesse », *A.H.R.F.,* 1977, p. 103-118.
9. Guy Chaussinand-Nogaret, « Un aspect de la pensée nobiliaire au XVIIIe siècle : l' “ antinobilisme ” », *R.H.M.C.,* 1982, p. 442-452.
10. William Doyle, « The Price of Offices in Prerevolutionary France », *The Historical Journal,* 1984, p. 831-860.
11. William Doyle, « Was there an Aristocratic Reaction in Prerevolutionary France ? », *P.P.,* 1972, p. 97-122.
12. David D. Bien, « La réaction aristocratique avant 1789 : l'exemple de l'armée », *A.E.S.C.,* 1974, p. 23-48, 505-534 ; « The Army in the French Enlightenment : Reform, Reaction and Revolution », *P.P.,* 1979, p. 68-98 ; Melvin Edelstein, « La noblesse et le monopole des fonctions publiques en 1789 », *A.E.S.C.,* 1982, p. 440-443.
13. Betty Behrens, « A Revision Defended : Nobles, Privileges and Taxes in France », *F.H.S.,* 1976, p. 521-527 ; Ralph E. Giesey, « Rules of Inheritance and Strategies of Mobility in Prerevolutionary France », *A.H.R.,* 1977, p. 271-289.

La révolution politique de 1789 fut-elle due à la bourgeoisie ? (p. 68-75)

1. Philip Dawson, « The “ bourgeoisie de robe ” in 1789 », *F.H.S.,* 1965, p. 1-21 ; Elizabeth L. Eisenstein, « Who Intervened in 1788 ? A Commentary on *The Coming of the French Revolution* », *A.H.R.,* 1965, p. 77-103.
2. Jeffry Kaplow, « On “ Who Intervened in 1788 ? ” », *A.H.R.,* 1967, p. 497-502 ; Gilbert Shapiro, « The Many Lives of Georges Lefebvre », *ibid.,* p. 502-514 ; Lynn A. Hunt, « Local Elites at the

End of the Old Regime, Troyes and Reims, 1750-1789 », *F.H.S.*, 1976, p. 379-399.

3. William Doyle, *op. cit.*, p. 139-157.
4. *Ibid.*, p. 168-177.
5. Donald M.G. Sutherland, *op. cit.*, p. 33-48, 68-69.
6. Daniel L. Wick, « The Court Nobility and the French Revolution. The Exemple of the Society of Thirty », *Eighteenth Century Studies*, 1980, p. 263-284.
7. George Armstrong Kelly, « The Machine of the Duc d'Orléans and the New Politics », *J.M.H.*, 1979, p. 667-684.
8. Abel Poitrineau, « Les assemblées primaires du bailliage de Salers en 1789 », *R.H.M.C.*, 1978, p. 419-441.
9. James Murphy et Patrice Higonnet, « Les députés de la noblesse aux états généraux de 1789 », *R.H.M.C.*, 1973, p. 230-243.
10. Guy Chaussinand-Nogaret, *Mirabeau*, Le Seuil, 1982 ; Louis Gottschalk et Margaret Maddox, *La Fayette in the French Revolution through the October Days*, Chicago, 1969.
11. Elna Hindie Lemay, « La composition de l'Assemblée nationale constituante : les hommes de la continuité ? », *R.H.M.C.*, 1977, p. 341-363 ; William H. Sewell Jr., art. cité, *J.M.H.*, 1985, p. 66-69 ; Gail Bassenga, « From " Corps " to Citizenship : the " Bureaux des Finances " before the French Revolution », *J.M.H.*, 1986, p. 643-668.

La révolution sociale de 1789 fut-elle une opération bourgeoise ? (p. 75-82)

1. William Doyle, *op. cit.*, p. 202-213.
2. Donald M.G. Sutherland, *op. cit.*, p. 76-82, 86-88.
3. William H. Sewell Jr., art. cité, *J.M.H.*, 1985, p. 69-71 ; Jean-Pierre Hirsch, *La Nuit du 4 Août*, Gallimard/Julliard, 1978.
4. Guy Chaussinand-Nogaret, « Aux origines de la Révolution : noblesse et bourgeoisie », *A.E.S.C.*, 1975, p. 277 ; Roberto Zapperi, « Sieyès e l'abolizione del feudalesimo nel 1789 », *S.S.*, 1970, p. 415-444.

4. Une Révolution populaire ?

L'intervention populaire de 1789 fut-elle une insurrection inédite de la misère ? (p. 83-91)

1. Robert R. Palmer, *The Age of Democratic Revolution. A Political History of Europe and America, 1760-1800*, t. I, *The Challenge*, Princeton, 1959, p. 479 ; Donald M.G. Sutherland, *op. cit.*, p. 49.
2. William Doyle, *op. cit.*, p. 158-167.

3. Donald M.G. Sutherland, *op. cit.*, p. 49-63 ; Olwen Hufton, « Begging, Vagrancy, Vagabondage and the Law : an Aspect of the Problem of Poverty in Eighteenth Century France », *E.S.R.*, 1972, p. 97-123 ; Muriel Jeorger, « La structure hospitalière de la France sous l'Ancien Régime », *A.E.S.C.*, 1977, p. 1025-1051 ; Marie-Claude Dinet-Lecomte, « Recherche sur la clientèle hospitalière aux XVIIe et XVIIIe siècles. L'exemple de Blois », *R.H.M.C.*, 1986, p. 345-373. Confirmation récente de la crise finale de l'économie d'Ancien Régime, marquée notamment par une stagnation de la valeur des terres, *in* Gérard Béaur, *Le Marché foncier à la veille de la Révolution. Les mouvements de propriété beaucerons dans les régions de Maintenon et de Jarville de 1761 à 1790*, Éditions de l'École des hautes études en sciences sociales, 1984.

4. Jean Nicolas, *Actes du colloque de Paris, mai 1984 : Mouvements populaires et Conscience sociale, XVIe-XIXe siècles*, Mouton, 1985 ; « Éphémérides du refus pour une enquête sur les émotions populaires au XVIIIe siècle. Le cas de la Savoie », *A.H.R.F.*, 1973, p. 593-607 ; *A.H.R.F.*, 1974, p. 111-153.

5. Charles Tilly, *La France conteste, de 1600 à nos jours*, Fayard, 1986.

6. Louise A. Tilly, « La révolte frumentaire, forme de conflit politique en France », *A.E.S.C.*, 1972, p. 731-757.

7. Steven L. Kaplan, *Bread, Politics and Political Economy in the Reign of Louis XV*, 2 vol., Martinus Nijhoff, 1976 ; *Le Complot de famine : histoire d'une rumeur au XVIIIe siècle*, A. Colin, 1982.

Pourquoi Paris se souleva-t-il en 1789 ? (p. 91-99)

1. William Doyle, *op. cit.*, p. 178-191.

2. Donald M.G. Sutherland, *op. cit.*, p. 63-69, 83-86.

3. George Rudé, *The Crowd in the French Revolution*, Oxford, 1959.

4. Daniel Roche, *Le Peuple de Paris. Essai sur la culture populaire au XVIIIe siècle*, Aubier, 1981.

5. Christian Romon, « Le monde des pauvres à Paris au XVIIIe siècle », *A.E.S.C.*, 1982, p. 729-763 ; Charles Engrand, « Paupérisme et condition ouvrière dans la seconde moitié du XVIIIe siècle : l'exemple amiénois », *R.H.M.C.*, 1982, p. 376-410.

6. Jean Lecuir, « Criminalité et “ moralité ” : Montyon, statisticien du parlement de Paris », *R.H.M.C.*, 1974, p. 445-493.

7. Jean Chagniot, « Le problème du maintien de l'ordre à Paris au XVIIIe siècle », *B.S.H.M.*, 1974, n° 3, p. 32-39 ; « Le guet et la garde de Paris à la fin de l'Ancien Régime », *R.H.M.C.*, 1973, p. 58-71.

8. Arlette Farge et André Zysberg, « Les théâtres de la violence à Paris au XVIIIe siècle », *A.E.S.C.*, 1979, p. 984-1015.

9. Arlette Farge, *La Vie fragile. Violence, pouvoirs et solidarités à Paris au XVIIIe siècle*, Hachette, 1986.

Les soulèvements ruraux de 1789 constituent-ils une révolution paysanne originale et autonome ? (p. 99-108)

1. William Doyle, *op. cit.*, p. 192-202.
2. Donald M.G. Sutherland, *op. cit.*, p. 69-76.
3. Nicole Castan, « Délinquance traditionnelle et répression critique à la fin de l'Ancien Régime dans les pays de Languedoc », *A.H.R.F.*, 1977, p. 182-203 ; Nicole et Yves Castan, *Vivre ensemble. Ordre et désordre au Languedoc au* XVIII*e siècle,* Gallimard/Julliard, 1981.
4. Olwen Hufton, « Le paysan et la loi en France au XVIIIe siècle », *A.E.S.C.*, 1983, p. 679-701 ; Iain A. Cameron, « The Police of Eighteenth Century France », *E.S.R.*, 1977, p. 47-75 ; Clive Emsley, « La maréchaussée à la fin de l'Ancien Régime », *R.H.M.C.*, 1986, p. 622-644.
5. Hilton Lewis Root, « Challenging the Seigneurie : Community and Contention on the Eve of the French Revolution », *J.M.H.*, 1985, p. 652-681 ; *Peasants and King in Burgundy : Agrarian Foundations of French Absolutism,* California University Press, 1987.
6. Emmanuel Le Roy Ladurie, « Révoltes et contestations rurales en France de 1675 à 1788 », *A.E.S.C.*, 1974, p. 6-22 ; Jean-Marie Constant, « Les idées politiques paysannes : étude comparée des cahiers de doléances (1576-1789) », *A.E.S.C.*, 1982, p. 717-728.
7. Jean Nicolas, « Les mouvements populaires dans le monde rural sous la Révolution française : état de la question », *B.S.H.M.*, 1986, nº 3, p. 20-28 ; Yves-Marie Bercé, *Histoire des croquants,* Le Seuil, 1986, p. 379.

5. Un dérapage évitable ?

Une monarchie constitutionnelle était-elle viable en 1790 ? (p 112-122)

1. François Furet et Denis Richet, *La Révolution française,* t. I, Hachette, 1965 ; Donald M.G. Sutherland, *op. cit.*, p. 89 s.
2. *Ibid.*, p. 121 s.
3. *Ibid.*, p. 90-93.
4. *Ibid.*, p. 93 s.
5. *Ibid.*, p. 103-106 ; cf. Jean-Noël Luc, *Paysans et Droits féodaux en Charente-Inférieure pendant la Révolution française,* Commission d'histoire de la Révolution française, « Travaux historiques et scientifiques », 1984.
6. Guy Chaussinand-Nogaret, *Mirabeau,* Le Seuil, 1982.
7. Samuel F. Scott, « Problems of Law and Order during 1790, the " Peaceful " Year of the French Revolution », *A.H.R.*, 1975, p. 859-863.
8. *Ibid.*, p. 863-871.

9. David D. Bien, art. cité, *P.P.,* 1979, p. 95 ; Samuel F. Scott, « The Regeneration of the Line Army during the French Revolution », *J.M.H.,* 1970, p. 307-330 ; *The Response of the Royal Army to the French Revolution : the Role and Development of the Line Army during 1787-1793,* Oxford, 1978 ; Jean-Paul Bertaud, « Voies nouvelles pour l'histoire militaire de la Révolution », *A.H.R.F.,* 1972, p. 66-93 ; « Les travaux récents sur l'armée de la Révolution et de l'Empire », *B.S.H.M.,* 1986, n° 3, p. 2-7.

10. Samuel F. Scott, « Problems of Law and Order », art. cité, *A.H.R.,* 1975, p. 871-876.

11. James N. Hood, « Protestant-Catholic Relations and the Roots of the First Popular Counter-Revolutionary Movement in France », *J.M.H.,* 1971, p. 245-275 ; « Patterns of Popular Protest in the French Revolution : the Conceptual Contribution of the Gard », *J.M.H.,* 1976, p. 259-293 ; « Permanence des conflits traditionnels sous la Révolution : l'exemple du Gard », *R.H.M.C.,* 1977, p. 602-640 ; « Revival and Mutation of Old Rivalries in Revolutionary France », *P.P.,* 1979, p. 82-115 ; Gwynne Lewis, « The White Terror of 1815 in the Department of the Gard : Counter-Revolution, Continuity and the Individual », *P.P.,* 1973, p. 108-135 ; *The Second Vendée. The Continuity of Counter-Revolution in the Department of the Gard, 1789-1815,* New York, 1978.

12. Donald M.G. Sutherland, *op. cit.,* p. 107-114.

13. Hubert C. Johnson, *The Midi in Revolution. A Study of Regional Political Diversity, 1789-1793,* Princeton, 1986 ; Roger Dupuy, « La contre-révolution (1780-1802) : éléments d'un chantier », *B.S.H.M.,* 1986, n° 3, p. 16-19. Cf. encore, plus récemment, sur un point particulièrement important de cette dynamique contre-révolutionnaire de 1789 à 1792, l'étude de W.J. Murray, *The Right-Wing Press in the French Revolution,* Boydell & Brewer.

14. Samuel F. Scott, art. cité, *A.H.R.,* 1975, p. 876-888.

15. Donald M.G. Sutherland, *op. cit.,* p. 99-103.

16. R.B. Rose, « Tax Revolt and Popular Organization in Picardy, 1789-1791 », *P.P.,* 1969, p. 92-108 ; Philippe Goujard, « L'abolition de la féodalité dans le pays de Bray (1789-1793) », *A.H.R.F.,* 1977, p. 287-294 ; Jean Boutier, « Jacqueries en pays croquant : les révoltes paysannes en Aquitaine (décembre 1789-mars 1790) », *A.E.S.C.,* 1979, p. 760-786 ; Guy Ikni, « Sur les biens communaux pendant la Révolution française », *A.H.R.F.,* 1982, p.71-93 ; R.B. Rose, « The " Red Scare " of the 1790s : the French Revolution and the " Agrarian Law " », *P.P.,* 1984, p. 113-130.

Le mouvement révolutionnaire se radicalisa-t-il avant la fuite à Varennes ? (p. 123-129)

1. François Furet, *Penser la Révolution française,* Gallimard, 1978 ; William H. Sewell Jr., art. cité, *J.M.H.,* 1985, p. 72-75.

2. Donald M.G. Sutherland, *op. cit.,* p. 117-121. Voir l'important

numéro spécial des *A.H.R.F.* de septembre-octobre 1986 (n° 226), consacré aux sociétés populaires. Marie-Hélène Froeschlé-Chopard vient de montrer (« Pénitents et sociétés populaires du Sud-Est », *A.H.R.F.*, 1987, p. 117-157), après M. Agulhon, l'originalité de celles de Provence, qui y continuaient les confréries religieuses d'Ancien Régime dans le cadre de la sociabilité méridionale.

3. R.B. Rose, *The Making of the Sans-Culottes,* Manchester, 1983 ; Maurice Genty, « Mandataires ou représentants : un problème de la démocratie municipale à Paris, en 1789-1790 », *A.H.R.F.*, 1972, p. 23-27 ; « Le mouvement démocratique dans les sections parisiennes (printemps 1790-automne 1792) », *A.H.R.F.*, 1982, p. 134-142 ; *L'Apprentissage de la citoyenneté. Paris, 1790-1795,* Messidor, 1987.

4. Michael L. Kennedy, « The Foundation of the Jacobin Clubs and the Development of the Jacobin Club Network, 1789-1791 », *J.M.H.*, 1979, p. 701-733 ; *The Jacobin Clubs in the French Revolution,* Princeton, 1981.

5. Michael L. Kennedy, « Les clubs des jacobins et la presse sous l'Assemblée nationale, 1789-1791 », *R.H.*, 1980, p. 49-63 ; Melvin Edelstein, « *La Feuille villageoise,* the Revolutionary Press and the Question of Rural Political Participation », *F.H.S.*, 1971, p. 175-203.

6. Jack-Richard Censez, *Prelude to Power : the Parisian Radical Press, 1789-1792,* Baltimore, 1976 ; Jean-Paul Marat, *Textes choisis,* Éditions sociales, 1950, p. 66 s., 75 s., 95 s. (en particulier p. 102 s.).

7. R.B. Rose, art. cité, *P.P.*, 1984, p. 122-123 ; *P.P.*, 1969, p. 101-105. Georges Weulersse avait relevé, dans sa *Physiocratie à l'aube de la Révolution (1781-1792),* éditée seulement en 1985 par l'École des hautes études en sciences sociales, ces premières atteintes portées par le discours révolutionnaire au droit de propriété individuelle.

8. Jean Boutier, art. cité, *A.E.S.C.*, 1979, p. 767.

La réorganisation de l'Église catholique par la Révolution créa-t-elle un risque de guerre civile ? (p. 129-137)

1. André Latreille, *L'Église catholique et la Révolution française,* t. I, Hachette, 1946 ; Jean Dumont, *La Révolution française ou les Prodiges du sacrilège,* Criterion, 1984 ; Jean de Viguerie, *Christianisme et Révolution,* Nouvelles Éditions latines, 1986.

2. Bernard Plongeron, *La Vie quotidienne du clergé français au XVIIIe siècle,* Hachette, 1974 ; Louis S. Greenbaum, *Talleyrand Statesman-Priest. The Agent General of the Clergy and the Church of France at the End of the Old Regime,* The Catholic University of America Press, 1970 ; B. de Brye, *Un évêque d'Ancien Régime à l'épreuve de la Révolution, le cardinal A.C.H. de La Fare (1752-1829),* Publications de la Sorbonne, 1985.

3. Dominique Julia, « Le clergé paroissial dans le diocèse de Reims à la fin du XVIIIe siècle », *R.H.M.C.*, 1966, p. 195-216 ; Timothy Tackett, *Priest and Parish in Eighteenth Century France,* Princeton, 1977 ; Paul Christophe, *1789, les prêtres dans la Révolution,* Le Cerf, 1986.

4. Jean Quéniart, *Les Hommes, l'Église et Dieu dans la France du XVIIIe siècle,* Hachette, 1978 ; Michel Vovelle, « L'élite ou le mensonge des mots », *A.E.S.C.,* 1974, p. 49-72 ; Steven L. Kaplan, « Religion Subsistence and Social Control : the Use of Saint Genevieve », *Eighteenth Century Studies,* 1980, p. 142-168 ; Jeffry Kaplow, *The Names of Kings : Parisian Laborian Poor in the Eighteenth Century,* New York, 1972 ; B. Robert Kreiser, *Miracles, Convulsions and Ecclesiastical Politics in Early Eighteenth Century Paris,* Princeton, 1978.

5. Bernard Plongeron, *Conscience religieuse en révolution. Regards sur l'historiographie religieuse de la Révolution française,* Plon, 1969 ; Bernard Plongeron et Jean Godel, « 1945-1970 : un quart de siècle d'histoire religieuse. A propos de la génération des " secondes Lumières " (1770-1820) », *A.H.R.F.,* 1972, p. 181-203, 352-389 ; Bernard Plongeron, « Le fait religieux dans l'histoire de la Révolution française. Objet, méthodes, voies nouvelles », *A.H.R.F.,* 1976, p. 95-133 ; *Théologie et Politique au siècle des Lumières (1770-1820),* Droz, 1973 ; « Théologie et applications de la collégialité dans l'Église constitutionnelle de France », *A.H.R.F.,* 1975, p. 71-84 ; Ruth Graham, « The Revolutionary Bishops and the " Philosophes " », *Eighteenth Century Studies,* 1983, p. 117-140.

6. William Doyle, *op. cit.,* p. 151 s. ; Ruth F. Necheles, « The Curés in the Estates General of 1789 », *J.M.H.,* 1974, p. 425-444 ; Louis Trénard, « Église et État : le clergé face à la Révolution dans les diocèses du nord de la France, 1788-1792 », in *Christianisme et Pouvoirs politiques,* université de Lille-III, 1973, p. 57-90 ; « Église et Révolution (1780-1802) », *L'Information historique,* 1985, p. 36-42 ; « L'Église de France et la Révolution », *ibid.,* p. 78-80.

7. Donald M.G. Sutherland, *op. cit.,* p. 94-99.

8. *Ibid.,* p. 115-177.

9. Timothy Tackett et Claude Langlois, « Ecclesiastical Structures and Clerical Geography on the Eve of the French Revolution », *F.H.S.,* 1980, p. 352-370.

10. Timothy Tackett, *Religion, Revolution and Regional Culture in Eighteenth Century France. The Ecclesiastical Oath of 1791,* Princeton, 1986 ; cf. *L'Église de France et la Révolution. Histoire régionale,* t. I, *L'Ouest,* t. II, *Le Midi,* Beauchesne, 1983 et 1984.

11. Jean-Louis Ormières, « Politique et religion dans l'Ouest », *A.E.S.C.,* 1985, p. 1041-1066.

12. William H. Sewell Jr., art. cité, *J.M.H.,* 1985, p. 80 s. Cf. l'épisode étudié récemment par Jean-Marie Cabasse, « Un des premiers cas de résistance populaire à la Révolution : l'émeute du 25 janvier 1791 à Millau », *Bulletin de la Commission d'histoire de la Révolution française,* 1984-1985, p. 57-72 : des femmes et des enfants catholiques, qui souhaitent conserver leur religion et leur clergé, y protestent contre un maire patriote qui veut s'emparer du couvent des capucins. Une réaction de la minorité bourgeoise révolutionnaire s'ensuivra, au printemps, contre la majorité royaliste de la ville, au prix de diverses violences et intimidations. Dans cette cité, la

solidarité antiprotestante unissait, aux deux extrémités de la société, aristocratie et classes populaires.

6. Une guerre idéologique ?

La France révolutionnaire porte-t-elle la responsabilité de son conflit avec l'Europe ? (p. 138-147)

1. Donald M.G. Sutherland, *op. cit.*, p. 123-139.
2. T.C.W. Blanning, *The Origins of the French Revolutionary Wars,* Longman, 1986, p. 36-130 ; Howard V. Evans, « The Nootka Sound Controversy in Anglo-French Diplomacy, 1790 », *J.M.H.*, 1974, p. 609-640 ; H.A. Barton, « The Origins of the Brunswick Manifesto », *F.H.S.*, 1967, p. 146-169. Selon Gerhard Wolf, un envoyé de Duport insistait encore auprès des Alliés, à Bruxelles, à la veille du manifeste de Brunswick, sur la nécessité de maintenir en France, après leur victoire, une monarchie constitutionnelle à la mode des monarchiens de 1789 (« Les négociations secrètes des feuillants : juin-juillet 1792 », *111*[e] *Congrès national des sociétés savantes* : « *Histoire moderne et contemporaine* », t. I, fasc. 2, Poitiers, 1986, p. 7-19).
3. T.C.W. Blanning, *op. cit.*, 131-172 ; Marc Bouloiseau, « L'organisation de l'Europe selon Brissot et les girondins à la fin de 1792 », *A.H.R.F.*, 1985, p. 290-294 ; Paul Kelly, « Strategy and Counter-Revolution : the Journal of Sir Gilbert Elliot, 1-22 September 1793 », *E.H.R.*, 1983, p. 328-348.
4. T.C.W. Blanning, *op. cit.*, p. 205-211.
5. *Ibid.*
6. Jacques Godechot, *La Grande Nation,* Aubier, 1983.
7. Michael L. Kennedy, « Le club jacobin de Charleston en Caroline du Sud (1792-1795) », *R.H.M.C.*, 1977, p. 420-438 ; William L. Blackwell, « Citizen Genet and the Revolution in Russia, 1789-1792 », *F.H.S.*, 1963, p. 72-92 ; Jan L. Polasky, « Traditionalists, Democrats and Jacobins in Revolutionary Brussels », *J.M.H.*, 1984, p. 227-262 ; Karl H. Wegert, « Patrimonial Rule, Popular Self-Interest and Jacobinism in Germany, 1763-1800 », *J.M.H.*, 1981, p. 440-467 ; T.C.W. Blanning, *The French Revolution in Germany : Occupation and Resistance in the Rhineland, 1792-1802,* Oxford, 1983 (cf. le compte rendu de Claude Michaud, *A.E.S.C.*, 1986, p. 845-847) ; César-Frédéric de La Harpe, *Correspondance sous la République helvétique,* t. I., *Le Révolutionnaire, 1796-1798,* La Baconnière, 1985 ; Walter Grab, « *Ein Volk muss seine Freiheit selbst erobern.* » *Zur Geschichte der deutschen Jakobiner,* Francfort, 1984.
8. Jean-Pierre Bertaud, « Les travaux récents sur l'armée de la Révolution et de l'Empire », *B.S.H.M.*, 1986, n° 3, p. 2-7.
9. Jean-Pierre Bertaud, *Valmy, la démocratie en armes,* Julliard, 1970 ; « Notes sur le premier amalgame (février 1793-janvier 1794) »,

R.H.M.C., 1973, p. 72-83 ; « Voies nouvelles pour l'histoire militaire de la Révolution », *A.H.R.F.,* 1975, p. 64-94 ; « Le recrutement de l'avancement des officiers de la Révolution », *A.H.R.F.,* 1972, p. 513-534 ; John Lynn, « Esquisse sur la tactique de l'infanterie des armées de la République », *ibid.,* p. 537-558 ; Samuel F. Scott, « The Regeneration of the Line Army during the French Revolution », *J.M.H.,* 1970, p. 307-330 ; *The Response of the Royal Army to the French Revolution. The Role and Development of the Line Army, 1787-1793,* Oxford, 1798 ; Steven T. Ross, « The Development of the Combat Division in Eighteenth Century French Armies », *F.H.S.,* 1965, p. 84-94 ; Charles J. Wrong, « The " officiers de fortune " in the French Infantery », *F.H.S.,* 1976, p. 400-431 ; récente synthèse de John A. Lynn, *The Bayonets of the Republic : Motivation and Tactics in the Army of Revolutionary France, 1791-1794,* University of Illinois Press, 1984.

La mobilisation populaire de 1792-1793 favorisa-t-elle la Révolution ou la contre-révolution ? (p. 147-158).

1. Donald M.G. Sutherland, *op. cit.,* p. 139-144.
2. *Ibid.,* p. 144-155.
3. *Ibid.,* p. 155-160.
4. *Ibid.,* p. 166-172.
5. Jean Nicolas, art. cité, *B.S.H.M.,* 1986, n° 3, p. 20-28 ; Guy Ikni, « Sur les biens communaux pendant la Révolution française », *A.H.R.F.,* 1982, p. 71-94 ; Melvin Edelstein, art. cité, *F.H.S.,* 1971, p. 175-203 ; Albert Mathiez, *La Vie chère et le Mouvement social sous la Terreur,* Payot, 1927 ; David Hunt, « The People and Pierre Dolivier : Popular Uprisings in the Seine-et-Oise Department (1791-1792) », *F.H.S.,* 1979, p. 184-214 ; R.B. Rose, art. cité, *P.P.,* 1984, p. 113-130.
6. George Rudé, *La Foule dans la Révolution française,* Maspero, 1982, p. 99-133 ; Maurice Genty, art. cité, *A.H.R.F.,* 1982, p. 134-142 ; Morris Slavin, *The French Revolution in Miniature : Section Droits de l'homme, 1789-1795,* Princeton, 1984 ; Raymonde Monnier, « Les classes laborieuses du faubourg Saint-Antoine sous la Révolution et l'Empire », *A.H.R.F.,* 1979, p. 119-124 ; Haim Burstin, « Le faubourg Saint-Marcel à l'époque révolutionnaire », *A.H.R.F.,* 1978, p. 117-126 ; Frédéric Bluche, *Septembre 1792 : logiques d'un massacre,* Perrin, 1986 ; Suzanne Petersen, *La Question des subsistances et la Politique révolutionnaire à Paris, 1792-1793,* Munich, 1978 ; Florence Gauthier, « De Mably à Robespierre, un programme égalitaire », *A.H.R.F.,* 1985, p. 273-289 ; Michel Pertué, « Les luttes de classes et la question de la dictature au début de 1793 », *A.H.R.F.,* 1977, p. 454-462 ; Anne-Marie Boursier, « L'émeute parisienne du 10 mars 1793 », *A.H.R.F.,* 1972, p. 204-230 ; Paolo Viola, « Sur le mouvement populaire parisien de février-mars 1793 », *A.H.R.F.,* 1974, p. 503-518 ; Jean-Paul Marat, *Textes Choisis,* Éditions sociales, 1950, p. 54.

7. James N. Hood, art. cité, *P.P.*, 1979, p. 82-115 ; Michael L. Kennedy, « The Best and the Worst of Times : the Jacobin Club Network from October 1791 to June 2. 1793 », *J.M.H.*, 1984, p. 635-666 ; Hugh Gough, « Politics and Power. The Triumph of Jacobinism in Strasbourg, 1791-1793 », *The Historical Journal,* 1980, p. 327-352 ; Hubert C. Johnson, *The Midi in Revolution...*, Princeton, 1986, p. 174-221 ; Takashi Koi, « Les “ Chaliers ” et les sans-culottes lyonnais (1792-1793) », *A.H.R.F.*, 1978, p. 127-131 ; Antonio De Francesco, « Montagnard e san culotti in Provincia : il caso lionese (agosto 1792-maggio 1793) », *S.S.*, 1978, p. 589-626 ; David L. Longfellow, « Silk Weavers and the Social Struggle in Lyon during the French Revolution, 1789-1794 », *F.H.S.*, 1981, p. 1-40.

8. Jacques Godechot, *La Contre-Révolution, 1789-1804. Doctrine et action,* PUF, 1961 ; John Gerard Gallaher, « Recruitment in the District of Poitiers : 1793 », *F.H.S.*, 1963, p. 246-267 ; Harvey Mitchell, « The Vendée and Counter-Revolution : a Review Essay », *F.H.S.*, 1968, p. 405-429 ; Roger Dupuy, « A propos de *la Vendée* de Charles Tilly », *A.H.R.F.*, 1971, p. 603-614 ; Claude Petitfrère, « Les grandes composantes sociales des armées vendéennes d'Anjou », *F.H.S.*, 1973, p. 1-20 ; *Blancs et Bleus d'Anjou (1789-1793)*, 2 vol., université de Lille-III, 1979 ; *La Vendée et les Vendéens,* Julliard, 1981 ; Jean-Clément Martin, « La Vendée et sa guerre. Les logiques de l'événement », *A.E.S.C.*, 1985, p. 1067-1085 ; *La Vendée et la France,* Le Seuil, 1987.

9. Claude Petitfrère, *La Vendée et les Vendéens,* p. 185-206 ; Roger Dupuy, « Chansons populaires et chouannerie en basse Bretagne », *B.S.H.M.*, 1978, n° 4, p. 2-11 ; Harvey Mitchell, « Resistance to the Revolution in Western France », *P.P.*, 1974, p. 94-131 ; Timothy Tackett, « The West in France in 1789. The Religious Factor in the Origins of the Counter-Revolution », *J.M.H.*, 1982, p. 715-745 ; T.J.A. Le Goff et Donald M.G. Sutherland, « The Revolution and the Rural Community in Eighteenth Century Brittany », *P.P.*, 1974, p. 96-119 ; « The Social Origins of Counter-Revolution in Western France », *P.P.*, 1983, p. 65-87 ; *Mémoires de la marquise de La Rochejaquelein, 1772-1857,* Mercure de France, 1984, p. 167 s.

L'antagonisme entre la Gironde et la Montagne était-il irréductible ? (p. 158-168)

1. Donald M.G. Sutherland, *op. cit.*, p. 161-166.
2. *Ibid.*, p. 172-186.
3. *Ibid.*, p. 186-191.
4. Marc Bouloiseau, *La République jacobine,* Le Seuil, 1972 ; Albert Soboul, *Actes du colloque « Girondins et montagnards »*, Bibliothèque d'histoire révolutionnaire, t. 19, 1980 ; *La Civilisation et la Révolution française,* t. II, Arthaud, 1982 ; Jacqueline Chaumié, « Les girondins et les Cent-Jours », *A.H.R.F.*, 1971, p. 329-365 ; Alison Patrick, « Political Divisions in the French National Conven-

tion, 1792-1793 », *J.M.H.*, 1969, p.421-474 ; « The Montagnards and their Opponents. Some Comments », *J.M.H.*, 1971, p. 294-297 ; *The Men of the First French Republic. Political Alignments in the National Convention of 1792,* Baltimore, 1972. Marcel Dorigny vient de rappeler que les girondins se sont montrés favorables au développement des sociétés populaires (« Les congrès des sociétés populaires de 1792 en Bourgogne : défense révolutionnaire et ordre social », *111e Congrès national des sociétés savantes, op. cit.*, p. 91-119).

5. Michael J. Sydenham, « The Montagnards and their Opponents. Some Considerations on a Recent Reassessment of the Conflicts in the French National Convention, 1792-1793 », *J.M.H.*, 1971, p. 287-293 ; « The Girondins and the Question of Revolutionary Government », *F.H.S.*, 1977, p. 342-348 ; Theodore A. Dipadova, « The Girondins and the Question of Revolutionary Government », *F.H.S.*, 1976, p. 432-450 ; « The Question of Girondins Motives », *F.H.S.*, 1977, p. 349-352 ; Michel Pertué, compte rendu du livre d'Alison Patrick, *A.H.R.F.*, 1982, p. 661-665 ; M. Slavin, *The Making of an Insurrection : Parisian Sections and the Gironde,* Harvard University Press, 1986.

6. Patrice Higonnet, « The Social and Cultural Antecedents of Revolutionary Discontinuity : Montagnards and Girondins », *E.H.R.*, 1985, p. 513-544 ; Gary Kates, *The Cercle social, the Girondins and the French Revolution,* Princeton, 1984.

7. Albert Mathiez, *op. cit. ;* Guy Ikni, art. cité, *A.H.R.F.*, 1982, p. 71-94 ; Takashi Koi, art. cité, *A.H.R.F.*, 1978, p. 131 ; Antonio De Francesco, art. cité, *S.S.*, 1978, p. 623 ; David L. Longfellow, art. cité, *F.H.S.*, 1981, p. 22 ; Daniel Stone, « La révolte fédéraliste à Rennes », *A.H.R.F.*, 1971, p. 367-387 ; Michael J. Sydenham, « The Republican Revolt of 1793 : a Plea for Less Localized Local Studies », *F.H.S.*, 1981, p. 120-138 ; Bill Edmonds, « " Federalism " and Urban Revolt in France in 1793 », *J.M.H.*, 1983, p. 22-53 ; Hubert C. Johnson, *The Midi in Revolution,* Princeton, 1986, p. 222-249 ; Yves Delaporte, « Un " montagnard " fédéraliste : Antoine C. Thibaudeau, député de la Vienne à la Convention nationale, 1792-1795 », *111e Congrès national des sociétés savantes, op. cit.*, p. 121-135.

7. Une logique de la Terreur ?

Qui furent les terroristes, quel fut leur programme et comment fut-il appliqué ? (p. 169-188)

1. Mona Ozouf, « War and Terror in French Revolutionary Discourse (1792-1794) », *J.M.H.*, 1984, p. 579-597 ; John L. Talmon, *The Origins of Totalitarian Democracy. Political Theory and Practice during the French Revolution and beyond,* Secker & Warburg, 1952 ; Claude Lefort, *Essais sur le politique (XIXe-XXe siècles),* Le Seuil, 1986 ; Patrice Higonnet, art. cité, *E.H.R.*, 1985, p. 513-544 ; *Class,*

Ideology and the Right of Nobles during the French Revolution, Clarendon Press, 1981 ; Ferenc Feher, « The French Revolution : between Class Identity and Universalist Illusions », *Review,* 1985, p. 335-351.

2. Noel O'Sullivan (ed.), *Terrorism, Ideology and Revolution : the Origins of Modern Political Violence,* Wheatsheaf, 1985 ; William H. Sewell Jr., art. cité, *J.M.H.,* 1985, p. 74-76.

3. Donald M.G. Sutherland, *op. cit.,* p. 192-196.

4. Richard Cobb, « The People in the French Revolution », *P.P.,* 1959, p. 60-72 ; « Quelques aspects de la mentalité révolutionnaire (avril 1793-thermidor an II) », *R.H.M.C.,* 1959, p. 81-120.

5. Richard Cobb, *The Police and the People, French Popular Protest, 1789-1820,* Oxford University Press, 1970.

6. Marie-Thérèse Lagasquié, « Recherches sur le personnel terroriste toulousain », *A.H.R.F.,* 1971, p. 248-263 ; William Scott, *Terror and Repression in Revolutionary Marseille,* Macmillan, 1973 ; Alan Forrest, *Society and Politics in Revolutionary Bordeaux,* Oxford University Press, 1975 ; Martyn Lyons, « The Jacobin Elite of Toulouse », *E.S.R.,* 1977, p. 259-284 ; David L. Longfellow, art. cité, *F.H.S.,* 1981, p. 22-40. Philippe Barlet vient de décrire les militants révolutionnaires ruraux dans un certain nombre de villages de l'Indre (« Les sans-culottes aux champs : mentalités révolutionnaires dans les comités de surveillance du district de La Châtre [Indre] en l'an II », *111e Congrès national des sociétés savantes : « Histoire moderne et contemporaine* », t. I, fasc. 2, Poitiers, 1986, p. 171-188) : les propriétaires et les professions intellectuelles sont surreprésentés au sein de cette nouvelle élite ; assidus aux réunions sinon très actifs, ils pourchassent les membres de l'élite ancienne, un peu plus huppée qu'eux, et qui se caractérise par son refus de l'ordre révolutionnaire.

7. Donald M.G. Sutherland, *op. cit.,* p. 196-205 ; Albert Mathiez, *La Vie chère et le Mouvement social sous la Terreur,* Payot, 1927 ; Georges Lefebvre, *Études orléanaises,* t. II, *Subsistances et Maximum (1789-an IV),* Commission d'histoire économique et sociale de la Révolution, « Mémoires et documents », 1963 ; J.-P. Fanget, « Aspects de l'abolition du régime seigneurial dans le département du Puy-de-Dôme : le brûlement des titres féodaux (août 1793-pluviôse an II) », *C.H.,* 1978, p. 169-192.

8. Donald M.G. Sutherland, *op. cit.,* p. 208-214 ; Antoine de Baecque, « Le corps meurtri de la Révolution. Le discours politique et les blessures des martyrs (1792-1794) », *A.H.R.F.,* 1987, p. 17-41 (sur l'étalage réglé de ces souffrances au service de la Terreur).

9. Laura Maslaw Armand, « La bourgeoisie protestante, la Révolution et le mouvement de déchristianisation à La Rochelle », *R.H.M.C.,* 1984, p. 489-502 ; Yvan-Georges Paillard, « Fanatiques et patriotes dans le Puy-de-Dôme. La déchristianisation », *A.H.R.F.,* 1978, p. 372-404 ; Jacques Bernet, « Les origines de la déchristianisation dans le district de Compiègne », *ibid.,* p. 405-432 ; Philippe Goujard, « Sur la déchristianisation dans l'Ouest. La leçon des adresses à la Convention nationale », *ibid.,* p. 433-449 ; Michel

Vovelle, *Religion et Révolution. La déchristianisation en l'an II,* Hachette, 1976 ; Serge Bianchi, « Manifestations et formes de la déchristianisation dans le district de Corbeil », *R.H.M.C.,* 1979, p. 256-285 ; « Les curés rouges dans la Révolution française », *A.H.R.F.,* 1982, p. 364-392 ; *A.H.R.F.,* 1985, p. 447-479 ; Jean-Claude Meyer, *La Vie religieuse en Haute-Garonne sous la Révolution (1789-1801),* Publications de l'université Toulouse-Le Mirail, 1982 ; Albert Soboul, « Sur les " curés rouges " dans la Révolution française », *A.H.R.F.,* 1982, p. 349-363.

10. Donald M.G. Sutherland, *op. cit.,* p. 214-217.

11. Jean Delumeau, « Au sujet de la déchristianisation », *R.H.M.C.,* 1975, p. 52-60 ; André Latreille, « La déchristianisation en France à l'époque moderne », *C.H.,* 1969, p. 13-35 ; Ruth Graham, art. cité, *Eighteenth Century Studies,* 1983, p. 117-140 ; Jean de Viguerie, *Christianisme et Révolution,* Nouvelles Éditions latines, 1986, p. 152-177 ; Serge Bianchi, « La déchristianisation de l'an II. Essai d'interprétation », *A.H.R.F.,* 1979, p. 341-371 ; Gérard Cholvy, « Religion et Révolution : la Révolution française et la question religieuse », *L'Histoire,* n° 72, novembre 1984, p. 50-59 ; Jacques Bernet, « La déchristianisation dans le district de Compiègne (1789-1793) », *A.H.R.F.,* 1982, p. 299-305 ; *B.S.H.M.,* 1964, n° 4, p. 10.

12. Philippe Goujard, « L'homme de masse sans les masses, ou le déchristianisateur malheureux », *A.H.R.F.,* 1986, p. 160-180.

13. Donald M.G. Sutherland, *op. cit.,* p. 217-229 ; bonne mise au point de Jean-Noël Bergeon, *Carrier et la Terreur nantaise,* Librairie académique Perrin, 1987.

14. Andrew Wheatcroft, *The World Atlas of Revolutions,* Hamish Hamilton, 1983 ; Richard Louie, « The Incidence of the Terror : a critique of a Statistical Interpretation », *E.H.S.,* 1964, p. 379-389 ; Michel Morineau, « Mort d'un terroriste... Prolégomènes à l'étude d'un juste : " Aristide " (ci-devant Georges) Couthon », *A.H.R.F.,* 1983, p. 292-339 ; Colin Lucas, *The Structure of the Terror. The Exemple of Javogues and the Loire,* Oxford University Press, 1973 ; Martyn Lyons, *Revolution in Toulouse. An Essay on Provincial Terrorism,* University of Durham Publications, 1978 ; Michel Pertué, « Note sur la mise hors la loi sous la Révolution française », *Bulletin de la Commission d'histoire de la Révolution française,* 1982-1983, p. 103-118 ; Olivier Blanc, *La Dernière Lettre. Prisons et condamnés de la Révolution, 1793-1794,* Laffont, 1984 ; George Armstrong Kelly, *Victims, Authority and Terror,* University of North Carolina Press, 1982 ; Jeremy D. Popkin, « The Royalist Press in the Reign of Terror », *J.M.H.,* 1979, p. 685-700.

Pourquoi la Terreur se bureaucratisa-t-elle ? (p. 188-195)

1. Donald M.G. Sutherland, *op. cit.,* p. 205-208.
2. *Ibid.,* p. 229-239.
3. Albert Mathiez, *op. cit. ;* Michel Eude, « Une interprétation

“ non mathiézienne ” de l’affaire de la Compagnie des Indes », *A.H.R.F.*, 1981, p. 239-250 ; Morris Slavin, « Jacques Roux : a Victim of Vilification », *F.H.S.*, 1964, p. 525-553 ; Walter Markow, *Die Freiheiten des Priesters Roux,* Akademie Verlag, 1967 ; Morris Slavin, « Jean Varlet as Defender of Direct Democracy », *J.M.H.*, 1967, p. 387-404 ; Jacques Guilhaumou, « Discours et Révolution : du porte-parole à l’événement discursif », *B.S.H.M.*, 1986, n° 3, p. 8-15.

4. Jacques Bernet, « Le problème des sociétés sectionnaires sous la Révolution française : l’exemple de Reims (1793-1794) », *111e Congrès national des sociétés savantes : « Histoire moderne et contemporaine »*, *op. cit.* (ce fascicule est intitulé *Existe-t-il un fédéralisme jacobin ? Études sur la Révolution*), p. 7-19 ; Anne-Marie Duport, « Les congrès des sociétés populaires tenus à Valence en 1793 : résistance au fédéralisme et anticipations politiques », *ibid.*, p. 21-37 ; François Wartelle, « Contre-pouvoir populaire ou complot maximaliste ? Les fédérations montagnardes dans le nord de la France, octobre-décembre 1793 », *ibid.*, p. 59-90 ; Jacques Guilhaumou, « Le congrès républicain des sociétés populaires des départements méridionaux de Marseille (octobre-novembre 1793) : programme et mots d’ordre », *ibid.*, p. 39-57 ; Yves Tripier, « Les agents nationaux en Bretagne », *XVIIIe Siècle,* 1986, p. 227-248.

5. Raymonde Monnier, « La dissolution des sociétés populaires parisiennes au printemps de l’an II », *A.H.R.F.*, 1987, p. 176-191.

Pourquoi la dictature jacobine s’est-elle suicidée le 9 Thermidor ? (p. 195-205)

1. Donald M.G. Sutherland, *op. cit.*, p. 239-247 ; George Rudé, *La Foule dans la Révolution française,* Maspero, 1982, p. 150-163 ; Pierre Arches, « Les conséquences démographiques de la guerre de Vendée dans le nord des Deux-Sèvres », *111e Congrès national des sociétés savantes, op. cit.*, p. 211-229 ; Anne-Marie Duport, « Le “ tribunal révolutionnaire ” du Gard, octobre 1793-thermidor an II », *Bulletin de la Commission d’histoire de la Révolution française,* 1984-1985, p. 85-99 (cette institution terroriste *régionale* ne fut jamais aussi active dans son œuvre de mort, au service de la répression politique, qu’à la veille du 9 Thermidor).

2. Martyn Lyons, « The 9 Thermidor : Motives and Effects », *E.S.R.*, 1975, p. 123-146 ; Albert Mathiez, *La Révolution française,* t. III, *La Terreur,* A. Colin, 1924, p. 223.

3. Patrice Bret, « Lazare Carnot, stratège de l’ambigu », *L’Histoire,* n° 94, novembre 1986, p. 42-49 ; Marc Martin, « Les journaux militaires de Carnot », *A.H.R.F.*, 1977, p. 405-428 ; Michel Eude, « La loi de prairial », *A.H.R.F.*, 1983, p. 544-559 ; « Le Comité de sûreté générale en 1793-1794 », *A.H.R.F.*, 1985, p. 295-306 ; « Point de vue sur l’affaire Catherine Théot », *A.H.R.F.*, 1969, p. 606-629.

4. Suzanne Grézaud, « Vadier à Montaut (Ariège) en 1793 », *A.H.R.F.*, 1972, p. 420-425 ; Martyn Lyons, « M.G.A. Vadier (1736-

1828) : the Formation of the Jacobin Mentality », *F.H.S.*, 1977, p. 74-100.

5. Albert Mathiez, « Robespierre, l'histoire et la légende », *A.H.R.F.*, 1977, p. 5-31 ; Georges Lefebvre, « Robespierre », *B.S.H.M.*, 1958, n° 3, p. 11-12 ; Albert Soboul, « Robespierre and the Popular Movement of 1793-1794 », *P.P.*, 1954, p. 54-70 ; David P. Jordan, « Robespierre », *J.M.H.*, 1977, p. 282-291 ; Joseph T. Sholim, « Robespierre and the French Revolution », *A.H.R.F.*, 1977, p. 20-38 ; Norman Hampson, *The Life and Opinions of Maximilien Robespierre,* Duckworth, 1974 ; Serena Torjnssen, « Saint-Just et ses biographes. Mécanique d'un mythe », *A.H.R.F.*, 1979, p. 234-249 ; Bernard Vinot, *Saint-Just,* Fayard, 1985.

6. George Armstrong Kelly, « Conceptual Sources of the Terror », *Eighteenth Century Studies,* 1980, p. 18-36 ; Jean Deprun, « A la Fête de l'Être suprême. Les " noms divins " dans deux discours de Robespierre », *A.H.R.F.*, 1972, p. 161-180 ; Claude Lefort, *op. cit.*, p. 139 ; Mona Ozouf, art. cité, *J.M.H.*, 1984, p. 579-597 ; Lazare Carnot, *Révolution et Mathématique,* t. II, L'Herne, 1985, p. 204 s., 211 s. ; Raymond Sechez, *Le Génocide franco-français. La Vendée-Vengé,* PUF, 1986 ; Jean-Clément Martin, *La Vendée et la France,* Le Seuil, 1987 ; Claude Langlois, « La Révolution malade de la Vendée », *XXe Siècle,* n° 14, avril-juin 1987, p. 69-78.

8. Une dictature inévitable ?

La réaction thermidorienne marque-t-elle la fin de la Révolution ? (p. 206-219)

1. François Furet et Denis Richet, *La Révolution française,* t. II, Hachette, 1966.

2. Donald M.G. Sutherland, *op. cit.*, p. 248-255 ; Georges Lefebvre, *Les Thermidoriens,* A. Colin, 1937 ; Denis Woronoff, *La République bourgeoise de Thermidor à Brumaire, 1794-1799,* Le Seuil, 1972.

3. Donald M.G. Sutherland, *op. cit.*, p. 255-264 ; George Rudé, *La Foule dans la Révolution française,* Maspero, 1982, p. 164-182.

4. Donald M.G. Sutherland, *op. cit.*, p. 264-278 ; George Rudé, *op. cit.*, p. 183-201.

5. Pierre Massé, « Les *Mémoires* de Thibaudeau vus par l'ex-conventionnel Piorry », *A.H.R.F.*, 1972, p. 417-437 ; François Gendron, *La Jeunesse sous Thermidor,* PUF, 1983 ; Maurice Dommanget, *Pages choisies de Babeuf,* A. Colin, 1935, p. 161-203 ; Morris Slavin, art. cité, *J.M.H.*, 1967, p. 400-402 ; Alexandre Jovicevich, « Le royaliste La Harpe en vendémiaire an IV, d'après un document inédit », *A.H.R.F.*, 1971, p. 441-458.

6. Françoise Brunel, « Les derniers montagnards et l'unité révolutionnaire », *A.H.R.F.*, 1977, p. 385-404 ; « Sur l'historiographie de la réaction thermidorienne. Pour une analyse politique de l'échec de la

voie jacobine », *A.H.R.F.*, 1979, p. 455-474 ; Françoise Brunel et Myriam Revault d'Allonnes, « Jacobinisme et libéralisme », *XVIIIe Siècle,* 1982, p. 103-115.

7. Clive H. Church, « Du nouveau sur les origines de la Constitution de 1795 », *Revue historique de droit français et étranger,* 1974, p. 594-627 ; « Bureaucracy, Politics and Revolution : the Evidence of the Commission des Dix-Sept », *F.H.S.*, 1970, p. 492-516 ; Jeremy D. Popkin, *The Right-Wing Press in France, 1792-1800,* The University of North-Carolina Press, 1980.

8. Richard Cobb, « Quelques aspects de la crise de l'an III en France », *B.S.H.M.*, 1964, n° 2, p. 2-5.

9. Richard Cobb, *The Police and the People. French Popular Protest, 1789-1820,* Oxford University Press, 1970 ; *Reactions to the French Revolution,* Oxford University Press, 1972.

10. James R. Harkins, « The Dissolution of the Maximums and Trade Controls in the Department of the Somme in 1795 », *F.H.S.*, 1970, p. 333-349.

11. Michèle Schlumberger, « La réaction thermidorienne à Toulouse », *A.H.R.F.*, 1971, p. 265-283 ; Gwynne Lewis, art. cité, *P.P.*, 1973, p. 108-135 ; Gwynne Lewis et Colin Lucas (eds.), *Beyond the Terror. Essays in French Regional and Social History, 1794-1815,* Cambridge University Press, 1983 ; Colin Lucas, « Violence thermidorienne et société traditionnelle. L'exemple du Forez », *C.H.*, 1979, p. 3-43 ; « Thermidorian Reaction », *in* S.F. Scott et B. Rothaus (eds.), *Historical Dictionary of the French Revolution, 1789-1799,* t. II, Aldwych Press, 1985, p. 960-965.

L'expérience libérale du Directoire était-elle viable ? (p. 219-231)

1. Donald M.G. Sutherland, *op. cit.*, p. 279-292.

2. *Ibid.*, p. 292-307. En juin 1796, un réfractaire réfugié en Espagne pouvait se féliciter de la faillite de l'Église constitutionnelle à Montpellier : il notait avec satisfaction que toutes les églises y étaient fermées et la vie religieuse officielle abolie depuis plus de deux ans (Gérard Cholvy, « La crise révolutionnaire et le clergé de l'Hérault », *Bulletin de la Commission d'histoire de la Révolution française,* 1984-1985, p. 73-84). Raymond Dartevelle, d'autre part, vient de montrer (« La foi et la reconquête pastorale dans le diocèse de Gap et d'Embrun, 1795-1798 », *Actes du 109e Congrès national des sociétés savantes,* t. I, fasc. 1, Dijon, 1984, p. 403-421 ; « Les attitudes du clergé dans les Hautes-Alpes au lendemain du 18 fructidor an V », *A.H.R.F.*, 1987, p. 192-218) à quel point furent fortes, alors, dans le sud de ce département, la résistance des réfractaires et la vitalité de la piété populaire.

3. Denis Woronoff, *op. cit. ;* Georges Lefebvre, *La France sous le Directoire (1795-1799),* éd. par Jean-René Suratteau, Éditions sociales, 1977 ; Jean-René Suratteau, « Le Directoire. Points de vue et interprétations d'après des travaux récents », *A.H.R.F.*, 1976, p. 181-

214 ; Robert H. Wiede, *The Opening of American Society from the Adoption of the Constitution to the Eve of Desunion,* A.A. Knopf, 1984 ; Clive H. Church, « In Search of the Directory », *in* J.F. Bosher (ed.), *French Government and Society, 1500-1850. Essays in Memory of Alfred Cobban,* Athlon Press, 1973 ; *Revolution and Red Tape : the French Ministerial Bureaucracy, 1770-1850,* Oxford University Press, 1981.

4. Colin Lucas, « The First Directory and the Rule of Law », *F.H.S.,* 1977, p. 231-260.

5. Harvey Mitchell, « Resistance to the Revolution in Western France », *P.P.,* 1974, p. 94-131.

6. T.J.A. Le Goff et Donald M.G. Sutherland, « The Social Origins of Counter-Revolution in Western France », *P.P.,* 1983, p. 65-87 ; Gérard Cholvy, « La Révolution française et la question religieuse », *L'Histoire,* novembre 1984, p. 50-59.

7. Marc Martin, « Les journaux militaires de Carnot », *A.H.R.F.,* 1972, p. 405-428 ; Jacques Godechot, « Études récentes sur la presse révolutionnaire », *A.H.R.F.,* 1974, p. 310-317 ; Jeremy D. Popkin, « Les journaux républicains, 1795-1799 », *R.H.M.C.,* 1984, p. 143-157 ; Isser Woloch, « The Revival of Jacobin in Metz during the Directory », *J.M.H.,* 1966, p. 13-37 ; *Jacobin Legacy. The Democratic Movement under the Directory,* Princeton University Press, 1970 ; Maurice Dommanget, *op. cit.,* p. 224-319 ; John L. Talmon, *The Origins of Totalitarian Democracy. Political Theory and Practice during the French Revolution and beyond,* Secker & Warburg, 1952, p. 165-247 ; Richard M. Andrews, « Réflexions sur la conjuration des égaux », *A.E.S.C.,* 1974, p. 73-106.

Le coup d'État de Brumaire était-il fatal ? (p. 231-241)

1. Donald M.G. Sutherland, *op. cit.,* p. 308-320.

2. *Ibid.,* p. 320-335 ; Jean-Pierre Bertaud, *Bonaparte prend le pouvoir,* Éditions Complexe, 1987.

3. T.C.W. Blanning, *The Origins of the French Revolutionary Wars,* Longman, 1986, p. 173-211.

4. Steven T. Ross, « The Military Strategy of the Directory : the Campaigns of 1799, *F.H.S.,* 1967, p. 170-187. Paul W. Schroeder (« The Collapse of the Second Coalition », *J.M.H.,* 1987, p. 244-290) vient d'attribuer la défaite des Alliés à la contradiction existant entre l'Autriche et la volonté impérialiste anglo-russe. Il faudra attendre 1814 pour voir les adversaires de la France préférer, à des calculs militaires à court terme, une vue politique d'ensemble de la situation européenne. Cf., pour la position de Vienne, Karl A. Roider Jr., *Baron Thugut and Austria's Response to the French Revolution,* Princeton University Press, 1987.

5. Jacques Godechot, *La Révolution française dans le Midi toulousain,* Privat, 1986, p. 279-301 ; *La Contre-Révolution. Doctrine et action, 1789-1804,* PUF, 1961, p. 347-376.

6. Jean Merley, « La situation économique et politique de la Haute-Loire à la fin du Directoire et le dressement consulaire », *C.H.*, 1971, p. 393-401 ; John A. Davis, « Les sanfédistes dans le royaume de Naples (1799) : guerre sociale ou guerre civile ? », *in* François Lebrun et Roger Dupuy (éd.), *Les Résistances à la Révolution,* Imago, 1987, p. 311-320 ; Guy Lemarchand, « Une contre-révolution impossible : le pays de Caux face à la basse Normandie, 1793-1800 », *ibid.*, p. 106-115 ; Alan Forrest, « Le recrutement des armées et la contre-révolution en France », *ibid.,* p. 180-190. Carlo Zaghi vient de montrer (*Potere, Chiesa e Societa. Studi e ricerche sull'Italia giacobina e napoleonice,* Naples, 1984 ; cf. son *Italia di Napoleone dalla Cisalpina al Regno,* t. VII de la *Storia d'Italia,* dirigée par G. Galasso, Turin, 1986) que la vraie puissance, dans l'Italie révolutionnaire et napoléonienne, demeura constamment celle de l'Église catholique.

7. Lynn Hunt, David Lansky et Paul Hamson, « The Failure of the Liberal Republic in France, 1795-1799 : the Road to Brumaire », *J.M.H.,* 1979, p. 734-759.

8. Raymonde Monnier, « De l'an III à l'an IX, les derniers sans-culottes. Résistance et répression à Paris sous le Directoire et au début du Consulat », *A.H.R.F.,* 1984, p. 386-406 ; Albert Soboul et Raymonde Monnier, *Répertoire du personnel sectionnaire parisien en l'an II,* Publications de la Sorbonne, 1985 (plus de 70 % de ces militants furent l'objet de la répression thermidorienne ou consulaire).

9. Un nouvel État ?

Pourquoi la Révolution française a-t-elle abouti à l'établissement d'une dictature personnelle ? (p. 245-251)

1. Louis Bergeron, *L'Épisode napoléonien. Aspects intérieurs, 1799-1815,* Le Seuil, 1972, p. 7-31 ; cf. aussi Jean Tulard, *Napoléon,* Fayard, 1977, p. 115-129 ; Jean-Pierre Bertaud, *La France et Napoléon, 1795-1815,* Messidor, 1987.

2. Donald M.G. Sutherland, *op. cit.,* p. 336-340, 356-362.

3. Harold T. Parker, « The Formation of Napoleon's Personnality : an Exploratory Essay », *F.H.S.,* 1971, p. 6-26.

La centralisation administrative développée par la Révolution et Napoléon s'inscrit-elle dans la continuité de l'Ancien Régime ? (p. 251-261)

1. Louis Bergeron, *op. cit.,* p. 32-64.

2. Jean Tulard, *op. cit.,* p. 129 ; Michel Bruguière, *Gestionnaires et Profiteurs de la Révolution. L'Administration des finances françaises de Louis XVI à Bonaparte,* Olivier Orban, 1986, p. 49-72.

3. *Ibid.,* p. 73-90.

4. *Ibid.*, p. 90-106.
5. *Ibid.*, p. 106-137.
6. *Ibid.*, p. 138-159.
7. *Ibid.*, p. 160-193.
8. Harold T. Parker, « Two Administrative Bureaus under the Directory and Napoleon », *F.H.S.*, 1965, p. 150-169 ; Clive H. Church, « The Social Basis of the French Central Bureaucracy under the Directory, 1795-1799 », *P.P.*, 1967, p. 59-72 ; *Revolution and Red Tape : the French Ministerial Bureaucracy, 1770-1850,* Oxford University Press, 1981.
9. Edward A. Whitcomb, « Napoleon's Prefects », *A.H.R.*, 1974, p. 1089-1118.
10. Donald M.G. Sutherland, *op. cit.*, p. 344-347.

Le régime napoléonien a-t-il mis fin à l'existence des oppositions ? (p. 261-266)

1. Louis Bergeron, *op. cit.*, p. 95-118.
2. Donald M.G. Sutherland, *op. cit.*, p. 340-344.
3. *Ibid.*, p. 347-354, 362-365.
4. *Ibid.*, p. 376-380.
5. *Ibid.*, p. 390-397.

10. Une nouvelle société ?

La Révolution a-t-elle ruiné l'économie française ? (p. 267-273)

1. Alfred Cobban, *Le Sens de la Révolution française,* Julliard, 1984, p. 86-96.
2. Florin Aftalion, *L'Économie de la Révolution française,* Hachette, 1986, p. 250-255.
3. René Sédillot, *Le Coût de la Révolution française,* Perrin, 1986, p. 149-267.
4. François Crouzet, *De la supériorité de l'Angleterre sur la France. L'économique et l'imaginaire, XVIIe-XXe siècles,* Perrin, 1985.
5. *Ibid.*, p. 248-279.
6. *Ibid.*, p. 22-89 ; D.K. Cohen, « The Vicomte de Bonald's Critique of Industrialism », *J.M.H.*, 1969, p. 482-484 ; Humphrey Jennings, *Pandaemonium : the Coming of the Machine as seen by Contemporary Observers,* Deutsch, 1985.
7. Jean-Claude Perrot, « Les publications françaises d'économie politique (XVIIe-XVIIIe siècles) », *B.S.H.M.*, 1985, n° 1, p. 21-26 ; Robert Forster, « Obstacles to Agricultural Growth in Eighteenth Century France », *A.H.R.*, 1970, p. 1600-1615 ; Emmanuel Le Roy Ladurie, « Pour un modèle de l'économie rurale française au XVIIIe siècle », *C.H.*, 1974, p. 5-27.

8. P. Viles, « The Slaving Interest in the Atlantic Ports, 1763-1792 », *F.H.S.,* 1972, p. 529-543 ; Robert Louis Stein, *The French Slave Trade in the Eighteenth Century : an Old Regime Business,* The University of Wisconsin Press, 1979 ; Jean Tarrade, « Le groupe de pression du commerce à la fin de l'Ancien Régime et sous l'Assemblée constituante », *B.S.H.M.,* 1970, n° 2, p. 23-26 ; Richard B. Du Goff, « Economic Thought on Revolutionary France, 1789-1792 : the Question of Poverty and Unemployment », *F.H.S.,* 1966, p. 434-451.

9. Jean-Claude Perrot, « Voies nouvelles pour l'histoire économique de la Révolution », *A.H.R.F.,* 1975, p. 30-65.

10. Albert Soboul, *in* Fernand Braudel et Ernest Labrousse (éd.), *Histoire économique et sociale de la France,* t. III, PUF, 1976, p. 3-64 ; Hubert Bonin, « La Révolution française a-t-elle brisé l'esprit d'entreprise ? », *L'Information historique,* 1985, p. 193-204 ; Denis Woronoff, *L'Industrie sidérurgique en France pendant la Révolution et l'Empire,* Éditions de l'École des hautes études en sciences sociales, 1984.

11. Louis Bergeron, *L'Épisode napoléonien. Aspects intérieurs, 1799-1815,* Le Seuil, 1972, p. 178-214.

12. Jean Tulard, *Napoléon,* Fayard, 1977, p. 261-276 ; Albert Soboul, *op. cit.,* p. 65-133 ; *La Civilisation et la Révolution française,* t. III, *La France napoléonienne,* Arthaud, 1983, p. 117-226, 347-405 ; Donald M.G. Sutherland, *op. cit.,* p. 380-384.

La Révolution française a-t-elle renouvelé les élites ? (p. 273-280)

1. Alfred Cobban, *op. cit.,* p. 97-105.

2. Jean Sentou, *La Fortune immobilière des Toulousains et la Révolution française,* Commission d'histoire économique et sociale de la Révolution française, « Mémoire et documents », XXIV, 1970.

3. Louis Bergeron, *op. cit.,* p. 65-91, 130-146.

4. *Ibid.,* p. 146-172.

5. Jean Nicolas, « Le ralliement des notables au régime impérial dans le département du Mont-Blanc », *R.H.M.C.,* 1972, p. 92-127 ; Jean Tulard, *op. cit.,* p. 241-260, 325-334 ; Albert Soboul, in *Histoire économique et sociale de la France,* p. 54-60, 124-133 ; « La grande propriété foncière à l'époque napoléonienne », *A.H.R.F.,* 1981, p. 405-418 ; *La France napoléonienne,* p. 150-159, 320-431.

6. Robert Forster, « The Survival of the Nobility during the French Revolution », *P.P.,* 1967, p. 71-86 ; C. Brelot, *La Noblesse en Franche-Comté de 1789 à 1808,* Les Belles Lettres, 1972 ; Michel Simonot, « L'opinion publique en Côte-d'Or et la question des émigrés », *B.S.H.M.,* 1985, n° 4, p. 2-8.

7. Béatrice Fink, « Un inédit de Benjamin Constant », *XVIII*ᵉ *Siècle,* 1982, p. 199-218 ; Ulrich Ricken, « Louis-Sébastien Mercier et ses deux nouveaux Paris », *XVIII*ᵉ *Siècle,* 1972, p. 301-313 ; Jean Meyer, in *L'Europe à la fin du XVIII*ᵉ *siècle,* Sedes, 1985, p. 425 s.

8. Louis Trénard, « Un notable lyonnais pendant la crise révolu-

tionnaire : Pierre-Toussaint Dechazelle », *R.H.M.C.*, 1958, p. 201-225.

9. Stuart Woolf, « Les bases sociales du Consulat. Un mémoire d'Adrien Duquesnoy », *R.H.M.C.*, 1984, p. 597-618.

10. Donald M.G. Sutherland, *op. cit.*, p. 366-369.

11. *Ibid.*, p. 384-390.

12. Hubert Bonin, art. cité, *L'Information historique*, 1985, p. 198-201.

La Révolution française a-t-elle transformé la condition des classes populaires ? (p. 280-286)

1. Melvin Edelstein, « Mobilité ou immobilité paysanne ? Sur certaines tendances conservatrices de la Révolution française », *A.H.R.F.*, 1975, p. 446-477 ; « *La Feuille villageoise* ». *Communication et modernisation dans les régions rurales pendant la Révolution*, Commission d'histoire économique et sociale de la Révolution française, « Mémoires et documents », XXXIV, 1977 ; Jean Vassort, « Mobilité et enracinement en Vendômois au tournant des XVIIIe et XIXe siècles », *A.E.S.C.*, 1983, p. 735-768 ; Jean-Pierre Jessenne, « Le pouvoir des fermiers dans les villages d'Artois (1770-1848) », *A.E.S.C.*, p. 702-734 ; *Pouvoir au village et Révolution. Artois 1760-1848*, Presses universitaires de Lille, 1987.

2. Albert Soboul, *op. cit.*, p. 61-64, 116-118 ; *La France napoléonienne*, p. 145-249 ; Louis Bergeron, *op. cit.*, p. 173 s. ; Jean Tulard, *op. cit.*, p. 246-248 ; Françoise Fortunet, « Le Code rural ou l'impossible codification », *A.H.R.F.*, 1982, p. 95-112.

3. Peter M. Jones, « " La République au village " in the Southern Massif Central, 1789-1799 », *The Historical Journal*, 1980, p. 793-812 ; « Political Commitment and Rural Society in the Southern Massif Central », *E.S.R.*, 1980, p. 337-356 ; « The Rural Bourgeoisie of the Southern Massif Central : Contribution to the Study of the Social Structure of " Ancien Régime " France », *Social History*, 1979, p. 65-83.

4. Daniel Roche, *Le Peuple de Paris. Essai sur la culture populaire au XVIIIe siècle*, Aubier, 1981 ; « Cuisine et alimentation populaire à Paris », *XVIIIe Siècle*, 1982, p. 7-18 ; Albert Soboul, « Problèmes du travail au XVIIIe siècle. L'apprentisasge : réalités sociales et nécessités économiques », *S.S.*, 1964, p. 449-466 ; Claude Petitfrère, « Les Lumières, la Révolution et les domestiques », *B.S.H.M.*, 1986, n° 4, p. 10-15.

5. Olwen Hufton, *Bayeux in the Late Eighteenth Century : a Social Study*, Londres, 1967 ; *The Poor of Eighteenth Century France, 1750-1789*, Oxford University Press, 1974.

6. Mahne Erpeldinger et Claudine Lefebvre, « Les misérables sous la Révolution (districts de Lille et de Douai) », *A.H.R.F.*, 1974, p. 164-186 ; Alan Forrest, « The Condition of the Poor in Revolutionary Bordeaux », *P.P.*, 1973, p. 147-177.

7. Alan Forrest, *The French Revolution and the Poor,* Saint Martin's Press, 1981. Vues plus optimistes d'Isser Woloch, « From Charity to Welfare in Revolutionary Paris », *J.M.H.*, 1986, p. 779-812. Mais la capitale n'est pas la France, de même que l'ensemble de la Révolution ne se ramène pas à son épisode jacobin.

8. Albert Soboul, *La France napoléonienne,* p. 60, 117-124, 251-317.

9. Louis Bergeron, *op. cit.,* p. 174-177 ; Jean Tulard, *op. cit.,* p. 248-254. William H. Sewell Jr. a relevé (*Work and Revolution in France : the Language of Labor from Old Regime to 1848,* Cambridge University Press, 1980) cette continuité corporatiste des ouvriers français avant et après 1789. Lynn Hunt et George Sheridan, dans leur critique récente de cet auteur (« Corporatism, Association and the Language of Labor in France, 1750-1850 », *J.M.H.*, 1986, p. 813-844), nient même l'apparition de toute « conscience de classe » au cours de cette période.

11. Une Révolution culturelle ?

La Révolution a-t-elle déchristianisé la France ? (p. 287-294)

1. La meilleure présentation de la problématique nouvelle se trouve dans Michel Vovelle, *La Mentalité révolutionnaire. Société et mentalités sous la Révolution française,* Messidor, 1985.

2. Jean de Viguerie, *Christianisme et Révolution. Cinq leçons d'histoire de la Révolution française,* Nouvelles Éditions latines, 1986, p. 256-260, 7-226.

3. *Ibid.,* p. 226-256. Roger Chartier (*XVIIIe Siècle,* 1986, p. 57) vient de mettre en doute, sans qu'on soit forcé de le suivre, la valeur du témoignage de Restif au sujet de la lecture populaire de la Bible. Précieuses indications sur la complexité des réactions religieuses à la Révolution, à propos d'un cas individuel particulièrement significatif, dans *Un fondateur dans la tourmente révolutionnaire, Pierre de Clorvière (1735-1820),* Colloque du Centre Sèvres, 1985, in *Christus,* 1986, n° 131, hors série.

4. Serge Bianchi, « La déchristianisation dans le district de Corbeil », *R.H.M.C.*, 1979, p. 256-281 ; Jean Dumont, *La Révolution française ou les Prodiges du sacrilège,* Criterion, 1984, p. 181-510 ; Daniele Menozzi, *Letture politiche di Gesù dall'Ancien Régime alla Rivoluzione,* Brescia, Paideia Editrice, 1979 ; « La Bible des révolutionnaires », *in* Yvon Belaval et Dominique Bourol (éd.), *Le Siècle des Lumières et la Bible,* Beauchesne, 1986, p. 677-695 ; Anne Sauvy, « Lecture et diffusion de la Bible en France », *ibid.*, p. 27-46 ; Louis Pérouas, « Sur la déchristianisation. Une approche de la pratique pascale sous le Directoire. Le cas de la Creuse », *R.H.E.F.*, 1986, p. 295-299. Frank-Paul Bowman (*Le Christ des barricades, 1789-1848,*

Le Cerf, 1987) vient d'insister à nouveau sur l'importance de l'image révolutionnaire de Jésus au cours de cette période.

5. Guy Lemarchand, « L'Église appareil idéologique d'État dans la France d'Ancien Régime (XVIe-XVIIIe siècles) », *A.H.R.F.*, 1979, p. 250-279 ; Louis Trénard, *Lyon, de l'Encyclopédie au préromantisme. Histoire sociale des idées,* 2 vol., PUF, 1958 ; Michel Péronnet, « Les censures de la Sorbonne au XVIIIe siècle : base doctrinale pour le clergé de France », *in* François Lebrun et Roger Dupuy (éd.), *Les Résistances à la Révolution,* Imago, 1986, p. 27-36 ; Michel Morineau, « Raison, Révolution et contre-révolution », *ibid.*, p. 284-291 ; Yves Fauchois, « Les évêques émigrés et le royalisme pendant la Révolution française », *ibid.*, p. 386-395 ; Mona Ozouf, « L'idée et l'image du régicide dans la pensée contre-révolutionnaire ; l'originalité de Ballanche », *ibid.*, p. 331-341 ; Gérard Gengembre, « Bonald. La doctrine pour et contre l'histoire », *ibid.*, p. 342-351 ; Daniel Ligou, « Le président Nicolas Jansson : [...] une vision contre-révolutionnaire [...] », *ibid.*, p. 376-385 ; Édouard Guitton, « Aspect de la conversion (1790-1802) », *XVIIIe Siècle,* 1982, p. 151-165 ; Jean-Louis Vieillard-Baron, « Phénoménologie de la conscience religieuse », *ibid.*, p. 167-189.

6. Louis Bergeron, *L'Épisode napoléonien. Aspects intérieurs, 1799-1815,* Le Seuil, 1972, p. 24-28, 48-50, 215-224 ; cf. Pierre Bénichou, *Le Sacre de l'écrivain, 1750-1830,* José Corti, 1973.

7. Donald M.G. Sutherland, *op. cit.*, p. 354-356, 369-374.

8. Claude Langlois et Timothy Tackett, « A l'épreuve de la Révolution (1770-1830) », *in* François Lebrun (éd.), *Histoire des catholiques en France,* Privat, 1980, p. 215-289 ; Louis Châtellier, *L'Europe des dévots,* Flammarion, 1987.

9. William R. Everdell, « The " Rosières " Movement, 1766-1789. A Clerical Precursor of the Revolutionary Cults », *F.H.S.*, 1975, p. 23-36.

10. P.M. Jones, « Parish, Seigneurie and the Community of Inhabitants in Southern Central France during the Eighteenth and Nineteenth Centuries », *P.P.*, 1981, p. 74-108 ; « Quelques formes élémentaires de la vie religieuse dans la France rurale (fin XVIIIe et XIXe siècles) », *A.E.S.C.*, 1987, p. 91-115.

La Révolution française a-t-elle désagrégé la famille traditionnelle ? (p. 294-303)

1. René Sédillot, *Le Coût de la Révolution française,* Perrin, 1986, p. 11-37 ; Louis Bergeron, *op. cit.*, p. 119-129 ; André Armengaud, *in* Fernand Braudel et Ernest Labrousse (éd.), *Histoire économique et sociale de la France,* t. III, vol. 1, PUF, p. 161-187.

2. Donald M.G. Sutherland, *op. cit.*, p. 383 ; Jacques Dupâquier et Christine Berg-Hamon, « Voies nouvelles pour l'histoire démographique de la Révolution française », *A.H.R.F.*, 1975, p. 3-29 ; Claude Langlois et Timothy Tackett, *op. cit.*, p. 274 ; Jean-Claude Sangoï,

Démographie paysanne en bas Quercy (1781-1872). Familles et groupes sociaux, Éditions du CNRS, 1985.

3. Jacques Godechot, *Les Institutions de la France sous la Révolution et l'Empire,* PUF, 1968, p. 237-249.

4. *Ibid.*, p. 433-439, 693-696. Après d'autres, et conformément à une sorte de modèle américain, Lynn Hunt a diagnostiqué (« The Rhetoric of Revolution in France », *History Workshop,* n° 15, 1983, p. 78-94), avec peut-être quelque imprudence, les signes d'un rejet de l'autorité paternelle dans le discours révolutionnaire français inauguré en 1789.

5. Albert Soboul, *La Civilisation et la Révolution française,* t. III, *La France napoléonnienne,* Arthaud, 1983, p. 13-20 ; Donald M.G. Sutherland, *op. cit.*, p. 374-376 ; Arlette Farge et Michel Foucault, *Le Désordre des familles. Lettres de cachet des archives de la Bastille,* Gallimard/Julliard, 1982, p. 374-363.

6. André Armengaud, *op. cit.*, p. 180 ; Roderick G. Phillips, *Family Breakdown in Late Eighteenth Century France : Divorces in Rouen, 1792-1802,* Clarendon Press, 1981 ; Dominique Dessertine, *Divorcer à Lyon sous la Révolution et l'Empire,* Presses universitaires de Lyon, 1981.

7. J.F. Traer, *Marriage and the Family in Eighteenth Century France,* Cornell University Press, 1980 ; I.A. Hartig, « Révolution et communautés familiales : témoignages et représentations », *A.H.R.F.*, 1982, p. 59-70 ; Colette Piau-Gillot, « Le discours de Jean-Jacques Rousseau sur les femmes et sa réception critique », *XVIIIe Siècle,* 1981, p. 317-333 ; David Williams, « The Fate of French Feminism », *Eighteenth Century Studies,* 1980, p. 37-55 ; Paule-Marie Duhet, *Les Femmes et la Révolution, 1789-1794,* Julliard, 1971.

8. Jane Abray, « Feminism in the French Revolution », *A.H.R.*, 1975, p. 43-62 ; Louis Devance, « Le féminisme pendant la Révolution », *A.H.R.F.*, 1977, p. 341-375 ; L. Kelly, *Women of the French Revolution,* Hamish Hamilton, 1987 ; Élisabeth Guibert-Sledziewski, « La femme/objet de la Révolution », *A.H.R.F.*, 1987, p. 1-16 ; Nina Rattner Gelbart, *Feminine and Opposition Journalism in Old Regime France : « Le Journal des dames »,* California University Press, 1987.

9. Olwen Hufton, « Women and the Family Economy in Eighteenth Century France », *F.H.S.*, 1975, p. 1-22. Jacques Peret (« Famille et société à Poitiers à la fin du XVIIIe siècle », *111e Congrès national des sociétés savantes,* t. II, Poitiers, 1986, p. 7-21) vient de définir la famille populaire comme une cellule de survie instable. Cf. Gay L. Gullickson, *Spinners and Weavers of Aussay : Rural Industry and the Sexual Division of Labor in a French Village, 1750-1850,* Cambridge University Press, 1987.

10. Olwen Hufton, « Women in Revolution, 1789-1796 », *P.P.*, 1971, p. 90-108 ; Alix Deguise, *Trois Femmes. Le monde de Mme de Charrière,* Slatkine, 1985 ; Albert Soboul, « Madame Tallien », in *Portraits de révolutionnaires,* Éditions sociales, 1986, p. 299-310. Dans sa thèse récemment soutenue (cf. *A.H.R.F.*, 1987, p. 219-223) et consacrée aux « Femmes des milieux populaires parisiens pendant la

Révolution (1793-messidor an III) », Dominique Godineau présente une vue plus optimiste de la permanence du militantisme féminin.

La Révolution française a-t-elle créé un homme nouveau ? (p. 303-314)

1. Michel Voyelle, *op. cit.; 1789-1799, la Révolution française. Images et récit,* 5 vol., Livre-Club Diderot, 1985-1987 ; Serge Bianchi, *La Révolution culturelle de l'an II. Élites et peuple (1789-1799),* Aubier, 1982 ; « Vie quotidienne et Révolution française », *Historiens et Géographes,* n° 303, mars 1985, p. 661-671 ; Michel Sonenthez, « Les sans-culottes de l'an II : repenser le langage du travail dans la France révolutionnaire », *A.E.S.C.,* 1985, p. 1087-1118. Mise au point critique informée et nuancée, à propos notamment des travaux de Serge Bianchi, par Marianne Caron-Leullier, « La Révolution culturelle : concept et réalité », *Bulletin de la Commission d'histoire de la Révolution française,* 1984-1985, p. 201-214. Elle montre que ce nouveau modèle, propre aux admirateurs de l'an II, ne vaut pas mieux que l'ancien, de type plus étroitement jacobin, et n'est pas plus « populaire » que lui.

2. William H. Sewel Jr., art. cité, *J.M.H.,* 1985, p. 76-79 ; Michel de Certeau, Dominique Julia et Jacques Revel, *Une politique de la langue : la Révolution française et les patois,* Gallimard, 1975 ; Hans-Ulrich Gumbrecht, Hans-Jürgen Lüsenbrink et Rolf Reichardt, « Histoire et langage : travaux allemands en lexicographie historique et en histoire conceptuelle », *R.H.M.C.,* 1983, p. 185-195 ; Hans-Jürgen Lüsenbrink et Rolf Reichardt, « La Bastille dans l'imaginaire social de la France à la fin du XVIIIe siècle (1774-1799) », *ibid.,* p. 196-234 ; Hans-Ulrich Gumbrecht, « Chants révolutionnaires, maîtrise de l'avenir et niveau du sens collectif », *ibid.,* p. 235-256 ; Olivia Smith, *The Politics of Language, 1791-1819,* Oxford University Press, 1985.

3. Lynn Hunt, *Politics, Culture and Class in the French Revolution,* University of California Press, 1984, p. 1-119.

4. Robert Darnton, « Révolution sans révolutionnaires », *New York Review of Books,* 31 janvier 1985, p. 21-23 : Jacques Guilhaumou, art. cité, *B.S.H.M.,* 1986, n° 3, p. 8-15 ; Marc-Élie Blanchard, *Saint-Just et Cie : la Révolution et les mots,* A.G. Nizet, 1980 ; Marie-Hélène Huet, *Rehearsing the Revolution : the Staging of Marat's Death, 1793-1797,* University of California Press, 1982 ; Jean-Claude Bonnet (éd.), *La Mort de Marat,* Flammarion, 1986 ; Marcel David, *Fraternité et Révolution française,* Aubier, 1987 ; Daniel Arasse, *La Guillotine et l'Imaginaire de la Terreur,* Flammarion, 1987.

5. Daniel Milo, « Le nom des rues », *in* Pierre Nora (éd.), *Les Lieux de mémoire,* t. II, *La Nation,* vol. 3, Gallimard, 1986, p. 283-315 ; Antonio Sergi, « *Phèdre,* corrigée sous la Révolution », *XVIIIe Siècle,* 1974, p. 157-165 ; B. Baczko, « Le complot vandale », in *Le Temps de la réflexion,* IV, Gallimard, 1983, p. 195-242 ; Jennifer Harris, « The Red Scape of Liberty. A Study of Dressworn by French Revolutionary Partisans, 1789-1794 », *Eighteenth Century Studies,*

1981, p. 293-312 ; Claude Langlois, « Le vandalisme révolutionnaire », *L'Histoire,* avril 1987, p. 8-14. Graham Keith Barnett (*Histoire des bibliothèques publiques en France de la Révolution à 1939,* Promodis, 1987) insiste sur le désastre représenté, pour le livre français, par les destructions révolutionnaires.

6. Jean Starobinski, *L'Invention de la liberté, 1700-1789,* Skira, 1964, p. 100-104 ; « La fête révolutionnaire (colloque de Clermont-Ferrand, 24-26 juin 1974) », *A.H.R.F.,* 1975, p. 337-430 ; Mona Ozouf, « Symboles et fonctions des âges dans les fêtes de l'époque révolutionnaire », *A.H.R.F.,* 1970, p. 569-593 ; « De Thermidor à Brumaire : le discours de la Révolution sur elle-même », *R.H.,* 1970, p. 31-66 ; *La Fête révolutionnaire, 1789-1799,* Gallimard, 1976, p. 7-74.

7. *Ibid.,* p. 75-340. Confirmation récente dans Bruno Benoît, « Les fêtes révolutionnaires à Lyon », *C.H.,* 1987, p. 101-121.

8. Mark K. Derning et Claudine de Vaulchiez, « La loi et ses monuments en 1791 », *XVIII*e *Siècle,* 1982, p. 117-130 ; Dominique Poulot, « Naissance du monument historique », *R.H.M.C.,* 1985, p. 418-450 ; R. Mortier, « La transition du XVIIIe au XIXe siècle », *XVIII*e *Siècle,* 1982, p. 7-12 ; François Laforge, « Illusion et désillusion dans *l'Émigré* de Sénac de Meilhan », *XVIII*e *Siècle,* 1985, p. 367-385 ; Pierre Escoube, *Sénac de Meilhan (1736-1803),* Librairie académique Perrin, 1984. Françoise Dion-Ségala vient de rappeler (« Une contradiction chez Helvétius : l'herbivore et le carnivore », *XVIII*e *Siècle,* 1986, p. 325-335) le pessimisme final exprimé par ce philosophe dans son ouvrage sur *l'Homme,* paru en 1774. Diderot l'avait alors combattu, au nom d'un optimisme anthropologique que Condorcet, on le sait, saura conserver au milieu de la tourmente révolutionnaire, qui ne l'épargnera pourtant pas (cf. Jean-Paul Frick, « Condorcet et le problème de l'histoire », *ibid.,* p. 337-358). Mais la Révolution, justement, semblait montrer, à la source des illusions des Lumières, l'ignorance des réalités tristement historiques. Ce sera, notamment, l'origine de la vision déjà romantique de la « décadence » propre à Benjamin Constant (cf. Markus Winkler, *Benjamin Constants Kritik der Französischen Aufklärung,* Berne, 1984.)

9. Jeremy D. Popkin, *The Right-Wing Press in France, 1792-1800* ; D.G. Charlton, *New Images of the Natural in France... 1750-1800,* Cambridge, 1985 ; John McManners, *Death and the Eighteenth,* Oxford University Press, 1981 ; Daniel Roche, « Sciences et pouvoirs dans la France du XVIIIe siècle (1666-1803) », *A.E.S.C.,* 1974, p. 738-748.

10. François-Georges Pariset, « Problèmes posés par le néo-classicisme français », *B.S.H.M.,* 1973, n° 2, p. 2-4 ; George Levitine, *The Dawn of Bohemianism. The « Barbu » Rebellion and Primitivism in Neoclassical France,* Pennsylvania State University Press, 1978 ; Ronald Paulson, *Representations of Revolution (1789-1820),* Yale University Press, 1983 ; « Revolution and the Visual Arts », *in* R. Porter et M. Teich (eds.), *Revolution in History,* Cambridge University Press, 1986, p. 240-260 ; Jean-Jacques Lévêque, *L'Art et la Révolution française,* Neufchâtel, Ides et Calendes, 1987.

11. Marcel Dorigny, « Les girondins et Jean-Jacques Rousseau », *A.H.R.F.*, 1978, p. 560-583 ; Françoise Brunel et Myriam Revault d'Allonnes, art. cité, *XVIII*[e] *Siècle,* 1982, p. 108-113 ; Jean-Claude Perrot, art. cité., *A.H.R.F.,* 1975, p. 50-53 ; Diego Scarca, « Rousseau e il primitivismo tra Rivoluzione e Impero », *Studi Francesi,* 1985, p. 243-262 ; Sergio Moravia, « La société d'Auteuil et la Révolution », *XVIII*[e] *Siècle,* 1974, p. 181-191 ; Marc Regaldo, « Lumières, élite, démocratie. La difficile position des idéologues », *ibid.*, p. 193-207 ; Martin S. Staum, *Cabanis Eighteenth and Medical Philosophy in the French Revolution,* Princeton University Press, 1986 ; « The Class of Moral and Political Sciences, 1795-1803 », *F.H.S.*, 1980, p. 371-396 ; « The Enlightenment Transformed. The Institute Price Contests », *Eighteenth Century Studies,* 1981, p. 153-179 ; Louis Bergeron, *op. cit.*, p. 224-230.

12. Maurice Agulhon, *Pénitents et Francs-Maçons de l'ancienne Provence,* Fayard, 1968, p. 319-322 ; Jean-Marc Chouraqui, « Le " combat de Carnaval et de Carême " en Provence du XVIe au XIXe siècle », *R.H.M.C.*, 1985, p. 114-124 ; Albert Soboul, *La France napoléonienne,* p. 241-249, 311-315 ; Michel de Certeau, Dominique Julia et Jacques Revel, « Une ethnographie de la langue : l'enquête de Grégoire sur les patois », *A.E.S.C.,* 1975, p. 1-41 ; Jean-Pierre Goubert, « L'art de guérir. Médecine savante et médecine populaire dans la France de 1790 », *A.E.S.C.,* 1977, p. 908-926.

13. Donald M. G. Sutherland, *op. cit.,* p. 369 ; Roger Chartier, Marie-Madeleine Compère et Dominique Julia, *L'Éducation en France du* XVIe au XVIIIe siècle, Sedes, 1976 ; Louis Trénard, « Manuels scolaires au XVIIIe siècle et sous la Révolution », *Revue du Nord,* 1973, p. 90-111 ; Dominique Julia, « L'enseignement primaire dans le diocèse de Reims à la fin de l'Ancien Régime », *A.H.R.F.,* 1970, p. 233-257 ; Georges Minois, « L'enseignement secondaire en Bretagne à la fin de l'Ancien Régime : l'exemple de Tréguier », *R.H.*, 1980, p. 297-317 ; Gérard Chianéa, « L'enseignement primaire à Grenoble sous la Révolution », *C.H.*, 1972, p. 121-160 ; J. Vassort, « L'enseignement primaire en Vendômois à l'époque révolutionnaire », *R.H.M.C.,* 1978, p. 625-655 ; Emmet Kennedy et Marie-Laurence Netter, « Les écoles primaires sous le Directoire », *A.H.R.F.,* 1981, p. 3-38.

14. Philippe Marchand, « L'enseignement secondaire dans le département du Nord au lendemain de la Révolution et la loi de floréal an X », *A.H.R.F.,* 1974, p. 235-266 ; Louis Trénard, « Les écoles centrales », *XVIII*[e] *Siècle,* 1982, p. 57-74 ; Catherine Merot, « Le recrutement des écoles centrales sous la Révolution », *R.H.,* 1985, p. 357-382 ; Mona Ozouf, *L'École de la France : essais sur la Révolution, l'utopie et l'enseignement,* Gallimard, 1984. Vues relativement optimistes de Françoise Mayeur, *in* L.H. Parias (éd.), *Histoire générale de l'enseignement et de l'éducation en France,* t. III, *De la Révolution à l'école républicaine (1789-1939),* Nouvelle Librairie de France, 1981, p. 25-89 ; il est vrai qu'elle s'intéresse surtout aux

principes ou à quelques créations de haut niveau, telle celle de l'École polytechnique.

15. Joël Cornette, « La personne, l'histoire et le récit : le destin de Benoît Lacombe, propriétaire, négociant et révolutionnaire (1783-1819) », *R.H.M.C.*, 1985, p. 541-590 ; *Un révolutionnaire ordinaire, Benoît Lacombe, négociant, 1759-1819,* Champ Vallon, 1986 ; Nicole Castan, « Le public et le particulier », *in* Roger Chartier (éd.), *Histoire de la vie privée,* t. III, *De la Renaissance aux Lumières,* Le Seuil, 1986, p. 413-451.

12. Un héritage idéologique ?

L'ombre de la Révolution pèse-t-elle sur la politique française contemporaine ? (p. 315-323).

1. René Rémond, *La Vie politique en France,* t. I, *1789-1848,* A. Colin, 1965, p. 5-101.
2. *Ibid.*, p. 102-163.
3. *Ibid.*, p. 164-183.
4. *Ibid.*, p. 184-204 ; Michel Winock, *La France hexagonale,* Calmann-Lévy, 1986.
5. René Rémond, *op. cit.*, p. 207-414 ; Jean-Clément Martin, « La Vendée, région-mémoire », *in* Pierre Nora (éd.), *Les Lieux de mémoire,* t. I, *La République,* Gallimard, 1984, p. 595-617 ; « La Vendée entre Révolution et contre-révolution. L'imaginaire de l'histoire », *in* François Lebrun et Roger Dupuy (éd.), *Les Résistances à la Révolution,* Imago, 1987, p. 406-416.
6. Rainer Riemenschneider, « Les libertés locales entre libéralisme et jacobinisme », *B.S.H.M.*, 1983, n° 2, p. 13-19 ; Henri Dubief, « Daniel Encontre a été robespierriste », *Bulletin de la Société d'histoire du protestantisme français,* 1971, p. 279-301 ; François Furet, « Burke ou la fin d'une seule histoire de l'Europe », *in* François Lebrun et Roger Dupuy (éd.), *op. cit.*, p. 352-361 ; Albert Soboul, « Paul-Louis Courier et la Révolution française. Notes de lecture », *A.H.R.F.*, 1973, p. 528-538.
7. David H. Pinkney, *Decisive Years in France,* 1840-1847, Princeton University Press, 1985 ; Raymond Huard, « Souvenir et traditions révolutionnaires. Le Gard, 1848-1851 », *A.H.R.F.*, 1984, p. 565-587.
8. Albert Soboul, « Pour le centenaire de la Commune de Paris. De l'an II à la Commune de 1871. La double tradition révolutionnaire française », *A.H.R.F.*, 1971, p. 535-553 ; « Some Problems of the Revolutionary State, 1789-1796 », *P.P.*, 1974, p. 52-74.
9. Hélène Papadopoulos, « Deux lettres inédites de Buonarroti », *A.H.R.F.*, 1971, p. 615-621 ; Saint-Just, *Pages choisies,* introduction par Jean Cassou, Les Éditions du Point du Jour, 1947, p. I-XXIX.
10. Marcel David, *Fraternité et Révolution française,* Aubier, 1987,

p. 276-294 ; Raoul Girardet, *in* Pierre Nora (éd.), *op. cit.,* p. 33 (cf. « Les Français jugent leur histoire », *L'Express,* 19-25 août 1983).

La République française tire-t-elle ses origines de la Révolution ? (p. 323-329)

1. Claude Nicolet, *L'Idée républicaine en France (1789-1924). Essai d'histoire critique,* Gallimard, 1982, p. 7-114.
2. *Ibid.,* p. 115-361.
3. *Ibid.,* p. 361-507.
4. François Furet, *La Gauche et la Révolution française au milieu du* XVIII*e siècle. Edgar Quinet et la question du jacobinisme (1865-1870),* Hachette, 1986 ; Edgar Quinet, *La Révolution,* Belin, 1987 ; Pierre Nora (éd.), *op. cit.,* p. 136.
5. *Ibid.,* p. 139-193, 247-289, 353-378.
6. *Ibid.,* p. 381-472.
7. *Ibid.,* p. 523-560, 651-659.
8. Mona Ozouf, *La Fête révolutionnaire, 1789-1799,* Gallimard, 1976, p. 340 ; Serge Bianchi, *La Révolution culturelle de l'an II. Élites et peuples (1789-1799),* Aubier, 1982, p. 291-295 ; Lynn Hunt, *Politics, Culture and Class in the French Revolution,* University of California Press, 1984, p. 123-236.
9. Jean-Claude Bonnet (éd.), *La Mort de Marat,* Flammarion, 1986, p. 413-443 ; Françoise Brunel et Geneviève Coulmy, « Chronique théâtrale », *A.H.R.F.,* 1971, p. 466-470 ; Michel Pertué, art. cité, *A.H.R.F.,* 1981, p. 663.

Les révolutions contemporaines dérivent-elles de celle de 1789 ? (p. 329-335)

1. John G. A. Pocock, *Virtue, Commerce and History,* Cambridge University Press, 1985, p. 282 ; William H. Sewell Jr., art. cité, J.M.H., 1985, p. 81-84 ; Boyd C. Shafer, *Forces of Nationalism. New Realities and Old Myths,* Harcourt, 1972 ; Jacques Godechot, « Nation, patrie, nationalisme et patriotisme en France au XVIIIe siècle », A.H.R.F., 1971, p. 481-501 ; Pierre Nora (éd.), *Les Lieux de mémoire,* t. II, *La Nation,* 3 vol., Gallimard, 1986.
2. Marc Richir, « Révolution et transparence sociale », *in* J.G. Fichte, *Considérations sur la Révolution française,* Payot, 1974 ; W. Markow, « I giacobini dei paesi absburgici », *S.S.,* 1962, p. 493-525 ; Sander Lukacsy, « L'historiographie de la Révolution française et les intellectuels hongrois (1810-1849) », *A.H.R.F.,* 1973, p. 264-284 ; G. Nicolae Liu, « La Révolution française et la formation de l'idéologie révolutionnaire et républicaine chez les Roumains », *A.H.R.F.,* 1986, p. 285-306.
3. Rolando Minuti et Mauro Moretti, « Aspect de la réflexion sur l'histoire nationale dans la culture postrévolutionnaire », *in* François

Lebrun et Roger Dupuy (éd.), *op. cit.*, p. 362-375 ; Franco Della Peruta, « La Révolution française dans la pensée des démocrates italiens du Risorgimento », *A.H.R.F.*, 1977, p. 664-676 ; Claudio Giovannini, « Mito della Révolution française e scientismo nella " Plebe " dei Primi Anni », *S.S.*, 1981, p. 345-369.

4. René Sédillot, *Le Coût de la Révolution française,* Perrin, 1986, p. 279-282.

5. W. Markov, « Jacques Roux e Karl Marx : come gli " enragés " entrarono nella " sacra famiglia " », *S.S.*, 1965, p. 41-54 ; Hans-Peter Jaeck, *Die französische Bügerliche Revolution von 1789 im Frühwerk von Karl Marx, 1843-1846,* Akademie Verlag, 1979 ; Ferenc Fehér, « La Révolution française come modelli della concezione marxiana della politica », *S.S.*, 1983, p. 377-396 ; Tony Judt, *Le Marxisme et la Gauche française, 1830-1981,* Hachette, 1987.

6. Victor Daline, « Lénine et le jacobinisme », *A.H.R.F.*, 1970, p. 89-112.

7. Theda Skocpol, *States and Social Revolutions. A Comparative Analysis of France, Russia and China,* Cambridge, 1979 ; Lynn Hunt, *op. cit.*, p. 205-211 ; Ferenc Fehér, « The French Revolution : between Class Identity and Universalist Illusions », *Review,* VIII, 3, 1985, p. 335-351.

8. *Ibid.*, p. 342-347.

Conclusion

1. Donald M.G. Sutherland, *op. cit.*, p. 438-442.

2. François Lebrun et Roger Dupuy (éd.), *Les Résistances à la Révolution,* Imago, 1987, p. 11-15, 469-474 ; Norman Hampson, « La contre-révolution a-t-elle existé ? », *ibid.*, p. 462-468.

3. Yves-Marie Bercé, *Histoire des croquants,* Le Seuil, 1986, p. 349.

4. Valérie Quinney, « The Problem of Civil Rights for Free Men of Color in the Early French Revolution », *F.H.S.*, 1972, p. 544-557 ; Claude Wanquet, « Histoire d'une Révolution. La Réunion (1789-1803) », *A.H.R.F.*, 1979, p. 495-506 ; Thadd E. Hall, « Thought and Practice of Enlightened Government in French Corsica », *A.H.R.*, 1969, p. 880-905 ; François Pomponi, « Sentiment révolutionnaire et esprit de parti en Corse au temps de la Révolution », *A.H.R.F.*, 1971, p. 56-87 ; Anne Perotin-Dumon, *Être jacobin sous les Tropiques,* Société d'histoire de la Guadeloupe, 1985 ; « " Sous ce soleil brûlant " : recherches sur les jacobins des Antilles », *Bulletin de la Commission d'histoire de la Révolution française,* 1984-1985, p. 23-44 (elle insiste sur l'importance de l'abolition momentanée de l'esclavage, dans la mesure où elle permit la création d'un jacobinisme de couleur).

5. Jean-Clément Martin, *La Vendée et la France,* Le Seuil, 1987. Jean Boutier vient d'autre part de confirmer (« Un autre Midi. Note

sur les sociétés populaires en Corse (1790-1794) », *A.H.R.F.*, 1987, p. 158-175) les brillantes analyses de François Pomponi sur une île où « l'esprit de parti » l'emporte sans peine sur une interprétation vraiment démocratique de la Révolution. Cf. aussi le remarquable numéro spécial de *Provence historique* (t. XXXVI, fasc. 148, avril-septembre 1987) intitulé « Midi rouge et Midi blanc. Les antagonismes politiques sous la Révolution française et leur héritage dans le Midi méditerranéen », ainsi que le travail de Michel Brunet, *Le Roussillon. Une société contre l'État, 1780-1820,* Association des publications de l'université de Toulouse-Le-Mirail/Éditions Éché, 1986.

6. John Lynch, *The Spanish American Revolutions, 1808-1826,* Norton, 1986, p. 416.

Index

Historiens

Aftalion (Florin), 267.
Agulhon (Maurice), 262, 281, 311, 326.
Andrews (Richard M.), 230.
Armengaud (André), 295.
Aulard (Alphonse), 12.
Baker (Keith Michael), 36, 52.
Bercé (Yves-Marie), 108, 340.
Bergeron (Louis), 245, 251, 261, 270-272, 279, 285, 290.
Bertaud (Jean-Pierre), 145.
Bianchi (Serge), 303.
Bien (David D.), 67.
Blanning (T.C.W.), 141, 237.
Bluche (François), 41.
Bluche (Frédéric), 155.
Bonin (Hubert), 270.
Bosher (John F.), 45.
Bouloiseau (Marc), 165.
Bruguière (Michel), 45, 252, 254-255, 258.
Brunel (Françoise), 214.
Calvet (Henri), 201.
Castan (Nicole), 104.
Chaumié (Jacqueline), 165.
Chaussinand-Nogaret (Guy), 63, 66.
Cholvy (Gérard), 182.
Church (Clive), 215, 227, 258.
Cobb (Richard), 172-173, 183, 216.
Cobban (Alfred), 13, 15, 61-62, 68-69, 267, 273.
Cochin (Augustin), 14, 29, 169.
Cornette (Joël), 313.
Crouzet (François), 268.
Daline (Victor), 333.
Darnton (Robert), 26, 32, 35, 304.
David (Marcel), 305.
Davis (John A.), 239.
Dessertine (Dominique), 298.
Doyle (William), 41, 48, 64, 66, 79.
Dupâquier (Jacques), 295.
Dupuy (Roger), 120, 158.
Egret (Jean), 47, 54.
Eisenstein (Elizabeth), 68.
Élias (Norbert), 66.
Engels (Friedrich), 332.
Eude (Michel), 201-202.
Farge (Arlette), 98.
Fehér (Ferenc), 332.
Forrest (Alan), 239, 284.
Furet (François), 16, 111, 123, 343.
Gaxotte (Pierre), 15.
Gayot (Gérard), 31.
Gendron (François), 214.
Godechot (Jacques), 51, 143, 227, 238, 296.
Goujard (Philippe), 183.
Gramsci (Antonio), 44.
Guérin (Daniel), 194.

Guizot (François), 12, 332.
Hampson (Norman), 204, 339.
Higonnet (Patrice), 166, 169.
Hirsch (Jean-Pierre), 80.
Hood (James N.), 118.
Huard (Raymond), 320.
Hufton (Olwen), 283, 299, 302.
Hunt (Lynn), 69, 239, 304, 328.
Jaeck (Hans Peter), 332.
Jaurès (Jean), 12, 332, 343.
Jones (Peter M.), 282.
Labrousse (Ernest), 83.
Lagasquié (Marie-Thérèse), 173.
Langlois (Claude), 136, 292.
Lavisse (Ernest), 327.
Lefebvre (Georges), 68, 75, 88, 95, 201, 203, 206, 333.
Lemarchand (Guy), 239.
Le Roy Ladurie (Emmanuel), 269.
Lewis (Gwynne), 118.
Lucas (Colin), 62, 218.
Lyons (Martyn), 174, 199, 202.
Martin (Jean-Clément), 157, 319, 342.
Marx (Karl), 12, 332.
Mathiez (Albert), 12, 19, 194, 199, 203, 206, 343.
McManners (John), 293, 309.
Michelet (Jules), 12, 194, 204, 206, 329, 343.
Mignet (Auguste), 12.
Monnier (Raymonde), 241.
Moravia (Sergio), 310.
Mornet (Daniel), 19-20.
Naville (Pierre), 29.
Nicolas (Jean), 62, 88, 107, 275.
Nicolet (Claude), 323, 325.
Nora (Pierre), 327-328.
Ormières (Jean-Michel), 137.
Ory (Pascal), 328.
Ozouf (Mona), 306.
Palmer (Robert R.), 38.
Parker (Harold T.), 249, 258.
Patrick (Alison), 165.
Paulson (Ronald), 309.
Perrot (Jean-Claude), 269.
Pertué (Michel), 187, 329.
Petitfrère (Claude), 157.
Phillips (Roderick G.), 298.
Plongeron (Bernard), 131.
Pocock (John G.A.), 329.
Quéniart (Jean), 131.
Quinet (Edgar), 204, 306, 326.
Regaldo (Marc), 310.
Reinhard (Marcel), 54.
Rémond (René), 315, 318-319.
Richet (Denis), 27, 111, 343.
Roche (Daniel), 27, 283.
Rudé (George), 94.
Sagnac (Philippe), 296.
Schlumberger (Michèle), 218.
Schmitt (Eberhard), 51.
Scott (Samuel F.), 115-116.
Sédillot (René), 267.
Sentou (Jean), 274.
Sewell Jr. (William H.), 26.
Skocpol (Theda), 334.
Soboul (Albert), 171-172, 194, 270, 272, 275, 281, 285, 297, 311, 321, 343.
Starobinski (Jean), 306.
Suratteau (Jean-René), 227.
Sutherland (Donald), 10, 111-112, 126, 134, 143, 154, 165, 180, 182, 214, 219, 227, 236, 246, 260, 262, 264-265, 272, 278, 251, 255, 338.
Tackett (Timothy), 136, 292.
Taine (Hippolyte), 14, 29, 337, 344.
Talmon (John L.), 170.
Taylor (George V.), 62.
Thiers (Louis Adolphe), 12, 332, 343.
Tilly (Charles), 89.
Tocqueville (Alexis de), 16, 19, 29, 34, 44, 204, 216, 337.
Trénard (Louis), 132, 276, 289.
Tulard (Jean), 252, 272.
Van Kley (Dale K.), 52.
Viguerie (Jean de), 287.
Vovelle (Michel), 22, 181, 306.
Weber (Max), 216, 260.
Whitcomb (Edward A.), 259-260.
Woloch (Isser), 230.
Woronoff (Denis), 270.

Personnages

Aiguillon (Armand, duc d'), 79.
Alembert (Jean Le Rond d'), 24, 26, 32.
Aligre (Étienne Jean d'), 41.
Amar (Jean-Baptiste), 200.
Ampère (André Marie), 289.
Artois (Charles Philippe, comte d'), 119.
Audrein (Yves Marie), 132.
Babeuf (François Noël, dit Gracchus), 122, 128, 209, 214, 224, 230, 241, 321.
Ballanche (Pierre Simon), 289.
Barère (Bertrand de), 189, 209.
Barnave (Pierre Joseph Marie), 12.
Barras (Paul François, vicomte de), 195, 213, 226, 250.
Barrême, 253.
Barruel (Augustin), 14, 19, 29-30.
Barthélemy (François, marquis de), 226.
Batz (Jean Pierre Louis, baron de), 190.
Beauharnais (Joséphine de), 250.
Bergasse (Nicolas), 35.
Bernadotte (Jean-Baptiste Jules), 238.
Billaud-Varenne (Jacques Nicolas), 188, 197-198, 209, 310.
Blake (William), 309.
Blanqui (Louis Auguste), 321.
Bolivar (Simon), 344.
Bonaparte (Lucien), 236, 277.
Bonaparte (Napoléon), 11, 14, 45-46, 60, 146, 206, 213, 219, 223, 226-228, 233, 235-237, 240-241, 245-252, 256-268, 272-275, 277-279, 285, 290-291, 293, 296, 298, 304, 309, 311, 319-320, 323, 337-338, 340.
Bonneville (Nicolas de), 128, 167.
Breteuil (Louis Auguste, baron de), 58.
Brienne (Étienne Charles de Loménie de), 45, 47, 49-50, 54, 73-74, 112, 253, 340.
Brissot (Jacques Pierre), 32-33, 35, 38, 125, 139-142, 148, 159, 161, 167, 237.
Broglie (Victor François, duc de), 58.
Brune (Guillaume Marie Anne), 238.
Brunswick (Charles Guillaume Ferdinand, duc de), 142, 149.
Buonarroti (Philippe), 231, 321.
Burke (Edmond), 29, 320.
Cagliostro (Giuseppe Balsamo, dit Alexandre, comte de), 35.
Calonne (Charles Alexandre de), 44-47, 49, 54, 73-74, 113, 340.
Cambacérès (Jean Jacques Régis de), 249.
Cambon (Pierre Joseph), 253-254.
Carnot (Lazare Nicolas Marguerite), 176, 192, 197, 201, 204, 226, 264.
Carra (Jean Louis), 32, 35, 127.
Carrier (Jean-Baptiste), 184-185, 195, 209.
Cassou (Jean), 321.
Cerutti (Joseph Antoine Joachim), 127.
Chalier (Marie Joseph), 156, 162.
Chaptal (Jean Antoine), 277.

Charette (François Athanase), 185, 223.
Chateaubriand (François René, vicomte de), 289-290.
Châtelet (Marie Louis Florent, duc du), 79.
Clavière (Étienne), 253.
Colbert (Jean-Baptiste), 309.
Collot d'Herbois (Jean-Marie), 184, 188, 191, 195, 197-198, 200, 209.
Condorcet (Jean Antoine Nicolas, marquis de), 37, 308.
Constant (Benjamin), 261.
Cosse-Brissac (Louis Hercule Timoléon, duc de), 114.
Courier (Paul Louis), 320.
Couthon (Georges Auguste), 179, 197, 201.
Crèvecœur (Saint-John de), 36.
Danton (Georges Jacques), 125, 189-192, 197, 200, 203, 313, 323.
Daunou (Pierre Claude François), 215.
David (Jacques Louis), 37, 306, 309.
Davout (Louis Nicolas), 117.
Dechazelle (Pierre Toussaint), 276.
Demeunier (Jean Nicolas), 75.
Desmoulins (Camille), 125, 127, 191.
Diderot (Denis), 29, 37.
Dolivier (Pierre), 155.
Dumouriez (Charles François), 153.
Du Port (Adrien), 69.
Duquesnoy (Adrien), 277-278.
Encontre (Daniel), 320.
Enghien (Louis Antoine Henri de Bourbon, duc d'), 264.
Entraigues (Emmanuel Louis Henri, comte d'), 66, 82.
Fauchet (Claude), 122, 128, 167, 288.
Faure (Edgar), 328.
Fénelon (François de Salignac de La Mothe-), 30, 51.
Ferrières (Charles Élie, marquis de), 81.
Ferry (Jules), 326.
Fouché (Joseph), 179, 184, 195.
François de Neufchâteau (Nicolas), 271, 277.
Franklin (Benjamin), 36.
Frédéric II, 24.
Fréron (Élie Catherine), 33.
Fréron (Stanislas Louis Marie), 195.
Froment (François Marie), 118-119.
Gambetta (Léon), 422.
Gaudin (Charles), 46, 256, 260.
Genet (Édouard), 144.
Gibbon (Edward), 28.
Gillray, (James), 309.
Ginguené (Pierre Louis), 280.
Gobel (Jean Baptiste Joseph), 180.
Gounon (famille), 314.
Goya (Francisco), 309.
Grégoire (Henri Baptiste), 22, 220.
Grimm (Frédéric Melchior, baron de), 33.
Hassenfratz (Jean Henri), 310.
Hébert (Jacques René), 125, 127, 191-193, 195.
Hegel (Georg Wilhelm Friedrich), 290.
Henri IV, 60.
Hoche (Louis Lazare), 223, 229.
Holbach (Paul Henri, baron d'), 29.
Hume (David), 28.
Irinyi (Jozsef), 331.
Ivernois (François d'), 268.
Jésus, 132, 222, 289, 323.
Jouffroy (Alain), 329.
Jullien (Marc-Antoine), 196.
Kornmann (Guillaume), 35.
Labrousse (Suzanne), 36.
Laclos (Pierre Ambroise François de), 74.
Lacombe (Benoît), 313.
La Fayette (Marie Joseph, mar-

quis de), 36, 68, 73, 75, 80, 124, 127, 141, 149, 212, 323.
La Harpe (César Frédéric de), 145.
La Harpe (Jean François de), 33, 128, 214.
Lamennais (Félicité Robert de), 287.
Lanjuinais (Jean-Denis), 183, 249.
La Révellière-Lépeaux (Louis Marie de), 135, 226.
La Rochejaquelein (Victoire, marquise de), 158.
Laverdy (Clément Charles François de), 91.
Lavoisier (Antoine Laurent), 34.
Lebrun (Charles François), 340.
Leclerc (Théophile), 189, 194.
Lénine (Vladimir), 315, 321, 332-334.
Léopold II, 141.
Lepaige (Louis Adrien), 35.
Lindet (Robert), 197.
Linguet (Nicolas), 29, 33.
Littré (Émile), 324.
Louis XIII, 51.
Louis XIV, 40-42, 44, 51, 61, 67, 143, 340, 342.
Louis XV, 29, 41, 44, 48, 51-52, 87, 90, 254, 256-257, 277.
Louis XVI, 23, 25, 28-30, 33-34, 37, 39-46, 48-49, 52, 54-60, 67, 91, 103, 138-141, 145, 148-149, 159-160, 163, 212, 253, 258, 323.
Louis XVIII, 162, 183, 212, 225.
Louis-Philippe Ier, 74.
Mably (Gabriel Bonnot de), 52.
Machault d'Arnouville (Jean-Baptiste), 47.
Machiavel (Nicolas), 204.
Maistre (Joseph Marie, comte de), 15, 35, 277.
Malesherbes (Guillaume Chrétien de Lamoignon de), 53.
Malet (Claude François de), 266.
Mallet du Pan (Jacques), 32.
Malthus (Thomas Robert), 295.
Marat (Jean-Paul), 32-33, 35, 124-125, 127-128, 141, 156, 160, 163, 165, 194, 288, 305, 309, 321, 323, 326, 329, 333.
Marchais (Georges), 323.
Maréchal (Sylvain), 122, 128.
Marie-Antoinette, 33, 48, 56, 60, 73, 141.
Masséna (André), 146, 238.
Massin (Jean), 329.
Maupeou (René Nicolas de), 41, 47-48, 50, 53-54, 74, 111, 340.
Maurepas (Jean Frédéric, comte de), 40.
Mazzini (Giuseppe), 331.
Mendès France (Pierre), 325.
Mercier (Louis Sébastien), 33, 96, 255, 276, 306.
Mesmer (Franz Anton), 35, 126.
Mirabeau (Honoré Gabriel, comte de), 68-69, 75, 115, 326.
Mnouchkine (Ariane), 329.
Mollien (Nicolas François), 46, 257.
Montesquieu (Charles de Secondat, baron de), 26, 28.
Montyon (Jean-Baptiste Auget, baron de), 96.
Mounier (Jean Joseph), 28.
Murat (Joachim), 236.
Naigeon (Jacques André), 29.
Necker (Jacques), 39-40, 42, 45-46, 49-50, 55-60, 67, 70, 85, 94, 113, 227.
Néron, 28.
Newton (Isaac), 34.
Noailles (Louis Marie, vicomte de), 79.
Orléans (Louis Philippe Joseph, duc d'), 74, 93, 159.
Panckoucke (Charles Joseph), 28.
Paoli (Pascal), 250.
Pasquier (Étienne), 42, 50.
Paul (saint), 22.
Petöfi (Sandor), 331.
Pichegru (Jean Charles), 225.
Portalis (Jean Étienne Marie), 293.

Prieur de la Côte-d'Or (Claude Antoine), 197.
Racine (Jean), 305.
Ramel (Dominique Vincent), 253, 255.
Raynal (Guillaume Thomas François), 37.
Rémusat (Charles de), 320.
Restif de La Bretonne (Nicolas), 289.
Reubell (Jean-François), 226, 234, 237.
Réveillon (Jean-Baptiste), 85, 94.
Rivarol (Antoine), 14.
Robespierre (Maximilien Marie Isidore de), 11-12, 29-30, 36, 38, 141, 145, 148, 155, 160-161, 165, 190-191, 194-207, 214, 254, 293, 306, 309-310, 320-321, 323, 325, 331, 333.
Roland (Manon Jeanne Phlipon, Mme), 141.
Rousseau (Jean-Jacques), 29-32, 36, 128, 131, 179, 202, 215, 250, 277, 283, 290, 293, 299-300, 306, 310, 321, 325, 327.
Roux (Jacques), 153, 156, 172, 175, 189, 194.
Roy (Claude), 329.
Ruffo (Fabrizio), 238.
Sade (Donatien Alphonse, marquis de), 308, 329.
Saige (Guillaume Joseph), 53.
Saint-Just (Louis Antoine de), 12, 192, 197, 199, 204, 255, 310, 322, 325, 333.
Saint-Martin (Louis Claude de), 35.
Ségur (Henri Philippe, marquis de), 67.
Sénac de Meilhan (Gabriel), 308.
Sieyès (Emmanuel Joseph), 68, 70,73-74, 82-83, 215, 234, 236, 247, 299.
Sieyès (Adam), 215, 310.
Staël (Anne-Louise, baronne de), 12, 251, 261.
Staline (Joseph), 331.
Stendhal (Henri Beyle, dit), 320.
Stofflet (Nicolas), 223.
Talleyrand (Charles Maurice de), 130.
Tallien (Jean Lambert), 196.
Théot (Catherine), 36, 200.
Thibaudeau (Antoine Claire), 249.
Turgot (Jacques), 25, 37, 42-43, 46, 49, 53, 85.
Turreau (Louis Marie), 184, 196.
Vadier (Marc Guillaume Albert), 200, 202-203, 209.
Varlet (Jean), 153, 189, 194, 214.
Vastey (Pierre), 183.
Vasvari (Pal), 331.
Vergennes (Charles, comte de), 41.
Voltaire (François Marie Arouet, dit), 22, 27, 32, 41, 43, 129, 132-133, 202, 293, 327.
Voulland (Jean Henri), 200.
Wickham (William), 225.

Lieux

Afrique, 332.
Aix-en-Provence, 80.
Allemagne, 140, 145, 330.
Allier, 179.
Alpes-Maritimes, 223.
Alsace, 120, 134-135, 220.
Amérique, 330, 332.
Amiens, 96.

Anjou, 135, 149, 152, 157, 184, 292.
Antilles, 340.
Aquitaine, 340.
Ardèche, 119, 140, 148.
Ariège, 165, 202.
Arles, 148.
Artois, 281.
Athènes, 325.
Atlantique, 13, 269.
Aubenas, 135.
Autriche, 43, 142, 219, 223, 227, 233, 235, 237, 263.
Auvergne, 102, 105, 115.
Avignon, 120.
Bagnols, 321.
Bassin parisien, 136, 342.
Bayeux, 283.
Béarn, 28.
Belfort, 121.
Belgique, 142, 145, 153, 154, 220, 233, 254.
Berne, 225.
Berry, 80, 103, 120, 134.
Besançon, 302.
Bordeaux, 53, 84, 124, 162, 174-175, 196, 284, 313.
Bouches-du-Rhône, 156.
Bourbonnais, 120.
Bourgogne, 89, 102, 106, 115, 134, 182.
Brazzaville, 332.
Bretagne, 70-71, 86, 102, 106, 114-115, 120-121, 132, 134, 152, 155, 157-158, 181, 212, 221, 238, 291-292, 301, 342.
Brienne, 250.
Budapest, 331.
Caen, 134, 164.
Calabre, 145, 238.
Calvados, 164.
Campoformio, 227, 232, 237.
Castres, 105.
Caux (pays de), 239.
Centre, 136, 220, 274, 287, 294.
Centre-Est, 107.
Champagne, 69.
Charente, 148.
Charleston, 144.
Chartres, 107.
Cholet, 157.
Coblence, 140.
Compiègne, 181.
Corse, 250-251, 341.
Dauphiné, 69, 71, 86, 101-102, 104, 107, 234.
Deux-Sèvres, 114.
Dijon, 89, 186.
Drôme, 148.
Égypte, 233, 237.
Espagne, 142, 164, 172, 309.
Est, 183, 229, 265.
Étampes, 155.
États-Unis, 13, 32, 36, 43, 46, 73, 80, 140, 144, 149, 227, 241, 279, 310, 334, 343.
Europe, 11, 13, 34, 36-37, 84, 138-139, 141-142, 146, 149, 159-160, 228, 232, 237, 255, 268, 272, 308-310, 325, 330-331.
Flandre, 102.
Fleurus, 197.
Forez, 218.
Franche-Comté, 103, 276.
Gaillac, 313.
Gand, 222.
Gard, 118-119, 148, 156, 320.
Garonne, 235.
Gâtinais, 120.
Genève, 268.
Gers, 208.
Grande-Bretagne, 13, 26, 31, 43, 74, 85, 142, 153, 164, 185, 212, 223, 227, 233, 235, 264, 268-269, 272, 279, 309-310, 320, 334, 338, 343.
Granville, 183.
Grenoble, 80.
Grisons, 239.
Haïti, 340.
Haute-Garonne, 148.
Hérault, 182, 253.
Hesdin, 117.
Hongrie, 330-331.
Ile-de-France, 74.
Ille-et-Vilaine, 140.
Inde, 238.

Ioniennes (îles), 239.
Italie, 144, 157, 223, 233-234, 238-239, 250, 331.
Jalès, 119-120.
Jura, 164.
La Havane, 334.
Languedoc, 89, 104-105, 115, 118-119, 220, 222, 255, 295, 342.
Le Mans, 134, 239.
Lille, 174, 229.
Limousin, 121.
Loire (département), 184.
Loire (fleuve), 105-106, 136, 152, 208.
Loire-Inférieure, 179.
Lombardie, 223.
Londres, 268.
Lorraine, 22, 103, 277.
Lozère, 165.
Lyon, 35-36, 40, 80, 104, 119, 121, 124, 149, 156, 162-164, 167, 171, 174, 179-180, 183-184, 186, 195, 211, 235, 272, 276-277, 289, 299, 342.
Mâconnais, 104.
Maine, 134.
Maine-et-Loire, 137.
Manche, 181.
Marseille, 22, 80, 85, 112, 121, 147-149, 156, 162-164, 167-168, 175, 184, 196, 211, 229, 292.
Massif central, 107, 134, 136, 220, 234.
Maulévrier, 136.
Mayence, 188.
Mayenne, 137.
May-sur-Èvre, 157.
Metz, 298.
Mexico, 332.
Mezzogiorno, 239.
Midi, 86, 105, 118, 120, 123, 133, 147-148, 155-157, 162, 174, 184, 194, 197, 208, 210-211, 214, 217, 219, 221-223, 226, 235, 262-263, 265, 272, 274, 321, 341.
Montauban, 80, 118, 320.
Montbrison, 171.
Montpellier, 253.
Morbihan, 195.
Moselle, 230.
Nancy, 116-117, 277.
Nantes, 84, 136, 152, 179, 184, 195, 239.
Naples, 233, 238-239.
Nièvre, 179, 181.
Nîmes, 118-119, 321.
Nord, 72-73, 86, 100, 114, 134-136, 140, 147-148, 153, 162, 183, 218, 220, 223, 225, 254, 272-273, 313.
Nord-Est, 100.
Nord-Ouest, 209, 262, 287, 295, 342.
Normandie, 102, 180, 283.
Occident, 11, 34.
Occitanie, 107.
Ouest, 86, 107-108, 119-121, 123, 134-136, 140, 150-153, 157-158, 164, 167, 179, 181, 184-186, 197, 208, 212, 214, 220-221, 223, 226, 229, 234, 239, 248, 262-263, 265, 273-274, 279-280, 294, 311, 341.
Paris, 16, 20, 29-30, 32, 35, 37, 40-43, 50, 52, 57-60, 68-70, 73-75, 80-81, 84-89, 91-99, 102, 105-106, 113, 115, 121-128, 131, 136, 138-141, 147-151, 153, 155, 159-164, 167, 171-172, 174-176, 180-181, 184-185, 187-188, 190-191, 193-196, 205, 209-210, 212-214, 216-218, 221, 224, 226, 230, 232-235, 237, 241, 247, 250, 252, 263, 271-274, 276, 283, 285, 298, 302, 311, 321, 332, 340, 343.
Pays basque, 222.
Pékin, 334.
Perche, 155.
Périgord, 121-122, 128, 307.
Picardie, 128, 134.
Piémont, 233.
Pilnitz, 140.
Poitiers, 134.

Pologne, 330.
Procope (café), 125.
Provence, 23, 30, 44, 101, 119, 121, 148, 222, 234, 281, 311, 342.
Provinces-Unies, 142, 144, 233, 235, 238-239.
Prusse, 140, 142.
Puy-de-Dôme, 114, 180, 192.
Pyrénées, 105, 223.
Quercy, 120.
Quiberon, 212.
Reims, 53, 69.
Rennes, 70, 80, 167, 339.
Réunion, 340.
Rhénanie, 145, 233, 239.
Rhône, 105, 223, 274.
Rome, 36, 233.
Rouen, 208, 222, 277, 298, 302.
Russie, 12, 144, 172, 233, 235, 237-239, 322, 330-331, 333-334.
Saint-Antoine (faubourg), 125, 172, 210, 230.
Saint-Brieuc, 239.
Saint-Domingue, 84.
Saint-Étienne, 276.
Sarthe, 140.
Saumur, 152.
Savenay, 183.
Savoie, 62, 88, 275.
Seine-Inférieure, 183.
Sienne, 239.
Strasbourg, 22, 35, 135, 151, 156, 272.
Sud-Est, 119, 134, 136, 140, 156, 171, 223, 263.
Sud-Ouest, 79, 136, 225, 239.
Suisse, 233, 238-239.
Tarascon, 211.
Toscane, 233.
Toulon, 162, 164, 167-168, 183-184, 188, 196, 211.
Toulouse, 24, 80, 89, 104, 171, 173-175, 181, 187, 218, 235, 238, 247, 274, 298, 304, 314.
Turquie, 233, 239.
Uzès, 118.
Valais, 239.
Val de Loire, 181.
Valmy, 150.
Vannes, 136.
Var, 148, 156, 262, 279, 311.
Varennes, 111, 123, 140.
Velay, 300.
Vendée, 136, 145, 152, 157-158, 165, 176, 179-180, 183-185, 196, 204, 208, 219, 223, 307, 319, 333, 342.
Vendômois, 281, 312.
Vérone, 212.
Versailles, 56-57, 71, 94, 174.
Vesoul, 302.
Vienne, 237.
Vincennes, 329.
Vivarais, 105.
Vizille, 70.
Zurich, 235.

Thèmes

Agriculture, 84, 86-87, 91, 99-103, 106-107, 115, 122, 147-148, 176-177, 207, 217, 268-269, 271-277, 279-282.
Alphabétisation, 95-96, 157, 170, 312-313.
Armée, 41, 56-59, 67, 73, 80, 86, 91, 93-94, 96-97, 105-106, 112, 116-118, 121, 124, 127, 140-141, 143-150, 152-155, 157, 163, 165, 173-174, 176-177, 179, 182, 186-187, 189, 191, 193-194, 196, 201, 210-211, 213, 219, 221-223, 226, 230-

239, 248, 250, 254, 256, 262-266, 271, 275, 278, 291, 295, 309, 326, 330, 334, 342.
Artisans, 71, 80, 92, 95, 98, 113, 120, 124-126, 151, 163, 171-174, 187, 198, 211, 213, 222-223, 232, 241, 273, 328, 337.
Assemblée constituante, 31, 52, 56-59, 71-76, 79-82, 99, 103, 111-115, 117-118, 120, 122-124, 129-130, 132-135, 139, 150, 159, 202, 214, 252, 257, 269-270, 277-278, 284, 296, 340.
Assistance, 96, 130, 171, 217-218, 284-285, 291, 300-302.
Athéisme, 29, 180, 190, 310.
Biens nationaux, 113-115, 122, 222, 253, 274, 313.
Brigands, 80, 86, 88, 91-92, 95-98, 100-102, 104-106, 115, 145, 150, 155, 208, 222-223, 225-226, 234, 238, 247, 262-264, 342.
Bureaucratie, 25, 27, 40, 44-46, 53-54, 60, 73, 106, 113, 177, 180, 188-190, 192-193, 199, 201-203, 208, 215-216, 224, 226-230, 240, 252, 255, 257-261, 265-266, 269, 278, 282, 285, 341.
Capitalisme, 11, 13, 27, 45, 47, 50, 61-69, 82, 87, 89-90, 95, 107, 114, 155-157, 166, 175-177, 190-191, 215, 255-256, 258, 267-280, 310, 325, 333, 339.
Catholicisme, 20-23, 27, 112, 116, 118-120, 129-136, 145, 153, 178-182, 187, 190, 197, 200, 203, 214, 218-221, 223, 229-230, 232-233, 239, 246, 248-249, 263-266, 282-284, 287-294, 296, 298, 301-302, 307, 309.
Centralisation, 25, 46, 53, 90, 113, 116, 139, 152, 154, 162, 167, 177, 190, 192, 213, 216, 228-229, 240, 245, 251-252, 256-257, 260, 264, 269, 274, 277-278, 309, 320-321, 324-325, 335, 337-338, 341, 343.
Chômage, 84, 87, 92, 96, 100, 105, 156, 163, 174, 222, 262, 285, 300-301.
Clergé, 33, 47, 49, 51-52, 56-57, 64, 70-72, 75, 77, 79-80, 82, 86, 101, 103, 106, 113, 115, 124, 128-137, 140, 149, 155, 158-159, 170-171, 176, 178-183, 185-187, 229-230, 249, 289-294, 296, 302, 312, 317.
Clubs, 36, 111, 124, 126, 141, 144, 148, 156, 161, 172, 176, 180, 186, 209, 224-225, 230, 232, 235, 302.
Commerce maritime, 84, 147, 253-255, 268-272, 279-280, 340.
Commune, 124, 126, 150-151, 153, 163, 172, 188-189, 193-194, 198-199, 321.
Communisme, 15-16, 224, 230, 323, 333-334.
Conservatisme, 27, 30, 33, 39, 42-44, 52, 58, 65, 65-70, 73, 75, 82-83, 88, 91, 118, 128, 143, 152, 164, 212, 225-226, 232-233, 261, 274, 280, 282, 290, 299, 309, 311, 324, 328-330.
Constitution, 50, 52, 59, 71-72, 76, 78-79, 111-112, 123, 139, 144, 162, 164, 171, 212-215, 226-228, 231-232, 234, 236-237, 240, 247-249, 313, 318, 334, 337-338, 342.
Constitution civile du clergé, 129, 133-137, 158, 178, 181, 186, 208, 220, 296, 328.
Contre-révolution, 14, 16, 23, 29, 54, 58-61, 66, 73, 83, 108, 111, 115, 117-120, 123-124, 133-144, 147-163, 165-168, 179-180, 182-187, 189-190, 196-197, 200, 202, 207-208, 212-216, 221-223, 225-226, 229, 231-232, 235-239, 246,

261-263, 268-269, 279, 289, 309, 319, 333, 339.
Convention nationale, 32, 132, 144, 149-154, 158-167, 172, 175-177, 179-181, 185-186, 188-201, 207-210, 212-215, 218-219, 225, 236-237, 253-255, 296, 312, 329, 333.
Culture, 33, 63, 66, 130-131, 134, 144-145, 158, 182-183, 261, 277, 287, 289, 291-292, 294, 303-306, 308-313, 320, 327, 329-331, 343.
Déchristianisation, 15, 22, 131, 135, 173, 178-186, 189-190, 197, 200, 207, 229-230, 232, 288-294, 302-303.
Démocratie, 12, 30, 36, 108, 111, 125-127, 139, 144, 150-151, 155, 165, 169-170, 184, 189, 194-195, 209-210, 224, 227, 230, 232, 235, 241, 254, 276, 282, 305, 308-309, 316-320, 323, 325-326, 328-334, 342-343.
Démographie, 37, 86, 100, 104, 143, 225, 265, 273, 295-296.
Départements, 112, 121, 124, 141, 149, 156, 164, 168, 175, 180-181, 184, 195, 237, 251, 257, 274, 313, 338.
Désertion, 93, 118, 140, 146, 186, 208-209, 211, 213, 219, 222-223, 228, 234, 236, 238-239, 265, 285.
Dévotion, 19, 22-23, 52, 131, 134, 171, 181-182, 287-288, 290-291.
Discours révolutionnaire, 14, 16, 28, 51-52, 107, 123, 129, 156, 169-170, 194, 283, 303-307, 310, 313, 321, 327.
Égalité, 30, 32, 36, 72, 77-78, 96, 122, 126, 130, 144, 147-148, 155, 167-175, 177-179, 196, 215, 218, 229, 265, 276, 281-282, 285-286, 295-299, 303, 308-310, 317, 329, 334, 342.
Élections, 65, 68, 70-74, 77, 88, 101, 113, 116, 130, 133-134, 139, 151, 159-160, 163, 170-172, 212-216, 218-219, 225-227, 230-237, 239-241, 247-249, 260, 281-283, 299, 316-319, 328, 341.
Émigration, 78, 111, 117, 119, 140-141, 153, 162, 164, 181, 209, 212-214, 221-223, 226-229, 247-248, 253, 263, 268.
Enfants, 98, 157, 285, 289, 294-302, 340.
Famille, 96, 119, 125, 134, 150, 220, 229, 281, 287, 293-302, 320, 339, 341.
Famine, 88, 90-96, 101, 116, 147, 173, 208-210, 214-218, 222, 254, 283-284, 301-302, 320, 342.
Fédérations, 117, 149, 307.
Femmes, 23, 93-94, 104, 136, 147, 157, 178, 181, 189, 209-210, 217, 220, 222, 225, 266, 284-285, 292-293, 296-304, 320, 340.
Féodalité, 62, 66, 75-83, 101-103, 106-107, 116, 121, 152, 164, 238, 248, 270, 272, 274-275, 284, 306, 332.
Fêtes, 98, 180, 190, 197, 291-293, 304-307, 310-314, 318, 327-328, 342.
Finances, 43-50, 54-56, 78-83, 87, 111-114, 132, 141, 153, 159, 186, 191, 207, 219-221, 225-227, 233-234, 247, 252-258, 260, 268, 270, 272, 280, 284, 340.
Folklore, 21, 104, 307, 311-312.
Garde nationale, 80, 88, 94, 104, 111-112, 116-121, 123-124, 135, 139-141, 148-153, 156, 158, 172, 186, 198, 210, 213, 221, 316.
Gauche, 15, 159-160, 201, 224, 226, 232, 241, 247, 317, 319, 321, 329.
Girondins, 33, 138, 141-142, 144, 148-149, 159-161, 163-168,

176, 183, 199, 209, 238, 333.
Grains, 85, 87-90, 101, 103-104, 147, 153, 155, 160-161, 254.
Guerre, 85, 111, 115, 138-149, 151-156, 159-161, 165, 172-173, 176-178, 183, 189-193, 196-199, 207, 221, 223, 226-227, 231-239, 246, 254-256, 259, 262-265, 269-273, 278, 284-285, 295, 302, 320, 326, 335, 338, 342.
Guerre civile, 112, 117-118, 129, 135-138, 154, 158, 161, 163, 173, 175, 180, 184, 186, 204, 208, 212, 239, 320, 335, 341-342.
Impôts, 70, 78, 85, 92-94, 100-101, 103-104, 107, 111, 113-115, 122, 125, 128, 132, 144, 152, 161, 171, 177, 221, 234, 248, 252-253, 256-257, 260, 262, 265, 270, 274, 279, 337, 340.
Industrie, 84-86, 100, 147, 174, 185, 253, 258, 267-273, 276-280, 300-301, 310, 325, 335, 338.
Inflation, 114, 175-176, 208, 218, 267-270, 301, 342.
Jacobins, 12, 14, 29, 32, 124-127, 136, 139, 141, 144-149, 151, 153-156, 160-165, 168-171, 173-174, 181, 184-189, 193-199, 203-204, 209-215, 218-241, 247-248, 253, 261, 264, 277, 282-284, 288, 291, 310-311, 318-321, 325, 330, 333.
Jeunes, 104-105, 122, 151, 157, 187, 208, 211, 218, 222, 234, 237, 240, 265, 295.
Journalisme, 32-33, 37, 80, 96, 122, 124-128, 144, 213, 216, 224, 226, 230, 232, 235, 247, 276, 317.
Juristes, 26-27, 68, 71-74, 106, 113, 125-126, 151, 159, 169, 171, 259, 275, 277, 282.
Justice, 53-54, 100, 103-106, 121, 128-129, 154, 170, 183-189, 197, 211, 223, 246-247, 252, 283, 316, 318, 322, 324.
Laïcisation, 22, 131, 134, 149-150, 328.
Libéralisme, 12, 20, 26-28, 47, 51-52, 63-78, 81, 85, 87, 90, 204, 215, 218-219, 228, 239-240, 245, 247, 261, 269-270, 278, 280, 320, 323-324, 328, 331, 334, 343.
Liberté, 31, 36, 52, 74, 79, 126-132, 140-141, 144-145, 152-160, 165, 169, 176, 180, 185, 190, 192, 209, 220, 222, 248, 262, 282, 292, 297, 303-304, 307-309, 314-320, 326-328, 332, 343.
Lumières, 11, 19-37, 42-52, 61, 65, 68-69, 72-75, 107, 127-132, 145, 158, 169, 178, 182, 229, 245-246, 261, 276-278, 288-293, 299, 306-312, 314, 320, 323, 327, 330-331, 337, 339, 341.
Millénarisme, 88, 111, 147, 181, 289, 339.
Modérés, 73, 82, 113, 117, 126, 139, 154-156, 159-162, 165-169, 172, 192, 196, 201, 207, 209, 213-215, 225, 236, 241, 328.
Modernisation, 28, 46, 63, 82, 90, 95, 97, 107, 229, 246, 260, 268, 270, 274-275, 281, 283, 286, 305, 325, 328-329, 334-335.
Monarchie, 13-14, 24-30, 33, 39-64, 67-99, 101-119, 123, 133, 138-140, 148-153, 156, 162, 185, 212-216, 221, 225-229, 237, 246, 251, 255-260, 264, 268, 277-278, 282, 289, 325, 327, 334, 337, 340.
Monnaie, 113, 147, 161, 177, 224, 253, 256, 260, 270, 272.
Mort, 22, 37, 197, 204, 208, 217, 224, 291, 294, 302, 305, 309, 332, 339.
Notables, 22, 47-50, 54-55, 69-

70, 76-77, 94, 104, 107, 122, 130, 145, 151, 156, 174, 202, 211, 215, 219, 224-225, 240, 260, 267, 273-280, 282, 314, 337.
Opinion, 20, 26, 31, 40, 44, 48-55, 60, 65, 69-70, 74, 94-97, 107, 135, 160, 164, 207, 213-215, 224-232, 235, 246, 249, 252, 261-265, 278, 291, 315-319, 338.
Ouvriers, 84, 88, 93-98, 125, 139, 156, 167, 171-172, 174, 185, 196, 208, 211, 217, 222, 224, 273, 283-286, 298, 301, 311.
Pain, 84-85, 92-96, 161, 173, 188, 209, 283, 333.
Partage des terres, 122, 127-128, 147-148, 155, 164, 179, 282.
Patriotes, 48, 53-54, 59, 68, 72-76, 79, 93, 117, 119-120, 123, 128, 135-136, 138-150, 153, 156-157, 163, 165, 172, 178, 181, 192, 195-196, 306, 314, 322, 326, 328, 332.
Pauvreté, 84-89, 91-92, 95-98, 100, 103, 105, 114-115, 120, 122, 125, 131, 145, 147, 149, 152-156, 161-163, 174-175, 189, 192, 194, 208, 217-218, 222-224, 265-266, 269, 273, 281-286, 295, 300-302, 337-340, 342-343.
Paysans, 71, 74-76, 79-87, 95-108, 113-122, 127-129, 135-140, 145-150, 155-158, 162-164, 167, 175-178, 182, 186-187, 207-208, 212, 220, 223, 228-229, 235, 239, 269, 273, 275, 281-283, 294, 307, 311-313, 339-340.
Peur, 86, 88, 92, 96, 98, 101-107, 118, 139-140, 150, 155, 158, 162, 168, 173, 180, 183, 197-198, 204, 211, 245, 283, 338.
Police, 33, 40, 92-93, 95-99, 106, 117, 154, 165, 186, 190, 193, 197-203, 210, 230-231, 246, 285.
Pouvoir, 116, 118-121, 123, 125, 128-129, 138, 150-152, 155-156, 166-167, 172-173, 184-185, 192, 329, 332-334, 339, 341.
Prix, 84-86, 90, 92-93, 147-148, 153-156, 161-162, 175-177, 186, 190, 208, 224, 268, 272.
Prophétisme, 35, 135, 266, 290, 329.
Propriété, 77, 80-82, 86, 92, 94, 101-102, 115, 122, 126-128, 134, 148, 151, 155, 160, 162, 164, 170-173, 177, 192, 224, 253, 258, 261, 265, 268-269, 271-279, 281-282, 298, 310, 337, 341.
Prostitution, 32, 93, 217, 284, 301.
Protestants, 26, 116-119, 132, 211, 222, 235, 282, 320.
Province, 20, 27, 32, 37, 40-44, 47-51, 54, 56, 68-74, 80, 85-88, 91, 94-96, 101, 113-115, 124, 127, 139-141, 149, 156, 160-163, 168, 171, 193-194, 197, 202-205, 209-210, 224, 227, 232, 273, 278.
Radicalisme, 28-29, 35, 37, 71-76, 80, 93, 95, 111, 113, 117, 122-129, 139-145, 149-151, 154-156, 160-162, 166-169, 183-185, 190-196, 203, 277, 328, 331, 336.
Réformes, 44-59, 70-75, 78, 82, 95, 113, 115, 123, 145, 292, 296, 314, 331.
Régime seigneurial, 71, 74, 76, 79, 82, 100-107, 114-115, 120-121, 151, 159, 202, 221, 269, 281, 314, 340.
Religion populaire, 36, 135-136, 181-182, 229, 266, 291-294, 302-307, 311, 322, 340.
Représentation, 49-54, 77, 125, 170, 213, 240, 249, 261, 265, 278-279, 325, 338.
République, 11-12, 30, 37, 52, 60, 74, 134, 139, 142-146, 150-

157, 161-162, 164-167, 178-179, 187, 189, 197, 201-209, 217-218, 221-241, 247, 251-256, 261-263, 277, 282, 302, 304, 307-321, 323-329, 331-335, 340-342.
Royalisme, 118-119, 132, 150, 152, 155, 157, 160, 162, 165, 167, 176, 196, 207-215, 210, 221-226, 228-231, 234-238, 246-249, 262-266, 283, 289-291, 305.
Salaires, 84-85, 95-96, 100, 122, 147, 176-177, 188, 198, 281, 286, 300.
Sans-culottes, 95, 148-151, 155-156, 161, 164-165, 170-177, 184-195, 198-199, 209-210, 217, 241, 253, 288, 303, 320, 341.
Science, 31, 35, 37, 203, 258, 308-311, 324.
Socialisme, 12, 231, 315, 318, 330-332, 342.
Sociétés populaires, 124-125, 144, 149-151, 181, 193-195, 232, 317-318.
Soulèvements populaires, 13, 47, 56-59, 73-75, 79-108, 120-122, 127-128, 135-138, 144-175, 179-181, 185-196, 209-211, 213-214, 218, 222-224, 229, 233-235, 238-239, 262, 265, 276, 301, 307, 316, 319, 340.
Subsistances, 86-98, 100, 104, 107, 122, 147-148, 153-155, 160-162, 164, 171-179, 188-189, 193-195, 207-209, 217-219, 252-254, 262, 284, 301-302, 340.
Terreur, 11-12, 14-15, 29, 80, 106, 140, 152-153, 161-162, 165-213, 217-219, 222, 226-232, 255, 258, 261, 267, 277, 281-282, 301, 305, 309, 313, 315, 318-322, 326, 330-333, 338, 342-344.
Thermidor, 122, 165, 195, 214, 220, 270, 281, 283, 310-311, 334, 338.
Thermidoriens, 31, 208, 211-218, 231, 255, 258, 284, 304, 310, 322.
Tradition, 20-30, 39, 42-43, 53-54, 59, 63-67, 73-76, 86-95, 99, 105-107, 115, 118-119, 123, 128, 134, 145, 150, 158, 172-173, 181-182, 208, 211, 219, 222, 229, 239, 250-255, 271-276, 281-283, 286-304, 307-321, 326-328, 334-340, 343.
Unité nationale, 86, 172, 187, 247, 252, 258, 265, 270, 304-307, 315-318, 322, 324-328, 337-340, 343.
Utopie, 29, 35-37, 43, 203, 215-217, 224, 276, 307-309, 321, 323, 325.
Vertu, 74, 169, 172, 179, 187, 190-191, 293, 308-311, 318-325.
Villes, 13, 22, 26, 40, 47, 51, 69-75, 80, 83-89, 99-115, 120, 123-127, 131, 135-140, 147-148, 152-159, 162, 167, 171-179, 186-187, 211-212, 217-218, 221-222, 228-232, 262, 273, 275, 280, 283-285, 290-292, 295, 298-302, 311-313, 329, 337-339, 341.
Violence, 30, 80, 90, 94-99, 103-112, 115-121, 127-128, 136, 140, 150, 159, 166-170, 173, 182, 202-204, 211-212, 217-219, 228, 247, 303-305, 308, 316-322, 333, 337.

Table

Introduction 11

PREMIÈRE PARTIE

Des causes profondes

1. **Un triomphe des Lumières ?** 19
   La pensée des Lumières imprégnait-elle les mentalités françaises à la veille de la Révolution ? . . 19
   La pensée des Lumières avait-elle un contenu révolutionnaire ? 24
   Existait-il une mentalité révolutionnaire à la veille de 1789 ? 31

2. **Une défaite du despotisme ?** 39
   La monarchie pouvait-elle se réformer avant 1787 ? 39
   La victoire aristocratique de 1788 fut-elle un succès des idées libérales ou des privilèges traditionnels ? 46
   La monarchie démissionna-t-elle complètement à la veille et au début de la Révolution ? 55

3. Une victoire de la bourgeoisie ? 61
Une lutte de classes opposait-elle noblesse et bourgeoisie avant 1789 ? 61
La révolution politique de 1789 fut-elle due à la bourgeoisie ? 68
La révolution sociale de 1789 fut-elle une opération bourgeoise ? 75

4. Une Révolution populaire ? 83
L'intervention populaire de 1789 fut-elle une insurrection inédite de la misère ? 83
Pourquoi Paris se souleva-t-il en 1789 ? 91
Les soulèvements ruraux de 1789 constituent-ils une révolution paysanne originale et autonome ? 99

DEUXIÈME PARTIE

Un cours logique ?

5. Un dérapage évitable ? 111
Une monarchie constitutionnelle était-elle viable en 1790 ? 112
Le mouvement révolutionnaire se radicalisa-t-il avant la fuite à Varennes ? 123
La réorganisation de l'Église catholique par la Révolution créa-t-elle un risque de guerre civile ? 129

6. Une guerre idéologique ? 138
La France révolutionnaire porte-t-elle la responsabilité de son conflit avec l'Europe ? 138
La mobilisation populaire de 1792-1793 favorisa-t-elle la Révolution ou la contre-révolution ? . . 147
L'antagonisme entre la Gironde et la Montagne était-il irréductible ? 158

7. Une logique de la Terreur ? 169
Qui furent les terroristes, quel fut leur programme et comment fut-il appliqué ? 170
Pourquoi la Terreur se bureaucratisa-t-elle ? . . . 188
Pourquoi la dictature jacobine s'est-elle suicidée le 9 Thermidor ? 195

8. Une dictature inévitable ? 206
La réaction thermidorienne marque-t-elle la fin de la Révolution ? 206
L'expérience libérale du Directoire était-elle viable ? 219
Le coup d'État de Brumaire était-il fatal ? 231

TROISIÈME PARTIE

Des changements décisifs ?

9. Un nouvel État ? 245
Pourquoi la Révolution française a-t-elle abouti à l'établissement d'une dictature personnelle ? . . 245
La centralisation administrative développée par la Révolution et Napoléon s'inscrit-elle dans la continuité de l'Ancien Régime ? 251
Le régime napoléonien a-t-il mis fin à l'existence des oppositions ? 261

10. Une nouvelle société ? 267
La Révolution a-t-elle ruiné l'économie française ? 267
La Révolution française a-t-elle renouvelé les élites ? 273
La Révolution française a-t-elle transformé la condition des classes populaires ? 280

11. Une Révolution culturelle ? 287
La Révolution a-t-elle déchristianisé la France ? 287
La Révolution française a-t-elle désagrégé la famille traditionnelle ? 294
La Révolution française a-t-elle créé un homme nouveau ? 303

12. Un héritage idéologique ? 315
L'ombre de la Révolution pèse-t-elle sur la politique française contemporaine ? 315
La République française tire-t-elle ses origines de la Révolution ? 323
Les révolutions contemporaines dérivent-elles de celle de 1789 ? 329

Conclusion 337

Chronologie 345
Notes 361
Index 400

COMPOSITION : BUSSIÈRE À SAINT-AMAND (CHER).
IMPRESSION : BRODARD ET TAUPIN À LA FLÈCHE (SARTHE).
DÉPÔT LÉGAL : JANVIER 1988. N° 9827 (1311-5)